New Look, Ju

Para una pareja maravillosa,
como es Carlos + Fanny Domínguez
Disfrutenlo.
Besos.
  Myriam Negrette..

ISBN 958 95108-3-3

Vigésima octava edición

Diseño y diagramación:
Luis Enrique Cárdenas
Elaboración artes finales electrónicos:
Compublique Ltda.

Coordinación editorial última edición:
Alejandra Gáfaro
Diseño cambios última edición:
Mónica Bothe
Viñetas:
Nohora Estella Torres
Fotografías de portadillas:
Gustavo Mauricio García y Germán Montes
Selección de color:
Zetta Comunicadores

Impreso por Impreandes Presencia S.A.
Impreso en Colombia - Printed in Colombia

TERESITA ROMAN DE ZUREK
Amparo Román de Vélez
Olga Román Vélez

CARTAGENA DE INDIAS EN LA OLLA

Fotografías
Angel de Miguel
Hellen Karpf
Producción de fotografías
Clara Inés de Arango

Prefacio
Lácides Moreno Blanco

Distinciones:

Primer premio de cocina criolla,
Búfalo (EE.UU.), 1967

Pergamino de la Asociación de Grandes
Restaurantes y Afines (Acogran), octubre de
1983

Primera edición:	Editorial "Antares" 1963
Segunda edición:	Editorial Bedout S.A. 1964
Tercera edición:	Editorial Bedout S.A. 1967
Cuarta edición:	Editorial Bedout S.A. 1968
Quinta edición:	Editorial Bedout S.A. 1969
Sexta edición:	Editorial Bedout S.A. 1971
Séptima edición:	Editorial Bedout S.A. 1972
Octava edición:	Editorial Bedout S.A. 1973
Novena edición:	Editorial Bedout S.A. 1973
Décima edición:	Editorial Bedout S.A. 1977
Undécima edición:	Editorial Bedout S.A. 1978
Duodécima edición:	Editorial Bedout S.A. 1979
Décima tercera edición:	Editorial Bedout S.A. 1980
Décima cuarta edición:	Editorial Bedout S.A. 1981
Décima quinta edición:	Editorial Bedout S.A. 1982
Décima sexta edición:	Editorial Bedout S.A. 1984
Décima octava edición:	Ediciones Gamma, 1988
Décima novena edición:	Ediciones Gamma, 1989
Vigésima edición:	Ediciones Gamma, 1990
Vigésima primera edición:	Ediciones Gamma, 1991
Vigésima segunda edición:	Ediciones Gamma, 1992
Primera edición en inglés:	Ediciones Bedout, S.A. 1974
Vigésima tercera edición:	Ediciones Gamma, 1994
Vigésima quinta edición:	Ediciones Gamma S.A. 1995
Vigésima séptima edición:	Ediciones Gamma S.A. 1996
Vigésima octava edición:	Ediciones Gamma S.A. 1998

Presentación

Este libro ha sido un **best seller** colombiano. Contabiliza más de cien mil ejemplares vendidos desde 1963 y ha circulado no sólo en Colombia sino también en el exterior. Representa un aporte a la difusión del bien comer y abarca un amplio recetario de cocina cartagenera y del Caribe, así como de diversas regiones del país, e incluye una selección de platos internacionales.

Por sus méritos culinarios, **Ediciones Gamma S.A.** decidió reeditar la obra de Teresita Román de Zurek, quien por muchos años recopiló estas recetas que han deleitado ya a millares de colombianos. Además se le encomendó la revisión de la totalidad de los textos y la redacción del prefacio al doctor Lácides Moreno Blanco. Diplomático, escritor y colaborador de diversas publicaciones, entre las cuales se cuenta la Revista Diners, Lácides Moreno es además un gourmet y un estupendo cocinero y, por añadidura, cartagenero.

Las excelentes fotografías de este volumen fueron realizadas por Angel de Miguel y Hellen Karpf, y la producción fotográfica estuvo a cargo de Clara Inés de Arango.

Para **Ediciones Gamma** es motivo muy grato presentar este nuevo tiraje, que constituye la vigésima séptima edición de **Cartagena de Indias en la Olla,** a la cual se le han incluido nuevas recetas y fotografías. El índice fue revisado en su totalidad para que los lectores se puedan guiar no sólo a partir del nombre de las recetas sino tambien de los ingredientes que las componen.

Por qué hice este libro

L a afición a la cocina y el gusto por todo lo autóctono, me impulsaron a llevar a cabo la inmensa tarea de recuperar —¿y por qué no decirlo?—, de resucitar las recetas de nuestra vieja cocina cartagenera, algo perdidas. Ha sido esta una labor muy ardua, de años de trabajo, para buscarlas y reconstruirlas, poniendo cantidades exactas, ya que las comidas cotidianas típicas en nuestra casa se hacían al "ojo", o sea al cálculo que da la práctica.

Con el mismo encendido amor por las cosas de Cartagena, colaboraron en todo el proceso del libro mi tía Amparo de Vélez, en quien, entre sus muchas y bellas virtudes, resplandecía el buen gusto por la cocina, y mi hermana Olga Román Vélez, sin cuyas constantes preocupaciones e inteligentes indicaciones, tal vez no hubiera sido posible llevar a buen término esta recopilación. Cabe esclarecer, además, que todas a una experimentamos las recetas aquí incluidas, a fin de asegurar la eficacia de sus resultados.

He tratado de explicarlas lo más claramente posible, de manera que fueran fáciles a la más novata de las amas de casa, e inclusive a los aficionados, precisamente cuando la cocina está de moda entre nosotros. En cada nueva edición he agregado recetas, sugerencias o consejos, persiguiendo así una utilización más dilatada de **Cartagena de Indias en la Olla**, sin dejar de la mano temas en apariencia anacrónicos por la manifestación de nuevas costumbres o conceptos de la urbanidad, como son aquellos de la etiqueta para nuestra buena conducta en la mesa y la presentación adecuada de la misma, tan esenciales en los hábitos sociales.

Es posible que en estas páginas se descubran algunas coincidencias: nombres similares bajo recetas diferentes, y muchos platos afines. Pero no hay que olvidar el origen común de la cocina hispanoamericana, que nos vino de la Península, especialmente de Andalucía, con algo de flamenco y de oriental, pues con el Imperio llegaban influencias dondequiera que iban los Tercios (como la cepa de Pedro Ximénez), cocina que fue adaptada al ambiente de nuestro terruño con los elementos nativos.

Ninguno más indicado para abrir el libro con un prefacio que Lácides Moreno Blanco, magnífico gourmet y gran amigo, a quien en verdad debo la idea de recoger el recetario cartagenero y publicarlo por primera vez, con el ánimo de rescatar primordialmente, recuerdo que me dijo, el valioso acervo cultural de nuestra tierra, introducción que me ofreció desde aquel entonces, pero que por sus misiones diplomáticas y obligadas ausencias de la tierra, apenas ahora he podido contar con su maravillosa colaboración. Gracias, Lácides, por tu cálido aporte.

En esta oportunidad y con profundo afecto quiero evocar la memoria de María Cristina León de Luna Ospina, para rendirle homenaje de gratitud por el empeño que demostró siempre en vida para salvar de un posible olvido el interesante recetario de su hermana Clara Elena León de Restrepo, así como a los hijos de ésta, Julio y Alonso Restrepo, quienes a pesar de los años que tienen de estar fuera del "Corralito de Piedra" aún se deleitan con su cocina, la cual les trae, esencialmente, entre aromas y aromas, la tibia añoranza materna.

Fue Clara Elena un ejemplo dignificante de la mujer cartagenera: abnegada, llena de virtudes cristianas en el más claro sentido de esta definición y distinguida por los atributos del espíritu. Por imperativo de la sensibilidad fue una estudiosa permanente de la cocina, pues la practicó con amor y creciente pericia, hasta llegar a disfrutar de merecido prestigio en sazones y presentación de las comidas, no sólo de la cartagenera, sino de otras partes del mundo.

Mis reconocimientos, así mismo, a la parienta española Mercedes Moreno Cordero, quien con entusiasmo permanente nunca ha dejado de ofrecerme su colaboración con recetas, casi todas sacadas de los arcones familiares; y quiero dedicar con la más acendrada gratitud este libro a mi esposo, Alfonso Zurek Mesa, en señal de reconocimiento, pues cuando lo proyectaba fue un soporte moral, un guía seguro y generoso, animándome así para que llevara adelante la empresa sin desfallecimientos, hasta alcanzar el éxito, como a Dios gracias así ha sido, si lo medimos por las reediciones que ha merecido y el aplauso de la crítica.

La primera edición de este libro se honró en sumo grado con las palabras prologares de ese gran señor y erudito en las ciencias históricas que se llamó don Marco Dorta. El, una y otra vez, se proclamó "hijo de adopción de Cartagena de Indias, la más bella ciudad del Mundo Hispánico, la novia del Caribe". Sobre ella escribió un libro fundamental, en el que contempla aspectos desconocidos de la formación de la ciudad, la construcción de sus fortificaciones y el valor de su arte arquitectónico. Ese trabajo le demandó dilatadas investigaciones en los archivos españoles, especialmente en el de Sevilla, esfuerzo intelectual que sólo podía hacer un enamorado como él de nuestra ciudad.

Al tributarle ahora un sentido homenaje de gratitud a su memoria, cabe señalar que con la desaparición de Marco Dorta y cuando todavía era de esperarse mucho de sus talentos bien nutridos de sabiduría, España perdió un intelectual de singular valía y Cartagena un fervoroso cultor de su pasado y de su vida espiritual.

Cumplo, finalmente, con la satisfacción de expresar también mis reconocimientos a Ediciones Gamma-Revista Diners por el entusiasmo y cálido interés con que dispuso esta nueva edición de **Cartagena de Indias en la Olla**, revistiéndola en un nuevo primor editorial con vestido de gala, esfuerzo que hemos querido aceptar esencialmente como homenaje de tan prestigiosa entidad, Ediciones Gamma-Revista Diners, a mi cara ciudad.

Teresita Román de Zurek

Palabras junto al fogón

De la abundancia, que goza aquel País (Cartagena) en todo género de Carnes, Frutas, y Pescados podrá inferirse lo abastecidas,
y regaladas, que serán allí las Mesas; las quales son servidas en
las Casas de distinción, y comodidad, con gran decencia, y ostentación, y con explendidez. La mayor parte de los manjares
aderezados a la moda del País, y no sin diferencia a los que se
acostumbran en España (1735).

Relación Histórica del Viage a la América Meridional
Jorge Juan-Antonio de Ulloa

Cartagena de Indias en la Olla es un libro sin pretensio-
nes magistrales en torno a la cocina, ni tampoco sobre
su arte trascendente, ni su ciencia. Como lo vi en crisáli-
das y cuando apenas volaba en alas de su concepción,
bien puedo decir, para tranquilidad de la crítica impa-
ciente, que es esencialmente el resultado feliz de unas saudades. Es
que cuando el alma de Cartagena parece escapársenos como agua
entre las manos o tras las quimeras de nuevos afanes, el espíritu se
revuelve en nostalgias.

Y es que, ¿acaso no se ha ido perdiendo el encanto de su cocina, hecha de sabiduría popular, enriquecida a través de las peripecias de
su más alta historia, de sus reacciones sociales, por el lento proceso
de emigrantes —franceses, italianos, alemanes, árabes— quienes han
dejado en el caldero también sus herencias familiares y avecinda-
dos entre nosotros con especiales querencias? Entonces, si esa expresión anímica del terruño va mermándose así, fácil es compren-
der el valor que tiene para la sensibilidad el esfuerzo plausible de
rescatar de en medio de la confusión colectiva ese legado, como
ninguno otro, revelador, en su dinámica cotidiana, del alma de la
ciudad.

A través de este recetario, recogido de la tradición oral, más que de
libros, Teresita Román de Zurek, su hermana Olga Román Vélez
y la tía Amparo Román de Vélez, quien mora ya a la diestra del
Dios Padre, demostraron cuán entrañables fueron para ellas los va-
lores culturales de su tierra, y la cocina lo es en sumo grado. Que
más allá de las piedras historiadas, de las sagas llenas de primor
o sacrificios, del canto y la tradición enervantes muchas veces, flo-
recen esos otros dones de excepcional valor para la identificación,
como son el folclor y la coquinaria, decantada esta última a través
del tiempo y digna de rescatarse. Porque esta cocina cartagenera,
que tanto sorprende a los forasteros y es tan del regusto de su gente, se hizo con el aluvión de muchas herencias, de sorprendentes

influencias, lo que llamaría, forzando la definición filosófica, el sincretismo gustativo originado en la fusión del indígena, del peninsular y del negro.

Por determinantes geográficos corresponde esa cocina a la magia del Caribe, mas sin identificarse del todo con tal influencia, que mermaría su carácter propio.

Ahora bien, aceptemos para una elemental apreciación conceptual el simple nombre del Caribe. Pero en realidad el entorno geográfico de esa área abarca, por circunstancias históricas, expresiones culturales, o por la conformación de elementos étnicos, diversos caribes. Bajo la eufonía de muchos de sus nombres podríamos identificar la índole, la temeridad colonizadora de las potencias marítimas y el trasunto de las costumbres sociales que allí se han formado. Martinica, Saint Kitts Nevis, Trinidad y Tobago, Grenada o Barbados, Santa Lucía o Bonaire, Dominica o Guadalupe, Antigua o Monserrat, San Vicente o María Galante, dan la clave.

En este caso me refiero a la constelación de islas que como un luminoso contrafuerte de la naturaleza se abre frente al Mar de los Sargazos y al Trópico de Cáncer, rutas imprevisibles por donde vinieron aventureros de extraños sueños e indescifrables esperanzas. Evangelizadores, pastores protestantes y los que luego fueron santos. Al tomar las calzas de Villadiego, perdonavidas, desocupados, vagabundos, reos y criminales de toda calaña; malandrines y truhanes, corsarios y piratas, así como las mozas de partido ávidas del azar y del oro y las impacientes pasiones. Y los tahúres que se jugaban hasta la propia vida en las noches febriles a la luz de los mechones de sebo o en las tardes de silencios enervantes; los caballeros de nobles y gallardas empresas; los inquisidores, magistrados, alcabaleros y mercaderes.

Fue un mundo nuevo el que se formó así, con esa compleja emigración a través del tiempo, en el embrión del descubrimiento y la colonización de asturianos, gallegos, vascos, catalanes, valencianos, castellanos y andaluces, como para complementar el encantamiento de las islas con la vitalidad crepitante de otra humanidad.

Entre ese fuerte de miriadas de islas llamadas de Barlovento, y el otro límite, conformado por la cuenca de México hasta la península de Paria, en Venezuela, aflora el vigoroso Caribe: Cuba, Jamaica, Santo Domingo, Haití y Puerto Rico, conocidas como grandes Antillas de Sotavento.

Y al lado de ese corazón tibio del Caribe, recibiendo su color y sus prodigios, sus sabores y sus músicas, su sentido de la vida y de la muerte, Cartagena de Indias.

Por ese motivo geográfico tan decisivo, antes de la llegada de los primeros europeos toda la cuenca exhibía cierta uniformidad en sus costumbres y hábitos alimenticios, tal vez con esquivas variantes, pero sin romper el ritmo general.

Para el antropólogo dominicano Roberto Cassa, la sociedad taina, al arribo de los españoles se encontraba en la fase del neolítico en cuanto a la tecnología de la piedra, de la que se perfeccionaban los principales utensilios de trabajo antes del uso productivo de los metales.

Eran pueblos de incipiente agricultura que desconocían el ganado, así como los animales domésticos, en esta y aquellas islas o porción del continente bañada por las mismas aguas de las Antillas. Las diferenciaciones vinieron luego, con la resaca inmigratoria y las distintas colonizaciones. El único carnívoro que conocían era el perro mudo, tan familiar entre los aborígenes de Calamari, según Oviedo, que lo comían cuando las hambrunas arreciaban. Vivían primordialmente de la caza y de la pesca, pues eran excelentes navegantes de piraguas. Buenos cazadores, mediante sistemas muy primitivos. Gustaban de la hicotea, de la iguana y de los huevos de tortuga. Y de la siembra y recolección de yuca, con la que hacían su pan, el *cazabi*, primordial dentro de la dieta de esa gente.

El naturalista P. Bernabé Cobo, a mediados del siglo XVII, escribió su erudita *Historia del Mundo Nuevo* y describe allí la hicotea, en algunas islas de las Antillas jicotea, como un pescado parecido a la tortuga que se cría en el agua, otras en tierra. "Hállanse de todas en gran cantidad en las provincias de Tierra Firme, particularmente en la de Cartagena, adonde se suelen recoger en un corral cantidad de ellas para la cuaresma, y las van matando cada día como si mataran aves caseras".

Precaria era también la técnica de cocimiento, más que todo hervidos o asados, a diferencia de México, dado que a Moctezuma, bajo gran esplendor "le servían sus cocineros más de treinta maneras de guisados, hechos a su manera y usanza". O algunas de la cocina de los incas que hicieron el Imperio de Tahuantinsuyu, más evolucionada y rica en condimentos, ajíes y platos autóctonos, donde predominaban las papas. Tal vez desde entonces le viene a los peruanos el *chupe*, con sus langostinos y pescados; la *carapulcra*, con papas amarillas, papas secas y maní; la *causa chiclayana*, abundante con sus papas amarillas, la yuca, el camote, pescado y plátanos verdes, entre otros elementos.

Pero nada de raro tendría que los indígenas de las islas, que luego conformaron la gran Cartagena, por la simplicidad del gusto estuvieran más cerca del arte gastronómico, que los mexicanos o incaicos con sus acres estofados.

La conquista y colonización de América, vista a fondo, fue empresa muy compleja, y en cuanto a la alimentación en particular, exigida tras largas navegaciones, fue en el fondo aspecto muy delicado de satisfacerse por los tremendos esfuerzos de adaptación que demandaba. Por este motivo y con sabia visión política, el rey Fernando el Católico dispuso, desde el Segundo Viaje de Colón, el envío de herramientas, semillas, animales en pie y gente experta para la colonización agrícola. Nos llegaron entonces, por primera vez, el trigo, la cebada, el arroz y el centeno; las habas, los garbanzos, lentejas y fríjoles; los almendros; los membrillos, manzanos, albaricoques y casi todas las frutas de hueso; los naranjos, las limas, limoneros, cidras, toronjas, perales y ciruelos. Y la caña de azúcar de las islas Canarias, al decir de García Mercadal.

Viajaron también, entre quimeras y quimeras de aquellos hirsutos pobladores ibéricos, el ganado vacuno y lanar, la gallina y la guinea, los caballos y borricos, con lo que se afianzó la revolución alimenticia del Nuevo Mundo, pues las tierras recién descubiertas eran un prodigio de fertilidad para la abundancia y calidad de muchos de los frutos que se experimentaban, a veces con éxito, en otras con fracasos.

Esa fue, desde luego, otra fuente para la conformación de la olla cartagenera, la que lentamente, a medida que la ciudad alzaba el vuelo en importancia estratégica y como centro vital del Imperio de ultramar, se fue perfeccionando en el crisol de lo autóctono y original.

No sé hasta dónde la incidencia negra predominó en esta cocina con elementos comestibles originales o recetas del continente africano. Quizá con la variedad de ñames, el guandul, la candia, quimbombó o bahmia; la gallina de guinea y el frijolito blanco cabecita negra. O con el uso del sofrito, salsa casi siempre elaborada a base de cebolla, ajo, pimiento o ají dulce, tomate y manteca o aceite. A veces le añadían achiote para otorgarle color, muy semejante en su conjunto a la salsa "ata" de la cocina yoruba; pero donde radica su milagro sin duda fue en la mano y en el sentido de la sazón. E inclusive en algunas técnicas, pues, según la nutricionista cubana Nitza Villapoll, se han encontrado métodos afines en

América y Africa, de cocción, hervido, asado a fuego directo, frito y cocinado al vapor. Este último sistema se ha empleado frecuentemente en el aprovechamiento de las hojas de plátano para envolver el alimento.

La costumbre de remojar granos secos o leguminosas para luego pelarlos y molerlos crudos, adicionándoles ajos, ajíes picantes, etc., y friendo la masa en grasa para obtener pequeños bollos o frituras, es común a diferentes países de Africa. Los yorubas los denominan "akara", concluye la acuciosa investigadora.

En Haití los hacen con malanga o de bacalao, subidos de picante (ají o pimienta negra) y especias, bajo el nombre de "acras". Pero en Cartagena se llaman buñuelos y los perfeccionan, bajo el mismo procedimiento, con frijolitos blancos cabecitas negras, que pasados por la máquina de moler se baten lo suficiente para que doren bajo la manteca caliente y queden tan leves como copos de algodón al viento.

Como instrumento utilizado en la preparación de granos, así como otros alimentos, vino del continente negro el pilón, otros dicen *pilau*, pero que era familiar hasta hace pocos años en muchos patios cartageneros. Estaba labrado en un tronco grande de madera y alto con un hueco cóncavo, donde, precisamente, depositaban las negras los granos de maíz, las espigas del arroz o del millo preferencialmente, mientras de lado y lado, alzando las fuertes "manos" de madera los trabajaban al ritmo de sus dormidas canciones ancestrales o diluían sus nostalgias fumándose, bajo las cadencias del laboreo, una cachimbita de tabaco, con el fuego entre la boca, resignadas de pesadumbres.

La cocina cartagenera se diferencia, no obstante, de las del resto del Caribe, tanto por la amplia gama de sus platos, la originalidad de muchos de ellos, como por los matices de sus aliños, tendientes a una delicadeza y una atmósfera gustativa en armonía con el entorno local. Creo haber recorrido gran parte de las Antillas y haberme interesado vivamente, golosamente, por sus condumios y guisos, por arroces y hervidos, por su tono en gustos, y he llegado a la conclusión de que es una comida delirante de colores, de sabor y de paganos efluvios. Pero en su mayoría hay que aceptarla con prudencia por la afición de aquellas cocineras a los ajíes picantes o al exceso de las especias, placer que era usual, también por otro lado, entre los aborígenes de las Antillas. Hasta en eso se observa un interesante contraste, dado que la comida cartagenera es condimentada con el ají dulce, y quienes son adeptos al picante lo dosifican en sus platos al gusto. Recuerdo que antiguamente lo traían del Chocó en botellas cerveceras tapadas con maretira.

El arroz de coco con pasas, la sopa de mondongo, el sábalo con leche de coco, o el sancocho de sábalo —la *bouillabaisse* del Caribe, como ya dije en otra oportunidad—, el ajiaco con cerdo y carne salada, el higadete o la sopa de candia con mojarra ahumada, el enyucado, los pasteles navideños de arroz, delirantes de achiote y ricos en presas y vegetales, el arroz con coco con frijolitos negros o de coco con cangrejo, proclaman la bondad de una cocina depurada por el tiempo y por gustos populares, que encontró así formas originales y auténticas de expresión.

Dentro de los hábitos cotidianos del cartagenero no puede faltar el arroz de coco con titoté. Al momento de hacerlo y trocar la primera leche en aceite, brota del fondo de ese caldero un olor incitante, tan contagioso y volandero que cuando la ciudad era más íntima, más estrecha en su mundo de relaciones, salía jubiloso por ventanas y celosías coloniales. Los vecinos sabían así que el amigo cercano estaba preparando el célebre arroz con coco, vianda de las noches, amiga de los plátanos maduros al horno y la carne punta de nalga. Alguien llamó a esta asociación manducaria, las tres potencias. A veces se cambiaba la carne por la lengua guisada con panela, así como con clavos de olor, otro regalo de los dioses.

Este tesoro coquinario abunda también en variedad de dulces, de buñuelos, de refrescos frutales, de dulces en almíbares, de tortas y merengues, memorias de melindres, rosquillas o alberdigos en almíbar, alfajores, cuyo abolengo no es difícil de establecer si tenemos en cuenta la tradición española y los muchos conventos monjiles de la ciudad, donde entre un quehacer y otro bordado de las novicias, tejían también encajes de azúcares, y fabricaban turrones, mazapanes, bizcochos y suspiros para el señor obispo.

Otra característica de esta manducaria del *Corralito de Piedra* es la de acompañar sus platos de sal con aditamentos de dulce. Es así como aparecen en su recetario las arepitas de dulce, la cariseca, el enyucado, las hojaldres, el pastel de ñame, los plátanos guisados, los plátanos maduros en tajadas o en tortillas, e inclusive el dulce en algunas viandas, como la lengua mechada, enriquecida con panela y clavos de olor.

Posiblemente este hábito sea un rezago de la comida del siglo XVII de los Austrias, pues he visto en el *Libro de Arte de Cocina* de don Diego Granado (1599), una sopa bajo el nombre de *Capirotada*, bastante barroca e indigesta, desde luego, como es fácil de establecer, pues está hecha a base de "caldo gordo de carne, tendrá el aroma que pueden procurar una libra de azúcar, media onza de canela, un cuarto de pimienta, media onza entre clavos y nuez moscada y un puñado de comino".

A la aventura de América y en la primera fase de la conquista, los historiadores han establecido que no vinieron sino los llamados segundones citadinos o patricios urbanos, procedentes de villas y ciudades. Era "baja nobleza" hecha de infanzones, hidalgos y donceles; los caballeros y los llamados "ciudadanos honrados" de procedencia mercantil, intelectual y artesanal.

En lo que respecta a Cartagena en ese ordenamiento social, ya en el siglo XVI los encomenderos constituyeron el estamento principal de la población española en la ciudad y su predominio fue absoluto hasta aproximadamente 1579, cuando "se empieza a detectar dentro del vecindario de la ciudad la presencia de grandes mercaderes no pertenecientes al sector encomendero". Junto a ellos aparecen las autoridades reales y eclesiásticas, para seguirles en orden de consideración, a medida que crecen los grupos por el auge de la ciudad, los núcleos de pequeños funcionarios, escribanos, letrados, mercaderes, médicos, boticarios y barberos, y maestros de los distintos oficios artesanales y de la construcción, cuyas actividades fueron reguladas por el Cabildo. Allá abajo, en la última escala, los indios ladinos y los esclavos negros, factores sociológicos muy importantes de tenerse en cuenta al rastrear la formación de la cocina cartagenera; porque el emigrante gallego, andaluz, gaditano, de Extremadura o Castilla que ocupaba tales jerarquías, vino sin duda con sus gustos ancestrales, inclusive en muchos casos diferenciados dentro de la cultura peninsular; y al no satisfacerlos completamente en las nuevas Colonias se vio forzado a adaptar para sus platos de lo mucho o poco que se encontraba acá. Y aunque la primitiva cocina española perdió lentamente su énfasis, es indudable que dejó el alcaloide sentimental en el mestizaje criollo, así como una que otra sazón, contribuyendo a lo que en definitiva he llamado sincretismo de la cocina cartagenera.

Las carnes secas, como la del abadejo o bacalao, el aceite de olivas, el ajo, las aceitunas, las almendras, las pasas, las carnes en salazones, los vinos, tal vez "dulce, picante, blando y raspantillo", como diría Luis Vives, eran sin duda los elementos esperados ávidamente y que llegaban, bastante restringidos, por lo demás, en aquellos siglos a Cartagena en los lentos galeones.

Y si a ese esquivo panorama de la cocina se agrega la dura vida social de España que caracterizó a los siglos de su predominio colonial, fácil es deducir que la mesa criolla era también limitada de recursos, de tono menor, a veces "algo más vaca que carnero", como en la marmita de Alonso Quijano, aunque en veces pródiga en cantidades.

Porque, además, aunque ya a mediados del siglo XVI se conocían en España muchos libros de cocina, como lo señaló Ludwig Pfandal, "en este concepto, los contrastes eran radicales y acusados: refinamiento y gula entre los individuos de la corte y de la nobleza; modestia, parsimonia, y a menudo, privaciones y hambre, los de la clase media y plebeya".

Uno de los platos favoritos y tradicionales del estado llano español de aquella época –acota el mismo Pfandal–, era la famosa *olla podrida*; el queso, el vino, el pan con ajo como condimento y aperitivo, y el chocolate, eran factores alimenticios de primera necesidad.

En la legítima *olla podrida* entraba, como elemento constitutivo, la col, el puerro, la zanahoria, cebolla, calabaza, ajo, pimienta, aceite, vinagre, con carne de cerdo, de ternera o carnero y una buena ración de tocino. Conocidos son en la Península los refranes alusivos de que *no hay olla sin tocino ni sermón sin Agostino; vaca y carnero, olla de caballeros; y olla sin verdura no tiene gracia ni hartura.*

No obstante esa herencia tan caracterizada de la cocina española, ella se fue atenuando al pasar la mar y llegar a Cartagena. La barroca *olla podrida* se tornó en el suave sancocho de gallina, con su gama de yuca, ñame, plátanos, mazorcas y carnes frescas y saladas, exigente en su arte, y de ciertos cánones; los callos salsudos, con pimentón, chorizo y morcilla, en la sopa de mondongo, sustanciosa, con las gemas de alcaparras, el espesor a base de yemas de huevo, los trocitos de pan frito, así como las torrejas de huevo duro coronando aquel prodigio. Hasta el levantisco ajo, con que hacían los españoles sus ajiaceites y ajadas, a base de pan, ajos machacados y sal, se le aprovecha en el terruño con más juiciosa discreción.

Perdóneseme estas divagaciones históricas, pero es que para llegar al alma hechizante de Cartagena, y esto de su comida es parte sustancial de ella, no hay manera de hacerlo sin tocar las hondas fibras de su pasado, de lo que tiene sembrado en su vigorosa tradición.

Y al decantarse así la mesa cartagenera, entra entonces el verdadero arte de la gastronomía, y ya ese es otro cantar.

Es que no basta prender el fuego o la estufa, elegir el trozo tierno de solomillo o la pieza de reno, el venado, el borugo o guartinaja, la trucha salmonada o las setas, los vegetales de la estación o las frutas del huerto para elaborar un plato racionalmente comestible. Esas carnes, esos frutos y ese fuego necesitan de tratamiento armonioso para lograr una obra, toda una creación, que sea aceptable con complacencia para las papilas gustativas. Cocinar con sabiduría es llegar entonces a ciertas formas de arte. Las especias que deben resaltar los sabores de esas viandas, las hierbas o vinos llamados a perfumar el guiso, han de participar con tal equilibrio que predominen apenas en sus matices, o queden acentuados con primordial propósito cuando así lo exige la índole del plato, como en el caso de un *gigot*, magnificado elementalmente con las hojillas de romero y el ajo; y como sucede con múltiples platos de Cartagena, que tienen ya por derecho propio universalidad.

Ya para el siglo XVIII, desde luego, la cocina cartagenera estaba definida, lo que le concede un abolengo y una tradición; y aunque algunas costumbres alimenticias han variado forzosamente a través del tiempo por las mutaciones culturales, otras siguen predominando con su propio carácter, así como los contrastes de su discurrir social.

Ese cuadro, lleno de colorido y palpitantes encantos, se refleja en el relato que dejaron don Jorge Juan y Santacilia y don Antonio de Uiloa y de la Torre-Guiral, tenientes de navío que vinieron en misión científica en 1735, y quienes, por lo visto, tenían ojos bien despiertos, al analizar con sutileza lo que ellos llamaban castas, expresándose de ciertas costumbres cartageneras, trabajos y aficiones locales, así:

La fuerza de los calores no permite que puedan usar de Ropa alguna, y así andan siempre en Cueros cubriendo únicamente con un pequeño Paño lo más deshonesto de su Cuerpo. Lo mismo sucede con las Negras esclavas; de las cuales unas se mantienen en las Estancias casadas con los Negros de ellas, y otras en la Ciudad, ganando Jornal, y para ello venden en las Plazas todo lo comestible, y por las Calles las Frutas, y Dulces del País de todas especies, y diversos Guisados, o Comidas; el Bollo de Maíz, y el Cazabe, que sirven de Pan, con que se mantienen los Negros.

Más adelante se detienen perspicaces en otras observaciones:

En cuanto a las costumbres de aquella Gente tienen algunas que difieren sensiblemente de las de España; y aún de las que se practican en las principales partes de Europa: las más notables son el uso del Aguardiente, Cacao, Miel, y demás Dulces, y Tabaco en humo; a que se agregan otras singularidades, que seguirán a éstas en su explicación particular.

El Aguardiente tiene un uso tan común, que las Personas más arregladas, y contenidas lo beben a las once del Día; porque pretenden que con esta prevención recupera el Estómago alguna fuerza de la mucha que pierde con la sensible, y continua transpiración, y que coadyuba a avivar el apetito; en esta hora se convidan unos a otros, para hacer las

Once; pero esta precaución, que no es mala cuando se practica con moderación, pasa en muchos a hacerse vicio, y se embelesan tanto en él, que empezando a hacer las *Once,* desde que se levantan de la Cama, no las concluyen hasta que se vuelven a dormir.

Y sobre estas costumbres alimenticias de los viejos cartageneros, agregan:

El Chocolate, a quien allí conocen solamente por el nombre de Cacao, es tan frecuente, que lo acostumbran tomar diariamente hasta los Negros Esclavos, después que se han desayunado; y para este fin lo venden por las Calles las Negras, que lo tienen ya dispuesto en toda forma, y con solo calentarlo lo van despachando por Jícaras, cuyo valor es un Cuartillo de Real de Plata; pero no es todo puro Cacao, porque este común es compuesto de Maíz la mayor parte, y una pequeña de aquél: el que usan las Personas de Distinción es puro, y trabajado como en España. Repiten el tomarlo una hora después de haver comido, costumbre que no ha de dexar de practicarse en Día alguno; pero nunca lo usan en ayunas, o sin haver comido algo antes.

En la misma conformidad es grande el consumo, que hacen de los Dulces, y Miel; pues quantas veces en el discurso del Día se les ofrece beber Agua, ha de ser precediendo el tomar Dulce. Suelen preferir muchas veces la Miel a las Conservas, y otros Dulces de Almíbar, o secos, porque endulza más: en aquéllos usan del pan de trigo, de que solo para ellos, y el Chocolate se sirven; y éste le toman con Torta de Cazabe.

Parece que los amigos Juan y Ulloa sintieron indudablemente deleitación con ciertas carnes de la olla cartagenera, cuando pregonan:

Los Animales domésticos comestibles solo son de dos especies: Bacuno, y de Cerda; unos, y otros en cantidad. El Bacuno, aunque no del todo malo, es poco gustoso, porque el continuo calor de aquel Clima le impide el hacer de muchas Carnes, y que sean éstas sustanciosas: pero el Ganado de Cerda por el contrario es de tal delicadeza, y buen gusto, que no solo se tiene por el más sabroso de todas las Indias; pero en ninguna parte de Europa, se cree, que lo haya de igual sabor; y por esta razón Europeos, y Criollos le dan la preferencia a cualquier otro, y es el manjar ordinario de aquellos Moradores. Además de las buenas calidades, con que lisongea al gusto, lo consideran allí muy saludable; tanto que lo han hecho el alimento común, y más seguro de los Enfermos con antelación aún a el de Aves. Las especies de estas son Gallinas, Palomas, Perdices, y Patos en abundancia todas y de sabroso gusto.

Y entran también en la exaltación de ciertos manjares del condumio nativo:

De la abundancia, que goza aquel País en todo género de Carnes, Frutas y Pescados podrá inferirse lo abastecidas, y regaladas, que serán allí las Mesas; las cuales son servidas en las Casas de distinción, y comodidad, con gran decencia, y ostentación, y con explendidez. La mayor parte de los manjares aderezados a la moda del País, y no sin alguna diferencia a lo que se acostumbra en España; pero disponen algunos platos con tan delicada sazón, que son no menos agradables al Paladar de los Forasteros, que pueden ser gustosos al de los, que ya están con-naturalizados en su uso. El Agi-aco es uno de los más introducidos, y es rara la mesa donde falta, al cual bastaría la abundancia de especies, que lo componen, para hacerlo gustoso: porque en él entra Puerco Frito, Aves, Plátanos, Pasta de Maíz, y otras varias cosas sobresaliendo en él el picante de Pimiento, ó Ají, (como allí llaman) para que incite más el apetito.

Sobre el horario de servir las comidas cartageneras puntualizan en otros apartes:

Regularmente hacen allí dos comidas al día, y otra ligera: la primera por la Mañana, que se compone de algún Plato frito, Pasteles en Hoja hechos con Masa de Maíz, ú otras cosas equivalentes, a que se sigue el Chocolate: la de Medio día es más cumplida; y la de la Noche suele reducirse a Dulce, y Chocolate; aunque muchas Familias hacen Cena for-mal, como se acostumbra en Europa. Suelen decir vulgarmente, que las Cenas son allí dañosas; pero nosotros no experimentamos mas novedad, que en Europa, y acaso el daño estará en el exceso de las otras comidas.

Años más tarde estuvo por nuestra tierra (1825-1826) el marino sueco Carl August Gosselman —ya en plena República y cuando Cartagena se mostraba decaída después de su apogeo colonial y sus sangrientos sacrificios por la independencia—, y escribió estas impresiones:

A las seis de la mañana ya se encuentran levantados, generalmente se bañan, toman su chocolate y prosiguen la limpieza personal. Toman el desayuno entre las ocho y nueve, consistente en huevos, carne picada, plátanos fritos, chicharrones, queso y chocolate, en seguida beben una taza de agua fría.

Entonces ya están dispuestos y preparados para asumir sus labores del día. Montan a caballo y se dirigen a la ciudad a atender los negocios en las oficinas públicas, en las que no están presentes más que para hacer tiempo y poder retornar a sus atractivas hamacas. La cena comienza con la sopa, reciamente condimentada, en espera del plato fuerte, aquel que se come en todos los lugares donde hay un español: la paella. Este sufre variaciones según las distintas carnes y vegetales de cada país, pero es un plato digno de ser reseñado por un escritor o de ingresar a los mejores libros del arte culinario.

Este plato se identifica por algunos artículos cardinales. La carne de buey y los plátanos se hierven juntos y se les agrega carne de cerdo, de cordero, tocino, yuca y arroz; todo se mezcla con pimienta, cebolla y otros condimentos, que se hierven al mismo tiempo, o para usar término técnico, en su misma salsa.

Después se agregan pollos fritos y palomas, tan secos como de mal sabor, y finalmente manteca frita con pimentón, en lo que nada todo el plato.

Trasunto, trasunto de la *olla podrida*; y como podemos observar, tal vez por el calor de Cartagena, el viajero Gosselman sufrió una lamentable confusión al tratar de explicar la paella. Y prosigue en su relato:

En algunos hogares sirven como postres frutas, ya sean melones, mangos, que se saborean al lado de vinos y quesos, y luego todo acaba con un café.

Pero la tradición en la mayoría de las mesas es servir de postre dulces, hechos de miel y panela, servidos con queso y una taza de chocolate, además de un jarro de agua fría. Antes que todo haya terminado ya están en los ceniceros colocados sobre la mesa los cigarros encendidos.

En las casas más criollas toman chocolate, su bebida favorita, lo que hacen cinco o seis veces al día, siempre con grandes dosis de agua helada.

La costumbre de nuestros antepasados cartageneros de tomar tan pródigamente el chocolate, como aparece en las impresiones de estos viajeros, debió obedecer sin duda a una acentuada manía española y no por la total influencia azteca, pues durante gran trecho del Siglo de Oro, allá en la Península, adonde fue llevado hacia 1520, se ingería en todos los hogares, con bizcochos, turrones, mazapanes y hasta con aguas aromatizadas. Y a tales excesos llegó su uso que en el año de 1644, los Alcaldes de Casa y Corte prohibieron que "Nadie, ni tiendas ni en su domicilio, ni en parte alguna podía vender chocolate como bebida". Otro ítem: Fray Diego de Landa, en su *Relación de las Cosas de Yucatán*, menciona una receta, todavía usual en Cartagena, de origen azteca, cuando comenta "que hacen del maíz y cacao molido una a manera de espuma muy sabrosa con que celebran sus fiestas".

Responde la cocina cartagenera, pues, a un fenómeno de trasculturación; y quizá porque sus recursos alimenticios tradicionales no los producía ella misma, sino que se proveía de las regiones colindantes de tierra adentro, desde la fundación lo hizo así, o mediante conexiones marítimas de cabotaje, la realidad es que, hasta cierto punto, ella estuvo de espaldas al mar para el aprovechamiento de las riquezas escondidas en las aguas turbulentas del Caribe, que tan enamoradamente la circunda.

En la mesa de mi cara tierra, bien lo recuerdo, se comían contadas clases de pescados –el lebranche, la mojarra, el róbalo, los chinitos, el sábalo, el pargo, y la cherna, ésta en vía de desaparecer–. O el bocachico salado que llegaba del Magdalena, o la tortuga, tan simbólica dentro de la filosofía Zen, cuya delicada carne era aprovechada en guisados a base de coco o adobada para bisté. O los cangrejos azules, mientras que las penetrantes sardinas servían apenas para carnadas. Podría decirse, por lo tanto, que hasta hace cincuenta años atrás esa indiferencia gastronómica del cartagenero llegaba hasta el extremo de no comer la langosta, ni almejas, ni ostras –pequeñas, pero excelentes de gusto–, ni langostinos, ni calamares, ni pulpos, teniéndolos a la mano, es decir, que por deformación del gusto quedaban para una minoría que sí sabía aprovechar esas maravillas de la naturaleza, o de los foráneos, educados para las delicadezas del paladar.

Venturosamente ese mundo, así hermético, se ha ido abriendo con la evolución de muchos hábitos, ya por la aplicación de novísimos métodos de preservación de los alimentos, ora debido a una mayor correlación cosmopolita, impuesta, paradójicamente, por el desarrollo turístico; y con esa transformación gastronómica, los cartageneros vienen conociendo nuevas expresiones de la cocina, aunque con merma penosa de la tradicional. Hasta el punto de que para poder comernos hoy una empanada de huevo o unas carimañolas genuinas, síntesis de arte coquinario, hay que llevarle un dije y pedirle el milagro a la Virgen de la Candelaria.

Pero, vaya lo uno por lo otro, pues con esta mutación afloran en el menú de la actual Cartagena los *calamares caribeños, camarones encuajados,* o hasta en sancochito; los cocteles de ostiones, los *caracoles guisados con coco* o en ensalada, la *langosta a la cartagenera* o en *cascaritas a la criolla*; las *conchas de mariscos, ostiones rellenos,* o en torta. Gama suculenta ésta de los mariscos, compinche de las tangas, que unida a la variedad de otras cocinas como la árabe, la francesa e italiana, tan familiares en la urbe, pregona el gozo sibarítico de un pueblo alegre, a pesar de las tormentas del mundo en torno.

Cartagena de Indias en la Olla rescata con devoción e indeclinable simpatía la tradición de la cocina comarcana, la que se estaba perdiendo, la que se está perdiendo en mucha de su autenticidad nativa. Sólo entonces, por el amor y las saudades, era posible que se salvase, cuando menos en el relato escrito. Puestas a la obra de ese empeño sentimental Teresita Román de Zurek y su hermana Olga Román Vélez, a quienes en un comienzo las acompañó Amparo Román de Vélez, tía de ellas, y desde que apareció la primera edición en 1963, no han decaído en el entusiasmo de enriquecer el libro con muchas otras recetas perdurables en las memorias de viejas cocineras criollas, o con las de procedencia foránea, pero siempre interesantes y atractivas para quienes buscan junto al fogón unas esquirlas de felicidad.

Eduardo Lemaitre, el Cronista Mayor de Cartagena de Indias y quien siente a su ciudad visceralmente, al escribir con donaire y sabiduría su grande historia, habló de algunos cronistas primitivos como los "evangelistas", y de beneméritos historiadores de "los apóstoles", así como de los "arcángeles", refiriéndose a los historiadores más jóvenes. Guardadas las debidas proporciones, hay que conseguirles un sitio en esa asimilación del mundo celestial a Teresita Román de Zurek y Olga Román Vélez, por haberse consagrado a la formación de un libro que en el fondo lleva, entre sabores y alquimias cocineriles, entre dulces y acres gustos, aspectos hermosos del abigarrado vivir de Cartagena en el transcurso de los años; y gran parte de su historia social hecha sustancia, pues al fin y al cabo, al hombre se le pierde en las neblinas de la memoria el nombre de muchos rincones de piedra, el encanto de una plaza que posiblemente le embelesó una tarde; pero aquello que tocó felizmente con su estómago y las papilas gustativas le queda para siempre como sonriente recuerdo, unido al deseo de volver a ese placer inmarchitable.

Cartagena de Indias en la Olla es un libro que se inspiró en ululantes saudades, y página a página fue levantándose con amor por una de las cocinas más caracterizadas del país, así como alegres y originales del Caribe.

Comida cartagenera

CAPITULO I

Cocteles, refrescos y chichas

Cocteles

COCTEL DE UVAS

(Para 25 personas)

3	botellas de jugo de uvas o ponche román
2	botellas de agua mineral
1	botella de ginebra o ron
2	piñas cortadas en pedacitos
1	frasco de cerezas marrasquino
3	cucharadas de azúcar
	hielo bastante.

Mézclese todo y sírvase bien frío con trocitos de hielo.

COCTEL RON SOUR

$1^{1}/_{2}$	onzas de ron
$^{3}/_{4}$	de onza de jugo de limón
1	cucharadita de azúcar
4	gotas amargas
1	torreja de naranja
1	cereza.

Sírvase bien helado con trocitos de hielo en un vaso alto.

RON COLLINS

$1^{1}/_{2}$	onzas de ron
1	cucharadita de azúcar
	el jugo de un limón
	gotas amargas.

Agréguese hielo en trozos y soda hasta llenar el vaso.

COCTEL DE AGUA DE COCO CON GINEBRA (COCO-LOCO)

$1^{1}/_{2}$	onzas de ginebra o de ron
$^{1}/_{2}$	vaso de agua de coco biche
	hielo picado.

Se mezcla y se sirve bien frío. También puede verterse el trago de ginebra dentro del coco y se toma con pitillos como un refresco.

RECETA No. 5

COCTEL TUMBAMUERTO

1   onza de ron o de vodka
$^{1}/_{2}$ onza de marrasquino
1   onza de jugo de toronja
4   gotas amargas
1   cereza.

Mezclar bien y servir en vasos de coctel con trocitos de hielo.

RECETA No. 6

SANGRIA

(Para 8 personas)

1   botella de vino tinto seco
2   botellas de soda o de agua
1   copita de cognac
1   lata de coctel de frutas o las frutas
       que se quieran
       naranjas en ruedas
       jugo de limón
       azúcar al gusto.

Se ponen las frutas partidas en pedacitos en maceración con el azúcar unas horas antes. Después se le agregan los demás ingredientes y el hielo picado. Se sirve bien helado. Puede prepararse también sin frutas, solamente con unas cuantas rodajas de naranja.

RECETA No. 7

COCTEL O SORBETE DE FRUTAS

(Para 50 personas)

1   litro de jugo de uvas rojo
1   litro de vino tinto
1   litro de agua mineral
5   litros de agua
1   lata de melocotones
1   lata de uvas blancas
1   lata de cerezas
1   lata de piñas
1   frasco de cerezas marrasquino
5   libras de azúcar
$^{1}/_{2}$ litro de whisky
       el jugo de 24 limones
       el jugo de 12 naranjas
       canela y nuez moscada al gusto.

Se prepara haciendo primero una limonada, después se le ponen las frutas picadas, de últi-

mo el agua mineral, el vino y el whisky. Sírvase bien helado. Si se quiere, puede colocarse en un bol de cristal en la mesa arreglada y cada uno servirse.

RECETA No. 8

CLUB NAVAL

(Salen 3 vasos altos)

4   cucharadas de leche condensada
2   onzas de brandy
2   onzas de ron
1   botella de kola román.

Agregar lentamente el licor a la leche condensada para que ésta no se corte, luego el hielo y de último la kola; se sirve en vasos altos.

RECETA No. 9

COCTEL DE COCO OSTERIZADO

6   onzas de ron
       la pulpa y el agua de un coco biche
       osterizado
       azúcar al gusto.

Se mezcla todo con hielo picado y se sirve en copas de coctel.

RECETA No. 10

ROMAN BOWL

(Para 20 copas)

1   taza de piña en cubitos
1   taza de almíbar clara
$^{1}/_{4}$ de taza de jugo de limón
$^{1}/_{4}$ de taza de jugo de naranja
$^{3}/_{4}$ de taza de jugo de piña
$^{3}/_{4}$ de taza de cognac
2   tazas de ron viejo
1   botella de soda de 32 onzas
1   taza de fresas frescas cortadas en lascas.

Se vierten en una ponchera los siete primeros ingredientes. Se le añade el hielo y la soda, y de último las fresas.

RECETA No. 11

COCTEL MANHATTAN

$^1/_2$ onza de ron
$1^1/_2$ onzas de vermouth dulce
3   gotas amargas.

Mézclese y sírvase en un vaso de coctel con abundante hielo.

RECETA No. 12

CUBA LIBRE

1   onza de ron
1   tajada de limón
$^1/_2$ botella de Coca-Cola.

Sírvase bien frío. Con hielo en trocitos.

Refrescos o chichas

RECETA No. 13

HORCHATA DE ALMENDRAS

1   libra de almendras peladas
$1^1/_2$ litros de agua
$^1/_2$ libra de azúcar
8   onzas de agua de azahares
$1^1/_2$ cucharadas de goma arábiga en polvo.

Se pelan las almendras pasándolas por agua caliente, se majan en un mortero y se hace una pasta con un poquito de azúcar, luego se le va poniendo el agua y se va colando por un lienzo muy fino y el residuo se sigue lavando hasta que suelte todo el jugo. Se pone la goma en el mortero y se disuelve con el jugo de las almendras ya coladas. Disuelta la goma se vierte el líquido en una paila estañada con toda el azúcar y el agua de azahares, se pone a fuego lento y se le da punto de jarabe. Se baja, se deja enfriar y se envasa. Para tomarla se mezcla con agua al gusto.

RECETA No. 14

CHICHA DE MAIZ AGRIA

(Para 6 personas)

$^1/_2$ libra de maíz amarillo (cuba)
2   batatas
$^1/_2$ panela
18   tazas de agua.

Se sancocha el maíz, se muele de tal modo que quede grueso el grano. Este se pone a cocinar con agua para que quede como una mazamorra. Se deja enfriar hasta que esté apenas tibia. Se ralla la batata cruda hasta que suelte el jugo que se le agrega a lo anterior y se deja dos días hasta que se fermente. Al tomarla se endulza con panela.

RECETA No. 15

RESBALADERA

(Para 6 personas)

$^1/_2$ libra de arroz
$1^1/_2$ libras de azúcar.

Se remoja el arroz en agua por unas horas. Se pasa por la máquina de moler maíz para que quede como polvo. Se va colando en un paño, agregándole poquitos de agua, hasta que quede la menor cantidad de afrecho posible. Aparte se hace un almíbar flojo con el azúcar y dos tazas de agua. A esto se le agrega el arroz disuelto y se deja cocinar un rato hasta que endurezca como un engrudo, sin dejarlo de mover. Se deja enfriar y para prepararlo como refresco se disuelven en la licuadora unas cinco cucharadas de esto para cada vaso de agua, se le pone agua de azahares o vainilla y hielo.

RECETA No. 16

COCTEL COLA DE MONO

(1 litro)

1   tarro grande de leche condensada
1   cucharadita de vainilla
3   ó 4 clavos de olor
3   cucharaditas colmadas de Nescafé
1   taza de ron.

Mezcle la leche condensada con 3 tazas de agua, agregue la vainilla, el clavo de olor y hiérvalo por 3 ó 4 minutos. Retire del calor, agregue el Nescafé, previamente disuelto en muy poca cantidad de agua caliente, mezcle y deje enfriar. Cuélelo, añada el ron y sírvalo bien frío.

Nota: si desea añada 2 ó 3 yemas batidas al retirar del fuego, batiendo enérgicamente.

REFRESCO DE COROZO

(Para 6 personas)

4   tazas de corozos
4   tazas de agua
1   taza de azúcar.

El corozo es una fruta tropical, chiquita, color morado, que se da en gajos y es un poco ácida.

Se cocinan los corozos en el agua para que ablanden. Cuando están cocidos se estrujan con un molinillo para aflojarles la cáscara y sacarles bien el jugo, después se pasan por un colador con el agua en que se han cocido, si queda muy concentrado se le agrega un poco más de agua, debe quedar color vino tinto, se endulza al gusto.

HORCHATA DE COCO

(Para 6 personas)

2   cocos rallados
1   taza de agua caliente
1   libra de azúcar
2   rajitas de canela.

Se rallan y cuelan los cocos, se aclara la leche con un poco de agua caliente dejándolo del espesor que se desee. Con el azúcar y una taza de agua, se hace un almíbar espeso. Se vierte caliente sobre el jugo del coco, moviéndolo hasta que se mezclen bien y se le agrega la canela. Se sirve frío.

REFRESCO DE CEREZAS
(De tierra caliente)

(Para 6 personas)

1½   libras de cerezas
1   taza de azúcar
     agua en proporción.

Se puede hacer este refresco con las cerezas crudas o cocidas, en ambos casos se machacan, se pasan por un colador añadiéndole un poco de agua, se azucara al gusto y al servirlo se le pone hielo picado.

CHICHA DE MAIZ

(Para 6 personas)

½   libra de maíz blanco seco pilado
10   tazas de agua
3   cucharadas de azúcar o más según el gusto
½   cucharadita de esencia de vainilla.

Cocinar el maíz en el agua y cuando esté blando moler una parte y la otra dejarla en granos, mezclándola luego para que tome el espesor que se desea. Se le agrega azúcar y esencia de vainilla. Si se desea un poco ácida, puede dejarse fermentar de 1 a 2 días. Servirla bien fría.

REFRESCO DE TAMARINDO

(Para 6 personas)

1   taza de tamarindos maduros o ½ libra
     de pasta del mismo
5   vasos de agua
4   cucharadas de azúcar
     cáscara de un limón sacada en espiral.

Se pelan los tamarindos y se dejan en agua un rato, batiéndolos frecuentemente para que suelten la pulpa; en caso de no usar la pulpa, retirar las semillas y agregarle más agua. Se añade cáscara de limón y se cuela. Endulzarlo al gusto.

CHICHA DE ARROZ

(Para 6 personas)

½   taza de arroz
6   tazas de agua
½   taza de azúcar
5   pimientos de olor
2   rajas de canela
3   clavos de olor.

Se cocina el arroz con el agua hasta que esté blando; se retira del fuego, se bate un poco y se le añade más agua si es necesario. Se agrega el azúcar. Puede hacerse en la licuadora. A esta chicha se le puede adicionar vainilla, esencia de almendras, agua de azahares o kola román. Se sirve bien fría.

MATRIMONIO

(Para 6 personas)

6   naranjas
4   caimitos
     azúcar.

Las naranjas se pelan hasta quitarles el hollejo y se desmenuzan un poco los gajos. El caimito se parte y se le saca la pulpa quitándole las semillas y haciéndolo pedacitos. Se azucara al gusto y al servirlo se le pone hielo picado.

REFRESCO DE PAPAYA

(Para 6 personas)

5   tazas de papaya en trocitos
1   taza de agua
$^1/_2$ taza de azúcar
1   taza de hielo picado
     el jugo de 1 limón

Mezclar todos los ingredientes, pasarlos por la licuadora, colar y servir bien frío.

REFRESCO DE MARACUYA

(Para 6 personas)

12   maracuyás
3   tazas de agua o de leche
$^1/_2$ taza de azúcar.

Se parte en dos la fruta, sácandole las semillas. Se le añade agua, se pasan por la licuadora sin que las semillas se desbaraten, se cuela y se azucara al gusto.

HORCHATA DE AJONJOLI

Esta se hace en la misma forma de la receta No. 48, pero teniendo mucho cuidado de no moverlo, o hacerlo muy suavemente porque se corta.

REFRESCO DE ZAPOTE

(Para 6 personas)

6   tazas de zapote costeño
5   vasos de agua o de leche
$^1/_2$ taza de azúcar.

Mezclar los ingredientes, pasarlos por la licuadora, colar y servir bien frío.

CHICHA DE MAMON

(Para 6 personas)

6   tazas de mamones
5   vasos de agua
1   taza de azúcar

Se pelan los mamones y se echan en una vasija que no sea de aluminio, se estrujan con un molinillo hasta desprenderles la pulpa. Agregar agua y azúcar al gusto. Colarla y servirla fría. También puede hacerse dejándoles las semillas dentro.

REFRESCO DE GUAYABA

(Para 6 personas)

5   tazas de guayabas maduras peladas y partidas en trozos
4   vasos de agua
$^3/_4$ de taza de azúcar.

Se ponen las guayabas peladas en la licuadora con agua hasta que se desbaraten, se cuelan y agrega más agua; endulzar al gusto. Si se desea puede ponérsele un poco de leche.

LECHE CON KOLA ROMAN

Para cada vaso de refresco se sirve $^3/_4$ de taza de leche y $^1/_4$ de kola, se endulza al gusto y se agrega hielo picado.

REFRESCO DE CASCARAS DE PIÑA Y ARROZ

(Para 6 personas)

¹/₂	taza de arroz
6	tazas de agua
³/₄	de taza de azúcar
2	cucharaditas de jugo de limón
	las cáscaras de una piña grande.

Se ponen las cáscaras de piña a cocinar en el agua con el arroz. Cuando ablande se cuela, se le añade el jugo de limón y azúcar al gusto. Dejarlo en la nevera para que enfríe.

REFRESCO DE PATILLA

(Para 6 personas)

6	tazas de patilla en pedacitos
2	cucharadas de azúcar
¹/₂	taza de agua
	el jugo de un limón.

Sacar con una cuchara la carne de la patilla de manera que quede en pedacitos pequeños y apartar las semillas, dejándole todo el jugo que suelta. Luego se azucara al gusto, se le añade jugo de limón y el agua. Pasarlo por la licuadora y servirlo frío.

REFRESCO DE MANGO

(Para 6 personas)

4	tazas de mango maduro
3	vasos de agua
¹/₂	taza de azúcar
	el jugo de un limón.

Se pelan los mangos maduros y se pone la pulpa en la licuadora hasta que se desbaraten añadiéndole un poco de agua, luego se le pone azúcar y más agua si queda muy espeso, y un poco de jugo de limón. Debe colarse.

REFRESCO DE MELON

(Para 6 personas)

6	tazas de melón en pedacitos
3	cucharadas de azúcar
¹/₂	taza de agua
	el jugo de un limón
	pimienta picante al gusto (opcional).

Se saca la pulpa del melón, se parte en pedacitos y combina con el resto de los ingredientes. Se sirve con bastante hielo picado. También puede hacerse en la licuadora hasta cuando quede diluido.

REFRESCO DE ANON

(Para 6 personas)

3	tazas de pulpa de anón costeño
3	vasos de agua
¹/₂	cucharada de azúcar
1	cucharadita de cáscara de limón rallada.

Se pelan y se echa la pulpa con todo y semilla en la licuadora con un vaso de agua, prendiendo y a velocidad baja, para que se desprendan las semillas pero que no se muelan éstas. Luego se cuela, se le pone más agua, azúcar al gusto y se sirve poniéndole una ralladura de limón por encima.

REFRESCO DE GUANABANA

(Para 6 personas)

2	tazas de pulpa de guanábana
4	vasos de agua
³/₄	de taza de azúcar.

Se mete en la licuadora para que se desprendan las semillas, agregándole un poco de agua, se le saca la pulpa colándola, se le añade el agua restante o leche y azúcar al gusto. También puede dejársele la pulpa, sacándole sólo las semillas.

REFRESCO DE UVITAS DE PLAYA

(Para 6 personas)

5	tazas de uvitas
3	vasos de agua
1/2	taza de azúcar.

Se machacan las uvitas con un molinillo y se cuela el jugo en un poco de agua; se añade el resto.

REFRESCO DE MARAÑON

(Para 6 personas)

10	marañones grandes
3	vasos de agua
3/4	de taza de azúcar.

Se le retiran las semillas y la pulpa, agregándole el agua indicada. Inclusive puede pasarse por la licuadora. Se cuela y se azucara al gusto.

MAMEY CON VINO O RON

(Para 6 personas)

4	tazas de mamey partido en trocitos
1	taza de vino
2	cucharadas de azúcar.

Se le quita muy bien el hollejo al mamey y se parte en pedacitos añadiéndole azúcar y vino Jerez seco, brandy o ron al gusto. Debe prepararse unas dos horas antes de servirlo para que el mamey se impregne bien. Se sirve con hielo.

CAPITULO II

Sopas

Sopas

CALDO BASICO

(Para 6 personas)

2	libras de huesos
3	tomates grandes en pedazos
3	cebollas partidas en cuatro
1	pedazo de repollo
10	tazas de agua
3	ramas de cebolla de hoja
1	puerro o cebollín
1	nabo
1	colinabo
1	zanahoria
2	ramas de apio
6	pimientas de olor
	sal al gusto.

Se pone a hervir a fuego lento de 3 a 4 horas. Este caldo puede conservarse en la nevera y utilizarlo para hacer cualquier sopa o para las salsas que lo requieran.

Nota: todo caldo debe hacerse poniendo los huesos en el agua fría con los condimentos que se quiera y sin sal; ésta debe añadirse después que haya hervido un rato. Es mejor colar siempre los caldos, antes de servirlos, para que no tengan tantas hierbas al tomarlos.

Modo de clarificarlo: después de hecho el caldo y colado se pone a enfriar en la nevera, se le quita la grasa y se mide el caldo. Por cada cuatro tazas de éste, se le pone una clara batida ligeramente y la cáscara machacada con dos cucharadas de agua. Se vuelve a colar en un paño.

COCIDO CARTAGENERO

(Para 4 personas)

3	litros de agua
1	libra de carne de espaldilla
1	libra de costillas de cerdo
1/2	libra de tocino (opcional)
1	libra de ñame
1	libra de yuca
2	plátanos maduros sin pelar
6	pimientas de olor
	sal y pimienta picante al gusto.

Este cocido se caracteriza porque no lleva nada salado. Se cocina a fuego lento todo junto, se condimenta con cebolla, tomates, ajíes, como si fuera un sancocho.

SOPA DE CREMA DE MAIZ

(Para 6 personas)

8	mazorcas ralladas
6	tazas de caldo
	mantequilla, sal al gusto.

Una taza del caldo se reserva para mezclar el maíz. El resto del caldo se pone al fuego y cuando esté hirviendo se le agrega la mezcla de maíz, poco a poco, sobre un colador, moviendo constantemente para que no forme grumos. Al servirla, se cuela y se le añade una cucharada de mantequilla. Debe quedar como una crema.

RECETA No. 4

VIUDA DE BOCACHICO

(Para 8 personas)

3	bocachicos salados
2	libras de yuca
2	libras de ñame
3	plátanos maduros sin pelar
3	plátanos verdes pelados
2	batatas
1	libra de auyama (opcional)
	tomates, cebolla, ajo, ajíes criollos.

Utilizar una olla especial para cocinar al vapor. Abra los bocachicos por la mitad a lo largo y lávelos bien para quitarles el exceso de sal y rellénelos con el tomate, la cebolla, el ajo y los ajíes, colocándolos encima de los demás ingredientes, en la misma forma que la receta de la *Viuda de carne salada* (página No. 198).

RECETA No. 5

SOPA DE CANDIA CON MOJARRAS

(Para 6 personas)

6	mojarras grandes ahumadas
2	libras de ñame partido en pedazos pequeños
2	libras de candias
4	plátanos maduros partidos en ruedas sin pelar
3	tallos de cebolla larga picada
4	cebollas picadas
3	dientes de ajos partidos
10	ajíes dulces partidos
4	granos de pimienta de olor
12	tazas de agua
	una pizca de comino, sal y pimienta.

Corte las candias en ruedas y fríalas en aceite sin dejarlas dorar. Ponga a cocinar las mojarras en tres tazas de agua por 15 minutos, sáquelas del agua y déjelas enfriar. Quíteles las espinas, maje los pellejos en el caldo y páselo por un colador. Agregue el resto del agua con los demás ingredientes, excepto las candias y el pescado. Cocine hasta que todo esté en su punto. Rectifique la sazón, póngale el pescado desmenuzado, las candias y déjelo 20 minutos. Si el plátano está muy maduro retire las conchas,

májelo con un tenedor y haga bolitas que se agregan al caldo. Si deja los plátanos en ruedas quíteles las conchas al servirlo. Esta sopa queda un poco espesa. También se puede hacer sin freír las candias: pártalas en ruedas y póngalas en agua de limón; séquelas con un paño antes de usarlas.

RECETA No. 6

SANCOCHO DE BOCACHICO

(Para 8 personas)

4	bocachicos salados
4	plátanos maduros
3	libras de ñame
4	libras de yuca
2	cocos
1	macito de cebolla de hoja
$^1/_2$	libra de cebolla
$^1/_2$	libra de tomates
8	ajíes criollos.

El pescado se lava para sacarle el exceso de sal. Se extrae la leche de los cocos siguiendo las instrucciones que se explican al final de la obra, reservando la primera leche, y se procede a cocinar las vituallas como en la Receta No. 8. Finalmente, colocar los bocachicos crudos hasta que aparezcan cocinados. Verificar la sazón.

RECETA No. 7

SOPA DE BOFE O GUISO

(Para 4 personas)

1	libra de bofe
4	tomates partidos en pedazos pequeños
4	cebollas
8	ajíes dulces partidos
1	cucharada de vinagre
2	hojas de col
1	libra de ñame partido en pedacitos
$^1/_2$	libra de masa igual que para las sopas de bollitos
3	ajos
1	taza de la primera leche del coco
$^1/_8$	de cucharadita de comino
2	cucharadas de achiote
	sal, pimienta picante y de olor al gusto.

Lave bien el bofe, cocínelo en suficiente agua hasta que ablande. Páselo por la máquina de moler, llévelo al fuego y agregue los ingredientes. A medida que se va cocinando póngale poquitos de agua, de último añada las bolitas de masa, deje unos 20 minutos en el fuego hasta que todo esté cocido.

SANCOCHO DE SABALO

(Para 8 personas)

16	postas de sábalo de la ventrecha
1	cabeza de sábalo partida en dos
6	libras de yuca
4	libras de ñame
4	cocos grandes
6	plátanos amarillos sin pelar
1	libra de tomates
1	libra de cebolla
1/2	libra de ajíes criollos
1	macito de cebolla de hoja
8	granos de pimienta de olor
4	limones
	sal y pimienta picante.

La ventrecha es el costillar del pescado y las postas se cortan a lo largo de las espinas. Después de lavado se prepara con sal, pimienta negra y el jugo de dos limones. Se fríen en suficiente grasa y se colocan sobre papel absorbente. Se rallan los cocos y se extrae la leche siguiendo las instrucciones al principio de la obra, reservando la primera leche para usarla al final. En una olla honda y amplia se colocan la yuca y el ñame, pelados y partidos en trozos; los plátanos lavados, sin pelar, cortándole las puntas, los ajíes enteros, la cebolla y el tomate en pedazos, la cebolla de hoja, las pimientas de olor y la sal. Sobre esto se vierten las leches extraídas del coco, exceptuando la primera, hasta que cubra los ingredientes. Se pone al fuego con la cabeza del pescado ya frita y se cocina moviendo frecuentemente para que el caldo no se corte. Cuando estén cocidos los plátanos, se sacan y se agrega el pescado, se vierte poco a poco la leche que se reservó y el jugo de limón, al moverlo hay que tener cuidado de que el pescado no se desbarate. Para servirlo se cuela el caldo, se pelan los plátanos y se coloca todo separado en las bandejas.

SELELE DE CANGREJOS

Esta sopa se hace en la misma forma que el *Selele de carnes.* Ponga los cangrejos en agua hirviendo para matarlos, déjelos enfriar y desprenda las muelas y las patas. Para sacarles la carne del caparazón, se parten. Extraiga la grasa y las huevas de la hembra, teniendo cuidado con la hiel porque amarga.

SANCOCHO DE GALLINA CARTAGENERO

(Para 10 personas)

2	libras de costillas de cerdo redondas
2	libras de carne salada
3	libras de costilla de res
1	libra de cerdo salado
1	rabo de res (opcional)
1	gallina despresada
4	libras de yuca
3	libras de ñame
1	libra de auyama
1	libra de batata
6	mazorcas tiernas
5	plátanos maduros
1	plátano verde (opcional)
3	tallos de apio
2	nabos o colinabos
1	pedazo de repollo
1	libra de cebolla cabezona
1	macito de cebolla de hoja
1	libra de tomates
4	dientes de ajo
8	ajíes dulces
2	zanahorias grandes
8	granos de pimienta de olor
10	litros de agua
	pimienta al gusto y salsa negra
	el jugo de 2 limones.

La carne salada se lava para quitarle el exceso de sal.

En una olla grande y alta se cocina a fuego lento la carne salada y las costillas de carne con el rabo de res y los condimentos aproximadamente 2 horas. Al cabo de este tiempo, se agregan el cerdo salado y fresco, la gallina y los plátanos maduros sin pelar, lavados y cortados los extremos, y el maíz en rodajas gruesas. Cuando los plátanos y el cerdo estén cocidos se sacan y se apartan. En este momento se añade lo demás, la auyama sin pelar, teniendo cuidado de que todo quede en su punto de cocción. Verificar la sazón. Al momento de servir se sacan todos los ingredientes y se colocan en bandejas por separado. El caldo se pasa por un colador.

SOPA DE CANDIA CON CERDO

Se hace igual que la *Sopa de candia con mojarra,* sustituyendo las mojarras por un guiso de cerdo que se le agrega al caldo.

SOPA DE OSTIONES

(1 porción)

15   ostiones
1   taza de leche.

Después de haber sacado los ostiones de las conchas, se guisan con un poquito de pimienta molida, una cucharadita de mantequilla y una cebolla pequeña, muy picada; se pone a hervir la leche y se le agrega a lo anterior dejándolo un momento al fuego. Se ponen en la sopera cuatro galletas de soda en pedazos y se vierte la sopa.

SELELE O SOPA DE FRIJOLITOS VERDES

(Para 8 personas)

(A este fríjol le llaman "Huele-Huele")

1   libra de frijolitos (verdes
       o de cabecita negra)
1   libra de carne salada con gordo
1½   libras de costillitas largas de cerdo
1   libra de ñame
2   ó 3 plátanos amarillos
3   yucas
3   litros de agua
4   cebollas
4   tomates
8   ajíes criollos; ajo, sal y pimienta.

Se ponen al fuego el agua con la carne salada en trozos, los fríjoles y se dejan cocinar hasta que ablanden. Aparte se guisa el cerdo partido en pedazos, con los condimentos; cuando el fríjol esté blando se añade el cerdo, ñame, yuca partidos en pedazos, el plátano en ruedas con su concha (para que no se ponga dulce), se deja hervir hasta que todo esté blando, se sazona y al servir se le quitan las conchas al plátano. Esta es una sopa un poco espesa.

SOPA DE GARBANZOS

Se hace en la misma forma y cantidades de la Receta No. 25, en lugar de lentejas se ponen garbanzos, fríjoles o arvejas.

SOPA DE CREMA DE COCO

(Para 6 personas)

1   coco rallado
4   tazas de caldo
1   cebolla grande rallada
2   cucharadas de mantequilla
2   cucharadas de harina
       sal al gusto.

El coco se exprime con su propia agua y se aparta esta leche. Se sigue colando con el caldo para obtener la cantidad necesaria. En la mantequilla se fríe la cebolla sin dejarla dorar, se le agrega la harina, moviendo bien hasta que todo se una, se añade la leche del coco que se coló con el caldo, moviendo constantemente para que no se corte, y al momento de servir se le agrega la primera leche que se reservó, teniendo cuidado de que no llegue a hervir mucho porque se corta.

SOPA DE MAIZ TIERNO

7   mazorcas
6   tazas de caldo

Se cortan en ruedas cuatro mazorcas y a las restantes se les cortan los granos con un cuchillo. Al caldo se le agregan las maretiras y los granos cortados, se cocinan hasta que el maíz esté tierno. Al servirse se le sacan las maretiras, éstas se ponen para darles más sabor.

SOPA DE ZARAGOZAS BLANCAS CON ÑAME

(Para 8 personas)

1   libra de zaragozas tiernas
1   libra de costillitas de cerdo largas,
       en pedacitos
1   libra de huesos
1   libra de ñame
3   litros de agua
       sal y pimienta al gusto.

El cerdo se compone con tomate, cebolla, ajo, sal, vinagre, un poquito de achiote y un poquito de agua. Se pone al fuego hasta que haya cogido un poco de sazón. Se le añaden poco más o menos cuatro botellas de agua, los huesos, cebollín, col, ají, repollo, las zaragozas y el ñame en pedazos chicos. Se deja a fuego lento hasta que todo esté cocido debiendo quedar un poquito espeso y se sazona al gusto.

RECETA No. 18

SOPA DE ÑAME EN TROCITOS

(Para 6 personas)

1	libra de ñame
7	tazas de caldo.

Se parte el ñame en pedacitos y se le añade al caldo dejándolo hervir hasta que esté blando.

RECETA No. 19

SOPA DE ÑAME CON APIO

(Para 6 u 8 personas)

3	libras de ñame
1	libra de huesos
1	mata de apio mediana.

Se hace un caldo básico y se cuela, se le añade el apio y el ñame en trozos pequeños, se deja hervir hasta que el ñame ablande, se agrega la sal. Se baja del fuego y se maja todo junto, o se pasa por la licuadora, se cuela y se vierte de nuevo sobre el caldo, dejándolo a fuego lento hasta que hierva; debe quedar como una crema.

RECETA No. 20

SOPA DE CREMA DE AUYAMA O DE ÑAME

(Para 6 personas)

3	libras de auyama o de ñame
7	tazas de caldo.

Se pone el caldo al fuego y se le añade la auyama o el ñame hasta que ablande. Se pasa por la licuadora, se cuela, se regresa al fuego por 15 minutos; al servirlo se le añade mantequilla o crema y pedacitos de pan frito.

RECETA No. 21

SOPA DE CREMA DE YUCA

(Para 6 personas)

2	libras de yuca
8	tazas de caldo
	sal al gusto.

En el caldo se cocina la yuca hasta que ablande. Se saca y se pasa por la licuadora, mezclándola con el caldo. Se pone de nuevo al fuego por 10 minutos y al servirla se le agrega una cucharada de mantequilla.

RECETA No. 22

SOPA DE YUCA EN TROCITOS

(Para 6 personas)

7	tazas de caldo
2	libras de yuca.

En el caldo se pone a cocinar la yuca en pedacitos hasta que esté blanda. Se verifica la sazón.

RECETA No. 23

SOPA DE TORTUGA

(Para 6 personas)

4	libras de tortuga
1	libra de papas en cuadritos
4	cebollas grandes picadas
6	tomates picados
3	dientes de ajo machacados
1	taza de zanahoria picada en cuadritos
1	taza de habichuelas partidas
1	taza de repollo picado
2	nabos o rábanos blancos picados
1	vaso de vino tinto
2	hojas de laurel
6	pimientas de olor
8	tazas de agua
	sal y pimienta al gusto.

Se parte la tortuga en pedacitos, donde tenga concha se chamusca para quitársela. Se guisa con los condimentos en dos tazas de agua, cuando esté blanda se agregan las verduras, el resto del agua y se cocina a fuego lento hasta que todo esté blando. Al momento de servir se agrega una cucharada de harina disuelta en un poquito de agua y el vino. Se sirve poniendo en cada plato una ruedecita de limón y pan frito.

SOPA DE MONDONGO

(Para 10 personas)

2	patas de res
2	libras de mondongo
2	libras de papas
½	libra de cebolla picada
½	libra de habichuelas picadas
4	zanahorias grandes picadas
½	libra de repollo picado
6	tomates picados
10	ajíes criollos
8	granos de pimientas de olor
2	rábanos blancos picados
3	ramas de apio picadas
4	dientes de ajo
3	huevos crudos y 6 huevos cocidos duros
14	tazas de caldo
1½	tazas de alcaparras
	costrones de pan fritos
	comino, sal y pimienta picante al gusto
	aceite, achiote y vinagre.

Se lavan bien el mondongo y las patas. Se dejan varias horas en agua de bicarbonato, se lavan de nuevo y se pasan por agua de limón. Se cocinan hasta que ablanden, se parten en pedacitos y se guisan con cebolla, tomate, ajo, aceite y achiote, cuando ablanden se agregan el caldo, el resto de condimentos y las verduras; se cocina hasta que todo esté tierno. Al servirlo se saca la clara de los huevos crudos y se vuelca sobre la sopa, sin moverla. Las yemas se mezclan con una cucharada de vinagre en la sopera, encima se vierte la sopa bien caliente, moviendo para que no se corten las yemas. Se le pone el resto de las alcaparras; se acompaña con pedacitos de pan frito y de huevos duros.

SOPA DE LENTEJAS

(Para 10 personas)

1	libra de lentejas
16	tazas de caldo de carne
3	papas en cuadritos
8	salchichas en ruedecitas
	sal al gusto.

Cocine las lentejas en agua hasta cubrirlas. Cuando estén blandas, pase la mitad de las lentejas por la licuadora, cuélelas todas con el caldo. Agregue las salchichas y las papas y rectifique la sazón.

un molinillo y pasarla por el colador. Se le agrega una cucharada de mantequilla al servirla; se presenta con trocitos de pan frito puestos encima.

SOPA DE POLLO CASERA

(Para 6 personas)

1	pollo
1	libra de papas
4	onzas de fideos
3	tomates
3	cebollas
6	tazas de caldo
2	cucharadas de mantequilla
4	pimientas de olor
	sal, pimienta, ajo.

Se despresa el pollo, se unta con sal, pimienta y ajo. En la mantequilla se sofríe el pollo, se le agregan las cebollas partidas y los tomates, una taza de agua y los granos de pimientas de olor. Se tapa y se deja a fuego lento hasta que esté tierno. Se saca el pollo y se cuela el jugo que soltó, se junta con el caldo. Se le pone de nuevo el pollo con las papas en trocitos y los fideos, se cocina hasta que éstos ablanden.

SOPA DE FRIJOLES ROJOS CON CHICHARRONES

(Para 10 personas)

1	libra de fríjoles rojos
1	libra de chicharrones
1	libra de cerdo salado
2	libras de ñame
2	libras de yuca
	sal al gusto.

Lave los fríjoles la víspera y póngalos en agua hasta cubrirlos. Al otro día cocínelos en suficiente agua con los chicharrones. Cuando comiencen a ablandarse se agrega el cerdo salado y se cocinan hasta que estén tiernos. Se le añaden el ñame y la yuca en pedacitos. Se verifica la sazón. Estas sopas deben quedar espesas. Se le puede agregar plátano amarillo en ruedas con la cáscara.

Se hace aparte una salsa con ruedas de tomate y cebolla sofritos en aceite con achiote y se vierte por encima al servirlas.

SOPA DE LENGUA

(Para 6 personas)

8	tazas de caldo
1½	tazas de lengua partida en pedacitos
1	taza de habichuelas partidas en cuadritos
1	taza de zanahorias partidas
2	rábanos blancos partidos en cuadritos
1	taza de apio picadito
1	taza de cebolla picada
1	taza de tomates pelados y picados
1	taza de repollo picado
1	copa de vino tinto
1	hoja de laurel
1	cucharada de salsa negra
3	cucharadas de mantequilla
6	pimientas de olor
	sal y pimienta al gusto.

Esta sopa se hace con la receta de la lengua a la cartagenera. Se sofríen las verduras en la mantequilla con la cebolla y el tomate, agregándole el caldo con la lengua en pedacitos y la salsa de esta. Se cocina hasta que las verduras estén blandas. Se rectifica la sazón y se agrega el vino.

HIGADETE

(Para 12 personas)

2	libras de hígado
4	tomates grandes pelados y partidos, sin piel ni semillas
4	onzas de cebollas partidas
3	plátanos verdes
6	plátanos maduros
10	ajíes dulces (criollos) partidos en pedacitos
8	tazas de caldo de carne
	sal al gusto y una pizca de comino.

Parta el hígado en trocitos y póngalos a guisar con los condimentos, agregue poco a poco el caldo y el plátano verde, moviendo frecuentemente para que no se pegue en el fondo de la olla. Añada el plátano maduro cortado en cuadritos pequeños. Sazone con sal y un poco de tabasco. Acompáñelo con el arroz guisado.

Variación: Si se quiere, puede añadírsele al final dos tazas de leche de coco.

SOPA DE RABO
O COLA DE BUEY

(Para 8 personas)

2	rabos (cola de buey) lavados y limpios de grasa, cortados en trozos
6	cebollas cortadas menuditas
2	tazas de zanahorias picadas en cuadritos
2	tazas de papas partidas en cuadritos
2	tazas de habichuelas partidas
1	taza de repollo picado
1	taza de apio picado
3	ramas de cebollín picado
3	rábanos blancos picados
5	mazorcas tiernas en ruedas
6	tomates pelados y picados
3	dientes de ajo majados
1	vaso de vino tinto o Jerez
6	pimientas de olor
2	cucharadas de salsa inglesa
14	tazas de caldo o agua
	sal y pimienta picante.

Sazone los rabos con sal, salsa inglesa, ajo y vino; déjelos varias horas en este adobo. Sofríalos en tres cucharadas de mantequilla o margarina hasta que estén ligeramente dorados. Añada el caldo o agua fría y cocínelos hasta que ablanden. Sofría las verduras en cuatro cucharadas de mantequilla y agréguelas al caldo, cocínelos hasta que todo esté bien cocido. Si se desea, separe la carne de los huesos y vierta de nuevo en la olla; antes de servir agregue otra copa de vino.

MOTE DE GUANDU
CON LECHE DE COCO

(Para 6 personas)

1	libra de guandú
2	plátanos maduros
2	libras de ñame
2	libras de yuca
1	coco
3	dientes de ajo majados
	aceite, sal y pimienta.

Se cocina el guandú hasta que ablande, se añade la yuca y el ñame moviendo frecuentemente. Se ralla el coco, se extrae la primera leche y se reserva, se sigue sacando más jugo hasta obtener la cantidad necesaria para cubrir los ingredientes, se añade el plátano y se cocina hasta que ablande. Agregue la leche que se reservó y cocine por 15 minutos más. Al servir se le vierte por encima un sofrito hecho de aceite, cebolla y ajo.

SOPA DE CODILLO

(Para 6 u 8 personas)

4	codillos de cerdo grandes
3	cebollas picadas
3	tomates picados
8	ajíes criollos en pedacitos
5	pimientas de olor
1	cucharada de salsa negra
3	ajos majados
½	taza de zanahorias picadas en cuadritos
½	taza de apio picado
1½	libras de papas cortadas en cuadritos
½	taza de repollo picado
10	tazas de caldo
2	cucharadas de alcaparras
4	huevos cocidos duros
4	rebanadas de pan en cuadritos
	aceitunas, sal y pimienta al gusto.

Los codillos, si no vienen limpios, se raspan con un cuchillo, se lavan y se cocinan en seis tazas de agua con la cebolla, tomate, ajíes, salsa negra, pimienta de olor, ajo y se dejan hasta que estén ligeramente blandos. Añada el caldo y las verduras; se dejan a fuego lento hasta que estén tiernos. Se acompaña con los huevos en rodajas, pedacitos de pan fritos, las alcaparras y aceitunas.

MOTE DE CANDIA CON MOJARRAS

(Para 6 personas)

4	mojarras ahumadas o fritas
1	libra de ñame
1	libra de candias partidas en rodajas
1	libra de yuca
3	plátanos amarillos partidos en ruedas
1	coco grande rallado
10	ajíes dulces
4	tomates grandes partidos
¼	de cucharadita de pimienta picante
6	pimientas de olor
	sal y comino.

Las candias se ponen en jugo de limón, cortadas en ruedecitas y se escurren al momento de cocinarse. Al pescado se le sacan las espinas y el pellejo. Se extrae la primera leche del coco y se reserva, véase procedimiento al principio de la obra. Siga sacando la segunda y tercera leches hasta obtener la cantidad necesaria para cubrir los ingredientes. Ponga a cocinar todo por ½ hora, excepto el pescado; pasado ese tiempo agregue el pescado y la leche que se reservó, rectifique la sazón. Esta sopa o mote queda espeso.

MOTE DE GUANDU

(Para 8 porciones)

El guandú es un fríjol pequeño de color marrón.

1	libra de chicharrones en pedazos pequeños
½	libra de guandú
1	libra de ñame
1	libra de yuca
1	plátano amarillo en rodajas

Para la salsa:

2	tomates de regular tamaño
1	cebolla grande
3	ajíes
1	matica de cebolla de hoja
3	dientes de ajo
	vinagre, pimienta picante y sal al gusto.

El guandú se pone en agua la noche anterior y al día siguiente se cocina solo. El plátano, yuca y ñame se cocinan con un poquito de sal, cuando están blandos se les agrega el guandú y los chicharrones. Se hace una salsa con los demás ingredientes y un poquito de manteca con color añadiéndola a lo demás.

Al servirlo se le riega encima queso criollo rallado.

SOPA DE SESOS

(Para 6 personas)

8	tazas de caldo
2	cabezas de sesos
1	libra de papas peladas y picadas
½	libra de zanahorias picadas
½	libra de repollo picado
1	nabo picado
1	rama de apio
1	frasco mediano de alcaparras
3	huevos duros en ruedas y 2 huevos crudos
	sal y pimienta picante y de olor.

Los sesos se pasan por agua caliente, se limpian muy bien de las telas que los envuelven y se parten en ruedas. Se sazonan con sal, pimienta y vinagre, se cocinan con las verduras, se les agrega el caldo y se dejan al fuego hasta que todo esté cocido. Se añaden las alcaparras y las claras de un huevo crudo sin batir, sin mover la sopa para que cuaje en pedazos. Al servir se bate la yema en la sopera con un poquito de vinagre y se agrega la sopa poco a poco, moviendo para que no se corte. Los huevos cocidos se parten en rodajas para adornar con costrones de pan frito.

SOPA DE BUÑUELOS DE HARINA

(Para 6 personas)

6	tazas de caldo
2	huevos
$^1/_2$	cucharadita de harina
$^1/_2$	taza de agua con sal
	aceite para freír.

Bata los huevos, agregue el agua con sal y haga una masa suave. Caliente el aceite en una sartén, viértalos por cucharaditas al aceite y fríalos hasta que doren. Agréguelos al caldo hirviendo y cocínelo 15 a 20 minutos.

SOPA DE ARROZ

(Para 8 personas)

1	libra de huesos
1	taza de arroz
2	libras de costillas largas de cerdo
$^1/_2$	libra de papas.

Con los huesos y diez tazas de agua se hace un buen caldo con tomate, cebolla, etc., y verduras. Se cuela y se le echa el arroz que debe remojarse de antemano, las costillas y las papas en pedazos. Se deja cocinar hasta que todo esté blando. Se sazona con sal y vinagre. Le queda muy bien un poquito de pimienta de olor. Debe quedar espesa.

SOPA DE BOLLITOS

(Para 6 personas)

1	libra de masa de maíz (la misma de las empanadas con huevo)
6	tazas de caldo
	sal al gusto.

A la masa se le pone sal y se reserva un poco para espesar la sopa. Con el resto se hacen bolitas pequeñas y se vierten en el caldo hirviendo, dejándolas hasta que estén cocidas. Para espesarla se le agrega un poco de agua a la masa que se reservó, agregándola a la sopa, y dejándola hervir aproximadamente 15 minutos. Se le pueden agregar papas, alcaparras y ruedas de huevo duro.

SOPA DE PLATANO VERDE

(Para 8 personas)

8	tazas de caldo
4	plátanos verdes en ruedas gruesas sal.

Se pelan los plátanos y se parten en ruedas gruesas, se fríen un poco. Se machacan bien, en forma de patacones, sin que se desbaraten. Se echan en el caldo hirviendo y se cocinan hasta que quede un poco espesa.

SOPA DE TOMATE

(Para 4 personas)

4	tazas de caldo
2	libras de tomates bien maduros
$^1/_2$	taza de arroz
1	cucharadita de azúcar
1	cucharada de mantequilla o crema de leche sal y pimienta al gusto.

El caldo se pone al fuego con el arroz hasta que todo esté cocido, se agrega el tomate partido en pedazos y se deja hasta que este cocido. Se verifica la sazón y se pasa por la licuadora. Al último momento se le pone la mantequilla o la crema. Se sirve con pedacitos de pan frito.

SOPA DE AJIES RELLENOS

(Para 6 personas)

6	ajíes pimientos
8	tazas de caldo
1	taza de picado de cerdo cocido
2	tazas de arroz cocido.

Se hace un caldo corriente. Se rellenan unos ajíes pimientos como en la receta No. 26 de la pagina 116. Se ponen en el caldo hasta que estén cocidos, se espesan en la misma forma de las sopas de albóndigas (Receta No. 44).

SOPA DE VERDURAS

3   litros de caldo
1   zanahoria grande partida en tiritas
1   libra de papas en cuadritos
1   taza de habichuelas partidas
1   taza de repollo picado
³/₄   de taza de apio picado
2   ramitas de cebollín picado
1   nabo picado
³/₄   de taza de arvejas
      sal y pimienta al gusto.

Las verduras se sofríen en tres cucharadas de mantequilla y se agregan al caldo colado. Se deja cocinar hasta que las verduras estén blandas.

CONSOME ESPECIAL

(Para 25 personas)

1   rabo (quitándole de antemano la grasa que tiene alrededor)
4   libras de hueso de cadera
1   gallina
2   libras de carne de cohete (parte musculosa de la pata)
2   libras de tomate
1   libra de cebolla
1   libra de zanahorias
1   libra de nabos o rábano blanco
1   libra de colinabos
¹/₂   libra de apio
4   onzas de cebolla de hoja
4   onzas de repollo
1   cabeza de ajo entero, sin pelar
4   pimientas de olor
2   cucharadas de salsa Perrins
      pimienta picante y sal al gusto
      salsa picante al gusto.

Las carnes se parten en trozos, el rabo en ruedas, la gallina se despresa, las verduras picadas y todo junto se pone con 8 litros de agua a hervir a fuego lento, tapado, durante 3 horas. Se sazona con sal y se deja hervir un rato más. Retirar del fuego y pasar por un colador, dejar enfriar y quitar la grasa por encima; si se quiere clarificar se siguen las instrucciones que están en la receta Nº 1 de este capítulo. A este consomé pueden agregarse también huesos de pavo, pollo, etc. Antes de servir se le añade el tobasco y la salsa Perrins. Se sirve bien caliente en tazas de consomé acompañado de galleticas de soda o pan tostado.

SOPA DE ALBONDIGAS

(Para 6 personas)

2   libras de cerdo
3   cebollas
2   tomates
3   dientes de ajo
8   ajíes criollos
1   cucharadita de pimienta
2   huevos
1   cucharada de vinagre
9   tazas de caldo
      aceite para freír.

Se muele el cerdo con la cebolla, el tomate, ajíes y ajos. Se mezcla con dos huevos crudos y se forman las albóndigas, las que se fríen en aceite y se terminan de cocinar en el caldo. También pueden hacerse agregándose crudas al caldo. Para espesar la sopa se le añade una clara de huevo cruda al caldo sin moverlo y la yema cruda se mezcla en la sopera con el vinagre y se vierte en caldo hirviendo.

SANCOCHITO DE CAMARONES

(Para 6 - 8 personas)

2   libras de camarones grandes o langostinos con cáscara y cabeza
1   libra de yucas peladas y partidas
1   libra de ñame pelado y partido
2   plátanos maduros, sin pelar
4   cebollas grandes picadas
3   tomates, partidos, sin piel ni semilla
6   ajíes criollos en pedacitos
1   cebolla de hoja picada
3   ajos majados
8   tazas de agua
      sal, pimienta picante, pimienta de olor, tomillo, laurel.

Lave bien los camarones y cocínelos por 4 minutos en las ocho tazas de agua, añada sal, pimienta, laurel, tomillo y demás condimentos. Sáquelos y en esa agua agregue el ñame, la yuca y los plátanos partidos en ruedas sin pelar. Pele los camarones, las conchas y las cabezas, límpielos de las venas. Las cabezas y conchas póngalas en la licuadora con una taza del agua en que se cocinaron y páselas por un colador. Agregue a lo anterior, rectifique la sazón y cuando todo esté cocido añada los camarones y sirva enseguida, quitándole la cáscara al plátano.

CAPITULO III

Pescados y Mariscos

Pescados y mariscos

Pregones callejeros

*Camarones Camaroncitos
son de Galera, son muy bonitos
a tres cuartillos el cajoncito.
¡Tor...tuga mujeres!*

CONSEJOS PARA LOS PESCADOS

El pescado fresco debe tener las agallas de un color rojo subido, los ojos claros y brillantes y la carne dura y firme.

El pescado debe estar vacío interiormente y bien escamado. Para limpiarlo se le hace un corte en la parte del buche y se le saca todo, inclusive las agallas. Para escamarlo se introduce un cuchillo fuerte entre las primeras escamas de la cola y se **arrastra** hacia la cabeza.

Los pescados chicos deben freírse enteros, y los grandes en lonjas o ruedas (candados). Los pescados para ser guisados o fritos pueden ponerse en sal gruesa un rato, pues esto los endurece y evita que al cocinarse se deshagan. Para freír el pescado, debe estar bien caliente la manteca y dejarse un rato para que se desprenda solo, pues si se está moviendo se corre el riesgo de romperlo.

CONSEJOS PARA LOS MARISCOS

Los mariscos no deben comerse en los meses que no llevan *R*, dicen los pescadores; es la época de la gestación.

MODO DE COCINAR LAS LANGOSTAS

La langosta debe estar viva al hervirse y se torna roja al cocinarse.

Caliente agua suficiente como para cubrir la langosta y agregue por cada litro una cucharada de sal, cuando hierva, eche la langosta, tape la olla y déjelo hervir a fuego vivo durante diez minutos por cada libra de langosta. (Si la carne de la langosta se va a utilizar en una receta que debe cocinarse nuevamente, hiérvala a fuego bajo solamente de 15 a 20 minutos en total, según el tamaño).

Abra la langosta por el centro, dividiéndola en dos mitades a lo largo. Use un cuchillo grueso de cocina. Sáquele cuidadosamente el intestino (que corre a lo largo de la cola) y el estómago junto con los pulmones (que son el tejido esponjoso que se encuentra entre el cascarón y la carne). Si la langosta tiene corales (huevas) úselos que son muy sabrosos.

OSTRAS AL NATURAL

Se dejan las ostras en sus conchitas, se les pone jugo de limón o se presentan con rodajitas de limón para el gusto de cada cual.

COCTEL DE OSTIONES

(Para 5 ó 6 copas)

Los ostiones cartageneros son pequeños y de un sabor magnífico y suave.

10	docenas de ostiones
1	cucharada de salsa Perrins
$^1/_2$	frasco de salsa de tomate
	jugo de limón, picante al gusto.

GRAN COCTEL DE OSTRAS

10	docenas de ostras
1	cucharada de salsa inglesa
$^1/_2$	frasco de salsa de tomate
1	copita de brandy
	jugo de limón y picante al gusto.

Prepare el coctel, enfríelo unas horas antes de servir. Preséntelo en copas anchas.

OSTIONES RELLENOS

(Para 6 personas)

12	ostiones en sus conchas
5	cucharadas de salsa de tomate
2	cucharaditas de salsa negra
$^1/_4$	de cucharadita de sal
5	cucharadas de polvo de pan
	jugo de un limón
	picante al gusto.

Se sacan de la concha los ostiones y se preparan con limón, salsa de tomate, salsa negra Perrins y unas gotas de picante. Se les deja también un poquito de su propia agua. Se es-cogen seis de las conchas más grandes, se lavan muy bien y se untan por dentro con un poquito de mantequilla. Se rellenan con las ostras procurando que lleven suficiente salsa, se cubren con pan rallado y encima se les pone un poquito de mantequilla, como del porte de una arveja. Se meten en el horno y se dejan dorar.

MUELAS DE CANGREJO AL NATURAL

(Para 6 personas)

36	muelas de cangrejo
$^3/_4$	de taza de salsa vinagreta
1	cucharada de cebolla finamente picada

Sancoche las muelas y pártalas en la siguiente forma: póngalas de costado y déles un golpe fuerte para quebrar la cáscara y quítela con cuidado de manera que la carne quede adherida al cartílago del centro y déjeles la pata que no es movible.

CUAJADO DE CAMARONES

(Para 4 personas)

1	libra de camarones pelados crudos y sin venas
5	huevos
3	cebollas picadas
3	tomates sin piel ni semillas
$^1/_2$	libra de papas peladas partidas en trocitos
3	cucharadas de mantequilla
	sal y pimienta al gusto.

La mantequilla se pone al fuego con la cebolla y el tomate en pedacitos por 10 minutos, se añaden los camarones y las papas, y se dejan hasta que estén cocidos. Los huevos se baten por separado; cuando estén las claras a punto de nieve se les va agregando las yemas poco a poco sin dejar de batir. La mitad de la mezcla se agrega a los camarones, ya fríos. Se vierte en un molde untado de mantequilla y encima el resto de los huevos. Se cocina $^1/_2$ hora en horno de 350 °F o hasta que al introducir un cuchillo éste salga limpio.

CREMA DE CARNE DE CANGREJO

(Para rellenar conchas o *Vol-au-vent*)

Se hace una salsa blanca, se pone al fuego, con igual cantidad de carne de cangrejo, sazonándola después con sal y pimienta al gusto. Sirve también para comerla sobre tostadas.

CAMARONES EN APUROS

1	libra de camarones sancochados
4	cucharadas de aceite de olivas
5	cucharadas de pan rallado
	salsa de tomate, sal y pimienta.

Se fríen en aceite los camarones, se les agrega el pan y se les rocía la pimienta, revolviendo bien, y de último la salsa de tomate.

Puede servirse sobre hojas de lechuga.

LANGOSTA O CAMARONES CON COCO Y CURRY

(*Para 6 personas*)

2	libras de langosta o camarones cocidos
1³/₄	tazas de leche de coco
4	onzas de mantequilla
1	cucharada de harina
2	dientes de ajo finamente picados
1	cucharada rasa de polvo de curry
	sal al gusto.

Se pone la mantequilla en una sartén, cuando se derrita, sin dejarla dorar, se le agrega la harina. Se mueve bien; cuando esté mezclada y hecha una masa se le va añadiendo poco a poco la leche del coco, moviendo constantemente para que no se formen grumos. Se le agrega el curry disuelto en un poco de leche de coco y la sal. Se deja hervir un momento y se le añaden los camarones o langosta.

Se hace un arroz blanco y se vierte en un molde de pudín que sea de hoyo en el centro, se desmolda y en el hueco se echan los camarones o langosta y también alrededor, adornándose con unas ramitas de perejil.

Esta salsa debe hacerse a última hora para evitar que se corte.

AGUACATES RELLENOS CON CAMARONES

(*Para 6 personas*)

3	aguacates grandes
1¹/₂	libras de camarones cocidos
1	taza de mayonesa
2	cucharadas de crema de leche
3	cucharadas de salsa de tomate
1	cucharada de brandy
1	cucharada de jugo de limón
¹/₂	cucharadita de sal.

Se parten los aguacates al momento de servirlos, a lo largo, y se les unta el jugo de limón para que no se ennegrezcan. Mezclar los camarones con el resto de los ingredientes y se rellenan los aguacates.

Adornarlos con dos o tres camarones cocidos.

APERITIVO DE CANGREJO

(*Para 8 personas*)

1	libra de carne de cangrejo
1	cucharadita de mostaza preparada
1	cucharadita de sal
1	cucharadita de aceite de olivas
1	cucharadita de perejil picado
3	cucharadas de vinagre
1	huevo duro picado
¹/₄	de cucharadita de paprika
¹/₄	de taza de lechuga bien picada
	una pizca de pimienta.

Se mezcla bien todo y se pone a helar en copas de coctel, se decora con mayonesa y filetes de anchoa.

HUEVAS DE SABALO FRITAS

Se limpian como la receta *Bollos de sábalo*.

2	libras de huevas
1	cucharada de sal
¹/₂	cucharada de pimienta
3	libras de harina
	aceite para freír
	el jugo de un limón.

Adóbelas, páselas por harina y fríalas en aceite caliente.

LANGOSTA A LA CARTAGENERA

(Para 4 personas)

1	langosta grande
2	cebollas picadas
1	cucharada de salsa de tomate
3	tomates, sin piel ni semillas
2	cucharadas de mantequilla
1	cucharadita de salsa inglesa
2	cucharadas de polvo de pan
3	ó 4 huevos
	sal al gusto y pimienta.

Cocine la langosta en agua de sal que la cubra, con 2 hojas de laurel y una ramita de tomillo. Cuando la concha se ponga rojiza, aproximadamente de 15 a 20 minutos, déjela enfriar completamente y extraiga con cuidado la carne sin romper la concha. Pártala por las coyunturas, como de 4 a 5 centímetros de ancho, y resérvelas para luego rellenarlas.

Deshilache la carne de la langosta. Sofría la cebolla en la mantequilla, añada el tomate hasta que se desbarate y demás ingredientes, excepto los huevos. Agregue la langosta revolviendo bien y cocínela unos minutos para que tome sabor.

Llene las cascaritas que se reservaron con esta mezcla. Bata las claras a punto de nieve con un poco de sal, agregue las yemas e introduzca las cascaritas en el huevo batido y dórelas en el aceite no muy caliente.

BOLLOS DE HUEVAS DE SABALO

(Para 6 personas)

1	libra de huevas
4	onzas de masa de maíz blanco
2	cebollas picadas en trocitos pequeños
2	tomates picados en trocitos pequeños
3	cucharadas de mantequilla
$^1/_2$	cucharadita de pimienta
1	cucharadita de sal
	hojas de maíz verde para envolverlos.

Las huevas se limpian quitándoles la piel, se majan con un tenedor, y agregan los otros ingredientes. Bien mezclados se distribuyen en seis porciones sobre las hojas de maíz, se envuelven, amarran y cocinan durante una hora, más o menos.

BUÑUELOS DE HUEVAS DE SABALO

Se les quita el pellejo a las huevas, se componen con sal, limón, cebolla, tomate, cebollín y se bate un poco. Se fríen por cucharadas en manteca caliente.

CARACOLES GUISADOS CON COCO

(Para 8 personas)

6	caracoles de pala
2	tazas de leche de coco
4	cebollas grandes partidas en pedacitos
4	cucharadas de mantequilla
4	tomates sin piel ni semillas, partidos
8	ajíes dulces partidos
4	dientes de ajo majados
1	cucharada de harina
	sal, pimienta picante de olor y comino.

Se golpean los caracoles con la mano del mortero, para que ablanden, ya que son muy duros. Se les quita la piel que los cubre y la vena. Se parten en trocitos y se cocinan en suficiente agua hasta que estén blandos. En esa agua se exprime el coco. Se fríe la cebolla en la mantequilla hasta que esté transparente, se le agregan los demás ingredientes y se cocinan por 15 minutos. Se añaden los caracoles, la leche del coco mezclada con la harina y se cocina por 15 minutos.

POSTAS DE LEBRANCHE

(Para 4 personas)

6	postas de lebranche
	leche, sal y pimienta al gusto.

Lave el pescado y prepárelo con sal, pimienta y limón. Al momento de servir sumérjalas en leche y después páselas por harina. Fríalas en aceite bien caliente hasta que doren. Póngalas en papel absorbente para quitarles el exceso de grasa. Adórnelas con perejil y ruedas de limón. Acompáñelas con mayonesa o salsa tártara.

LEBRANCHE EN VINO

(Para 6 personas)

6   postas grandes u otro tipo de pescado
    el jugo de un limón
    pimienta picante molida
    aceite.

Lave el pescado y condiméntelo con sal y limón. Marínelo durante una hora. Fríalo con el aceite caliente hasta que dore.

Salsa:

6   tomates picados, sin piel ni semilla
4   cebollas finamente picadas
3   ajos majados
2   tazas de vino blanco seco
4   clavos de olor
4   pimientas de olor
2   cucharadas de mantequilla o margarina.

Fría en la mantequilla la cebolla hasta que quede transparente, agregue los demás ingredientes, excepto el vino. Cocine por 20 minutos. Añada el vino y deje reducir la salsa a la mitad; agregue el pescado, y cocine a fuego lento por 10 minutos.

LEBRANCHE EN ESCABECHE

12   postas de lebranche
3   cebollas cortadas en ruedas
2   dientes de ajo
1   taza de vinagre
2   hojas de laurel
½   taza de agua
     pimienta picante en granos
2   cucharadas de harina
6   cucharadas de aceite de oliva
     aceite para freír
     sal al gusto.

Lave el pescado, agréguele la sal y la pimienta, pasándolas ligeramente por harina y dorándolas en el aceite bien caliente. Retírelas, y en la misma sartén ponga la cebolla, el vinagre, agua, el laurel y los granos de pimienta, dejándolos que tomen un hervor. Coloque en una fuente refractaria el pescado y agregue caliente la mezcla anterior. Déjelo enfriar y añada el aceite de oliva. Consérvelo tapado por uno o dos días en la nevera; cualquier pescado de carne dura sustituye el lebranche.

PESCADO CON POLVO DE PAN

(Para 6 personas)

1   pescado entero mediano u ocho filetes
    (róbalo o pargo rojo)
½   cucharadita de sal por cada libra de
    pescado
½   cucharadita de pimienta blanca
3   claras de huevo
1   taza de pan rallado
    jugo de un limón
    aceite vegetal.

Si el pescado es entero, se abre por la mitad a lo largo, se le retira la espina dorsal y se sacan los filetes individuales, condimentándolos con sal, limón y pimienta.

Al momento de servirlos se pasan por las claras de huevos batidas ligeramente, luego se cubren con el polvo de pan y se fríen en aceite bien caliente o mantequilla. Se presentan solos o con salsa de tomate.

PESCADO AL HORNO

(Para 6 personas)

2   libras de pescado cocido con sal, limón y
     cebolla
2½   tazas de leche
½   paquete de maizena
2   cebollas picadas menudas
4   onzas de mantequilla
     queso parmesano rallado.

Se derrite la mantequilla, se fríe la cebolla sin dejarla dorar, se le agrega la leche y cuando esté hirviendo se le añade la maizena, disuelta en un poco de leche fría. Se deja en el fuego hasta que espese, sin dejarla de mover. Se le pone la sal. Debe quedar con la consistencia de una mermelada.

En un pírex se vierte un poco de salsa para cubrir el fondo, se espolvorea con el queso, se pone una capa de pescado en filetes, otra de salsa y queso, y así sucesivamente hasta terminar con salsa y queso. Se mete en el horno a 450 °F hasta que dore. Se acompaña con papas.

PESCADO CON POLVO DE PAN Y QUESO

Se hace en la misma forma y cantidades de la Receta No. 20, pero mezclando el pan con el queso parmesano rallado y perejil picado.

SOBREUSA DE PESCADO

6	postas de pescado fritas
6	ajos en trocitos
2	cebollas finamente picadas
$^1/_2$	cucharadita de pimienta
1	cucharada de vinagre
4	cucharadas de aceite de oliva
3	rodajas de pan remojado y desmenuzado en media taza de agua.

Fría los ajos en el aceite, agregue las cebollas y cocínelas hasta que estén transparentes y añada el pan desmenuzado y remojado en media taza de agua, la pimienta y cocine hasta que forme una salsa un poco espesa. Agregue el pescado y déjelo cocinar por 20 minutos; antes de servirlo añada el vinagre.

MOLDE DE PESCADO AL HORNO

(Para 6 personas)

2	libras de pescado (róbalo, pargo o corvina)
2	cebollas picadas finamente
2	tomates picados finamente
2	cucharadas de mantequilla
2	cucharaditas de sal
	el jugo de un limón.

Se guisa el pescado con cebolla, tomate, mantequilla y sal. Cuando esté cocido se le sacan las espinas y la piel, se parte en trozos y se coloca en un pírex untado de mantequilla, intercalándolo con la siguiente salsa: a la salsa blanca corriente (*véase* capítulo de salsas) se le agregan mostaza, alcaparras, queso parmesano rallado, un poco de salsa negra y sal al gusto. Terminando con la salsa y el queso, se pone al horno hasta que dore. Puede acompañarse con papas al vapor.

PESCADO CON SALSA ROMAN

(Para 6 u 8 personas)

1	pescado entero (pargo o cherna) de 4 a 6 libras
2	tomates partidos en ruedas
4	cucharadas de mantequilla
$^3/_4$	de taza de vino blanco
3	cucharaditas de sal
1	cucharadita de pimienta picante
6	ajíes dulces picados
	el jugo de dos limones.

Lave el pescado, úntelo por dentro y por fuera con sal, pimienta, limón, mantequilla y los demás ingredientes. Póngalo en el horno a 300 °F. Agregue el vino y cocínelo tapado aproximadamente una hora.

A falta de una pescadera, cocínelo en una bandeja de aluminio y cúbralo con papel de aluminio.

Salsa:

1	frasco de aceitunas majadas
2	libras de tomates partidos, sin piel ni semillas
3	cucharadas de mantequilla.

Ponga al fuego la mantequilla, el tomate, las aceitunas y cocine hasta que la salsa esté espesa. Un momento antes de servir vierta la salsa sobre el pescado y cocine unos minutos.

BOLAS DE PESCADO

(Para 6 personas)

1	libra de pescado cocido sin piel ni espinas (pargo rojo o róbalo)
1	libra de papas cocidas y majadas calientes
3	claras de huevo
1	taza de migas de pan
2	cucharadas de mantequilla
	aceite vegetal.

El pescado se adoba con sal, limón, un poco de mantequilla, cebolla, ajíes y tomates, se cocina en la pescadera bien tapada a fuego lento. Cuando está cocido se le quitan la piel y las espinas, y se desmenuza bien. Se mezcla la papa majada con el pescado añadiéndole mantequilla para que quede una pasta suave. Con esto se hacen bolas que se mojan en clara de huevo ligeramente batida con una pizca de sal, se cubren con polvo de pan y se fríen hasta que queden doradas.

Se sirven con salsa de tomate que debe ponerse aparte. Pueden hacerse con bacalao o salmón.

RECETA No. 27

CEBICHE CON LECHE DE COCO

(Para 6 personas)

2   libras de pescado de carne dura
2   dientes de ajo majados
3   cebollas cortadas en tiritas
2   tazas de leche de coco
$^1/_2$ cucharadita de pimienta picante
1   cucharadita de sal
    el jugo de dos limones y de una naranja
    agria
    picante al gusto.

Lave el pescado y pártalo en trozos pequeños, cubra con el jugo de limón y de naranja. Mezcle con los demás ingredientes, excepto la leche de coco y el picante. Déjelo varias horas hasta que el pescado aparezca cocido. Bañe el pescado con la leche del coco y déjelo 4 ó 5 horas. Por último, antes de servirlo, póngale el picante al gusto.

RECETA No. 28

FLAN DE PESCADO

$1^1/_2$ libras de pescado
4   rebanadas de pan de molde
$^3/_4$ de taza de leche
4   huevos
3   cucharadas de mantequilla
4   cucharadas de pasta de tomate
4   cucharadas de queso parmesano rallado
1   cucharada de mostaza
1   frasco pequeño de alcaparras majadas
1   cucharada de salsa inglesa
    sal, pimienta y perejil picado.

Lave el pescado y cocínelo con tomate, cebolla, sal, ajíes y un poco de agua. Desmenúcelo o muélalo con los ingredientes, maje el pan en la leche, mezcle bien y agregue el pescado. Rectifique la sazón y viértalo en un molde engrasado, póngalo al baño de María en el horno a 350 °F, aproximadamente una hora. Sírvalo con salsa de tomate.

RECETA No. 29

BOLAS DE SARDINAS

1   lata grande de sardinas en tomate
1   libra de papas
    alcaparras, huevos y harina.

Las papas se cocinan peladas, se trituran muy bien, se le añaden las sardinas bien desmenuzadas con su salsa y alcaparras, haciendo con esto unas bolas. Se baten los huevos con un poquito de sal y harina, se mojan las bolas en esta mezcla y se fríen en manteca o mantequilla.

RECETA No. 30

CANAPES DE PESCADO A LA DIABLA

$1^1/_2$ libras de pescado cocido
3   cucharadas de mantequilla
1   cucharada de mostaza
1   cucharadita de salsa inglesa
1   cucharada de salsa de tomate
1   limón
    pimienta y sal al gusto.

Desmenuce o muela el pescado, agregue los ingredientes. Haga una pasta suave y extienda sobre el pan tostado.

RECETA No. 31

SABALO GUISADO CON LECHE DE COCO

8   postas de sábalo
1   coco grande
12   ajíes dulces (criollos)
4   cebollas grandes partidas
4   tomates grandes partidos
4   pimientas de olor
    sal, pimienta y limón.

Prepare el pescado con sal y limón. Parta el coco, recoja el agua, ralle la pulpa, exprima ésta con su agua para extraer $^3/_4$ de leche de coco. Repita la misma operación con agua corriente hasta obtener la cantidad de líquido necesaria para cubrir el pescado. Cocine el pescado con la segunda agua del coco y demás ingredientes. Un poco antes de servir agregue la primera leche del coco.

BAGRE A LA CRIOLLA

1	libra de bagre salado o bacalao
2	libras de tomates partidos, sin piel ni semillas
$^1/_2$	libra de cebolla partida
1	lata de pimienta nurrones
8	dientes de ajo
4	cucharadas de aceite de oliva
1	cabeza de ajo entera.

Parta el bagre en pedazos grandes y póngalo en agua la noche anterior. Sáquelo, quítele las espinas y el pellejo, y cocínelo en un poco de agua por 10 minutos. Fría los ajos en el aceite, agregue las cebollas hasta que queden transparentes, los tomates, la cabeza de ajo y tape el bagre hasta que esté cocido. Momentos antes de servir agregue los pimientos en pedacitos. Preséntelo adornado con tiritas de pimientos y pan frito en triángulos.

BAGRE CON TOMATE

(Para 6 personas)

1	libra de bagre salado
1	libra de tomates maduros, partidos, sin piel ni semillas
4	onzas de cebolla
$^1/_2$	taza de aceite.

Introduzca el bagre en agua un rato para quitarle el exceso de sal. Cúbralo con agua y luego póngalo a cocinar por 15 minutos. En el aceite fría la cebolla hasta que esté transparente, agregue el tomate y cocine por 20 minutos, añada el bagre y deje reducir la salsa hasta que esté un poco espesa. Retírelo del agua y desmenúcelo.

PESCADO AL HORNO

(Para 4 personas)

Se limpia bien un pescado entero, puede ser pargo, cherna, lebranche, etc., se compone con sal, limón, mantequilla, cebolla, tomate y un poquito de pimienta. Se mete en el horno y al servirlo se baña con salsa blanca, holandesa o cualquier otra. (*Ver* capítulo de salsas).

BAGRE CON HUEVO

(Para 6 personas)

2	libras de bagre seco desalado, sin pellejo y limpio de espinas
4	huevos
3	cebollas partidas en rodajas
4	tomates finamente picados
3	ajos majados
	aceite o manteca con achiote.

Se procede en la misma forma que la Receta Nº 33. Al bagre ya desmenuzado se le agrega tomate, cebolla, ají y un poquito de ajo y manteca con color. Se pone al fuego hasta que todos los condimentos estén bien mezclados y cocidos, y al momento de servir se baten unos tres huevos por una libra de bagre y se hace un revoltillo.

BOCACHICO SALADO O CABRITO

(Para 6 personas)

Este pescado viene abierto y salado, y hay que desalarlo para quitarle su fortaleza.

1	bocachico grande o 2 medianos
4	cebollas cortadas en rodajas
4	tomates cortados en rodajas
	aceite vegetal.

La cebolla y el tomate se sofríen ligeramente en el aceite caliente, sin que se desbaraten, y con esto se rellena el pescado. Envolverlo entonces en una hoja de bijao o plátano, a la cual se le unta un poco de manteca para que no se pegue. Asarlo con carbón vegetal en poquita grasa durante unos $^3/_4$ de hora. Se acompaña con bollo limpio.

HICOTEA GUISADA

2¹/₂ libras de hicotea
4   cebollas picadas
6   tomates picados
4   ajos
10   ajíes criollos picados
2   cucharaditas de sal
1   taza de leche de coco
1   cucharadita de harina
      comino al gusto.

Limpie bien la hicotea y cocínela en una taza de agua con todos los ingredientes, excepto la leche de coco y la harina. En caso de que reduzca y aún esté dura, añada poco a poco más agua caliente. Al final agregue la leche de coco mezclada con la harina.

BISTE DE TORTUGA

(Para 6 personas)

2   libras de tortuga
3   cebollas en rodajas
3   tomates
4   dientes de ajo
2   cucharaditas de sal
1   cucharadita de pimienta
      jugo de medio limón
      aceite vegetal.

Para hacer los bistés, se prepara igual que un bisté de carne, sazonándolo con sal, pimienta, limón, ajo y cebolla. Después que se fríe se prepara una salsa con tomates, cebollas en ruedas cocidas en un poco de manteca, la cual se le pone por encima al servirlos.

ENSALADA DE CARACOLES

Estos se llaman "patas de burro", y son pequeños y negros. Sáquelos de la concha, límpielos muy bien, hágales un corte en el centro para quitarles la vena. Lávelos y cocínelos con agua de mar hasta que estén tiernos, agregue cebolla picadita, vinagre, aceite de oliva y pimienta picante. Déjelos varias horas en esta preparación.

CAMARONES EN TOMATE

2   libras de camarones frescos
5   tomates grandes finamente partidos, sin piel ni semilla
2   ajíes pimientos finamente partidos
3   dientes de ajo majado
3   cucharadas de mantequilla
      sal y pimienta al gusto.

Cocine los camarones en suficiente agua con sal por 4 minutos. Pélelos y quíteles las venas. Ponga al fuego la mantequilla y fría la cebolla hasta que esté transparente, agregue los ajos, ajíes y tomates. Cocine durante 20 minutos, rectifique la sazón y coloque los camarones en la salsa sólo por 10 minutos. Se acompaña con arroz blanco.

CANGREJAS AL GRATIN

(Para 6 personas)

1   taza de salsa blanca sazonada con sal y nuez moscada
8   cangrejas
2   cebollas grandes finamente picadas
3   cucharadas de mantequilla
1   cucharada de perejil picado
2   cucharadas de pan rallado
3   cucharadas de queso parmesano.

Cocine las cangrejas en agua hirviendo con sal hasta que adquieran color rojo. Retírelas y déjelas reposar. Sáqueles la comida de los caparazones, muelas y patas; retire los huesos y cartílagos. Conserve seis caparazones, los que deben lavarse para luego rellenarlos. Fría la cebolla en la mantequilla; antes que dore, agregue la carne de las cangrejas, la salsa blanca, el queso parmesano y el perejil, y cocine unos cuatro minutos. Unte con mantequilla las conchas que se reservaron y rellénelas. Espolvoree el pan rallado por encima. Llévelas al horno a 350 °F hasta que doren.

CONCHAS DE MARISCOS
O PESCADO

(Para 6 personas)

2	libras de pescado, langostas o camarones cocidos
2	tazas de salsa blanca (véase receta)
6	cucharadas de queso parmesano rallado
1	cucharada de curry y mostaza, si se quiere sal y pimienta.

Llene las conchas, espolvoréeles el queso parmesano por encima y póngalas al horno a gratinar.

CREMA DE LANGOSTA
O CAMARONES

(Para 6 personas)

2	libras de langostas o camarones cocidos en agua de sal por $^{1}/_{4}$ de hora
$^{1}/_{2}$	cucharadita de sal
2	yemas
$^{1}/_{4}$	de taza de mantequilla
1	cucharada de jerez
1	cucharada de brandy
$^{1}/_{2}$	taza de crema un poco de nuez moscada

Cocínese en la mantequilla la langosta picada por 3 minutos. Añádase el vino, déjese un minuto más, agréguense crema y yemas, cocinándola hasta que espese. Sirve para rellenar *vol-au-vents*, conchas de pasta o sobre tostadas.

COCTEL ESPECIAL
DE CAMARONES

(Para 8 personas)

3	libras de camarones
2	botellas medianas de salsa de tomate
$1^{1}/_{2}$	tazas de aceite de olivas
1	taza de vinagre
2	ramas de apio bien picado
2	libras de tomate desprovisto de la piel y partido en pedacitos
$^{1}/_{2}$	taza de cebolla de hoja partida finamente
8	cebollas picadas finamente
2	cucharadas de salsa negra
1	rama de cilantro picado el jugo de 12 limones azúcar y picante al gusto.

Se echan los camarones en agua hirviendo con suficiente sal y se dejan 5 minutos. Aparte se prepara la salsa con todos los ingredientes, se le agregan los camarones pelados y sin la vena, se dejan en la nevera hasta el día siguiente.

CAPITULO IV

Huevos, butifarras y chorizos

Huevos

HUEVOS EN CALDO

(Para 6 personas)

6	tazas de caldo de carne
6	huevos
2	tomates
1	cebolla mediana
2	cebollas de hoja
2	ajos machacados.

Los vegetales bien picados se sofríen en manteca con color de achiote y añadirle el caldo. Se deja hervir durante 10 minutos a fuego suave y al momento de llevarlo a la mesa se le agregan los huevos, dejándolos cocinar según el gusto. Al retirarlos del fuego se les pone unas gotitas de limón.

HUEVOS DUROS

Se echan en una cazuela con agua hirviendo; si se preparan varios deben echarse todos al mismo tiempo, para que queden iguales. Deben cocinarse 12 minutos, nunca pasarse de 15. Al cabo de este tiempo se sacan y se ponen en agua fría. Si cuecen demasiado tiempo, se agrietan y quedan feos. Estos se emplean mucho en la cocina, en ensaladas, rellenos, cortados en ruedas, etc. Para pelarlos fácilmente se dejan un momento en agua con bastante sal, cuando ya estén cocidos.

HUEVOS CON SALSA NEGRA

(Para 6 personas)

6	huevos escalfados (cocinados en agua sin las cáscaras)
4	cucharadas de mantequilla
3	cucharaditas de salsa Perrins o vinagre.

Se cocinan los huevos en agua (escalfados). Aparte se pone una cucharada rebosada de mantequilla y cuando comience a quemarse, se le agrega un chorrito de salsa Perrins, o ésta puede sustituirse por una cucharadita de vinagre, teniendo cuidado al verterla porque salta y puede quemar. Se sirve sobre los huevos.

HUEVOS FRITOS

Se echan uno a uno en la sartén cuando la manteca esté caliente, se cocinan, teniendo cuidado de que no se doren. Se pueden dejar sin tocarlos hasta que estén listos, o echándoles manteca por encima, si se quieren más duros.

HUEVOS PERICOS CON CEBOLLA Y TOMATE

(Para 6 personas)

3   cucharadas rasas de mantequilla
12 huevos
1   cebolla mediana
3   tomates
    sal y pimienta al gusto.

Se pone la mantequilla a derretir en el fuego, se le agrega la cebolla picada, el tomate en pedacitos y sofríen un rato. Mientras tanto, se van batiendo aparte los huevos con la sal y la pimienta. Cuando esté listo el guiso se le agregan los huevos y se ponen a fuego medio, se revuelve de vez en cuando para que no se peguen y se dejan hasta que cuajen.

HUEVOS ESCALFADOS
(Fritos en agua)

Se pone un poco de agua a hervir con un chorrito de vinagre, se parte el huevo y se echa dentro del agua, como si se fuera a freír en manteca, dejándolos hasta que se cuaje la clara o al gusto.

HUEVOS CON PURE DE PAPAS

(Para 6 personas)

6   huevos
$1^1/_2$ libras de papas
$1^1/_2$ tazas de leche caliente
4   cucharadas de mantequilla
3   cucharadas de salsa de tomate
$^1/_2$ taza de queso parmesano rallado
$^1/_2$ cucharada de sal.

Se cocinan las papas peladas en agua con sal y se pasan calientes por el prensa-puré. Agregarle la mantequilla, la leche y la sal. Batirlas hasta que quede una pasta suave. Se extiende en una refractaria un poco honda que puede ir al horno, y se le hace 6 huecos para colocar en cada uno de ellos un huevo crudo. Bañarlos con salsa de tomate y un poco de queso parmesano rallado. Llevarlos al horno hasta que estén cocidos.

HUEVOS EN RUEDAS DE PAN

(Para 6 personas)

6   huevos
6   rebanadas de pan
3   cucharadas de salsa de tomate
$^1/_2$ taza de queso parmesano rallado.

Se parte una rueda de pan un poco gruesa y se ahueca en el centro. Se echa el huevo crudo en el hueco y se fríe en manteca que no esté demasiado caliente para evitar que el pan se queme mientras se fríe el huevo. Al servirlo se le pone por encima una cucharadita de salsa de tomate y un poquito de queso parmesano.

HUEVOS RELLENOS

(Para 6 personas)

Se sancochan ocho huevos hasta que queden duros. Se pelan. Se parten por la mitad a lo largo y la yema se saca, se majan con mantequilla, mostaza, sal y pimienta y se rellenan de nuevo.

También pueden rellenarse con atún mezclado con mantequilla y alcaparras. Se les echa por encima un poco de salsa de tomate natural o mayonesa.

HUEVOS CON PURE DE PAPAS
(Otra)

(Para 6 personas)

$1^1/_2$ libras de papas
6   huevos
    mostaza, mantequilla,
    sal y pimienta al gusto.

Las papas se sancochan y se hace un puré, los huevos se sancochan duros y se parten por la mitad, con una cucharita se le sacan las yemas, las que se majan muy bien con un poquito de mantequilla y mostaza, con esto se rellenan los huevos. En la bandeja se coloca el puré de papas y encima los huevos ya rellenos, bañándolos con salsa de tomate, la cual se prepara de antemano, con los tomates naturales.

Pan de jengibre

Maíz seco o bollo limpio

página 119

Tortilla de patatas a la española

página 297

Ensalada "Tía Clara"

página 102

Pudín de zanahoria

página 346

Ajıaco de pollo

página 200

Pancakes

página 310

Pollo guisado a la cartagenera

página 88

Camarones marinados en cerveza

página 235

Camarones al curry

página 58

Flan de leche

página 152

Chocolate santafereño con almojábanas

HUEVOS COPETONES

(Para 6 personas)

8 huevos
4 rebanadas de pan
2 cucharadas de mantequilla
½ taza de queso rallado.

Se ablanda un poco el pan en leche, se le pone la mantequilla y se extiende en la sartén. Se le vierte por encima con cuidado unos huevos crudos, se cubren con bastante queso rallado y se meten al horno hasta cocinar. Se hacen también con jamón.

HUEVOS RUSOS

(Para 6 personas)

8 huevos
2 cucharadas de mantequilla
1 cucharadita de mostaza
½ cucharadita de sal
1 cucharadita de vinagre
1 cucharadita de alcaparras bien trituradas
   pimienta y sal con prudencia.

Se cocinan los huevos hasta que queden duros, se parten a lo largo, se le sacan las yemas, se mezclan bien todos los ingredientes. Se vuelven a rellenar las claras. Se untan de huevo batido y se echan a freír. Se preparan unas hojas de lechugas y cada medio huevo se sirve dentro de un nido de hojas. Sirven para acompañar carnes frías o jamón.

HUEVOS ESPARRAGADOS

(Para 4 personas)

4 huevos
4 ajíes grandes
6 tomates
½ cucharadita de aceite
   pimienta al gusto
   sal y vinagre.

Se pasan por agua hirviendo los ajíes y los tomates para quitarles el hollejo y las semillas. En esa misma agua se echan los ajíes y los tomates picados dejándolos hervir durante 5 minutos; entonces se le echan los huevos como si se fueran a freír, hasta que tengan la consistencia que se desee. Al bajarlos se les añade un poquito de aceite de olivas.

HUEVOS A LA LIBERALA

(Para 6 personas)

8 huevos
3 tomates
4 lonjas de tocineta o de jamón bien picados
2 cucharadas de queso parmesano rallado
6 cucharaditas de crema
6 cucharaditas de salsa de tomate.

Este plato se hace en refractarias individuales. Cada una se unta con mantequilla. Los tomates pasarlos por agua caliente para retirarles la piel y picarlos finamente. Distribuirlos en el fondo de cada una de las cazuelas. La tocineta ligeramente sofrita o el jamón picado añadirlo. Poner encima una cucharadita de crema, el huevo y cubrirlo con la salsa de tomate. Finalmente espolvorearles queso parmesano y llevarlos al horno precalentado a 350°F hasta que cuajen los huevos al gusto. Servirlos en la misma refractaria.

REVOLTILLO DE PAPAS

(Para 4 personas)

6 huevos
1 libra de papas partidas en cuadritos
3 dientes de ajo majados
1 cebolla grande partida
   en pedacitos pequeños
4 cucharadas de aceite de olivas
   sal al gusto.

Las papas se ponen en agua de sal por un rato. Escúrralas y séquelas con un paño al momento de cocinarse. En una sartén caliente el aceite con el ajo y la cebolla hasta que esté transparente, agregue las papas y rocíelas con un poquito de agua de vez en cuando para que no se tuesten. Bata los huevos para unir claras y yemas, póngale la sal y cuando las papas estén tiernas, agregue los huevos y cocínelos hasta que cuaje.

HUEVOS EN CACEROLA

Se pone una cucharadita de mantequilla en una cacerolita, se parte el huevo sobre ella y se pone a fuego lento tapada, dejándole el punto de cocción al gusto.

REVOLTILLO DE CHORIZOS

(Para 6 personas)

8	**chorizos (de los que hacen en Turbaco cerca a Cartagena)**
7	**huevos**
2	**tomates medianos**
1	**cebolla finamente picada**
2	**ajíes**
3	**cucharadas de aceite o manteca con achiote.**

Retirarle a los chorizos la tripa o envoltura que traen. En una sartén freírlos un poco con la manteca y añadirles luego la cebolla y los ajíes. Sin dejar de revolverlos sofreír estos elementos un poco. Por separado batir los huevos, con sal y pimienta y verterlos sobre el guiso, revolviendo para que se mezcle bien todo. Se deja que el revoltillo tome consistencia al gusto.

HUEVOS FRITOS CON JAMON

(Para 6 personas)

6	**huevos**
6	**lonjas de jamón**
2	**cucharadas de mantequilla.**

En una sartén el jamón se deja un momento al fuego con un poquito de agua para que ablande antes de freírlo en la mantequilla. Se parte en trozos y se le echan encima los huevos, dejándolos cocinar más o menos duros según el gusto. También puede hacerse un guiso de tomate con cebolla y el jamón, después de cocido agregarle los huevos y colocarlos en moldes individuales al horno.

TORTA DE HUEVOS

(Para 6 personas)

8	**huevos**
2	**rebanadas gruesas de queso en cuadritos**
6	**rebanadas de pan**
2	**cucharadas de mantequilla.**

Se unta un pírex en mantequilla (que no sea muy alto). Se le retira la corteza a las rebanadas de pan y se mojan en la leche. Se ahuecan un poco en el centro, se colocan extendidas en el pírex y se echa un huevo en cada una, se colocan cuadritos de queso y trocitos de mantequilla y sal sobre los huevos y se meten al horno hasta que doren. Este es un plato muy bueno para vigilia.

REVOLTILLO DE HICOTEA

2	**libras de hicotea**
6	**huevos batidos**
8	**tomates partidos, sin piel ni semillas**
3	**cebollas partidas en pedazos pequeños**
3	**ajos majados**
1	**taza de agua**
6	**ajíes dulces**
	unos granos de comino
	sal al gusto.

La hicotea se pasa por agua caliente, se le quita el pellejo y las uñas. Se cocina con el agua y los ingredientes hasta que ablande. Se deshilacha o se parte en pedacitos y se mezcla con los huevos batidos y se cocina hasta que cuaje.

REVOLTILLO DE CAMARONES

(Para 6 personas)

8	**huevos**
2	**libras de camarones frescos**
1	**cucharada de mantequilla**
1	**libra de tomates sin piel ni semillas**
3	**cebollas.**

Se cocinan los camarones en agua de sal y se pelan. En una sartén se pone la mantequilla con las cebollas picaditas hasta que comiencen a dorar, se le agregan los tomates en pedacitos, desprovistos de la piel y las semillas; cuando estén cocidos se le añaden los camarones y se deja cocinar un rato. Aparte se baten los huevos juntos con un poquito de sal y se echan a la mezcla anterior, hasta que cuajen y tengan la consistencia que se quiera.

REVOLTILLO DE CANGREJOS

Lo mismo que en la receta del revoltillo de camarones, receta No. 21, pero en lugar de camarones se pone carne de cangrejos, cocida también en agua de sal y sacados de sus cáscaras.

Butifarras y chorizos

CHORIZOS

2	libras de masa de cerdo
1	libra de tocino
3	cucharadas de vinagre
2	cebollas medianas
5	ajos
$\frac{1}{2}$	cucharadita de comino
$\frac{1}{2}$	cucharadita de pimienta negra
2	cucharadas de sal
5	ajíes (costeños)
5	cucharadas de manteca con achiote
	tripas de cerdo bien limpias
	con agua y limón.

Moler grueso o cortar finamente el cerdo, así como el tocino, adobarlo con vinagre, cebolla finamente picada, el ajo machacado y el resto de las especias, así como la manteca con achiote.

Introducir esta farsa (relleno) en las tripas y con un cordel o pita amarrarlas de trecho en trecho, o sea entre espacios de tres dedos de ancho. Ponerlas al sol durante 4 ó 5 días para que se curen.

BUTIFARRAS

(Para 6 personas)

$1\frac{1}{2}$	libras de carne
$\frac{1}{2}$	libra de tocino
2	cucharaditas de pimienta picante
2	cucharaditas de pimienta de olor
1	cucharadita de canela
1	copa de vino Jerez seco
	sal al gusto.

El tocino se divide en dos para hacer pedacitos muy pequeños con una parte, y con la otra, molerlo junto con la carne. Debe procurarse quitarle todo el pellejo a la carne antes de molerla. Se prepara con todos los condimentos y se amasa para que la carne coja bien el sabor añadiéndole los pedacitos de tocino, de manera que se mezcle con toda la carne. La tripa (que debe ser seca) se lava muy bien con limón volviéndola del revés para quitarle cualquier exceso de grasa o de sucio. Se embuten y se amarran dejando la distancia que se quiera, entre uno y otro. Se pone a calentar agua suficiente con un poquito de sal y se sancochan $\frac{1}{4}$ de hora. El agua debe estar hirviendo de antemano. A medida que se van sacando se van puyando con una aguja o un alfiler grueso para sacarles el agua. Esto debe hacerse cuando están calientes, porque si se enfrían no botan el agua. Se guindan y se dejan secar, pues resulta mejor comerlas al día siguiente.

BUTIFARRAS (Otra)

1	libra de carne de res (centro de cadera)
1	libra de cerdo
$\frac{1}{2}$	libra de tocino picado en trocitos
6	granos de pimienta de olor molidas
$\frac{1}{2}$	cucharadita de pimienta negra
	acabada de moler
	sal al gusto

Opcionalmente se le puede poner un poco de vino blanco seco.

Como en la receta de los chorizos (No. 23) las tripas deben estar bien lavadas y en ellas se introduce la anterior preparación con la misma división. Ponerlas en una sartén, cubrirlas con agua a la que se coloca media cucharadita de sal y hervirla durante 15 minutos.

SALCHICHAS CRIOLLAS

6	libras de lomo de cerdo
6	libras de lomo de res
3	libras de tocino picado sin el cuero
1	cucharadita de sal de nitro
1	cucharadita de pimienta picante
1	cucharadita de pimienta de olor
1	cucharadita de clavos de olor
8	cucharaditas de sal
2	copitas de brandy o ron.

Moler las carnes limpias de grasa y de los nervios. Agregar la sal de nitro, las especias, el brandy, así como el tocino finamente picado. Sal al gusto. Mezclar todos los ingredientes y conservarlos en la nevera en una vasija de peltre o plástico hasta el día siguiente. Las tripas que van a usarse deben ser de res y estar bien lavadas y secas al momento de rellenarlas, hay que mojarlas para que no se revienten. Una vez preparada la salchicha —cada salchicha debe tener 15 cm de largo amarradas bien en sus puntas—, en una cacerola poner agua al fuego, y cuando hierva se echan las salchichas dejándolas cocinar 15 minutos. Luego se sacan y cuelgan 8 días en la cocina, en un lugar donde no dé calor. Pasado ese tiempo se ponen al aire libre durante 2 ó 3 días.

MORCILLAS

5	tazas de sangre de cerdo
1	cebolla grande
3	cucharadas de cebollín finamente picado
5	dientes de ajo
2	cucharadas de vinagre
$\frac{1}{2}$	cucharada de pimienta negra acabada de moler
2	cucharadas de sal
4	cucharadas de azúcar tripas de cerdo.

Mezclar bien todos los ingredientes con la sangre del cerdo. Y con esta combinación rellenar las tripas de cerdo, bien lavadas en agua con limón. Cocinarlas en agua con dos cucharadas de sal, con la olla destapada.

Para verificar si están cocidas se pinchan con un alfiler hasta que no aparezcan líquidos.

Al servirlas se fríen en manteca o aceite.

HUEVOS RELLENOS DE CAMARON

(Para 6 personas)

8	huevos
$\frac{1}{2}$	libra de camarones cocidos y picaditos
$\frac{1}{2}$	taza de leche
3	rebanadas de jamón con su gordo muy picadito
1	diente de ajo
1	cebolla picadita
2	cucharadas de perejil picado
1	cucharadita de sal
$\frac{1}{2}$	cucharadita de pimienta picante
$\frac{1}{2}$	taza de mayonesa.

Se sancochan los huevos hasta que queden duros y se parten en dos a lo largo. Se sacan las yemas y la mitad de ellas se majan bien mezclándolas con la leche. A esto se le añaden los camarones, el jamón, el ajo y el resto de los ingredientes. Se mezcla bien todo y se rellenan las mitades de los huevos. Se cubren con mayonesa. Con las yemas restantes adornar los huevos por encima y colocarles también unos cuantos camarones o langostas. Pueden hacerse así mismo con atún.

MOLDECITOS DE HUEVO

(Para 6 personas)

6	redondeles gruesos de pan de molde
6	huevos duros
6	lascas de jamón
1	taza de mayonesa
1	cucharadita de mostaza
3	claras duras de huevo picaditas
$\frac{1}{2}$	taza de jamón finamente picado
6	aceitunas negras.

Poner en la licuadora los huevos, la leche, el queso, sal y pimienta y mezclarlo.

Untar seis moldecitos con mantequilla y forrar el fondo con papel encerado. Verter la mezcla en ellos y cocinar al baño María en el horno a 300°F por $\frac{1}{2}$ hora aproximadamente hasta que cuaje. Freír los discos de pan en aceite, escurrirlos y colocarlos en la bandeja. Poner una capa de salsa de tomate encima del pan y desmoldar un flan sobre cada disco. Decorar con tiritas de jamón formando cruz encima de cada molde y unas ramitas de perejil.

CAPITULO V

Carnes y aves

Carnes

Regla general para sazonar carnes

Pollos: úsese una cucharadita de sal por cada libra.

Si la carne se cuece horneada o frita use una cucharadita de sal para una libra de carne.

Si la carne es guisada, use de $1^1/_4$ a $1^1/_2$ cucharaditas de sal para cada libra.

Nota: no debe añadírsele toda la sal desde el principio a la carne guisada, sino a medida que se va cocinando, porque al cocinarse puede concentrarse demasiado y pasarse de sal.

El pernil debe adobarse desde la víspera y cuando se va a asar se le dan unos cortes superficiales en forma de cuadros, en la parte de arriba, pasándoles cuidadosamente la salsa en que se preparó. Esto hará que conserve mejor el sabor y no se reseque.

Ase la carne con el gordo hacia arriba. No añada líquido a las carnes horneadas, a menos que la receta así lo indique. No cubra la carne, si la receta no lo especifica.

Si usa termómetro de carnes, introdúzcalo en el centro de la misma, teniendo cuidado de que no descanse sobre grasa o sobre hueso.

Después de estar lista la carne, retírela del horno, quítele el molde o tártara en que se asó y use la vasija para preparar en ella la salsa, raspando un poco con el cuchillo los residuos que han quedado al asarla y haga que éstos se incorporen a la salsa.

Cómo salar una carne

Con una "punta de nalga" gorda o lomo de pellejo, se va entreabriendo de manera que vaya quedando un poco de carne y otro de gordo, se unta con bastante sal, se enrolla hasta el otro día, después se extiende y se pone al sol 4 ó 5 días hasta que quede bien seca.

Nota: véase "nombres de las carnes de res en las distintas regiones de Colombia", al principio de la obra.

RECETA No. 1

CARNE SALADA ASADA

(Para 4 personas)

1	libra de carne salada con gordo (lomo)
1	cebolla grande
4	tomates
3	dientes de ajo
2	cucharadas de manteca con achiote.

La carne se asa en la brasa al carbón o al horno. Cuando tome color dorado retirarla y machacarla, de ser posible con una piedra o mazo de hierro para que ablande. Llevarla a una olla con agua fría para que pierda su fortaleza. Mientras tanto, preparar aparte una salsa con los ingredientes ya anotados. Sacar la carne y pasarla a esta salsa dejándola cocinar a fuego suave durante unos 10 minutos.

CARNE SALADA CON COCO

(Para 6 personas)

2   libras de carne salada magra
1   taza de leche de coco
3   cebollas partidas en pedacitos
4   tomates sin piel ni semillas, partidos.

La carne se asa procediendo como en las recetas anteriores, se parte en trocitos y se cocina con los ingredientes hasta que esté blanda, agregue la leche del coco y cocine por 10 minutos. Debe quedar jugosa.

BISTE CASERO

(Para 6 personas)

2   libras de carne (palomilla)
3   tomates en ruedas
3   cebollas en ruedas
3   dientes de ajo majados
1   cucharadita de pimienta picante
2   cucharaditas de sal
1   cucharada de vinagre
     aceite para freír.

La carne se corta en rebanadas no muy gruesas, se majan un poco y se preparan desde temprano con los ingredientes, se pasan los bistés por aceite bien caliente, volteándolos varias veces para que doren y queden jugosos. Cuando doren se les agrega la cebolla y el tomate en que se prepararon.

CARNE SALADA CON TOMATE

(Para 6 personas)

4   libras de tomate
2½   libras de carne salada
1   libra de cebolla
1   cabeza de ajo grande.

La carne se asa al carbón para que dore un poco, se machaca y si se siente demasiado salada todavía se lava y se vuelve a poner en la parrilla para que dore nuevamente y luego se parte en pedazos chicos. El ajo se pela y se parten los dientes en dos, se fríen en un poco de manteca

(dos cucharadas) y se dejan hasta que doren, luego se sacan los ajos y en esa manteca se echa la cebolla bien picada. Los tomates se pasan por agua caliente para quitarles el hollejo y se parten en pedacitos. Se quitan las semillas, se cuelan para utilizar después este jugo. La cebolla se fríe sin que dore y se le agrega el tomate, el jugo y la carne con un poquito de agua caliente. Se deja cocinar a fuego lento hasta que ablande. Debe quedar con salsa un poco espesa.

Se sirve con arroz blanco o con arroz con coco.

CARNE SALADA CON PLATANO MADURO

(Para 4 ó 6 personas)

1½   libras de carne salada
3   tomates partidos en pedazos
2   cebollas partidas en pedazos
10   ajíes dulces picados
¼   de taza de aceite con achiote
3   ajos majados
3   plátanos maduros duros
        partidos en pedacitos.

La carne se asa y se procede como en las recetas anteriores. Se deshilacha y se cocina con la cebolla, tomates, ajo, ajíes y manteca con achiote. Los plátanos se fríen en suficiente aceite, deben quedar dorados y se agregan a la carne cuando esté blanda. Se deja al fuego hasta que todo esté cocido. Se verifica la sal.

BISTE

(Para 6 personas)

2   libras de lomo fino
3   cebollas picadas
2   cucharaditas de sal
1   cucharada de vinagre
½   barra de mantequilla para untar
        los bistés
        aceite para freír.

Se cortan los pedazos de lomo bien gruesos, poco más de 2 cm, y se golpean con el puño de la mano para redondearlos. Se sazonan con sal, pimienta, vinagre y se untan en mantequilla. Se pasan ligeramente uno a uno por aceite bien caliente; cuando estén todos fritos se echa la cebolla, ésta se le pone encima a la carne al servirla. Debe hacerse al momento de presentarla. Se acompaña con papas fritas a la francesa.

BISTE BLANCO

(Para 6 personas)

2¹/₂	libras de carne (lomo fino o solomillo)
2	cebollas grandes
4	dientes de ajo
2	limones
6	cucharadas de aceite vegetal
¹/₂	cucharadita de pimienta picante
	sal al gusto.

Se prepara 2 horas antes de servir la comida. Se limpia bien el lomo fino o solomillo y se cortan los bistés no muy gruesos dándoles forma redondeada con la mano. La carne para bisté debe cortarse siempre al través de la hebra.

Después de lavado se le coloca primero limón y luego de haberlo volteado de todos los lados se le pone la sal, un poquito de ajo bien molido y pimienta picante al gusto. Se colocan ruedas de cebolla grande por encima. Para freírlos se pone un poquito de manteca en la sartén hasta que esté caliente, pero no en demasía para que no se pongan negros los bistés. Se exprime un poco con la mano antes de echarlo a freír y se van dando vueltas unas dos veces hasta cuando no presente sangre arriba. Se deben freír uno a uno para que el agua que suelten no sancoche a los otros. Se sacan y cuando todos estén cocidos, se echa la cebolla en esa manteca para que se sofría un poco y luego el jugo que haya soltado cuando estaban preparados antes de freír. Se vuelven al fuego los bistés para calentarlos y se sirven poniéndoles encima la cebolla.

CARNE RIPIADA CON HUEVO

(Para 6 personas)

2	libras de carne (lomo)
8	huevos.

Se hace igual que la Receta No. 10 guisándola o se asa en el carbón. Se ripia la carne ayudándose con dos tenedores, se baten los huevos con sal, como para pericos, y se agrega a la carne; se cocina hasta que cuajen los huevos.

BISTE MOLIDO

(Para 6 personas)

2	libras de carne molida
2	cebollas
3	dientes de ajo
1	huevo
	sal y pimienta.

Se muele la carne con la cebolla y el ajo, se amasa muy bien para que quede compacta, se añade el huevo sin batir y se extiende sobre un pedazo de papel encerado y se van cortando los bistés. Se fríen en manteca no muy caliente. Se adornan con tres cebollas fritas partidas a lo largo y se colocan encima de cada uno.

CARNE GUISADA

(Para 6 personas)

2¹/₂	libras de carne
2	cebollas grandes
3	tomates
4	ó 5 ajíes pequeños
3	dientes de ajo
	sal, pimienta y vinagre.
	pimientas de olor.

Se corta en pedazos la carne quitándole los pellejos, dejándole solo el gordo. Se pasa un momento por aceite o manteca, se le añade la cebolla, tomates partidos en pedacitos, una taza de agua y se deja a fuego lento, tapada hasta que ablande y tenga la salsa un poco espesa. Debe ponérsele un poco de achiote a la manteca.

CARNE RIPIADA FRITA O ASADA

(Para 6 personas)

2¹/₂	libras de carne de res (blanda y con fibra)
4	tomates
2	cebollas grandes
3	ajíes
3	cucharadas de manteca con achiote.

Para hacerla en la primera forma, se guisa la carne, se desmenuza o ripia y se fríe en manteca bien caliente, hasta que dore.

Para la segunda forma, se abre la carne bastante delgada, se asa y se ripia. Aparte se hace una salsa con los ingredientes antes mencionados. Cuando el sofrito esté listo se echa la carne, se mezcla y se deja un rato para que coja gusto.

RECETA No. 12

POSTA DE CARNE MECHADA

(Para 6 personas)

2	libras de carne magra
2	cebollas partidas
$1/2$	libra de jamón en pedacitos
$1/2$	libra de tocino
2	tomates
5	ajíes criollos
3	ajos majados
2	cucharaditas de sal
1	cucharadita de pimienta
	harina.

Se mecha la carne con todos estos ingredientes mezclados. Se envuelve en harina y se dora en suficiente aceite para dorarla. Se pone en una olla con tres cebollas, tres tomates sin piel, una cucharada de vinagre, una hoja de laurel y una taza de agua o caldo, se deja a fuego lento hasta que la carne esté tierna. Debe quedar con salsa.

RECETA No. 13

CARNE EN POSTA

(Para 6 personas)

2	libras de punta de anca
1	cucharadita de pimienta
3	ajos majados
2	cucharaditas de sal
1	cucharada de mantequilla
2	cebollas picadas
$1/2$	taza de agua
$1/2$	taza de aceite.

La carne se condimenta con la sal, pimienta y ajo y se pincha un poco. Aparte se fríen en el aceite dos dientes de ajo, cuando doren se retiran, se agrega la carne con el gordo hacia abajo y se dora dándole vuelta para que quede de un color uniforme. Cuando esté dorada se le agregan la mantequilla y las cebollas picadas sin dejarlas dorar, se le añade el agua y se cocina a fuego lento por 20 minutos, para que quede rosada por dentro. Se sirve con la salsa aparte.

RECETA No. 14

CARNE CON SALSA NEGRA

(Para 6 personas)

2	libras de punta de anca
$1/2$	taza de vino
1	cucharadita de pimienta picante
1	cucharadita de pimienta de olor
1	cucharada de vinagre
2	cucharaditas de sal
4	cucharadas de aceite.

La carne se golpea un poco, se prepara con los ingredientes y se deja varias horas en este adobo. En el aceite bien caliente se dora la carne, cuando esté negrita se le agrega el jugo donde se preparó y se deja cocinar según el punto deseado.

RECETA No. 15

POSTA CON CEBOLLITAS

2	libras de masa de frente
$1/2$	libra de cebollas pequeñas.

Se fríen unas cebollitas y se apartan. La carne se compone con sal, vinagre, ajo y tomate. Se pone un poco de harina con pimienta picante en un plato y se empolva la carne por todos lados. En la misma manteca en que se frieron las cebollas se fríe la carne, dándole la vuelta hasta que dore. Se le añade el agua necesaria para que ablande y se deja cocinar a fuego lento. A medida que va quedando en salsa se le echan las cebollas fritas y se dejan hasta que la salsa quede espesa.

RECETA No. 16

CARNE PUYADA

(Para 6 personas)

2	libras de carne
2	tomates
2	cebollas
3	ó 4 ajíes chicos
	sal, vinagre y un ajo.

Se limpia bien la carne quitándole los pellejos, dejándole solamente la parte que tiene gordo. Con el tomate, cebolla, ajíes y ajo se hace un picadito y se le va metiendo a la carne, haciéndole unos hoyitos con cuchillo de punta. Cuando se le ha metido todo se le pone la sal y el vinagre. Se deja así compuesta unas dos horas y luego se fríe, cuando dore se le añaden dos tazas de agua y un poquito de manteca con achiote, dejándola cocinar hasta quedar con un poco de salsa.

RECETA No. 17

PUNTA DE NALGA (O DE ANCA)

(Para 8 personas)

1	punta gorda de 4 libras
4	cucharaditas de manteca
3	tomates grandes
4	dientes de ajo
3	cucharaditas de sal
3	cebollas partidas en ruedas
	pimienta picante.

Se marina con tomillo, laurel, pimienta, cebolla, ajo y aceite. Se deja la víspera en esta marinada y al otro día se coloca en una tartera con el gordo hacia arriba, se hacen unos cortes a la grasa y se le pone medio centímetro de sal, se mete al horno a 250°F por 3 horas. Se saca y se corta la capa de sal.

RECETA No. 18

POSTA NEGRA

(Para 6 personas)

1	punta gorda o punta de nalga con gordo (2 a 3 libras)
3	cebollas
3	tomates
4	dientes de ajo
	vinagre o jugo de naranja agria
	sal, pimienta.

La carne se prepara temprano con todos sus condimentos. En un caldero se ponen tres cucharadas de aceite al fuego, cuando esté bien caliente se agrega un diente de ajo y se deja hasta que dore y se bota. Se coloca la carne del lado del gordo, se va dorando de todos lados, cuando esté lista se agrega la cebolla en que se preparó y se fríe un momento más, finalmente se le añaden los demás condimentos y el jugo que soltó al prepararse, se cocina aproximadamente un cuarto de hora tapada para que quede en término medio. Al presentarla a la mesa se cuela la salsa y se vierte encima o se sirve aparte.

RECETA No. 19

POSTA NEGRA CON VINO

(Para 6 personas)

2	libras de carne de posta
3	cebollas ralladas
3	ajos majados
1	copa de vino blanco o Jerez
2	cucharaditas de sal
2	cucharaditas de pimienta.

Se sazona con todos los ingredientes y se deja unas 3 horas en ese adobo. Al momento de cocinarse se saca y se fríe en aceite bien caliente hasta que dore de todos lados, se le agrega la salsa en que se adobó y se cocina a fuego lento; si falta líquido puede agregársele más vino.

RECETA No. 20

CARNE FRIA

(Para 4 personas)

1	libra de lomo fino
1	cabeza de ajo
5	cebollas
1	cucharadita de sal
1	cucharadita de pimienta
	aceite para freír.

La carne se condimenta con los ingredientes y se fríe en el aceite, se puya un poco, se tapa y se cocina a fuego lento hasta que la cebolla esté completamente desbaratada, sobándola contra el fondo de la olla para que se impregne bien. Esta carne puede comerse caliente o fría.

RECETA No. 21

CARNE "TIA CLARA"

(Para 6 personas)

2½	libras de carne
6	onzas de cebolla
6	dientes de ajo
1	libra de tomates bien maduros
1	pan mediano
	sal y pimienta.

Se fríen los ajos en un poco de manteca o aceite, hasta que estén dorados y se sacan. En esa manteca se fríe la cebolla bien picada, no debe quedar dorada. Se echa la carne partida en pedacitos como de una pulgada. Los tomates se pasan por agua caliente, se les quita el hollejo y las semillas y se parten en pedazos pequeños, se agregan a la carne, lo mismo que el jugo que sueltan al partirse. Se le pone la sal; regular el agua para que se cocine tapado a fuego lento.

Cuando esté blanda la carne, se le añade el pan, solamente la miga, que de antemano se meterá en agua, bien majado con la pimienta, se escurre bien y se desmenuza en la salsa para darle consistencia y se deja un rato más al fuego.

RECETA No. 22

LOMO FRITO

(Para 6 u 8 personas)

2½ libras de lomo fino
3   cebollas
2   cucharaditas de sal
1   cucharada de salsa negra
1   cucharadita de pimienta picante
2   cucharadas de aceite
1   cucharada de mantequilla.

El lomo se prepara con la sal, pimienta, salsa inglesa y vinagre. Caliente la mantequilla y el aceite, escurra el lomo y fríalo dándole la vuelta para que dore por todos lados. Añada la cebolla picada y cocínela con la carne. Para probar el punto de cocción, oprima la carne con una cuchara para ver la resistencia, recuerde que a mayor resistencia, mayor cocción.

RECETA No. 23

CARNE MORTADELA

(Para 8 personas)

2   libras de carne de res
1   libra de cerdo
1   libra de tocino
1   cucharadita de nitro
4   onzas de cebolla
4   huevos batidos
1   cucharada de harina
     sal, pimienta molida, ajos, vinagre al gusto.

Se pica en pedacitos la carne, el cerdo en tiritas de un centímetro de grueso, se le pone sal, el nitro, pimienta molida, ajo y las cebollas molidas, el vinagre, se revuelve todo esto y se deja hasta el día siguiente. Al otro día se muele bien la car-

ne, menos el cerdo, se le ponen los huevos batidos, la harina y se mezcla bien; se hace un rollo y a medida que se va envolviendo se le van metiendo tiritas de tocino, se le unta mantequilla por encima y pan rallado, se mete al horno hasta que dore.

RECETA No. 24

CORAZON RELLENO

1   corazón de res
1   libra de cerdo
½   vaso de vino tinto
2   cebollas medianas
3   tomates
4   ajíes dulces
2   ruedas de pan mojados en leche o caldo
½   cucharadita de sal.

El cerdo se muele con los ingredientes y se cocina por ¾ de hora, el pan se exprime y se agrega al picado, con esto rellena el corazón en la siguiente forma: le quita la parte de arriba cuidando de que no se rompa y se procede a sacar de la parte de adentro para ahuecarlo, se unta con pasta de tomate y mantequilla, se rellena con el picado y se le pone de nuevo la tapa que se quitó. Se envuelve en un paño y se pone a cocinar en agua o caldo hasta que ablande. Se le quita el trapo y se mete a dorar al horno rociándolo con vino tinto.

RECETA No. 25

COSTILLAS DE CARNE GUISADAS

(Para 6 personas)

3   libras de costillas magras de carne
4   cucharadas de aceite
2   cebollas picadas
6   ajíes dulces
½   libra de tomates pasados por la licuadora
2   cucharaditas de sal
1   cucharadita de pimienta picante
1   rama de cilantro o perejil picado.

A las costillas se les unta sal y pimienta. En el aceite se fríen las cebollas y los ajíes, se agregan las costillas y se fríen hasta que comiencen a dorar. Agregue el tomate y póngalo en la olla de presión por ¾ de hora o hasta que ablanden. Si la salsa está muy clara, agregue una cucharada de harina disuelta en un poco de agua. Al servirlas póngales por encima perejil o cilantro picado.

RAGOUT DE CARNE

(Para 6 personas)

2½	libras de carne
3	cebollas
2	zanahorias medianas
½	taza de aceite
2	cucharadas de pasta de tomate
½	cucharadita de pimienta, sal al gusto
2	cucharadas de harina
1	libra de papas
3	nabos
4	tazas de agua hirviendo
4	dientes de ajo picados
1	ramillete de hierbas
1	cucharada de perejil picado.

La carne se parte en pedazos y se fríe en el aceite bien caliente hasta que dore por todos sus costados, añadir la harina y mover para que no se pegue. Agregar la cebolla picada, ajo, la pasta de tomate, sal, el agua, pimienta y el ramillete de hierbas. Tapar herméticamente y cocinar a fuego lento por una hora. Agregar la zanahoria y el nabo partidos en ruedas un poco gruesas, dejar cocinar ¾ de hora más y agregar las papas partidas en trozos hasta que estas estén blandas, al momento de servir, espolvorear con el perejil picado.

BUÑUELOS DE SESOS

(Para 6 personas)

Se cocinan como en la receta No. 28, se majan calientes con un tenedor, cuando enfríen se les agrega un huevo entero y se fríen por cucharadas en aceite caliente.

SESOS GUISADOS

(Para 6 personas)

6	sesos
2	tomates partidos
2	cebollas partidas
2	cucharadas de mantequilla
1	cucharadita de sal.

Lave bien los sesos y páselos un momento por agua caliente, para quitarles la película negra que los cubre y las venas. Guíselos a fuego lento con todos los ingredientes hasta que estén cocidos.

SESOS CUBIERTOS

(Para 6 personas)

6	sesos
2	huevos
½	taza de aceite vegetal
1	cucharadita de sal.

Se limpian como en la receta anterior y se cortan en rebanadas. Batir dos claras de huevo a la nieve y agregarle después las yemas y una cucharadita de sal. Se rebozan en esa mezcla uno a uno, se sacan con una cuchara y fríen en el aceite caliente.

SESOS CON MANTEQUILLA QUEMADA

(Para 6 personas)

6	sesos
1	barrita de mantequilla
1	cucharadita de vinagre.

Se guisan como en la receta No. 29 y se parten en rebanadas. Derrita la mantequilla al fuego, cuando esté un poco dorada agregue una cucharadita de vinagre, teniendo cuidado porque salta y puede quemar. Viértalo sobre los sesos.

MOLDE DE CARNE

(Para 6 personas)

2	libras de carne
½	libra de tocino
½	libra de cerdo
4	huevos
3	torrejas de pan mojado en leche y escurrido.

Se muele todo, se le agregan los huevos crudos, sal y pimienta picante. Se coloca en un molde untado en mantequilla y se cocina en baño María. Se adereza con salsa de tomate.

MANERA DE HACER JAMON

(Para 12 libras de cerdo)

1   libra de sal
½   libra de panela
3   onzas de sal de nitro.

Se mezclan bien la sal, el nitro y la panela raspada. Con esto se puya especialmente junto al hueso, evitando hacerlo del lado de arriba que es donde tiene el cuero. Después de puyarlo se unta bien con esta mezcla añadiéndole un poco de laurel y tomillo. Se coloca en la nevera en una vasija de vidrio, peltre o madera, de veinte días a un mes, teniendo cuidado de voltearlo frecuentemente y regándole por todos lados el caldo que va soltando. Pasado el tiempo antes dicho se saca del jugo y se deja en la nevera tres días más; entonces se ahuma con hojas de eucaliptus o madera de pino. Se mete otros tres días en la nevera y después se cocina en agua suficiente hasta cubrirlo, calculando ¼ de hora por cada libra. Después de cocido se le desprende el cuero, se deja enfriar, se le riega azúcar por encima, se calienta bien una plancha de hierro y se le va poniendo suavemente sobre el azúcar para quemarla.

CARNE MOLIDA

(Para 6 personas)

2½ libras de carne molida
2   cebollas cabezonas
5   ajíes dulces
2   tomates
2   zanahorias partidas en trocitos
1   libra de papas partidas en trocitos
2   cucharadas de pasta de tomate
1   cucharada de alcaparras
2   huevos cocidos duros partidos en pedacitos
3   cucharadas de aceite
1   cucharadita de pimienta picante
1½ cucharaditas de sal.

A la carne se le quitan los pellejos y muele con los tomates, cebollas y ajíes. Se agrega la pimienta, sal, salsa negra. El aceite se lleva al fuego y cuando esté caliente se agrega la carne, moviéndola con frecuencia. Añadir la zanahoria, tapar la olla, cocinarla a fuego lento por ¾ de hora. Agregue las papas y cocine hasta que todo esté blando. Al servir se le ponen los huevos. Debe quedar jugosa.

LENGUA RELLENA

(Para 6 personas)

1   lengua grande
½   libra de cerdo
3   cucharadas de polvo de pan
2   cucharadas de mantequilla
2   cebollas
2   tomates
1   cucharadita de azúcar
½   botella de salsa de tomate
1½ cucharaditas de sal
3   cucharadas de queso.

Se aporrea la lengua y se pone a cocinar hasta que esté bien blandita. Caliente se le quita el pellejo. Con un cuchillo cortante se le va haciendo una cavidad que debe llegar hasta la punta cuidando de no romperla. El cerdo se muele con la cebolla y el tomate, se le agrega el pan, la mantequilla, sal, pimienta y el queso. Se mezcla todo muy bien, se rellena la lengua y se cose. La salsa de tomate con el caldo, sal y azúcar, se ponen en una olla y se cocina allí la lengua a fuego lento, tapada alrededor de una hora para dar tiempo a que se cocine el relleno.

LENGUA A LA CARTAGENERA

(Para 6 personas)

1   lengua
2   cebollas grandes
½   vaso de vino tinto
2   clavitos de olor
1   cucharada de mantequilla
1   cucharada de pasta de tomate
1   cucharada de harina
1   hoja de laurel
5   tomates medianos sin piel ni semillas
     sal al gusto.

Lávese bien la lengua con un poquito de bicarbonato. Póngase a calentar agua en cantidad suficiente y sumerja la lengua hasta que el pellejo se abulte. Se saca y se raspa bien con un cuchillo. Después se pone a hervir con bastante agua hasta que la cubra, con una cebolla, un tomate, una rama de apio y una zanahoria y sal.

Cuando esté blanda se le hace la siguiente salsa: las cebollas bien picadas se fríen en la mantequilla, se le añade la pasta de tomate y los tomates naturales, el vino, la harina, el laurel, las pimientas de olor y clavitos y un poco de caldo en que se cocinó, dejándola un rato al fuego hasta que quede con una buena salsa espesa.

RECETA No. 36

LENGUA MECHADA

(Para 6 personas)

1	lengua grande
2	onzas de tocino en pedacitos
1	cebolla
1	diente de ajo
8	pimientas de olor
8	pimientas picantes
1	copa de vino Jerez seco
1	pedacito de panela
	o 1 cucharada de azúcar quemada
6	clavos de olor
	sal y vinagre.

La lengua se pasa por agua caliente y se raspa hasta que quede limpia. El tocino y la cebolla se cortan en pedacitos bien pequeños, la pimienta de olor y la picante se tuestan y se machacan bien, así como el ajo. Se junta el tocino con la cebolla, el ajo y las pimientas y se les pone sal y un poquito de vinagre. Con un cuchillo de punta se puya la lengua en diferentes partes y se le va metiendo la mezcla. No es indispensable que se meta toda, pues lo que queda se le echa encima. Entonces se le van clavando los clavitos. Se coloca en un caldero con suficiente agua, es decir que la cubra, se le añade la panela y el vino y un poco más de sal y vinagre. Se cocina a fuego lento hasta que la salsa esté espesa.

RECETA No. 37

LENGUA ALCAPARRADA

(Para 6 personas)

1	lengua grande
3	tomates
2	cebollas grandes
2	ramas de apio
1	cucharadita de bicarbonato de soda
2	cucharaditas de sal.

Salsa:
2	cucharadas de mantequilla
2	cucharadas de harina
1	frasco de alcaparras.

Se lava bien la lengua con bicarbonato de soda y se pone agua a calentar, cuando esté hirviendo

se sumerge la lengua hasta que el pellejo se ablande, se saca y se raspa con el cuchillo para que quede bien limpia. Se pone a cocinar en suficiente agua con tomates, cebollas, una rama de apio y después que haya hervido una hora, se le pone la sal y se deja hasta que ablande.

Se parte en ruedas y se cubre con la siguiente salsa (dejándola cocinar un rato en ella para que tome bien el sabor):

Se derriten dos cucharadas de mantequilla y se mezclan con dos cucharadas de harina, se le añaden más o menos una taza de jugo donde se cocinó la lengua, un frasco de alcaparras, sin el vinagre, previamente machacadas, se sazona con sal y se sirve acompañada de arroz blanco o puré de papas.

RECETA No. 38

LENGUA CON LECHE DE COCO

(Para 6 personas)

1	lengua grande
4	tomates
3	ajos majados
3	cebollas
1	cucharadita de pimienta picante
$1/4$	de cucharadita de comino
$1/2$	taza de aceite con achiote
1	cucharada de vinagre
2	cucharaditas de sal
$3/4$	de taza de leche de coco.

Se lava la lengua, se pela y se sancocha como en las recetas anteriores, cuando enfríe se hacen torrejas. Aparte se elabora una salsa con los demás condimentos, en ella se meten las torrejas de lengua, un momento antes de servir se le agrega la leche del coco. Se verifica la sazón. Debe quedar con suficiente salsa.

RECETA No. 39

ROLLITOS DE CARNE O CERDO

(Para 6 personas)

$2^1/2$	libras de carne o cerdo
1	zanahoria grande
$1/2$	libra de habichuelas
1	pedazo de repollo
2	tomates
2	cebollas picadas, sal y pimienta al gusto.

La carne se abre lo más delgada posible para hacer los rollitos. Se sazona con la sal y pimienta. A cada pedazo se ponen las verduras surtidas en tiritas. Se sujetan con unos palillos o se amarran. En una sartén se pone al fuego un poco de aceite, cuando esté caliente se echan dos dientes de ajo y cuando doren se retiran. Se fríen los rollos hasta que doren, cuando estén de un color uniforme, se les añade la cebolla y el tomate, un poco de agua y se cocinan tapados a fuego lento hasta que ablanden, deben quedar con salsa.

RECETA No. 40

CARNE EN BOLAS

(Para 6 personas)

1½	libras de carne
1½	libras de cerdo
2	cucharaditas de sal
1	cucharadita de pimienta picante
1	cucharadita de pimienta de olor
1	cucharada de vinagre
1	copa de vino
3	huevos
2	cucharadas de mantequilla
½	taza de polvo de pan
	aceite para freír.

Las carnes se muelen y preparan con los ingredientes, dejándolas varias horas en este adobo. Se le agregan los huevos, la mantequilla y polvo de pan. Hacer las bolas al gusto y freírlas en el aceite caliente; cuando estén doradas, se sacan y se ponen en una salsa de tomate un rato al fuego.

RECETA No. 41

ROLLITOS DE CARNE

(Para 6 personas)

2	libras de carne blanda
2	tomates
1	cebolla
1	taza de caldo
½	cucharadita de salsa Perrins
1	cucharadita de harina tostada
1	libra de cerdo magro
2	dientes de ajo
1	cucharadita de mantequilla
	sal, pimienta y vinagre al gusto.

La carne se abre lo más delgado posible, se cortan los pedazos para los rollitos individuales y se sazonan con sal y pimienta, el cerdo se pica bien menudo, se guisa con los ingredientes y se sazona. Las papas se parten en pedacitos, se sancochan agregándoselas al picado, se extiende la

carne, se le pone un poco de picado, se envuelve y se amarra. Se fríen los envueltos en manteca, cuando estén dorados se les agrega el caldo mezclado con la harina y la salsa Perrins, dejándolos a fuego lento, tapados hasta que queden en un poco de salsa, algo espesa.

RECETA No. 42

CARNE DE BOLLITO RELLENO

(Para 6 u 8 personas)

4	libras de carne de bollito
3	tomates picados
2	zanahorias partidas en pedacitos
3	ajos majados
1	cucharada de salsa negra
1	cucharadita de pimienta picante
½	taza de aceite
2	cucharaditas de sal.

Se hace un hueco a lo largo del bollito y se rellena con las verduras, se prepara con salsa negra y pimienta, se amarra con un cordel para conservar la forma y se dora en el aceite bien caliente dándole vuelta para que dore uniforme, agréguele dos cebollas partidas y dos tomates, cúbralo con agua suficiente y cocínelo tapado hasta que ablande, a fuego lento.

RECETA No. 43

ROLLO DE CARNE MOLIDA

(Para 6 personas)

3	libras de carne
4	cebollas grandes
3	huevos
1	cucharada de pasta de tomate
1	cucharada de salsa Perrins
¾	de taza de pan rallado
	sal y pimienta.

Se muele la carne con la cebolla, se le pone la sal, pimienta, los huevos enteros, el polvo de pan, la pasta de tomate y la salsa Perrins. Se amasa bien hasta que esté suave y se le da forma alargada y redonda. Como un rollo, se espolvorea en harina y se fríe en manteca caliente hasta que dore, dándole vuelta con mucho cuidado para que no se desarme. A esto se le agrega una cucharada de pasta de tomate disuelta en un poco de agua, una cebolla partida en pedacitos y se deja cocinar a fuego lento aproximadamente una hora. Se sirve con su salsa.

RIÑONES

(Para 6 personas)

4	riñones
3	cebollas partidas
3	ramitas de romero
	el jugo de un limón.

Se parten en ruedas delgadas y se cocinan por 10 minutos con cebolla, romero y limón. Se sacan y se ponen junto al fuego para que no se atiesen.

Salsa:

1/2	taza de vino tinto
1	latica de hongos
1	cucharada de harina
1	cucharada de mantequilla
2	ajos majados
1	hoja de laurel
1	cucharadita de sal
1/2	cucharadita de pimienta picante.

Se cocina esta salsa por 10 minutos y se cuela, agregue los riñones y los hongos. Déjelos hervir un momento. No deben cocinarse mucho porque se endurecen. Si no van a servirse en seguida se conservan en el baño de María.

RIÑONES EN CHUZOS

(Para 6 personas)

4	riñones
1/2	libra de tocino partido en pedazos
	sal y pimienta.

Limpie muy bien los riñones quitándoles los conductos y la grasa, póngalos en agua de limón un rato. Al sacarlos del agua se parten en ruedecitas. Se ensartan en los chuzos intercalándolos con el tocino. Se colocan en un recipiente y se cubren con la siguiente salsa:

1/2	botella de vino tinto
1	cucharada de mantequilla
1	hoja de laurel
3	ajos majados
1	cucharadita de pimienta picante
1	cucharadita de pimienta de olor
	sal.

Se dejan marinar por varias horas y se ponen al carbón o al horno cuidando de que no se pasen.

BISTE DE HIGADO

(Para 4 personas)

2	libras de hígado
3	cebollas en ruedas
4	tomates en ruedas
3	ajos majados
1	cucharada de vinagre
2	cucharaditas de sal
1	cucharadita de pimienta picante
3/4	de taza de aceite
	el jugo de un limón.

El hígado se abre igual que la carne, preparándolo de antemano con sal, limón, pimienta, ajo majado, ruedas de tomate y cebolla. Se fríe al momento de servir para que no se atiese, en la misma grasa que se cocinó se echan el tomate y la cebolla para preparar la salsa que se pone encima cuando esté listo.

ÑEQUE O PACA
(Roedor parecido a la liebre)

(Para 6 personas)

3	libras de carne de ñeque limpia
8	dientes de ajo
2	cucharadas de vinagre
1/2	cucharada de pimienta de olor molida
4	tomates
1/2	cucharadita de pimienta negra
4	cucharadas de aceite o manteca con achiote
2	cebollas medianas
3	tazas de agua
1/2	taza de leche de coco comino molido, con prudencia.

Limpiar bien la carne, lavarla y escurrirla. Aderezarla con el ajo machacado, el vinagre, la pimienta y un tris de comino. Añadirle sal. Dejarlo por lo menos 2 horas en esta composición y cuando se vaya a cocinar, adicionarle los tomates, la cebolla y el aceite con achiote. Guisarlo un poco con estos ingredientes. Añadir el agua caliente, cuando ésta reduzca un poco verificar si está tierna la carne y si es así comprobar la sazón e incorporar la leche de coco dejando cocinar unos minutos sin que hierva y retirarlo.

ARMADILLO GUISADO CON COCO

Con el armadillo se procede de la misma manera que la receta anterior.

CONEJO AHUMADO CON COCO

(Para 4 personas)

1	conejo
6	tomates partidos
4	cebollas partidas
1	cucharada de vinagre
3	ajos majados
4	pimientas de olor
1	cucharadita de pimienta picante
1	taza de agua
1	taza de leche de coco
1½	cucharaditas de sal.

Se ahuma el conejo y después se cocina con los condimentos anteriores, cuando esté blando se le añade la leche del coco con una cucharadita de harina disuelta. No se debe hervir mucho con la leche porque puede cortarse.

GUARTINAJA RELLENA CON ARROZ CON COCO Y PASAS

(Para 10 personas)

1	guartinaja
½	kilo de tomates partidos
6	cebollas grandes partidas
5	ajos majados
6	pimientas de olor
2	cucharadas de sal
¼	de taza de vinagre
5	cucharaditas de pimienta picante
1	vaso de Jerez seco
½	kilo de arroz con coco y pasas.

La guartinaja se lava muy bien con naranja agria o limón y se frota con la sal, ajo y pimienta picante y de olor. Después se mete en un adobo por 5 horas con los ingredientes arriba anotados. Se cocina en esa salsa con ocho tazas de agua, aproximadamente hasta que esté cocida. Se verifica la sazón. Aparte se hace un arroz con pasas

(vea capítulo de arroces). Se rellena con el arroz y se vuelve a meter en la salsa donde se cocinó, agregando una taza de caldo, se le unta una barra de mantequilla por encima y se mete al horno de 400°F por ½ hora o hasta que dore.

PERNIL DE CERDO

(Para 25 personas)

1	pierna de cerdo de 12 libras
8	cucharaditas de sal
3	cucharaditas de pimienta
2	cucharadas de salsa inglesa
2	cucharadas de mostaza
4	cebollas ralladas
1	vaso de vino tinto
1	cucharadita de pimienta de olor molida
1	cucharadita de clavos molidos
2	hojas de laurel
1	rama de apio
1	zanahoria.

La víspera se adoba el pernil con todos los condimentos. Se cocina tapado agregándole los demás ingredientes, aproximadamente 2 horas. Cuando esté cocido se destapa y se mete al horno a 400°F untándole mantequilla por encima y bañándolo con cerveza negra o Coca-Cola a medida que se va horneando. Cuando esté dorado se saca. La salsa se cuela y se pone al fuego, si queda muy floja se le agrega una cucharada de harina disuelta en media taza de caldo. Se sirve caliente.

COSTILLAS REDONDAS DE CERDO ENVUELTAS EN PAPEL

(Para 6 personas)

6	libras de costillas
4	cebollas picadas
4	tomates picados
2	dientes de ajo majados
1	taza de agua
1	cucharada de vinagre
	sal al gusto.

Las costillas se cocinan con los ingredientes arriba anotados, hasta que ablanden. Se cortan cuadros de papel parafinados, se coloca un poco de pan rallado en cada cuadro, encima la costilla, luego un poco de la salsa en que se cocinaron y de último pan rallado. Se envuelven bien y se meten al horno de 350°F por una hora. Al servirla se quita el papel o se dejan envueltas según el gusto.

COSTILLAS DE CERDO FRITAS

(Para 6 personas)

| 8 | costillas |
| | sal y limón. |

Para evitar que las costillas de cerdo queden crudas al freírlas, se preparan en la forma siguiente: desde temprano se componen con sal y limón, y si es posible guardarlas en la nevera hasta el momento de hacerlas. Una ½ hora antes de servir se ponen en la sartén cubiertas de agua, dejándoles el jugo de la composición y se dejan hervir a fuego lento hasta que vayan soltando manteca y se fríen en su propia grasa.

Esta forma de freír las costillas de cerdo tiene la ventaja de evitar que queden medio crudas al echarlas directamente en la manteca caliente, y además quedan más tiernas.

COSTILLAS DE CERDO RELLENAS

(Para 6 personas)

6	costillas de cerdo de 3 cm de gruesas
3	manzanas
	relleno de pan, mostaza y sal al gusto.

Se hace un corte en cada costilla por la mitad de su grueso, hasta llegar al hueso, pero sin separar la carne de él.

Unte la parte de adentro con mostaza, sal y rellene las costillas con la mezcla de pan cuya receta damos a continuación:

Relleno de pan:

1	cebolla picada
3	cucharadas de mantequilla
1	cucharada de pimiento verde picado
2	cucharadas de apio picado
1	cucharadita de sal
½	taza de migas de pan suavizadas con leche.

Dore la cebolla en la mantequilla, agréguele los condimentos, mezcle bien. Dore ligeramente las costillas con manteca caliente. Sobre cada costilla coloque media manzana con el centro quitado,

pero sin pelar. Así rellenas con la mezcla de pan y la manzana arriba hornéese a baja temperatura (300°F) por una hora hasta que las costillas y las manzanas estén cocidas.

CODILLOS GUISADOS

(Para 4 personas)

6	codillos grandes o 12 pequeños
3	ó 4 tomates grandes
2	cebollas grandes
4	ó 5 ajíes pequeños
	sal al gusto.

Se limpian bien los codillos y se ponen a ablandar con suficiente agua. Con los demás ingredientes bien picados se hace una salsa agregando los codillos y un poco del agua en que se cocinaron y se dejan un rato al fuego hasta que la salsa quede espesa.

CODILLOS CUBIERTOS

Se guisan como los anteriores y se meten en una mezcla de huevos batidos, primero las claras a punto de nieve, después las yemas, un poquito de sal, se pasan por ellos los codillos y se fríen en manteca que no esté muy caliente hasta que doren.

CODILLOS CON TOMATE

(Para 4 personas)

6	codillos grandes o 12 medianos
2	cebollas grandes
1	libra de tomates maduros
	sal, pimienta picante al gusto.

Los codillos se limpian y se ponen a ablandar en suficiente agua (sin sal). Los tomates se pasan por agua caliente para quitarles el hollejo, se les sacan las semillas y tanto éstas como los hollejos se echan en un colador para sacarles todo el jugo que se pueda.

Las cebollas se pican y se fríen en unas dos cucharadas de manteca junto con unos ajos machacados. En esto mismo se sofríen los codillos, se les echa el tomate y un poco del agua donde se ablandaron. Se sazona con sal, pimienta y se dejan hervir hasta que la salsa esté espesa.

PATITAS DE CERDO EN SALSA

(Para 6 personas)

3	libras de patitas
5	cebollas picadas
6	tomates desprovistos de piel y semillas
3	dientes de ajo
4	clavos de comer
1	hoja de laurel
2	cucharaditas de sal
4	ramas de perejil picados
1	libra de papas cortadas en trocitos
1	taza de caldo
2	pimientos picados menudamente
1	cucharada de harina
2	cucharadas de mantequilla o aceite.

Se cuecen las patitas con el laurel, ajo, dos cebollas, clavos y sal hasta que ablanden. En la mantequilla se fríen las tres cebollas, cuando estén transparentes agregue el tomate y los demás ingredientes, cocínelos por 20 minutos, agregue el caldo, las patitas y la harina disuelta en un poco de caldo, cocínelo $1/4$ de hora más.

CARNERO

(Para 6 personas)

$2^1/_2$	libras de carnero partido en pedazos medianos
6	cebollas partidas menudas
3	zanahorias partidas en trozos
2	nabos
1	hoja de laurel
4	hojas de repollo picado
2	ajos majados
1	libra de papas partidas
2	cucharaditas de sal
2	tazas de agua.

Se cocina tapado con las dos tazas de agua, con el laurel y el vinagre. Cuando esté blando se le agregan los demás ingredientes y la sal, se deja en el fuego hasta que las verduras se ablanden. Si la salsa queda clara se le pone una cucharada de harina disuelta en un poco de agua y se verifica la sazón.

ASADURA DE CERDO
(Vísceras del cerdo)

(Para 6 personas)

La asadura puede hacerse con todas las vísceras o con las que sean del gusto personal.

$2^1/_2$	libras de asadura
6	tomates partidos
3	cebollas partidas
4	ajos majados
1	cucharada de vinagre
1	cucharadita de pimienta de olor molida
1	cucharadita de pimienta picante
$1/_4$	de taza de aceite con achiote sal al gusto.

La asadura se limpia muy bien, sobre todo el riñón. Se pone al fuego con agua que la cubra y los ingredientes arriba anotados hasta que todo esté cocido y la salsa espesa. Se acompaña con arroz blanco.

CARNE DE CERDO
CON GARBANZOS

(Para 6 personas)

$2^1/_2$	libras de cerdo con su tocino
$1/_2$	taza de garbanzos
$1/_2$	taza de jamón
$1/_2$	libra de papas
$1/_2$	repollo mediano
6	dientes de ajo
1	cebolla grande
6	tomates
2	cucharadas de vinagre sal al gusto.

La carne se compone temprano con la sal, el ajo molido, el vinagre o el limón, tomate y cebolla. Los garbanzos se ponen en agua con sal desde temprano y se pelan. La carne se parte en pedazos grandes.

Se pican unos ajos en pedacitos y se fríen hasta que doren, agregándoles después unas cebollas en ruedas. Se echa la carne y el jamón en trocitos y se sofríe Cuando está frita se le echa el jugo en que ha estado compuesta con las torrejas de tomate y cuando ha pasado un rato se le agrega agua caliente y los garbanzos. Cuando los garbanzos están medio cocidos, se les pone el repollo en un solo pedazo y unas papas enteras, dejando cocinar todo hasta que quede en una buena salsa.

MAIZ VERDE CON CERDO

(Para 6 personas)

2	libras de costillas largas de cerdo partidas de cuatro centímetros
6	mazorcas tiernas, cortando los granos con cuchillo
4	cebollas partidas
4	tomates desprovistos de piel y semillas
3	ajos majados
1	cucharada de vinagre
1	cucharada de salsa de tomate
2	tazas de agua
2	cucharaditas de sal.

El cerdo se cocina con los condimentos arriba anotados hasta que todo esté blando.

RECETA No. 63

CORAZON CON VINO TINTO

(Para 6 personas)

2	corazones de res que pesen 2-3 libras
2	cebollas partidas o ralladas
1	cucharadita de pimienta picante
2	cucharadas de mantequilla
1	ramillete de hierbas
½	vaso de vino tinto sal y pimienta picante.

Limpie los corazones y pártalos en trocitos. Póngalos al fuego con los ingredientes y cocínelos tapados hasta que estén blandos. Colóqueles la harina disuelta en un poco de agua y déjelos 10 minutos más.

RECETA No. 64

POSTA CON PANELA

(Para 6 personas)

2	libras de punta gorda, masa de frente o palomilla
3	cebollas ralladas
4	clavos de olor
2	pimientas de olor molidas
2	cucharaditas de pimienta picante
1	copa de ron
1	copa de vino
1	hoja de laurel sal y vinagre.

Se deja en este adobo varias horas en la nevera.

Se ponen a derretir en agua dos onzas de panela hasta que quede como una miel, allí se echa la carne y se va dando vuelta a medida que se vaya dorando. Después se le agrega el vino y el ron dejándolo un momentico; por último, el agua suficiente para terminar de cocinarla y el laurel.

RECETA No. 65

PUNTA O LOMO DE PELLEJO AL HORNO

(Para 6 personas)

2	libras de lomo de pellejo o punta gorda
2	cucharaditas de sal
1	cucharadita de pimienta picante.

Lave la carne al momento de meterla al horno y póngala con el gordo hacia arriba en horno de 450°F por ½ hora. Cuando esté cocida de un lado, se unta de sal y pimienta, se le da la vuelta, se deja ½ hora más y se repite la operación. El tiempo de cocción depende del gusto de la persona.

RECETA No. 66

LENGUA EN SALSA

(Para 6 u 8 personas)

Se limpia la lengua como en las recetas Nos. 35 y 37 de éste capítulo.

1	lengua
1	botella de cerveza
3	cebollas
5	dientes de ajo majados
4	ajíes dulces molidos
1	cucharada de azúcar quemada (caramelo)
1	cucharada de aceite
2	cucharadas de mantequilla
1	hoja de laurel
1	cucharada de salsa inglesa
1	copa de vino tinto
2	tazas de agua hirviendo sal al gusto.

En una cacerola se pone el aceite y la mantequilla al fuego, en ella se fríe la lengua por todos lados, cuando dore se le agrega el agua hirviendo y los demás ingredientes, se tapa y se cocina a fuego lento hasta que ablande. Al servirse se parte en ruedas al sesgo y se baña con su salsa. Si queda la salsa muy clara se le pone una cucharadita de maizena disuelta en un poco de agua. Se cocina 10 minutos hasta que la maizena cuaje.

RECETA No. 62

RECETA No. 67

CONEJO CON VINO

(Para 6 personas)

1	tintura de caramelo
1	conejo grande de 3 libras aproximadamente
2	cebollas medianas
2	tazas de caldo
1	taza de vino tinto
6	cucharadas de harina
4	cucharadas de mantequilla
$\frac{1}{2}$	taza de aceite vegetal
5	dientes de ajo
1	cucharadita de caramelo
1	cucharadita de tintura
1	bouquet garní (1 mazo de laurel, con tomillo y perejil)
	sal y pimienta al gusto.

Se corta el conejo en trozos y sazonan con la cebolla picada, el ajo y el vino. Dejarlo en esa marinada de 3 a 4 horas, o desde la víspera, en la nevera bien tapado. Al momento de cocinarlo retirar las presas, secarlas con servilletas de papel y enharinarlas para freírlas en aceite junto con la mantequilla cuando estén calientes. Al dorarse sacarlas a una fuente. Colar la marinada y sofreír un poco en la misma grasa de los vegetales, incorporar nuevamente los trozos de conejos — reservar el líquido y los vegetales picados —, bañarlos con un poco más de vino tinto así como con el líquido de la marinada. Poner el bouquet garní, taparlo para que cocine a fuego lento durante 15 minutos. Añadir entonces el caldo hasta que aparezca blando el conejo. Sacar nuevamente los trozos a otro recipiente y colar por encima la salsa. Verificar la sazón.

RECETA No. 68

CONEJO A LO CAZADOR

1	conejo de 2-3 libras
3	cucharadas de mantequilla
2	tazas de agua
1	cucharadita de tintura de caramelo
$\frac{1}{2}$	taza de vino
	sal al gusto.

Se parte el conejo en trozos y se fríe en mantequilla. Se le agrega el agua y se deja a fuego vivo. En mitad de la cocción se le añade lo demás y se deja hasta que espese y ablande.

Aves

Modo de matar el pavo y cocinarlo

La víspera no se le debe dar comida. Se le hace tomar una copa de ron o vinagre, después de $\frac{1}{4}$ de hora se cuelga por las patas, se le corta la cabeza y se deja hasta que desangre. Se le echa agua hirviendo para quitarle las plumas y se limpia bien por dentro y por fuera.

Al cocinar el pavo en el horno ponga éste a 400° F, por 15 minutos, luego se baja a 350°F, y se calculan 20 minutos de cocción por libra. Si está envuelto en papel de aluminio, faltando 20 minutos se abre el papel para que dore. Si no se envuelve, rócíelo cada 20 minutos con el jugo que suelta.

Tiempo de horno según el tamaño:

12 libras: 4 horas - 12 porciones

16 libras: 5 horas - 20 porciones

20 libras: 6$\frac{1}{8}$ horas - 30 a 35 personas

RECETA No. 69

PATO AL VINO

(Para 4 a 5 personas)

1	pato gordo
1	vaso de vino tinto
2	cebollas grandes
3	cucharadas de mantequilla
1	cucharadita de maizena (disuelta en un poco de agua)
1	hoja de laurel
4	pimientas de olor
4	clavitos
	un poquito de romero
	una rajita de canela
	sal y pimienta picante al gusto.

El pato se despresa y se compone temprano con sal, pimienta y un poquito de mantequilla, frotándolo bien para que coja gusto. La cebolla bien picadita se fríe en mantequilla sin dejarla coger color. Luego se va sofriendo el pato y cuando esté todo dorado, se le agrega la mitad del vino, deja un momento al fuego y se añade una taza de caldo o agua y las especias metidas en una bolsita, que se sacará en el momento de servir. Se tapa y se deja cocinar hasta que el pato esté tierno. En caso de no ser suficiente el agua que se le puso, puede añadírsele más agua caliente. Cuando esté blando se le agrega el resto del vino con la maizena, dejándolo hervir hasta que la salsa esté un poco espesa.

RECETA No. 70

PAVO RELLENO

Adobo del pavo:

1	pavo
2	cebollas ralladas
6	dientes de ajo majado
$^1/_2$	taza de vinagre
$^3/_4$	de taza de vino jerez
4	cucharadas de pimienta negra
1	barra de mantequilla
3	cucharadas de mostaza
4	cucharadas de salsa negra
1	cucharadita rasa de sal
	por cada libra de pavo
	el jugo de un limón.

Mezcle todo y frótelo por dentro y por fuera con esto. Déjelo en la nevera hasta el otro día.

Relleno:

3	libras de masa de cerdo partido en trozos
$^1/_2$	libra de tocino partido
3	cebollas partidas menudamente
4	tomates desprovistos de piel y semillas
6	ajíes dulces partidos
1	hoja de laurel
2	cucharadas de salsa negra
10	granos de pimienta de olor
1	cucharadita de pimienta picante
3	cucharaditas de sal
4	onzas de pasas
3	ramitas de tomillo.

El cerdo y el tocino se cocinan con los ingredientes en $^3/_4$ de taza de agua por una hora. Se deja enfriar, se muelen las carnes y se preparan en la siguiente forma:

3	barras de mantequilla
3	cebollas partidas finamente
1	frasco pequeño de alcaparras
4	onzas de almendras
1	copa de vino Jerez u Oporto
1	cucharada de salsa negra
3	ruedas de pan de molde
4	onzas de pasas
1	frasco de aceitunas.

La cebolla se fríe en la mantequilla hasta que esté transparente, se le agregan los tomates partidos en pedazos pequeños y se cocina hasta que el tomate se deshaga. Se añade el cerdo molido con los demás ingredientes y el pan, que de antemano se ha desmenuzado y mezclado con el jugo que soltó el cerdo. Se rectifica la sazón y se procede a rellenar el pavo.

Primero rellene el buche y luego la parte de atrás. Se cose o se cierra con las agujas especiales. Coloque en la pavera con una taza de caldo con dos cebollas partidas, tres tomates, dos ramas de apio, dos hojas de laurel, dos cucharaditas de sal, seis pimientos de olor, una cucharadita de pimienta negra y una taza de vino jerez.

Ponga el pavo en la pavera tapada. A falta de ésta, colóquelo en un recipiente y cúbralo con papel de aluminio. Métalo en el horno a 350 °F y calcule 30 minutos por libra. En la mitad de la cocción destápelo, voltéelo y báñelo frecuentemente con el jugo que suelta. Una hora antes del término de la cocción, destápelo, úntelo con mantequilla y báñelo con su salsa, y a medida que vaya dorando déle la vuelta para que quede uniforme.

Sáquelo de la olla, cuele la salsa, rectifique la sazón, si está muy líquida ponga en una sartén 2 cucharadas de harina al fuego hasta que tome color de caramelo, disuélvala en un poco de agua y agregue poco a poco hasta que la salsa tenga la consistencia deseada.

Déjelo enfriar para partirlo. Acompáñelo con arroz con coco y pasas.

Preséntelo con la salsa aparte.

RECETA No. 71

POLLO GUISADO A LA CARTAGENERA

(Para 6 personas)

1	pollo grande
3	tomates grandes
3	cebollas
4	ajíes pequeños
2	dientes de ajo
	sal, pimienta de olor
	pimienta picante al gusto.

Después de lavar bien el pollo con limón, se despresa, se fríe un poco en manteca o aceite, se le agregan los condimentos y se pone al fuego con una taza de agua hasta que ablande.

POLLO A LA ABUELA

(Para 6 personas)

1	pollo grande
4	dientes de ajo majados
1	barra de mantequilla
1	cucharadita de pimienta picante
2	cucharaditas de sal
1	taza de harina
	aceite para freír.

El pollo se parte en pedazos y se sazona con ajo, sal y pimienta. En una bolsa plástica se pone harina y se van echando los pedazos de pollo, sacudiendo la bolsa para que la harina se impregne. Se fríen en aceite hirviendo hasta que doren. Se van colocando en un refractario y se meten en el horno a 400 ˚F. Se derrite la mantequilla y se bañan por encima a medida que se van dorando, aproximadamente $^1/_2$ hora.

POLLO FRITO CON POLVO DE PAN

(Para 6 personas)

1	pollo grande
4	cebollas picadas
3	tomates picados
2	dientes de ajo majados
1	cucharada de vinagre
2	cucharaditas de sal
$^1/_2$	taza de agua
1	taza de polvo de pan.

El pollo se sazona con los ingredientes anteriores y se cocina con el agua a fuego lento tapado. Antes de servirlo se fríe en la siguiente forma: se baten ligeramente dos claras de huevo con una pizca de sal. Se introduce el pollo en las claras y después en polvo de pan. Se fríe en suficiente aceite que lo cubra para que quede dorado.

PAVO RELLENO A LA CRIOLLA

(Para 6 personas)

Después de lavado el pavo con limón o naranja agria, se le unta sal, mantequilla y vinagre, sobándolo bastante por dentro y por fuera.

Relleno:

3	libras de cerdo
2	libras de papas
1	libra de tomates
1	libra de cebollas
4	cucharadas de mantequilla
1	frasco de aceitunas
3	dientes de ajo
4	ó 5 panecitos redondos de sal
	o unas torrejas de cualquier otro tipo de pan
	vinagre y sal.

El cerdo se limpia bien de gordos y pellejos, componiéndolo con los tomates, cebollas, ajo, sal y vinagre al gusto, después de haberlo cortado en pedacitos bien pequeños. Se pone al fuego con poca agua y cuando ha hervido un rato se le agregan las papas en cuadritos y la mantequilla, dejándolo hasta que el cerdo y las papas estén bien blandos, agregándole las aceitunas y un poco de azúcar quemada al bajarlo.

Antes de comenzar a rellenar se unta con mantequilla y se moja en la salsa del cerdo un pan que se coloca en el hueco que tiene en la mitad; cuando está relleno de un lado se le pone otro pan para tapar antes de coser y lo mismo del otro lado.

Después del relleno se le pone más mantequilla, sal y vinagre aguado, y un poco de pasta de tomate disuelta en caldo o agua. De vez en cuando se baña con la salsa mientras se está asando.

Se mete en horno a 350 ˚F durante dos horas y a 400 ˚F por $^1/_2$ hora más para que dore.

POLLO CON COCO

(Para 6 personas)

1	pollo grande
1	coco mediano
2	tomates grandes
2	cebollas
6	ajíes dulces
	cominos, ajos
	sal y pimienta al gusto.

Se saca la primera leche del coco y se aparta. En las otras leches se cocina el pollo con los condimentos; cuando esté blando se le pone la primera leche del coco y se deja un momento en el fuego moviéndolo para que no se corte.

PICHONES RELLENOS CON ARROZ CON PASAS

(1 pichón por persona)

2	cebollas ralladas
2	tomates partidos
$1/_2$	cucharadita de vinagre
1	ajo majado
$1/_2$	taza de agua
	sal y pimienta.

Los pichones (palomas) se preparan con los ingredientes anteriores y se cocinan hasta que ablanden. Se rellenan con arroz con coco y pasas (*véase* capítulo de arroces). Después de rellenarlos se les pone la salsa en que se cocinaron, colada, y se meten en el horno hasta que doren.

GUARTINAJA GUISADA CON COCO

(Para 6 personas)

$2^1/_2$	libras de guartinaja
4	cebollas picadas
4	tomates en pedacitos
8	ajíes dulces
3	ajos majados
2	cucharaditas de sal
1	cucharadita de pimienta picante
1	cucharada de salsa inglesa
1	taza de leche de coco
1	cucharada de maizena disuelta en la leche.

Se cocina con todos los ingredientes, excepto la leche, hasta que ablande. Cuando se encuentre blanda se le agrega la leche del coco y se cocina hasta que esté espesa.

FRICASE DE GALLINA

(Para 6 personas)

1	gallina
2	cebollas grandes
2	libras de papas
6	dientes de ajo
1	frasco de alcaparras
	sal y vinagre.

La gallina se despresa. Se fríen los ajos machacados en unas dos cucharadas de manteca y cuando estén dorados se sacan y se echa la cebolla bien picadita. Cuando ésta se vea transparente se va echando la gallina, poco a poco, que se vaya sofriendo; después se le colocan las papas enteras o en pedazos si son grandes, se cubre con agua, se sazona y se deja hervir lentamente moviendo de vez en cuando para ayudar a deshacer las papas y que la salsa quede espesa. Momentos antes de bajarse se le ponen las alcaparras. También puede colocársele un poquito de pimienta picante.

POLLITO "TIA CLARA"

(Para 6 personas)

1	pollo grande
3	ajos majados
$1/_2$	cucharadita de pimienta picante
1	cucharada de vinagre
4	tomates partidos
3	cebollas picadas
4	cucharadas de mantequilla
2	cucharadas de aceite
1	cucharada de salsa negra
	sal al gusto.

El pollo entero se frota por dentro y por fuera con pimienta, sal, ajo y vinagre. Se cocina entero, tapado en media taza de agua y los demás ingredientes. Antes de servir se fríe en el aceite, cuidando de que dore por todos los lados. Cuando esté listo se le saca un poco de grasa y se vierte la salsa, para que coja más color. Se sirve junto a la salsa.

GALLINA GUISADA CON PAPAS

(Para 6 personas)

1	gallina
1	libra de papas
4	onzas de cebollas
2	dientes de ajo
2	cucharadas de manteca con achiote
$1/_2$	libra de tomates
	vinagre y sal al gusto.

Se parte en pedazos la gallina y se compone con todos los ingredientes, menos la papa; se le añade agua suficiente para ablandarla y se pone al fuego. Cuando la gallina está medio blanda se le agregan las papas y se sigue cocinando hasta que esté completamente cocida. Debe moverse de vez en cuando para que la papa se deshaga un poco y espese la salsa.

RECETA No. 81

GALLINA A LA CARTAGENERA

(Para 6 personas)

1	**gallina**
1¹/₂	**libras de papas**
¹/₂	**libra de habichuelas cortas**
3	**zanahorias medianas**
¹/₂	**libra de cebollitas enteras**
¹/₂	**pote de pasta de tomate**
1	**libra de tomates**
	salsa inglesa, pimienta, sal y comino al gusto.

Se sofríe la gallina en la mantequilla, se pone todo en pedacitos menos las papas, se le añade agua hasta cubrir la gallina y se deja cocinar para ponerle las papas cuando la gallina comience a ablandar. Se sigue cocinando hasta que esté completamente blanda y se le deja con bastante salsa.

RECETA No. 82

GALLINA GUISADA CON COCO

(Para 6 personas)

1	**gallina**
1	**coco**
2	**cebollas**
3	**tomates grandes**
10	**ajíes criollos**
3	**granos de comino**
	sal al gusto.

Se pone a cocinar la gallina en presas con la leche del coco, los ajíes, las cebollas en pedacitos y los tomates, pasados antes por agua caliente para quitarles la piel, se parten en pedacitos y se les quita la semilla. Se deja cocinar moviéndola de vez en cuando para que no se pegue, hasta que ablande la gallina. Debe quedar con bastante salsa. Antes de servir se pasa la salsa por un colador, majando un poco los condimentos para que espese.

RECETA No. 83

CREMA DE GALLINA

(Para 6 personas)

1	**gallina cocida picada**
1	**taza de caldo de gallina**
2	**cucharadas de mantequilla**
2	**cucharadas de harina**
¹/₄	**de taza de crema**
¹/₂	**cucharada de sal**
¹/₂	**taza de hongos**
¹/₄	**de taza de pimientos picados**
1	**lata de petite pois**
4	**onzas de cebolla.**

La gallina se despresa y se prepara con sal y pimienta. Se sofríe en mantequilla, se le agrega la cebolla partida, un poco de agua y se deja cocinar hasta que ablande. Derrítanse las dos cucharadas de mantequilla, añáda la harina y revuélvase bien. Agréguese poco a poco el caldo hasta que hierva. Añádanse la gallina, crema, hongos y pimientos. De último se le agrega una yema batida. Esto se puede servir en canasticas de pasta o en rebanadas de pan tostado.

CAPITULO VI

Arroces y ensaladas

Arroces

PROCEDIMIENTO PARA EXTRAER EL COLOR DEL ACHIOTE

Se ponen dos onzas de achiote con cuatro cucharadas de manteca en una achiotera (esta es una latica que tiene media tapa con hoyitos) y se coloca al fuego un momento hasta que hierva. De aquí se saca lo que se necesite para dar color. A falta de una achiotera especial, se puede hacer en cualquier vasija y un colador.

El arroz debe hacerse en caldero de hierro, ese es el secreto de nuestros buenos arroces.

Con el "palote", de que hablamos al final de la obra, se mueve de vez en cuando para que no se pegue demasiado y se cocine parejo.

Nota: en Bogotá, debido a la altura, debe agregarse el azúcar cuando el **grano** se haya ablandado. Procure moverlo lo menos posible y taparlo herméticamente.

Las medidas de agua que damos para los arroces pueden variar según la calidad del arroz y hay que poner un poco alta la sal para que el arroz no quede simple.

RECETA No. 1

ARROZ CON COCO Y PASAS (Frito o titoté)

(Para 6 personas)

1	libra de arroz
4	onzas de azúcar
1	coco grande (3 tazas de leche de coco)
2	onzas de mantequilla
½	libra de pasas
	sal al gusto.

Se pone a hervir la primera leche del coco, cuando comience a formar el "titoté" se le echa el azúcar, y se cocina hasta que el "titoté" se vea dorado. Se añaden las otras leches del coco y las pasas, se deja hervir unos 20 minutos, se le agrega la sal y luego el arroz, dejándolo cocinar hasta que esté casi seco, moviéndolo frecuentemente. Se tapa un rato y luego se le añade la mantequilla, se revuelve bien, se vuelve a tapar y se deja con el fuego bien bajito, por lo menos una hora, pues el arroz cuando lleva azúcar tarda más para cocinarse. Se puede meter en un molde espolvoreado con queso parmesano y desmoldarlo para presentarlo en la mesa.

Nota: el arroz con pasas se acostumbra a servir siempre con asados: pavo relleno, pernil al horno, etc. En Bogotá, debido a la altura, se debe tapar herméticamente para que abra el grano.

ARROZ CON COCO CORRIENTE (Hervido)

(Para 6 personas)

1   libra de arroz
1   coco mediano
1   cucharada de azúcar
    sal suficiente.

Se parte el coco y se recoge el agua para utilizarla después. Se saca la pulpa, se ralla, se le agrega el agua del coco. Se estruja con la mano sobre un colador para que suelte la leche exprimiéndola por puñados. Esta es la primera leche del coco. Se repite esta operación dos y tres veces con agua corriente (en clima frío debe ser caliente) hasta obtener seis tazas de leche. Se pone a hervir moviendo con frecuencia, cuando haya reducido a tres tazas poco más o menos, se le agrega la sal, azúcar y el arroz, moviendo frecuentemente. Cuando esté seco se tapa y se reduce el fuego para que termine de cocinarse. Este es el arroz con coco cartagenero; se acostumbra a comerlo en la noche acompañado de carnes, aves, etcétera.

ARROZ CON COCO FRITO (Titoté)

(Para 6 personas)

1$^1/_2$ libras de arroz
1   coco
2   onzas de azúcar
        sal al gusto.

Se parte el coco con cuidado para que no se derrame el agua. Esta se recoge. Se ralla el coco y se agrega su agua, más una taza de agua corriente, se estruja con la mano y se exprime sobre un colador para extraer la primera leche del coco, que debe quedar espesa como una crema, ésta se aparta. Se sigue agregando más agua y se repite la operación hasta obtener aproximadamente tres tazas de leche. La primera leche se pone al fuego en un caldero con el azúcar y se cocina hasta que tome un color de caramelo quemado, se le agregan las leches restantes, se mueve cons tantemente hasta que desaparezcan los grumos oscuros que forman al freírse. Se añade la sal y el arroz, cuando comience a secar se baja el fuego y se deja hasta que seque, se tapa bien y se cocina hasta que el grano esté cocido y suelto.

ARROZ CON COCO Y PASAS (Hervido)

(Para 6 personas)

1   libra de arroz
1   coco grande
2   cucharaditas de azúcar
2   cucharaditas de mantequilla
$^1/_2$ libra de pasas
      sal al gusto.

Se hace en la misma forma que la Receta No. 2, agregándole las pasas a la leche del coco un poco antes de echarle el arroz para que hierva un rato. Luego se le agrega el arroz, la sal y el azúcar. Cuando está seco se le añade la mantequilla y se mueve hasta que el arroz esté brillante. Se tapa y se deja a fuego lento hasta que seque bien, se destapa y se mueve una vez dejándolo una $^1/_2$ hora más.

ARROZ CON COCO Y AUYAMA, YUCA O PLATANO

(Para 6 personas)

1   libra de arroz
1   coco grande
1   taza con pedacitos de auyama, de yuca o
    de plátanos amarillos
    sal al gusto.

Se hace un arroz con coco corriente (hervido o con titoté), pero antes de echar el arroz se agregan los pedacitos de auyama, de yuca o de plátano amarillo. Se termina lo mismo que las otras recetas.

ARROZ CON COCO Y FRIJOLES

(Para 8 personas)

1   libra de arroz
1   coco grande
8   onzas de fríjol cabecita negra
    sal al gusto.

Se sancochan los fríjoles hasta que se ablanden. Con el agua donde se cocinaron los fríjoles se cuela el coco en la misma forma que en las recetas anteriores. Deben sacarse siete y media tazas que se ponen a hervir, moviéndola frecuentemente hasta que espese y quede reducida a tres tazas. Se echa primero el arroz y luego los fríjoles. Se deja secar moviéndolo con un palote, y cuando ya está bien seco se tapa y se pone a fuego lento hasta que se cocine completamente. Puede hacerse también con guandú en vez de fríjoles.

RECETA No. 7

ARROZ CON COCO Y CAMARONES FRESCOS

(Para 8 personas)

1½   **libras de camarones frescos**
2   **libras de arroz**
2   **cocos grandes (7 tazas de leche de coco)**
       sal al gusto.

Se cocinan los camarones en agua de sal y luego se pelan. Se muelen o se osterizan las cáscaras y las cabezas y se mezclan con el coco ya rallado, para exprimirlos juntos con la mano sobre un colador. Este jugo se pone a hervir moviéndolo frecuentemente. Cuando se reduzca a la mitad y haya espesado, se le agrega el arroz y los camarones, se le pone sal y se tapa cuando esté seco, se le baja el fuego hasta que esté cocido.

RECETA No. 8

ARROZ CON COCO Y MOJARRAS AHUMADAS

(Para 6 personas)

1   **libra de arroz**
1   **coco grande**
3   **tazas de mojarras desmenuzadas**
       sal al gusto.

El procedimiento es el mismo del arroz corriente, pero el coco se cuela con el agua de las mojarras en la siguiente forma: las mojarras se ponen a hervir un momento para que se les afloje el pellejo, se saca toda la carne, la cabeza y los pellejos se majan, se revuelven con el agua donde se han sancochado y se cuela. Con esta agua se cuela el coco. Se pone a hervir esta leche y cuando esté espesa se le echa la carne de las mojarras y luego el arroz y la sal. Se mueve con bastante frecuencia mientras seca, se tapa y se termina de cocinar a fuego bien bajo. Este se puede hacer lo mismo con sábalo frito y en pedacitos. También con pejepuerco ahumado.

RECETA No. 9

ARROZ CON COCO AGUADO

(Para 6 personas)

1½   **libras de arroz**
1   **coco grande**
2   **rajas de canela**
5   **cucharadas de azúcar**
½   **cucharadita de canela en polvo**
       sal al gusto.

Se saca la primera leche del coco y se aparta.

Se pone a cocinar ½ libra de arroz en las otras leches del coco con un pedazo de canela en rajas y un poquito de sal. Cuando el arroz esté blando se le agrega la primera leche del coco y se le pone azúcar al gusto, se deja unos 5 minutos al fuego y se baja. Al servirlo se le pone canela en polvo por encima. Debe quedar como un arroz con leche.

RECETA No. 10

ARROZ CON COCO Y QUESO CRIOLLO

(Para 6 personas)

1   **libra de arroz**
½   **libra de queso criollo partido en trocitos**
1   **cucharada de mantequilla**

Se hace igual a la Receta No. 3; el queso se le pone después del arroz y la mantequilla al momento de taparlo.

RECETA No. 11

ARROZ CON COCO Y CARNE SALADA

(Para 6 personas)

1½   **libras de arroz**
1   **libra de carne salada (bien lavada para sacarle la sal)**
1   **coco grande.**

Se pica la carne salada en pedacitos y se echa en la leche del coco desde el principio a que se cocine, después se sigue haciendo como el arroz con coco corriente.

Puede agregársele al momento de tapar unos trocitos de yuca sancochada y frita.

ARROZ CON MUELAS DE CANGREJO

(Para 6 personas)

12	cangrejos
1	libra de arroz
1	coco grande (5 tazas de leche de coco)
	sal al gusto.

Se echan vivos los cangrejos en agua hirviendo para matarlos. Se les desprenden las muelas y las patas y se parten con una mano de mortero para sacarles la carne. Se pone a hervir la leche del coco (según procedimientos anteriores) calculando siempre que la cantidad de líquido debe ser el doble del arroz por lo que tiene que reducir. Cuando haya hervido, moviéndolo bastante con el palote, se le añade la carne del cangrejo, se deja un rato y luego se echa el arroz. Se cocina como las recetas anteriores.

ARROZ CON COCO Y MAIZ VERDE

(Para 6 personas)

1	libra de arroz
5	mazorcas de maíz
1	coco grande (7 tazas de leche de coco)
	sal al gusto.

El maíz se corta de modo que los granos queden medio enteros, se pone a hervir con la leche del coco y cuando ya esté blando se le echa el arroz y sal. Se tapa cuando ya esté seco bajándole el calor a la ½ hora y se vuelve a mover para que cocine bien, dejándole a fuego lento hasta el momento de servirlo.

ARROZ BLANCO

(Para 6 personas)

1	libra de arroz
3	tazas de agua
4	cucharadas de manteca
	sal al gusto.

Se pone el agua al fuego hasta que hierva, se agrega el arroz y la sal, se mueve una que otra vez y cuando esté secando se le echa la manteca. Se tapa y se deja a fuego lento hasta que termine de cocinarse. Este arroz se puede variar, friendo unas cebollas y ajos picaditos, en la manteca, agregándole después el agua y de último el arroz.

ARROZ CON CANGREJOS Y PALIZA

(Para 6 personas)

1	libra de arroz
2	docenas de cangrejos
1	coco grande (7 tazas de leche de coco)
	sal al gusto.

Los cangrejos se matan dándoles un golpe fuerte en el pecho. Se les quita el caparazón y se limpian bien, sacándoles la grasa y las huevas de las hembras. Se lavan muy bien y se cocinan en la leche del coco dejando hervir hasta que se le vean ojos de manteca. Se le pone la sal, se deja un rato cocinándose y se echa el arroz. Se revuelve bien dos o tres veces hasta que seque, se tapa dejándole en poco calor, se destapa a la ½ hora para voltearlo y se cocina una ½ hora más.

QUESO RELLENO DE ARROZ CON PASAS

1	queso de bola estilo holandés
2	libras de arroz con pasas cocido

Al queso se le hace una abertura rectangular aproximadamente de 3 x 6 cm, teniendo cuidado de que no se rompa la tapa porque se utilizará después. Por esta se sacará todo lo de adentro, dejando solamente las paredes, pues el queso servirá de vasija. Con un cuchillo muy fino se le quita toda la corteza roja. Cuando esté hueco se rellena con el arroz y se tapa. Hay dos formas de hacerlo: se rellena el queso con parte de arroz, dejando en el caldero el espacio para colocar el queso ya relleno y se cubre con el resto del arroz, se tapa y se deja cocinar un rato. Se presenta en la bandeja el queso cubierto con el arroz. La otra forma es la siguiente: después de relleno se envuelve en un paño y se deja en una olla de agua hirviendo un rato. Este se sirve rodeado con el arroz restante.

ARROZ GUISADO A LA CARTAGENERA

(Para 6 personas)

1	libra de arroz
4	onzas de cebolla
2	onzas de ajíes dulces chicos
2	onzas de cebolla de hojas
5	onzas de repollo
$^1\!/_2$	taza de manteca
$^1\!/_2$	libra de tomates frescos
3	tazas de agua
4	dientes de ajo
	sal y comino.

Se quitan las semillas a los ajíes dulces y se pican en pedazos menudos todos los condimentos, se ponen a freír en la manteca y se le agrega un poquito de manteca coloreada con achiote para darle el color que guste; cuando todo esté bien cocido como una salsa, se le agrega el agua y después que haya hervido se le añade el arroz y la sal, se mueve con el palote hasta que seque, se tapa y se deja en poca candela hasta el momento de servir.

ARROZ CON CERDO

(Para 6 personas)

1	libra de cerdo (masa o costillitas largas en pedacitos)
$1^1\!/_2$	libras de arroz
4	onzas de ajíes criollos en pedacitos
2	pimientos en pedacitos
1	macito de cebollín
4	onzas de repollo
$^1\!/_2$	libra de tomates grandes
$^1\!/_2$	libra de cebollas grandes
2	zanahorias grandes
$^1\!/_2$	frasquito de alcaparras sal, pimienta picante, comino y pimientas de olor.

El cerdo se parte en trozos medianos, si es masa, y las costillas en pedazos de cinco o siete cm. Las verduras se pican menudas. Se pone todo a guisar con manteca y achiote, un poco de mantequilla, si se quiere; cuando el cerdo esté casi blando se le agregan las alcaparras con su vinagre, se deja cocinar un momento y se le añade el agua hirviendo (más o menos tres tazas), y el arroz. Se mueve de vez en cuando y se deja destapado. Cuando comience a secar, se pone a fuego lento y se tapa hasta que termine de cocinarse. Esto se acompaña mucho con el casabe tostado.

ARROZ CON MENUDILLO

(Para 6 personas)

$1^1\!/_2$	libras de arroz
1	libra de menudillo de aves
4	tomates grandes
4	cebollas
15	ajíes criollos
8	cebollas de hojas
1	taza de repollo picado
3	cucharadas de vinagre
4	tazas de agua
2	hojas de col
2	cucharaditas de sal
$^1\!/_2$	taza de aceite.

Este arroz se hace generalmente para acompañar el sancocho de gallina aprovechando los menudos de ésta.

Los menudos, el pescuezo y las puntas de las alas se pican y se componen con los tomates, la cebolla, los ajíes, las cebollitas de hoja, las hojas de col y el repollo; todo picado. A esto se le añade el vinagre. Se pone al fuego revolviéndolo de vez en cuando hasta que esté sofrito y se le añade el agua. Cuando esté hirviendo se le pone sal al gusto, siempre debe sentirse el agua alta de sal y entonces se echa el arroz, moviéndolo dos o tres veces hasta que seque, tapándolo bien, después de una $^1\!/_2$ hora se destapa y se voltea a fin de que la parte de arriba quede también cocida, dejándolo una $^1\!/_2$ hora más con poco calor.

ARROZ CON CHORIZOS

(Para 6 personas)

1	libra de arroz
4	tazas de agua
2	tomates grandes maduros
1	cebolla grande
3	cucharadas de manteca con color
8	ó 12 chorizos criollos
8	ó 10 ajíes criollos.

Se sacan los chorizos de la tripa, se componen con todos los condimentos en pedacitos y con la manteca, poniéndolo al fuego hasta que esté guisado, agregándole entonces el agua. Cuando está hirviendo se prueba la sal, se le echa el arroz moviéndolo a ratos, hasta que esté casi seco, se tapa y se deja a muy poco calor hasta que esté completamente cocido.

ARROZ CON ALMEJAS, SABALO Y OSTIONES

(Para 6 personas)

2	libras de arroz
6	postas de ventrecha de sábalo frito
5	docenas de ostiones
5	docenas de almejas
3/4	de lata de pasta de tomate
6	cebollas
4	onzas de repollo
5	ramas de cebolla de hoja
4	tomates
5	ajíes chicos y 1 pimiento
5	dientes de ajo
1	ramita de apio
5	tazas de agua
	sal al gusto.

La mitad de las almejas se fríen en un poco de mantequilla y se sacan de las conchas. Los ostiones también se fríen en mantequilla. En un poco de aceite y la mantequilla sobrante donde se frieron las almejas y los ostiones, se sofríen cebollas, tomates, ajíes, etc. Cuando estén fritos se les agregan las almejas cerradas hasta que ellas abran, se le añade agua de las ostras y la cantidad de agua necesaria para cocinar el arroz. Después se echa el arroz, el pescado desprovisto de espinas, las almejas, ostiones que se frieron antes, se tapa y se deja cocinar a fuego lento.

ARROZ CON MARISCOS

(Para 6 personas)

2	libras de arroz
5	docenas de ostiones
5	docenas de almejas
6	postas de sábalo frito
1	libra de camarones frescos y 1/2 libra de secos
2	zanahorias medianas
6	onzas de cebolla
1/4	de libra de mantequilla
1/2	pote de pasta de tomate
1/2	taza de aceite de oliva
1	sobre de sopa de tomate
1	cucharada de salsa inglesa
1	pote de petitpois
4	tazas de agua
	sal al gusto.

Las almejas se lavan bien. Se ponen a freír las cebollas picadas con la mantequilla; cuando están medio fritas se les agregan las almejas hasta que se abran, quitándoles entonces media concha. Se fríen también los ostiones con un poquito de man-

tequilla y se les agregan las almejas con las verduras picadas, el sobre de sopa de tomate con el agua indicada arriba, la pasta de tomate, salsa inglesa y se deja que hierva. El arroz se fríe con aceite y cuando está frito se le agrega el guiso de los mariscos y las verduras. Se le pone el sábalo sin espinas y se deja secar. Cuando esté cocido se adorna con unos camarones, las almejas en sus conchas y los petit pois.

ARROZ CON CAMARONES SECOS

(Para 6 personas)

1 1/2	libras de camarones secos salados
1 1/2	libras de arroz
4	onzas de cebolla
4	tomates grandes
10	ajíes

Los camarones se lavan bien para quitarles un poco la sal y se ponen al fuego con un poco de agua hasta que reviente el hervor. Se sacan del agua y se pelan poniéndolos con todos los condimentos y manteca con color. Las conchas y las cabezas se majan y se revuelven con el agua en donde se han sancochado para hacer con ésta el arroz. Se cuela y se cocina como los demás arroces.

ARROZ CON ALMEJAS

(Para 8 personas)

1 1/2	libras de arroz
15	docenas de almejas
1/2	libra de cebolla
3/4	tazas de manteca con achiote
6	tomates grandes
10	ajíes dulces ó 4 pimientos
4	onzas de repollo
4	ramitas de cebolla de hoja
1	ramita de apio
	un poquito de pasta de tomate
	sal al gusto y ajo si se quiere.

Se fríen en la manteca con color de achiote: cebollas, ajíes, tomates, repollo y cebolla de hoja. De último el apio. Cuando estén un poco fritos se echan las almejas muy bien lavadas y pasadas por agua tibia. Hay que moverlas para que vayan abriéndose y cuando estén todas abiertas y soltado su jugo, se les pone la cantidad de agua que se crea necesaria, poco más o menos cinco tazas para cocinar el arroz. Se echa la sal, pasta de tomate, dejándolo secar, se tapa y reduce el fuego. Si se desea puede ponérsele un poco de mantequilla.

PASTELES DE ARROZ

(Salen 20)

Adobo del arroz

10	libras de arroz
2	tazas de manteca de cerdo
1¼	tazas de vinagre
2	cabezas grandes de ajo majado
½	taza de sal
2	onzas de comino
4	onzas de achiote.

El arroz se adoba con la manteca de cerdo, el achiote y demás ingredientes. Se deja durante un día al sol y una noche al sereno

Adobo de las carnes

4	libras de tocino partido en trozos de 3 cm
5	libras de costillas largas de cerdo partidas en dos
10	alas de pollo partidas en dos
10	patas de pollo pequeñas
1½	tazas de vinagre
1	onza de comino
½	libra de ajíes dulces picados
2	onzas de pimientas de olor en grano
2	onzas de pimienta picante
2	libras de tomate
1½	libras de cebolla picada
2	onzas de achiote
¾	de taza de manteca de cerdo
2	cabezas grandes de ajo majados
½	mazo de cebollín picado
6	pastillas de caldo concentrado de pollo
1	frasco de alcaparras
½	frasco de salsa negra
4	cucharadas rasas de sal.

El cerdo se pone a cocinar con los ingredientes arriba anotados. Cuando esté un poco cocido, se retira y se agrega el pollo, sólo deben quedar quebrantados para que al cocinarse en los pasteles no se deshagan.

Ingredientes para armar los pasteles

2	repollos
½	mazo de col
½	libra de garbanzos cocidos
3	libras de papas partidas en ruedas
2	libras de tomates cortados en ruedas
2	libras de cebollas cortadas en ruedas
½	libra de aceitunas
1	frasco de alcaparras
½	mazo de cebollín picado
1½	libras de ajíes dulces partidos en cuatro a lo largo sin semillas
40	hojas de bijao lavadas majagua para amarrar

Del repollo y la col se dejan 20 hojas enteras de cada uno, el resto se pican menudo.

Modo de armarlos

A las hojas de bijao se les corta la mitad de la vena de la parte sobresaliente, o sea en la cara inferior de la hoja. Se ponen dos hojas, una sobre otra, enfrentándose las caras. Encima de estas se van colocando a manera de montoncito los siguientes ingredientes: una hoja de repollo cortándole un poco la vena, encima ¾ de taza de arroz adobado, dos presas de pollo, dos de cerdo, pedazos de tocino, tres ruedas de cebolla, tres de tomate, tres de papas, un poco de cebo-llín picado, de repollo picado y de col picada, unas alcaparras, seis garbanzos, tres o cuatro aceitunas, cuatro ajíes, sobre esto se vierte una cucharada grande del guiso de las carnes y se termina con ¼ de taza de arroz y una hoja de col.

Los dos bordes de las hojas de bijao se unen a lo largo en un dubly y de nuevo se repite la operación para sellar el paquete, los extremos se doblan hacia adentro cerrándolos completamente.

Se amarran bien con la majagua y se cocinan en la siguiente forma: en una olla grande alta, donde puedan caber todos los pasteles, se llenan de agua las ¾ partes de su capacidad y a esto se le

agrega:

1½	tazas de vinagre fuerte
1	taza de sal
5	pastillas de caldo concentrado de pollo.

Se pone al fuego hasta que hierva, se van colocando los pasteles uno encima del otro y se tapa la olla, al cabo de 2 horas se sacan y se ponen de nuevo cambiando los de arriba hacia abajo y viceversa, y se dejan cocinar por 2 horas más.

Se sacan del agua y se colocan para refrescarlos.

ARROZ CON CABITOS DE TABACO

(Para 6 personas)

1	libra de arroz
1	libra de carne salada
1	libra de tomates
½	libra de cebolla
¼	de taza de manteca.

Se asa la carne salada, se aporrea y se ripia. La cebolla y el tomate se pican. Se fríe la cebolla en la manteca sin dejarla quemar, se le agregan los tomates, la carne y se tapa hasta que ablande. Se le agrega el agua necesaria para cocinar el arroz, se deja secar y se tapa. No se le pone sal, hasta probarlo, cuando ya se ha echado el arroz, porque la carne es muy salada.

ARROZ CON PATO

(Para 8 personas)

1	pato de 3 meses
1	libra de arroz
4	onzas de camarones frescos
$^1/_2$	libra de cerdo
$^1/_2$	libra de fríjoles tiernos
$^1/_2$	libra de habichuelas
3	libras de tomates
	ajíes, cebolla, sal y manteca.

Parta el pato en pedazos pequeños y el cerdo. Se sofríen en la manteca añadiéndole la sal y tapando la sartén hasta que la carne haya soltado el jugo. Pique finamente la cebolla y demás condimentos y agréguelos al guiso, añádale el agua caliente necesaria. Cuando el arroz esté para voltear se le ponen los camarones y demás ingredientes. Se tapa y se baja el fuego, hasta que el grano abra.

ARROZ CON COCO Y LENTEJAS

$^1/_2$	libra de lentejas
1	libra de arroz
2	cucharaditas de sal
$^1/_2$	taza de aceite
$^1/_2$	libra de cebolla.

Se fríe la cebolla en aceite, se agregan las lentejas ya cocidas, luego el agua en que se cocinaron, un poco más de agua para completar 3 tazas y la sal, de último el arroz y se cocina como un arroz blanco corriente.

ARROZ CON PLATANO MADURO

(Para 6 personas)

$1^1/_2$	libras de arroz
3	plátanos grandes maduros
$^1/_4$	de botella de manteca
	sal.

Los plátanos se parten en cuadritos y se fríen de tal modo que queden dorados. Se ponen a calentar cuatro tazas de agua y se echan en la misma manteca en que se ha frito el plátano, agregándole sal al gusto. Cuando está hirviendo el agua se echa la mitad del plátano frito, se deja un ratico y

se echa el arroz moviéndolo para que se mezcle. Se deja secar y se le añade el resto del plátano, se revuelve bien, se tapa y se pone a poco calor hasta que se acabe de cocinar.

También se hace con el plátano crudo echándolo todo desde el principio.

ARROZ CON POLLO

(Para 8 personas)

$1^1/_2$	libras de arroz
1	libra de tomates
1	pollo de 2 libras
6	onzas de ajíes
1	zanahoria grande
2	ramitas de apio
2	pimientas de olor
$^1/_2$	libra de cebollas
3	ó 4 cebollas de hoja
3	ó 4 cominos
1	hoja de laurel
1	pedazo de repollo
	manteca con achiote *(véase comienzo del capítulo)*
	sal.

Se pican los condimentos en pedacitos, se parte el pollo, se le echa manteca con color, sal y un poquito de vinagre. Se mezcla bien todo esto y se pone al fuego dejándolo hasta que el pollo esté cocido. Se agrega el agua ($4^1/_2$ tazas) y cuando esté hirviendo se le prueba la sal y se echa el arroz, se mueve para que se mezcle bien todo y se deja secar tapándolo bien y bajándole el calor para que acabe de cocinarse. Antes de taparlo puede agregársele un poco de pasta de tomate disuelta en agua. Puede ponérsele alcaparras.

ARROZ CON CHIPI-CHIPI

(Para 6 personas)

$1^1/_2$	libras de arroz
$^1/_2$	libra de chipi-chipis con su concha
	sal.

Se ponen los chipi-chipis a hervir en agua suficiente para cubrirlos, en una olla bien tapada hasta que se abran. Se sacan de las conchas, se hace el arroz con la receta del arroz guisado a la cartagenera, agregándole los chipi-chipis y utilizando el agua en que se hirvieron, para cocinar con ésta el arroz.

ARROZ CON PESCADITOS

(Para 6 personas)

5	pescados pequeños (ronquitos o boquitas coloradas)
5	tomates partidos, sin piel ni semillas
4	cebollas partidas
8	ajíes dulces
½	cucharadita de pimienta picante
2	hojas de laurel
3	ramas de perejil picado
1	vaso de vino blanco
2	vasos de agua
	sal al gusto.

Los pescados se limpian de escamas, tripas y se lavan bien. Se cocinan con los ingredientes arriba anotados por ¼ de hora, se saca el pescado, se le quitan las espinas y se desmenuzan. El caldo se cuela para cocinar el arroz.

Sofrito:

½	taza de aceite
½	libra de cebolla picada
3	dientes de ajo
2	zanahorias picadas en cuadritos
4	cucharadas de pasta de tomate
	sal y pimienta al gusto.

Se fríe todo esto y cuando esté cocido se le agrega la pasta de tomate con el arroz y el agua donde se cocinaron los pescados. Se rectifica la sazón y cuando esté para taparlo se le agregan dos cucharadas de mantequilla y el pescado. Al servirlo se le riega queso parmesano por encima.

TORTA DE PLATANO Y ARROZ

(Para 6 personas)

1	libra de arroz cocido
3	plátanos maduros fritos en tajadas largas
½	taza de queso criollo
4	huevos
2	cucharaditas de sal.

Se fríen las tajadas maduras y se van colocando en un pírex untado de mantequilla. Se cubre con una capa de arroz, después otra capa de tajadas, los huevos batidos, el queso rallado y se introduce en el horno hasta que cuaje y dore.

ARROZ CON NUECES Y CABELLO DE ANGEL

1	taza de arroz (se humedece al echarlo)
1½	tazas de agua
1	cucharada de sal
1	limón
2	cucharadas de margarina
¼	de libra de nueces doradas en mantequilla
½	paquete de cabello de ángel frito en mantequilla ajo.

Se sofríe la mantequilla y el ajo, se fríe el arroz hasta que se sienta arenoso, se echa el agua fría y se deja cocinar hasta que seque un poco. En ese momento se añaden la sal y el limón, se pone al fuego bajo y se tapa. De último se mezclan las nueces y el cabello de ángel.

Ensaladas

CONSEJOS PARA PREPARAR ENSALADAS

Los aguacates resultarán más sabrosos si se salpican con aceite y jugo de limón una hora antes de usarlos.

Para que el aguacate no se ponga negro se le deja la semilla adentro cuando se machaca.

Las verduras que crecen sobre la tierra deben cocinarse en un recipiente destapado, en esta forma conservarán su color natural. Los tubérculos, o sea, los que crecen debajo de la tierra, se cocinarán en uno tapado.

Las verduras se cuecen mejor al vapor. Si se cocinan en agua se pone un poco de bicarbonato para avivarles el color.

Para que el coliflor no dé mal olor al cocinarlo se le pone un trozo de pan y un poco de leche.

Las lechugas no se pueden preparar en vinagreta con anticipación porque se amortecen.

Cuando se hacen ensaladas de papas es mejor ponerle la vinagreta antes de que terminen de enfriarse y después la mayonesa, así tomarán mejor el sabor.

Las remolachas deben cocinarse con un pedazo de tallo, así conservarán mejor su color. No se las debe pinchar.

Las ensaladas no deben dejarse ni un momento en vasijas de aluminio, ni presentarse a la mesa en recipientes de metal, porque corren el riesgo de fermentarse con peligro de la salud. Aun la papa sola cambia de color si se deja mucho tiempo en esta clase de vasijas.

ENSALADA "TIA CLARA"

(Para 6 personas)

6	ajíes pimientos verdes y rojos
8	tomates maduros grandes
2	cebollas bien picaditas
	aceite, vinagre, sal, pimienta y una pizca de azúcar.

Se pica la cebolla y se mete en agua caliente, se escurre y se deja un rato en vinagre.

Los ajíes y tomates se untan en aceite y se ponen directamente a la llama pinchados con un tenedor hasta dorarlos completamente. Se dejan enfriar en agua y se les va quitando la piel. Hay que tener cuidado porque los tomates se asan muy pronto.

Se parten en pedacitos pequeños los pimientos. A los tomates se les saca la semilla y se ponen en un colador para que suelten el agua. Se juntan con la cebolla y se les añade una salsa vinagreta.

ENSALADA DE TOMATES

(Para 6 personas)

2	libras de tomates
5	cucharadas de aceite de olivas
2	cucharadas de vinagre
	sal, pimienta, azúcar al gusto
	unas hojas de albahaca majadas.

Los tomates se parten en cuatro pedazos, se agrega la sal, pimienta, azúcar y aceite. Se dejan un rato en esta preparación y al momento de servir se le pone el vinagre y de último la albahaca con un ajo majado.

ENSALADA DE AGUACATE

(Para 6 personas)

2	aguacates grandes
5	cucharadas de aceite de olivas
1½	cucharadas de vinagre
	sal y pimienta.

Pelar los aguacates cortados en trocitos. En una taza combinar el vinagre con el aceite, un tris de sal y pimienta negra acabada de moler, revolver bien y combinar con esta vinagreta el aguacate. Se recomienda prepararlos casi al momento de servirlos para que no ennegrezcan. Si se desea puede presentarse con un poquito de perejil por encima de la ensalada.

ENSALADA DE AUYAMA

(Para 6 u 8 personas)

1	libra de auyama
1	cebolla grande picadita
3	cucharadas de aceite
2	cucharadas de vinagre
	sal y pimienta.

Se pela la auyama y se cocina en agua de sal, cuando esté blanda y fría se parte en pedacitos pequeños. Ponga la cebolla picada en agua caliente y escúrrala. Agregue vinagre y póngala al sol. Cuele el vinagre y utilícelo para preparar la vinagreta y mezcle la auyama con lo anterior.

ENSALADA DE LENTEJAS

(Para 6 personas)

½	libra de lentejas
2	cebollas partidas en ruedas
¼	de cucharadita de sal
1	cucharada de vinagre
2	cucharadas de aceite

Se sancochan las lentejas con un poquito de sal. Cuando estén blandas se vierten sobre un colador y se echa la cebolla en el vinagre por varias horas. Con este vinagre se prepara la salsa y se mezcla todo.

ENSALADA VERDE

Esta puede hacerse con lechugas, tallos de apio, berros, ruedas de tomates, rábanos rojos, ruedas de aguacates y se baña con una salsa vinagreta. Puede añadírsele un poco de ajo majado.

ENSALADA DE PAPAS

(Para 10 personas)

6	libras de papas
3	tazas de perejil picado
$1/2$	taza de cebollas de hojas
4	tazas de apio en rebanaditas
3	tazas de mayonesa
$1/2$	taza de vinagre
2	cucharadas de sal
1	cucharadita de pimienta.

Cocine las papas sin pelar. Sáquelas y pélelas. Córtelas calientes en rebanadas, mézclelas con los vegetales y con la mayonesa, el vinagre, sal y pimienta. Enfríelo en la nevera por varias horas.

ENSALADA DE REPOLLO

(Para 10 personas)

8	repollos medianos
6	pimientos verdes
2	tazas de vinagre
2	tazas de azúcar
2	cucharadas de sal
$1^1/2$	cucharaditas de pimienta
$1^1/2$	cucharaditas de paprika
2	tazas de mayonesa.

Corte finamente el repollo y los pimientos en tajaditas finas. Mezcle vinagre, azúcar, sal, pimienta, paprika, añada el repollo, déjelos 15 minutos. Escúrralos, mezcle los pimientos con el repollo y añada la mayonesa mezclando suavemente.

ENSALADA DE PALMITO DULCE

Esta ensalada se hace siempre con el palmito asado. Se le van quitando todas las capas hasta que quede en la parte blanda, o sea el corazón del palmito, se parte en pedacitos y se mezcla con la vinagreta, cebolla y un poquito de pimienta picante.

El palmito dulce es el cogollo de la palma de vino y el palmito amargo es el de la palma amarga.

PURE DE AUYAMA

Se pela y se sancocha la auyama con un poco de sal; cuando esté cocida se maja caliente con un molinillo y se le mezcla la cebolla preparada como en la receta No. 38 y la vinagreta en la misma forma.

MOTE DE PALMITO AMARGO

1	palmito crudo
4	libras de ñame de espina
1	libra de cebolla
2	onzas de ajo
$1^1/2$	tazas de manteca de cerdo (no vegetal)
	sal al gusto.

El palmito se pela y se le quita la cabeza porque ésta es amarga, a medida que se le va quitando la palma se va cortando hasta encontrar ya el duro del palmito. Luego se pasa tres o cuatro veces por agua de limón bien fuerte para disiparle un poco el amargo, se lava nuevamente y se pone a cocinar bien picadito, cuando ha hervido un poco se le echa el ñame junto con la cebolla, el ajo y la sal, moviéndolo con frecuencia para evitar que se queme o ahume. Y al momento de servirse se le pone la manteca de cerdo.

CAPITULO VII

Platos varios, fritos y bollos

106

Larry Dominguez

1.999

Platos varios

CABEZA DE GATO

(Para 6 personas)

3   plátanos verdes
4   chicharrones grandes

Se asan los plátanos quitándoles la cáscara. Se machacan calientes y se les añade el chicharrón, triturarlos también, añadiéndoles un poquito de sal; se amasan un poco y se hacen bolas o se dejan sueltos.

PLATANOS ASADOS CON KOLA ROMAN

(Para 6 personas)

4   plátanos maduros
2   cucharadas de mantequilla
1   botella de kola román
2   cucharaditas de azúcar

Se ponen en una sartén los plátanos con la mantequilla, el azúcar y la kola román y se dejan a fuego lento hasta que se cocinen, dándoles la vuelta para que doren parejamente. También pueden ponerse al horno.

PLATANOS ASADOS CON LECHE DE COCO

(Para 6 personas)

3   plátanos maduros
$^1/_2$ taza de leche de coco
1   cucharada de mantequilla
      azúcar al gusto.

Se ponen los plátanos en la tártara con un poco de mantequilla y azúcar, se les echa la leche del coco y se ponen al horno; cuando estén casi cocidos se les echa queso blanco criollo rallado por encima y se dejan dorar, sin moverlos.

PLATANOS MADUROS ASADOS

(Para 6 personas)

3   plátanos maduros
2   cucharaditas de azúcar
2   cucharadas de mantequilla o manteca
1   taza de agua.

Pelar los plátanos y colocarlos en una tortera untada de mantequilla. Espolvorearles el azúcar, añadir la mantequilla o manteca, así como el agua. De vez en cuando voltearlos a fin de que se doren por todos los lados. Pueden hacerse al horno o directamente sobre el fuego.

TAJADAS DE PLATANO CON QUESO

El plátano debe estar maduro y el queso blanco criollo, aunque puede usarse otro.

Se hacen unas tajadas a todo lo largo del plátano y se fríen con cuidado de que no se partan. El queso se ralla y se echa por encima a la tajada para que forme una capa, se enrolla y se apunta con un palillo, se coloca en molde engrasado, se le echa queso por encima y se mete un rato a dorar en el horno. También se pueden pasar por huevo y se fríen.

PLATANITOS ASADOS

(Para 6 personas)

12	platanitos
2	cucharadas de mantequilla
3	cucharadas de azúcar
1/2	taza de leche
4	cucharadas de canela
4	cucharaditas de queso blanco rallado.

Se cortan los platanitos o bananos, por la mitad a lo largo. Se colocan en una tártara untada en mantequilla, se les rocía el azúcar, la leche, así como la canela y el queso blanco rallado. Llevarlos al horno hasta que doren.

BORONIA O ALBORONIA

(Para 6 personas)

5	berenjenas medianas peladas
2	plátanos maduros
	sal, tomate, cebolla y ajo al gusto.

Se pone a hervir todo junto y cuando esté blando se saca del agua y se maja bien. Con el tomate, cebolla y ajo se hace una salsa añadiéndole un poco de manteca con color de achiote, una parte de esta salsa se revuelve con lo demás y el resto se pone por encima al servir.

Este plato se acompaña con carne asada en brasas y arroz, aunque puede usarse en cualquier forma.

PURE DE ÑAME

(Para 6 personas)

1 1/2	libras de ñame
1	taza de leche
6	cucharadas de mantequilla
2	cucharadas de crema
1/2	cucharadita de nuez moscada
	sal al gusto.

Cocinar el ñame sin que se desbarate y majarlo o pasarlo por el pasapuré. Agregarle la leche también caliente poco a poco, así como la mantequilla, batiéndolo hasta que quede suave y esponjoso. Incorporarle finalmente sal al gusto, la crema y la nuez moscada sin dejar de batirlo para que se mezclen bien los ingredientes. Puede conservarse caliente al baño María.

YUCA O ÑAME GUISADO

(Para 6 personas)

1/2	libra de yuca o ñame
3	tomates sin piel ni semillas
2	cebollas partidas menudamente
2	cucharadas de aceite o mantequilla
	sal al gusto.

La yuca se cocina en suficiente agua y sal. En la mantequilla fría la cebolla, cuando esté transparente agregue el tomate y cocínelo hasta que se desbarate. Póngale la yuca partida en pedazos y déjela por 15 minutos.

PAPAS CUBIERTAS

(Para 6 personas)

2	libras de papas
3	huevos
	mantequilla, leche y sal.

Se sancochan las papas peladas. Cuando estén cocidas se parten por la mitad, se saca lo de adentro dejándole un hueco para rellenarlo. Eso se maja con un poco de mantequilla y leche, debe quedar como un puré de papas corrientes, con esto se rellenan. Se baten las claras a punto de nieve, se les agregan las yemas, se les pone un punto de sal y en esto se meten las papas, se fríen en manteca bien caliente.

MAIZ SANCOCHADO

Se coge la mazorca con su cáscara y se pone en una olla de agua hirviendo con un poco de sal y de azúcar. Se pela y se come con mantequilla.

MAIZ ASADO

Se pone el maíz con su cáscara al carbón o al horno hasta que esté cocido. Después se pela y se le puede untar mantequilla.

PLATANO VERDE ASADO

Se pelan los plátanos y se ponen a asar al horno, o al carbón hasta que estén cocidos. Lo mismo se puede hacer con el plátano pintón, o sea, antes de estar bien maduro. Se le unta mantequilla por dentro cuando se van a comer.

MACARRONES CRIOLLOS

(Para 6 personas)

1	**libra de macarrones**
1	**libra de tomates maduros**
2	**cebollas grandes en ruedas**
2	**cucharadas de mantequilla**
	queso parmesano rallado
	sal al gusto.

Se parte la cebolla en ruedas delgadas, los tomates se pasan por agua caliente para quitarles la piel y las semillas, se parten en trocitos. La mantequilla se pone en la sartén con la cebolla hasta que se cocine, luego se le agrega el tomate y se deja al fuego, sazonándolo con sal y un poco de pimienta picante hasta que se cocine bien. Aparte se cocinan los macarrones en agua de sal, hasta que ablanden, se escurren y se revuelven con la salsa, añadiéndoles el queso parmesano, se unta un pírex en mantequilla y se vierten, arriba se rocían nuevamente con queso y se ponen al horno moderado hasta que doren un poco.

ÑAME RELLENO

1	**ñame mediano**
1	**libra de masa de cerdo**
	sal, cebolla, tomate, ajo, etc.

Se pela el ñame y se pone a sancochar con sal, sin dejarlo ablandar mucho. Cuando esté, se le corta un pedacito de la punta y se ahueca. Con el cerdo se hace un buen picado molido o en pedacitos, al que se le añaden, si se quiere, alcaparras y huevos duros. Con esto se rellena el ñame y con el pedacito que se le quitó se le hace una tapa. Se compone una salsa con tomate, cebolla, un poquito de manteca con achiote y un poquito de agua (si hay caldo es mejor), se mete el ñame en ella, se deja cocinar volteándolo de vez en cuando para que coja el sabor por todos lados. Debe quedar con salsa suficiente.

MAJUANA O MAEJUANA

(Para 6 personas)

1	**libra de fríjoles de cabecita negra**
3	**ó 4 plátanos maduros**
1	**coco**
	sal al gusto.

Rallar el coco, exprimirlo y separar la primera leche. Tomar la segunda leche y poner a cocinar en ésta los fríjoles hasta que empiecen a ablandar. Añadir el plátano cortado en trocitos y seguir cocinando, agregándole poco a poco la primera leche hasta que todo adquiera consistencia. Se le pone sal y si se quiere más dulce se le coloca un poco de azúcar.

PAPAS RELLENAS CON CERDO

Se hace un picado como para los tomates rellenos. Se cocinan las papas con cáscaras, en agua de sal. Cuando estén listas se pelan y se ahuecan, se rellenan con el picado, se pasan por huevo batido y se fríen en manteca caliente.

Se hacen igual, rellenas con queso, mezclando lo que se saca con el queso rallado.

MOTE DE AUYAMA

(Para 6 personas)

2   libras de auyama (pesada con concha
     y sin tripas)
4   plátanos amarillos.

Se cocinan juntos sin pelar la auyama y plátanos
hasta que esten blandos. Quíteles las cortezas y
maje primero los plátanos. Páselos por un tamiz
o por un rallador de cocos.

La salsa se hace aparte así:

Se elabora un guiso con ruedas de tomate, ruedas
de cebolla cabezona en un poco de aceite teñido
con achiote.

Cuando la salsa esté, se separa una porción para
utilizarla al final, echándola a manera de adorno,
por encima de la masa.

El resto de la salsa se utiliza para agregarlo al majado y dejar que se cocine un poco en ella, se sazona con un poco de sal, vinagre y un tanto de pimienta picante.

Se sirve en una fuente y se le echa encima la salsa
que previamente se separó con este fin con sus
correspondientes ruedas de cebolla y tomate que
le sirven de adorno.

ZARAGOZAS BLANCAS

(Para 6 personas)

1   libra de costillas largas de cerdo
1   libra de zaragozas blancas tiernas
1   libra de ñame
3   tomates grandes
2   cebollas grandes
     pimienta y sal.

Se pone a guisar el cerdo con el tomate y la cebolla, cuando esté blando se le agrega un poco de
agua y las zaragozas, que de antemano se han pasado por agua hirviendo para quitarles el amargo.
Se dejan cocinar hasta que hiervan un rato y se
ablanden, luego se les agrega el ñame crudo partido en pedacitos. Si queda muy pálido de color se
le puede poner un poco de color de achiote o pasta de tomate.

MACARRONES CON POLLO

(Para 8 personas)

1   pollo
1   libra de carne
1   libra de macarrones
1   pote de pasta de tomate
4   cebollas grandes
4   onzas de mantequilla
4   dientes de ajo
1   hoja de laurel.

Se pone el agua al fuego, con la sal y un chorrito
de aceite de olivas (para que no se peguen), cuando hierva, se echan los macarrones y se dejan cocinar hasta que estén blandos. Se escurren en un
colador. Se fríen unos ajos en mantequilla, cuando estén dorados se sacan y se echa la cebolla picada, hasta que se fría, se le agrega la carne entera, dejándola un rato para que suelte el jugo,
después se le pone un poco de agua caliente, disolviendo en ésta un pote de pasta de tomate. Se
deja cocinar hasta que la carne quede blanda. El
pollo se cocina aparte con tomate, cebolla, sal y
una hoja de laurel. Cuando esté bien cocido se le
quitan los huesos, se le agregan los macarrones y
el jugo de la carne, colado. Se le añade mantequilla, sal y se dejan un rato cocinando hasta que la
salsa quede espesa, al bajarlos se les pone queso
parmesano rallado.

MACARRONES CON CERDO

(Para 6 u 8 personas)

1   libra de macarrones
15   tomates grandes
6   dientes de ajo
2   cebollas grandes
1   libra de cerdo molido
1   cucharada de mantequilla
1   cucharadita de azúcar
2   hojas de laurel
2   pimientas de olor
1   cucharadita de romero
     queso parmesano rallado.

Los tomates se pasan por agua caliente y después se cuelan en un cedazo.   En un poquito de
manteca o aceite se fríen los ajos, cuando estén
dorados se sacan, allí mismo se fríe la cebolla
partida en pedacitos y el cerdo molido, se le pone
sal al gusto y después la salsa de tomate que se
hizo anteriormente; el laurel, la pimienta y el

romero se echan en una bolsita para sacarla después. Cuando esté espesando se le ponen la mantequilla, el azúcar y la sal. Los macarrones se sancochan en un caldo de huesos con sal, se ponen en la bandeja, se echa encima la salsa y se rocían con el queso.

TOMATES RELLENOS CON CAMARONES

(Para 6 personas)

6	tomates grandes con pulpa sólida
¹/₂	libra de camarones cocidos
5	cucharadas de mayonesa
1	cucharada de salsa de tomate
1	cucharada de salsa inglesa
1	cucharada de mostaza
6	ramitas de perejil
2	cucharaditas de azúcar
	sal y pimienta al gusto.

A los tomates, se les saca el centro haciéndoles un redondel por la parte donde va el tallo y se ahuecan un poco para darle cabida al relleno. Se sazonan con sal, pimienta y azúcar. Al momento de rellenarlo se les saca el jugo que hayan soltado. Los camarones cocidos se mezclan con la mayonesa, la salsa de tomate, la salsa inglesa y la mostaza, con esto se rellenan y se adornan con los ramitos de perejil.

PURE DE PAPAS

(Para 6 personas)

10	papas medianas
4	cucharadas de mantequilla
1	taza de leche caliente
¹/₂	cucharadita de nuez moscada
3	cucharadas de queso parmesano rallado
	sal al gusto.

Se sancochan las papas con sal. Pelarlas y majarlas o pasarlas por el pasapuré calientes. Poco a poco agregarle un poco de leche así como la mantequilla. Batirla para que levanten en suavidad y agregar todos los ingredientes. Verificar la sazón.

Puede conservarse caliente al baño María. Si se desea, colocarlo en un pírex y llevarlo al horno para que gratine.

REPOLLO RELLENO

(Para 6 personas)

1	libra de masa de cerdo
1	libra de papas
1	repollo de dos libras que esté más bien flojo
	sal al gusto.

El repollo se sancocha con sal sin dejarlo demasiado blando. Se saca y se deja escurrir. Cuando esté frío se le van abriendo las hojas con cuidado de que no se rompan y el centro se le quita. Debe quedarle poco hueco.

Con el cerdo se hace un picado en trocitos bien pequeños, se componen con tomate, cebolla, un poquito de ajo, sal, vinagre y unas alcaparras. Las papas cortadas en cuadritos pequeños se cocinan junto con el cerdo poniéndole poca agua y a fuego lento. También se le añade al picado el centro que se le quitó al repollo bien partido.

Se rellena el hueco del repollo, se le cierran las primeras hojas, se le pone otro poco de picado y se van cerrando hasta terminar. Se amarra con cuidado, se pone en una olla un poquito de agua sazonada con sal y vinagre, tomate, cebolla y un poquito de manteca con achiote. Se mete el repollo, se tapa bien y se deja cocinar a fuego lento durante una hora poco más o menos. Como el repollo suelta mucha agua, si se ve que está ablandando demasiado se saca y se deja reducir la salsa sola.

BERENJENAS RELLENAS

(Para 6 personas)

6	berenjenas
4	onzas de masa de cerdo
2	tomates grandes
2	cebollas
2	dientes de ajo
	sal al gusto.

Se parten por la mitad las berenjenas y se les saca la semilla. El cerdo se muele con un tomate, una cebolla, el ajo y se sazona con sal, vinagre y un poquito de pimienta picante. Con esto se rellenan las berenjenas.

El otro tomate y la cebolla se pican y se les pone un poco de manteca con color para sofreírlo, cuando está sofrito se le echa una taza de agua o de caldo y se meten las berenjenas que se dejan cocinar hasta que queden en una salsa un poco espesa.

AJIES RELLENOS

6	ajíes pimientos
4	onzas de masa de cerdo
2	tomates
2	cebollas
	un pedazo de miga de pan y sal.

Los ajíes se limpian quitándoles con cuidado el redondel del lado del tallo. Se hace un picado con cerdo, un tomate, una cebolla, un poquito de ajo, sal, vinagre y pimienta picante.

La miga de pan se moja en leche, se maja bien y se mezcla con el cerdo, rellenando con esto los ajíes y tapándolos con el redondel que se les quitó. Se hace una salsa con el tomate y la cebolla restante añadiéndole un poquito de manteca y de agua y se meten los ajíes para que se cocinen dejándolos con salsa.

También pueden rebozarse en huevo batido con un poquito de harina y sal y se fríen en manteca caliente.

AJIACO DE CARNE SALADA

(Para 8 personas)

2	libras de carne salada partida en trozos
2	libras de costillas largas de cerdo partidas en pedazos
1	libra de yuca
1	libra de ñame
4	plátanos maduros
6	cebollas
5	dientes de ajo
3	tomates
10	ajíes criollos
8	pimientas de olor enteras
	sal, pimienta picante y comino al gusto.

Ponga a guisar la carne con tomates, cebollas, ajíes, ajo, pimientas de olor y comino, un poco de agua hasta que ablande. Añada el cerdo y póngale aproximadamente 14 tazas de agua, la yuca y el ñame en trocitos, el plátano en cuadritos. Déjelo a fuego lento moviendo frecuentemente para que se vaya deshaciendo un poco la vitualla, para que quede bien cocido y espeso como un mote. Se prueba la sal y se agrega si es necesario. Al momento de servir se le añade una salsa hecha de cebolla y tomate, cocidos de antemano con un poco de manteca con achiote. En tiempo

de abstinencia se puede reemplazar la carne por bagre salado. Este plato se acompaña con arroz con coco o blanco.

RAVIOLI

(Para 6 personas)

Pasta:

1	libra de harina
2	huevos
1	cucharada de mantequilla
½	pocillo de agua de sal fría.

Se pone la harina en la tabla de amasar, se le hace un hueco y se le echan la mantequilla y los huevos. Se mezcla añadiéndole poco a poco el agua, hasta formar una pasta suave que se trabaje con el bolillo. Se adelgaza lo más posible y se cortan redondeles –poco más o menos del porte de la boca de un vaso– para hacer los pastelitos.

Picado:

1	libra de masa de cerdo
1	cebolla grande
2	tomates
3	ó 4 hojas de acelgas
1	pedazo de miga de pan mojado en leche
1	cucharada de mantequilla
	sal y vinagre.

Todo se muele junto, se le añade la mantequilla y se cocina. Con esto se rellenan los redondeles y se forman los pastelitos. Estos se cocinan en agua de sal por ¼ de hora.

Salsa:

1	pote de pasta de tomate
2	tazas de buen caldo
8	pimientas picantes molidas
1	cebolla rallada
4	dientes de ajo
1	vaso de vino blanco
8	pimientas de olor
8	clavitos
1	hoja de laurel
	un poquito de romero y tomillo.

La cebolla rallada y los ajos majados se fríen en un poco de mantequilla, se le agrega la pasta de tomate disuelta en el caldo y los demás ingredientes. Las pimientas y demás especias se pueden envolver en un pedacito de tela para poderlos sacar. Luego se echan las empanaditas, se les añade un poco de queso parmesano, se dejan unos diez minutos al fuego y al servirlos se les riega más queso por encima.

FIAMBRE

(Para 6 personas)

2   libras de cerdo
1   pan pequeño rallado
½   taza de crema de leche
½   taza de leche
1   cucharada de mantequilla
4   huevos batidos
1   frasquito de alcaparras
    aceitunas o pasas si se desea
    sal al gusto.

Se cocina el cerdo con tomates, cebollas, ajo, pimienta y sal, sin grasa, sólo la que va soltando el cerdo. Cuando esté cocido se muele y se mezcla con los demás ingredientes, se agregan los huevos, el pan mojado en la crema y desmenuzado, se vierte en un molde engrasado y se mete al horno de 350°F por una hora aproximadamente. Se deja enfriar y se pone en la nevera para servirlo frío.

SALCHICHAS ATORMENTADAS

(Para 6 personas)

8   huevos
6   salchichas de Viena
2   onzas de mantequilla
    sal al gusto.

Se pone a calentar la mantequilla en una sartén. Los huevos se baten como para una tortilla. La mitad de los huevos se echa en la sartén, se acomodan las salchichas partidas a lo largo y se cubren con el resto de los huevos. Cuando está cuajada la parte de abajo se voltea sobre un plato y se vuelve a echar en la sartén del lado contrario hasta que cuaje.

Se sirve rodeado de petit pois y en el centro se le pone un poco de salsa de tomate.

PAPAS CON PEREJIL

(Para 6 personas)

6   papas medianas
1   cucharada de mantequilla
1   cucharadita de perejil finamente picado.

Se cocinan las papas peladas enteras, en agua de sal. Al bajarlas se les agrega mantequilla y perejil picadito. Moviéndolas para que se mezcle todo. Sirven para acompañar carnes asadas o pollo.

CROQUETAS DE PAPAS

(Para 6 personas)

2   libras de papas
1   cucharada de mantequilla
4   yemas de huevo
½   cucharadita de pimienta
¼   de cucharadita de nuez moscada
4   claras batidas a la nieve
    pan rallado
    sal al gusto.

Cocinar las papas en agua de sal. Májelas calientes, agregue la mantequilla, yemas, sal y nuez moscada. Para darle forma debe quedar un poco duro, se hacen pirámides o bolas. Al momento de freírlas se pasan por las claras de huevo batidas y después por pan rallado y se fríen en la manteca bien caliente hasta que doren. Se adornan con ramitas de perejil.

LENTEJAS

(Para 6 u 8 personas)

1   libra de lentejas
2   tomates
2   cebollas
2   ajos
    sal.

Se dejan las lentejas en agua unas horas antes de cocinarlas. Se ponen al fuego en suficiente agua hasta que ablanden. Aparte se hace una salsa con los demás ingredientes, y se le agrega a las lentejas, dejándolas hasta que sequen un poco.

CEBOLLAS RELLENAS

(Para 6 personas)

2	libras de cebollas grandes
½	libra de cerdo molido
2	tomates picados
2	cucharadas de mantequilla
½	cucharadita de pimienta
½	cucharadita de pimienta de olor
½	cucharadita de sal
1	rebanada de pan de molde mojado en leche
1	yema de huevo
1	taza de caldo.

Pele las cebollas y hiérvalas en agua de sal por 10 minutos, ahuéquelas y maje la pulpa que retiró y únala con el cerdo y demás ingredientes, exprima el pan y agréguelo. Amase bien y rellene con esto las cebollas. En una sartén dórelas con la mantequilla de 12 a 15 minutos, cúbralas con el caldo y cocínelas destapadas para que se consuma un poco el líquido. Hay que tener cuidado de que no se pasen de cocción.

TOMATES RELLENOS CON CERDO

6	tomates
4	onzas de masa de cerdo
1	cebolla
	un poco de miga de pan
	ají, ajo, sal, vinagre y pimienta picante.

Los tomates se parten por la mitad y se les saca la semilla, si son chicos se les quita la coronita, se ahuecan sacándoles el centro. Con el cerdo se hace un picado condimentado con cebolla, ají, ajo, sal, vinagre y pimienta picante. Se pone a cocinar.

La miga de pan se remoja en leche, se maja bien y se revuelve con el picado procediendo a rellenar con esto los tomates. Después de rellenos se ponen en una tártara untada con manteca o en un plato refractario, se espolvorean con bastante pan rallado por encima y se meten al horno hasta que se vean dorados.

También pueden cubrirse con huevo espesado con un poquito de harina y freírlos.

Fritos y fritangas

EMPANADAS CON HUEVO

(Salen de 6 a 8)

1	libra de maíz amarillo pilado
1	taza de picado de cerdo cocido
1	frasco de aceite de maíz
10	huevos.

El maíz se pone la víspera en agua. Al otro día se toma la mitad y se cocina en la olla de presión por 15 minutos. Se retira del fuego y se le agrega la otra parte del maíz crudo y se deja reposar hasta que enfríe completamente. Se muele en la máquina y se amasa con un poco de sal, hasta que esté suave. Se forman las bolas y se aplanan con ayuda de un plástico o papel encerado. Se hacen aproximadamente de 5 cm de diámetro y ½ cm de grueso. En un caldero se pone bastante aceite al fuego y se deja hasta que esté bien caliente. Se echan una a una las empanadas bañándolas con el aceite hirviendo, éstas deberán subir a la superficie y esponjarse, se dejan 3 minutos

y se retiran del fuego. Con mucho cuidado se hace una abertura lateral de 3 cm para introducir por allí el picado, el huevo entero crudo y de último una cucharadita de agua de sal. Se presiona un poco con los dedos y se echa de nuevo al aceite para que se cocine el huevo. El aceite no debe estar tan caliente para que el huevo no se tueste.

Hay otra manera de preparar la masa: la víspera cocinar el maíz por 20 minutos y dejarlo en su agua hasta el día siguiente para proceder a molerlo.

EMPANADAS DE MASA DE MAIZ

Se usa la misma masa de las empanadas con huevo, se extiende sobre una hoja, o un papel engrasado, dejándolas delgadas, se rellenan con picado de cerdo o con queso, o picado de pescado para época de abstinencia. Se doblan, haciéndoles presión en los bordes y se fríen en manteca bien caliente.

EMPANADAS DE HARINA

1   **taza de harina**
2   **cucharadas de manteca vegetal**
2   **ó 3 cucharadas de agua helada con sal.**

Se hace una masa que se extiende con el bolillo dejándola bastante delgada. Se cortan redondas poco más o menos del tamaño de un platico de taza de café con leche. Se fríen en manteca bien caliente hasta que se esponjen. Se les hace un pequeño corte a un lado y por allí se les introduce un huevo entero, un poquito de agua de sal y el picado. Se echan a freír. La manteca no debe estar demasiado caliente para que se pueda cicinar el huevo, que se deja endurecer o no, según el gusto.

EMPANADITAS DE HARINA

3   **libra de harina**
1   **huevo**
1   **cucharadita de mantequilla.**

Se amasa todo con un poquito de agua de sal, se extiende con el rodillo sobre una mesa enharinada, se cortan en redondeles con un cortador, o con un vaso, se rellenan de picado de carne o cerdo molido, se doblan o se cierran mojándoles un poco los bordes con agua, se prensan con los dedos, haciéndoles piquitos con un tenedor. Se fríen en manteca bien caliente.

BUÑUELOS DE FRIJOL

1   **libra de fríjol (blancos cabecita negra)**
1   **ó 3 tazas de aceite o manteca**
      sal al gusto.

Debe echarse en agua varias horas antes. Cuando el fríjol está inflado se pasa por el molino de maíz dejándolo flojo para que lo parta y le suelte la piel. Se echa en agua y se le va recogiendo toda la cabecita negra y el pellejo hasta que quede limpio. Esto se hace cambiándole el agua varias veces. Ya limpio se muele fino, se bate un buen rato, se le pone sal y se va echando por cucharadas a la manteca caliente. Mientras más chicos resulten, mejor.

BUÑUELOS PICAROS

Igual que las carimañolas, pero sin relleno, se hace un bolillo de un dedo de grueso y se hace una O, cruzando las puntas, se fríen y al sacarlas se pasan por azúcar.

BUÑUELOS DE ARROZ

(Salen 20)

1   **taza de arroz**
10   **cucharadas de queso blanco rallado**
3   **huevos**
1   **cucharadita de polvo de hornear**
      sal y azúcar al gusto.

Remoje el arroz una hora antes, bote el agua y muélalo. Mezcle todos los ingredientes. Fríalos por cucharadas en aceite.

BUÑUELOS DE HARINA DE TRIGO

4   **huevos**
2   **cucharaditas de harina**
1   **cucharadita de azúcar**

Se baten los huevos y se les añade un poquito de harina y el azúcar. Se fríen; pueden hacerse de sal para echarlos a un caldo corriente.

BUÑUELOS DE ÑAME

(Salen 60)

2   **libras de ñame rallado crudo**
4   **huevos batidos**
7   **cucharadas de harina**
1   **cucharadita de polvo de hornear**
      queso rallado (si se desea).

Se mezcla el ñame rallado con la sal y la harina, añada los huevos batidos y se liga todo. Fría esta mezcla, por cucharaditas, en abundante manteca y vaya colocando los buñuelos, a medida que los fría, sobre papel absorbente, para que escurran el axceso de grasa.

BUÑUELOS DE MAIZ VERDE

6   mazorcas verdes.

El maíz verde se pela y se cortan los granos con un cuchillo, después se muelen en máquina de moler granos. Se le pone un puntico de sal, azúcar al gusto y un huevo batido. Se fríen por cucharadas en manteca bien caliente.

CARIMAÑOLAS

2   libras de yuca
3   tazas de aceite o manteca

Picado:
¹/₂   libra de cerdo
¹/₂   libra de carne de res blanda
1   cebolla
2   dientes de ajo
3   ajíes
1   cucharada de vinagre
**   tris de comino molido o machacado.**

Sudar las carnes con dos pocillitos de agua y el vinagre, sal y pimienta al gusto.

Pasar estas carnes por la máquina de moler con los ingredientes que se prepararon.

Se sancocha la yuca con un poquito de sal, sin dejarla demasiado blanda. Aún caliente se muele en la máquina y se amasa. Se hacen las carimañolas formando una bolita, poniéndole un poquito de picado de cerdo, de carne o de pescado cocido, o de queso en el centro y dándole luego la forma de un dirigible. Se fríen en manteca bien caliente.

REPOLLITAS DE YUCA

1   libra de yuca
3   yemas de huevo
**   picado de cerdo (ver receta anterior**
**   pero sin carne de res).**

Se pone a cocinar la yuca en agua de sal, después se muele bien, se coloca en una vasija, agregándole las yemas batidas y se amasa hasta que todo esté mezclado; se hacen bolitas que se colocan en una tártara untada en mantequilla y se meten al horno hasta que doren un poco. Cuando estén frías se les hace un corte con un cuchillo afilado y se rellenan con picado de cerdo y un poquito de picante.

AREPITAS DE YUCA

(Para 6 personas)

1   libra de yuca
2   huevos
2   cucharaditas de azúcar
¹/₂   cucharadita de anís
**   sal al gusto**
**   aceite para freír.**

Se ralla la yuca y combina bien con el resto de los ingredientes. Se hacen las arepitas de tamaño regular y se fríen en la manteca que debe estar caliente pero no arrebatada.

A la masa, en caso de que quede muy floja, se le pueden agregar 1 ó 2 cucharaditas de harina, según el caso.

PALITOS DE YUCA FRITOS

Se sancocha la yuca, cuando esté blanda, se saca, se parte en pedazos largos y delgados. Se fríen en manteca bien caliente hasta que doren y tuesten.

AREPITAS DE DULCE

1   libra de masa de maíz amarillo seco
4   ó 5 cucharadas de queso
**   blanco costeño rallado**
1   cucharadita de anís
¹/₂   taza de panela raspada.

Se amasa el maíz con un poquito de sal, la panela, el queso rallado y el anís, que se frota un poco entre las manos, para que huela más. Se hacen arepitas redondas o alargadas sobre una hoja de plátano o bijao, o simplemente sobre un papel grueso untado de manteca. Si son redondas, se les hace un hueco del grueso de un dedo, en el centro. Se fríen en manteca o aceite caliente.

PANES RELLENOS

(Para 6 personas)

3   panes redondos tipo francés
6   rodajas de cebolla
6   rodajas de tomate
3   ajíes.
      picado de cerdo o carne.

Se hace un picado de cerdo o de carne bien adobada con tomate, cebolla, ajo, sal y vinagre, cocinándolo antes de rellenar. Los panes se parten por la mitad y se ahuecan un poco, esta miga se le pone al picado para suavizarla, se remojan los panes con un poquito de caldo y se rellenan con el picado. Hay que cuidar de que los panes no se mojen demasiado. Una ½ hora antes de servir se meten al horno y después de sacarlos se adornan con los ajíes, cortados en tiritas, las rodajas de tomate y cebolla. También pueden cubrirse con huevo y freírse.

NIÑOS ENVUELTOS

½   libra de harina
½   libra de queso criollo
2   ó 3 cucharaditas de natas
2   cucharaditas de mantequilla
3   cucharaditas de manteca dura
1   huevo
      un poquito de sal y azúcar (si se desea).

Se amasa todo (menos el queso), se extiende en la mesa con un bolillo que quede bien delgada la pasta, se corta en tiritas, y el queso se parte en forma de palitos y con las tiritas de pasta se va enrollando el queso en forma de espiral. Se fríen en manteca bien caliente.

HOJALDRES

1   libra de harina
1   cucharadita de polvo de hornear
¼   de libra de manteca
      agua de sal con un poco de azúcar.

(Para hacer la mitad de esta cantidad, debe ponerse ½ libra de harina y 2 ó 3 cucharadas de manteca).

Se hace la masa temprano para dejarla reposar y que levante un poco. Se amasa al momento de freír, se deja la pasta delgada y se cortan las hojaldres en la forma que se quiera. Se fríen en manteca caliente y se les pone azúcar por encima, al sacarlas del fuego.

PALITOS DE QUESO

4   onzas de queso rallado
4   onzas de mantequilla
4   onzas de harina
2   cucharadas de leche
      un poco de sal.

Se trabajan juntos todos los ingredientes hasta formar una pasta lisa. Se extiende y se corta en forma de palitos. Se cocinan por 10 minutos en el horno caliente.

DEDALES DE QUESO

2   tazas de harina
4   cucharaditas de polvo de levadura
4   cucharadas de mantequilla
½   cucharadita de sal
¾   de taza de leche
1   taza de queso rallado.

Cierna los ingredientes secos, añada la mantequilla. Trabájela con un tenedor, póngala en una tabla enharinada; corte tiritas largas de media pulgada de grueso, áselas en horno caliente por 10 minutos.

COSTILLAS DE CERDO FRITAS
(Para picadas)

Las costillas de cerdo largas partidas en pedacitos chicos se componen con sal y limón dejándolas un rato que cojan sabor, luego se ponen con agua que las cubra en un caldero a fuego vivo y se dejan hasta que se frían con su misma manteca y doren. Sirven para picadas. Se acompañan con bollo limpio.

TAJADAS DE PLATANO MADURO

Se corta el plátano en tajadas a lo largo y se fríen en manteca bien caliente, hasta que doren.

BOLITAS DE QUESO

1³/₄	taza de queso fresco blanco rallado
2	huevos
7	cucharadas de leche
9	ó 10 cucharadas de harina
1	cucharadita de Royal

Mezclar en un bol el queso, con la harina y los huevos ligeramente batidos. Juntar la harina con el Royal y cernirlo sobre la anterior preparación, mezclar bien y echar por cucharadas en grasa hirviendo y fríase hasta que doren, sírvanse calientes o frías, con o sin almíbar o melado. Salen 30, pueden hacerse también las bolitas a mano.

BOLITAS DE QUESO (Otra)

Se baten dos claras a punto de nieve y se les agrega ¹/₂ libra de queso rallado, parmesano o amarillo, un poquito de Royal y se bate hasta que tenga consistencia la masa para hacer las bolitas a mano. Se pasan por pan rallado. Se fríen en manteca bien caliente. Salen 15.

PALITOS DE QUESO (Otra)

(Salen 110))

1	libra de harina
3	onzas de mantequilla
3	cucharadas de nata
2	cucharadas de azúcar
1	cucharada de Royal
1	cucharadita de sal
¹/₄	de taza de leche
¹/₂	libra de queso blanco

Se parte el queso en forma de palitos como de 4 cm de largo. Con los demás ingredientes se hace una masa, se extiende sobre una tabla enharinada y con el bolillo se deja bien delga-

da. Se corta en tiras y con esta se enrolla el palito de queso. Se fríen en manteca caliente.

TAJADAS DE PLATANO VERDE

Se corta el plátano en ruedecitas lo más delgadas posibles, pueden cortarse con un pelapapas. Se fríen en manteca bien caliente, echándolas separadamente para que no se peguen, y se rocían con un poco de sal.

PATACONES

Se cortan los plátanos en ruedas gruesas y se medio fríen e manteca, se sacan y se machacan dejándolas bien delgadas, se meten en agua de sal y se vuelven a freír hasta que queden doradas.

YUCA FRITA

Se cocina la yuca, que no quede muy cocida. Se parte en trozos con la mano, nunca con cuchillo, se pone en una tabla un rato al sol. Se fríe en manteca caliente.

CHICHARRONES

El tocino se parte en pedazos del tamaño que se desee. Se cocina en un caldero de hierro con agua suficiente que los cubra y se ponen a fuego vivo hasta que comiencen a soltar manteca. Se agrega la sal desleída en agua, echándola poco a poco en forma de rocío y con cuidado porque salta la manteca. Cuando estén dorados se sacan y se escurren.

Nota: también pueden hacerse dejando el tocino entero y untándole por encima del cuero suficiente cantidad de bicarbonato de soda y dejándolo por 2 ó 3 horas. Pasado este tiempo se lava con agua de limón y se procede a cortar los pedazos haciéndole las ranuras del lado del gordo y se fríen en un poco de agua hasta que suelten su grasa.

Bollos

El pregón callejero cartagenero...

Bollitos, bollos sabrosos
con coco, azúcar y anís.
Prefiéranme a mí muchachos
que vengo de Gimaní.

RECETA No. 65

BOLLOS DE MAZORCA

(Salen 8)

12   mazorcas de maíz tierno
      hojas de mazorca
      sal al gusto.

El maíz verde se corta y se muele poniéndole un poquito de sal. Las hojas de la mazorca se abren y se lavan bien, se ponen dos en la mano y se echa la masa según el grosor que quiera dársele, se tapa con otra hoja y luego se le pone una o dos más, de manera que quede bien envuelto y se amarra.

Hay que tener mucho cuidado al hacer esto porque si se aprietan mucho se escurre la masa por entre las hojas.

Se calienta agua poniéndole un poquito de sal y se sancochan por espacio de ½ hora. Para servirlos se desamarran y se les quitan las hojas. Salen aproximadamente ocho.

RECETA No. 66

BOLLOS DE MAIZ SECO O BOLLO LIMPIO

(Salen 15)

3   libras de maíz pilado
     hojas de mazorca
     sal.

El maíz pilado se echa en agua y se limpia bien quitándole cualquier pellejito o parte del ojo que le haya quedado. Se pone a sancochar la mitad y la otra se deja en agua fría. Cuando el maíz está blando se le echa el resto, se remueve y se baja. Cuando está frío se muele, que quede una masa fina y se le pone un poquito de agua de sal.

Las hojas de la mazorca se desprenden, se lavan bien y se tienen listas para hacer los bollos. Se abren sobre la mano dos hojas de las más grandes, se echa la masa según el grosor que quiera dársele, se tapa con otra hoja y luego se le ponen una o dos más, de manera que quede bien envuelto y se amarra.

Se pone a calentar el agua con un poquito de sal y cuando esté hirviendo se sancochan los bollos. Si son chicos basta con ½ hora de buena cocción, aumentando el tiempo según el grueso. Estos bollos quedan muy sabrosos añadiéndole a la masa chicharrones bien triturados.

RECETA No. 67

BOLLOS DE MAIZ VERDE CON CERDO

(Salen 35)

60   mazorcas tiernas con sus hojas
2   libras de cerdo molido
      o partido en pedacitos
4   cebollas
4   tomates
10   ajíes dulces
½   cucharadita de pimienta picante
1   cucharada de vinagre
2   cucharaditas de sal
      comino, pimienta de olor.

Se guisa el cerdo con todos los condimentos con un poquito de manteca con achiote. Los bollos se hacen siguiendo las instrucciones de la receta 65, se arman colocando un poco de la masa sobre la hoja y encima un poco del picado y se tapa con otro poco de masa. Se cocinan en agua de sal por ½ hora aproximadamente. Para servirlos se desamarran y se les quitan las hojas. Se acompaña con una salsa de tomates naturales con cebolla.

RECETA No. 68

BOLLO NEGRITO

Este es el maíz negro, ya seco. Se hace lo mismo que todos los bollos, agregándole solo un poco de azúcar o panela.

BOLLO DE YUCA

Se ralla la yuca cruda, se pone a escurrir, sin exprimir, se amasa y se pone sobre dos o tres hojas de palma, se doblan éstas, se amarran y se ponen a cocinar con suficiente agua hirviendo, que los cubra y se tapa la olla.

BOLLITOS AL VAPOR

1	libra de harina de maíz blanco
6	onzas de mantequilla
2	onzas de queso rallado
8	claras de huevo
1	yema de huevo
$^1/_2$	libra de azúcar
1	copita de vino

Se pela bien el maíz blanco con lejía, se desagua por dos días, se le quitan las cabezas negras, se seca, se muele bien hasta volverlo harina. Se toma una libra de esta harina y se mezcla con la mantequilla batiéndola hasta que haga espuma. Se le agregan el queso rallado, las claras de huevo, la yema de huevo, el azúcar y el vino. Esta masa se pone en hojas y se cocina al vapor en una olla bien tapada.

BOLLO DE PLATANO

Se hacen palitos de plátano verde y se ponen a secar al sol por unos dos días. Se pueden tostar también al horno para abreviar. Cuando está tostado se muele hasta que quede como harina. El plátano maduro se maja bien y se va mezclando con la harina de plátano verde hasta cuando quede una pasta suave. Se le pone un poquito de miel o panela, apenas un punto de dulce y un poco de pimienta picante. Se envuelven poniendo en la mano una hoja tierna de iraca y envolviendo la masa como un rollo. Se amarran con una tira de majagua o fique y se sancochan alrededor de una hora.

BOLLO HARINADO

Se hace con el maíz pilado que quede como un polvo. Esto se mezcla con batata cruda rallada, coco rallado, azúcar y anís. Se hace la masa con esto y se procede de igual manera que los anteriores.

BOLLO DE COCO

Este se hace con el maíz seco, de los bollos limpios, agregándole el coco rallado sin sacarle la leche al bagazo, se le pone un poco de anís, queso rallado y azúcar. También se hacen mezclando el maíz con la leche de coco sin bagazo, en vez de agua.

BOLLOS CACHACOS

Se ponen a cocinar los plátanos maduros y se baten hasta que se desbaraten, se les pone panela rallada. Cuando esté espeso se aparta del fuego, se le agrega manteca o mantequilla. Se hacen cartuchos de hoja de plátano o bijao y se ponen a horno caliente.

MASA GUISADA

1	libra de maíz blanco seco
1	libra de masa de cerdo
2	cebollas
2	tomates
4	ajíes
2	dientes de ajo
	vinagre y sal.

El maíz se sancocha y se muele, se compone con sal, vinagre, manteca con color y agua suficiente para ablandarla. El cerdo se corta en pedacitos, se condimenta con sal, pimienta, ajo, tomates y cebolla y se pone a cocinar con esto. La masa también se pone al fuego con lo que se preparó; cuando se vea cocida se junta con el cerdo y se terminan de cocinar juntas. Hay que estar pendiente de que no quede muy dura, pues al enfriarse endurece más.

CAPITULO VIII

Salsas

Salsas

CONSEJOS PARA LAS SALSAS

La mayonesa se corta porque se le agrega el aceite al principio muy de golpe, es conveniente agregárselo poco a poco hasta que esté espesa.

La mayonesa, cuando está cortada, se une perfectamente con una cucharadita de agua hirviendo. Se pone el agua en un plato y se le añade por gotas la mayonesa, revolviendo en forma circular con un tenedor.

Para dar color a salsas y tortas se usa caramelo líquido. Las salsas y cremas se deben batir siempre para el mismo lado. Cuando se prepara salsa con crema de leche y se agrega limón, conviene ponerles un poquito de bicarbonato para que no se corte.

Las salsas salen mejor empleando maizena en lugar de harina.

A cualquier salsa que lleve vino debe ponérsele la mitad de la cantidad al principio y el resto al final para que conserve mejor el sabor.

Aunque estas salsas son de uso universal, hacen parte de la comida cartagenera, ya que ésta ha te-nido su origen en España y por lo tanto, nuestros platos criollos son acompañados por estas salsas europeas.

RECETA No. 1

SALSA BECHAMEL

2	tazas de salsa blanca
2	tazas de leche hirviendo
1	ramo de bouquet garni (una ramita de perejil, $^{1}/_{2}$ hoja de laurel y 1 ramita de tomillo)
1	clavo de olor
	sal, pimienta, nuez moscada.

Combinar la salsa blanca con la leche y llevarla en una cacerola al fuego hasta que comience a ligarse, moviendo rápido hasta que esté completamente cremosa. Retirarla y añadirle el resto de los ingredientes. Proseguir el cocimiento durante unos 15 a 20 minutos a fuego lento, quitándole con frecuencia la espuma que se le vaya formando. Colarla y ponerle por encima un poco de mantequilla para evitar que se le forme costra.

RECETA No. 2

SALSA BLANCA DURA

(Para croquetas)

3	cucharadas de mantequilla
1	taza de líquido
$^{1}/_{3}$	de taza de harina.

Esta salsa que se usa para croquetas, debe ser más dura. Se hace en la misma forma que las anteriores.

SALSA MAYONESA

4	yemas
1	taza de aceite de olivas
1/2	cucharadita de sal o más según el gusto
1	cucharadita de mostaza
1	cucharada de limón o vinagre
	un poquito de azúcar y pimienta blanca.

Se puede hacer en la licuadora. Se ponen las yemas, vinagre, sal, pimienta y azúcar. Se bate y se apaga en seguida. Se pone de nuevo echándole el aceite poco a poco hasta que todo se mezcle y vaya espesando, se continúa echando el aceite después más rápido.

Pueden agregarse unas gotas de limón de vez en cuando, pues esto impide que se corte.

Ya terminada se vuelve a sazonar con sal y pimienta. Si se llegare a cortar se le añaden dos cucharadas de agua hirviendo.

Cuando se quiere adelgazar mucho y aumentar la cantidad, se puede poner una clara batida a punto de nieve.

Puede ponérsele cognac si va a servirse con mariscos.

Para hacerla a mano se baten las yemas hasta que estén un poco duras, entonces se le va poniendo aceite poco a poco.

SALSA BLANCA

4	cucharadas de mantequilla
2	cucharadas de harina
2	tazas de leche caliente
	sal y pimienta blanca.

La calidad de la mantequilla es esencial para una buena salsa blanca.

Poner en una cacerola pequeña dos cucharadas de mantequilla, y cuando se disuelva agregar la harina, la sal y la pimienta, sin dejar de revolver; añadir poco a poco la leche a esa mezcla sin dejar de revolver para que no se formen grumos hasta que tomen la consistencia deseada.

Pasarla por un colador para que quede más suave. Agregar las otras dos cucharadas de mantequilla en pequeños pedazos y mover hasta que se incorporen bien.

Esta es una de las salsas llamadas "madre", que sirve para hacer diversas combinaciones. Así, por ejemplo, con polvo de curry disuelto en leche, o mostaza, o con yemas de huevo batidas ligeramente con cremas o quesos rallados. Esto, según el plato en que vaya a utilizarla.

SALSA BLANC A (Para soufflés)

3	cucharadas de mantequilla
3	cucharadas de harina
1	taza de leche o jugo de verduras.

Se procede como en las anteriores.

SALSA DE ALCAPARRAS

4	onzas de mantequilla
1	frasco pequeño de alcaparras.

Se derrite la mantequilla y cuando esté bien caliente se le ponen las alcaparras majadas, sin el vinagre. Se deja un momento en el fuego y se vierte sobre el pescado ya cocido. También puede usarse para codillo.

SALSA DE TOMATES NATURALES

2	libras de tomates bien maduros
1	taza de caldo
1	rama de apio
2	ramitas de perejil
2	cucharadas de mantequilla
1	cebolla grande
2	onzas de tocineta
	sal, pimienta, albahaca, aceite y azúcar.

Se parte todo en pedacitos, se sofríen en la mantequilla, cuando la mezcla se haya dorado bien, agréguense los tomates cortados en cuatro pedazos, quitándoles de antemano las semillas y déjese hervir una hora tapado. En lugar de tomate fresco puede usarse pasta de tomate, disuelta en un poco de caldo. Se pasa por un colador antes de servirse.

SALSA DE TOMATES NATURALES
(Otra)

Se cortan seis o siete tomates grandes en pedazos, se ponen en la sartén con una hoja de laurel, tomillo, una cebolla en rodajas y dos o tres dientes de ajo. Se cocina lentamente, sin agua, cuidando de que no se peguen los tomates. Después se pasa por un colador, machacando bien, o en la licuadora; se pone nuevamente al fuego ese puré con un poco de mantequilla y aceite, moviéndolo de vez en cuando, se sazona con un poco de sal, pimienta y un poco de azúcar, para quitarle el ácido del tomate. Sirve para acompa-

ñar bolas de pescado, carne en molde, albóndigas y las tortas que lo requieran.

SALSA VINAGRETA

1	cucharada de vinagre(si es de vino mejor)
3-4	cucharadas de aceite de olivas
$^1/_2$	cucharadita de mostaza (opcional)
$^1/_2$	cucharadita de azúcar (opcional)
	sal y pimienta.

Mezclar todos los ingredientes. Verificar la sazón, pues el éxito de esta salsa es el equilibrio de sus sabores. De la acidez del vinagre depende si hay que agregarle más. Puede añadírsele perejil, cebolla o ajo bien picado.

CAPITULO IX

Pasteles y pastelitos

Pasteles y pastelitos

PASTA DE CASTILLA

$^1/_2$ libra de harina
$^1/_2$ taza de agua de sal
2   cucharadas de mantequilla.

Se amasa y deja reposar antes de trabajarla.

PASTEL DE PAN (Soufflé)

(Para 6 personas)

1   pan de molde en rebanadas (preferible viejo)
4   huevos medio batidos
1   libra de tomate, sin piel ni semillas
3   cebollas
1   cucharada de mantequilla
2   cucharaditas de mostaza
$1^1/_2$ tazas de caldo
     ajíes, ajo, sal y pimienta picante al gusto.

Se pica la cebolla y se pone a freír con la mantequilla y los ajos en pedacitos, después se les agrega el tomate, y demás ingredientes, se condimenta con sal, pimienta y mostaza. Se deja cocinar un rato, procurando que no se seque, pues debe quedar con bastante salsa. Si ha quedado un poco seco, puede añadírsele dos cucharadas

de pasta de tomate disueltas en un poco de agua o caldo. Se mojan las torrejas de pan en el caldo, se colocan en un molde hondo untado en mantequilla, se bañan con la salsa, un poco de los huevos batidos, y por último se le rocía el queso. Se repite la operación en el mismo orden, terminando con el queso. Se pone al horno de 350°F por una hora más o menos. Se lleva a la mesa aca-bado de sacar del horno, dejándolo en el molde.

PASTEL DE YUCA

2   libras de yuca
1   libra de masa de cerdo
1   cucharada de mantequilla
2   huevos.

Se pela la yuca y se sancocha con sal, sin dejarla demasiado blanda y se muele. Se le agregan la mantequilla y los huevos, amasándola bien hasta que quede suave. Con el cerdo se hace un picado, molido o en pedacitos, compuesto con tomates, cebolla, ajo, sal, vinagre, un poquito de manteca con color y pedacitos de papa. Se vierte en un molde engrasado la mitad de la masa, se rellena con la capa de picado y se le pone encima el resto de la yuca, haciéndole cualquier adorno con la masa. También se le puede poner al picado, alcaparras y ruedas de huevo duro. Se asa en horno moderado.

RECETA No. 4

PASTELITOS DE LAS POLANCO

1   libra de harina
4   onzas de mantequilla
4   onzas de azúcar
1/4   de cucharadita de sal
2   cucharaditas de Royal
6   yemas de huevo
2   cucharadas de leche (si es necesario).

Se apartan cuatro onzas de harina para estirar la masa. Se cierne la harina con el Royal y la sal. Se pone la harina en la mesa en forma de círculo, en el centro se echan las yemas, mantequilla y azúcar, y se va mezclando con la mano hasta que se incorporen bien estos ingredientes, después se le va agregando poco a poco la harina y finalmente la leche. Debe mezclarse muy suavemente, sólo lo necesario hasta que la masa esté lista. Se extiende con el rodillo dejándolo de un espesor de 3 mm; se cortan redondeles, se rellenan y tapan con otro igual. Se asan en horno de 350 °F por 1/2 hora o hasta que doren.

El relleno es de cerdo, carne, pollo o lo que se quiera; debe ser un poco seco para que no se humedezca la pasta.

RECETA No. 5

PASTEL DE ÑAME

1 1/2 libras de ñame
1   libra de masa de cerdo
1   frasco de alcaparras
1   cajita de pasas
1   taza de jugo de tomate
1   copita de vino
2   cucharadas de mantequilla
2   cucharadas de perejil picado
1   cucharadita de ajo picado
       sal al gusto.

Se fríe la cebolla en la mantequilla hasta que dore, se le añade el perejil y se deja un minuto. Se le agrega ají, los ajos picados, el cerdo en pedacitos pequeños, una cucharadita de sal y pimienta al gusto, el jugo de tomate y se deja al fuego por 1/2 hora. Después se le añaden las alcaparras, cuando se enfríe, las pasitas y el vino. Se cocina el ñame hasta que esté blando, se maja caliente, se le agregan dos cucharadas de mantequilla, cuando enfríe se le añade un huevo a medio batir y una cucharadita de Royal y se mezcla bien. Es-ta se divide en dos, una se extiende en el pla-

to refractario y se le agrega el relleno que debe es-tar frío. La otra parte de la masa se extiende en un papel engrasado y se voltea sobre la otra para formar la tapa. Se mete en el horno moderado por 1/2 hora.

RECETA No. 6

PASTEL DE CARNE SALADA

1   libra de carne salada
4   tomates
3   cebollas partidas
8   tortas de casabe
1/4   de taza de aceite.

La carne se asa, se aporrea y se ripia, se cocina con los ingredientes y una taza de agua, cuando esté blanda se retira del fuego. El casabe se rellena con esto como si fuera un sandwich, se unta una sartén de aceite y se coloca la torta al fuego de ese lado hasta que dore y se le da la vuelta.

RECETA No. 7

PASTELITOS DE QUESO

1/2   libra de harina
2   huevos
4   onzas de queso blanco rallado
1   cucharada de azúcar
2   onzas de mantequilla
2   cucharaditas de polvo de hornear
       sal al gusto.

Se mezclan harina, huevos y mantequilla, hasta que quede suave. Se hacen redondeles cortándolos con un vaso, se rellenan y se doblan apretando los bordes con un tenedor. El relleno se hace con el queso blanco rallado, azúcar y se mezcla bien. También se pueden hacer con relleno de cerdo o carne. Se fríen en manteca bien caliente, o al horno.

Picado para el relleno:

4   onzas de cerdo, carne o pollo
2   cebollas
1   tomate grande
1   ó 2 ajíes.

El cerdo se guisa, con carne o pollo con sus condimentos y cuando esté cocido se muele, se sazona de nuevo, puede agregársele alcaparras, aceitunas, un poco de salsa de tomate y salsa Perrins, según el gusto.

PASTEL DE CASABE

(Para 8 personas)

2	libras de cerdo
6	tomates
4	cebollas
8	ajíes dulces
1	taza de agua
½	cucharadita de comino
½	cucharadita de pimienta picante
12	tortas de casabe
	mantequilla para untar el molde.

El cerdo se muele con el tomate, la cebolla y el ají, y se cocina con el agua y los demás ingredientes, debe quedar jugoso. En un molde untado de mantequilla se coloca una capa de casabe, encima una del picado, después casabe y así sucesivamente hasta terminar con casabe; el jugo que queda del picado se le pone por encima con queso blanco rallado y se mete al horno de 350°F por 20 minutos.

TAMALES

1	gallina
1	libra de costillitas de cerdo
1	libra de tocino
½	libra de jamón
1	lata de salchichas Viena
1	lata de fríjoles blancos
2	libras de masa de cerdo
6	tazas de harina de maíz
1	frasco de aceitunas
1½	frascos de alcaparras
3	onzas de pasas
5	tomates grandes
5	cebollas grandes
	ajíes pimientos
	vinagre, sal y cominos al gusto.

La harina de maíz se remoja con caldo hasta que la pasta esté suave, se le añaden las alcaparras con su vinagre, sal, manteca con achiote y cominos al gusto. La gallina, las costillas, la masa de cerdo y el tocino, todo en pedazos, se guisan con tomate, cebolla, sal, vinagre y manteca con color, teniendo cuidado de que el guiso quede con bastante caldo pues éste es el que se usa para remojar la harina de maíz.

Con los cinco tomates y cebollas se hace un guiso aparte. Sobre una hoja de bijao se extienden cuatro cucharadas de masa dejándola poco más o menos de dos centímetros de grueso y se va colocando encima un pedazo de cada cosa, un poco de guiso, de cebolla, tomate y un poco de la salsa del otro guiso. Encima de todo esto se ponen dos cucharadas de masa y se tapa con otra hoja de bijao, se doblan las hojas y se hace a manera de un paquete que se amarra con una pita.

Se cocinan por espacio de tres horas en agua hirviendo a la que debe agregarse un poquito de sal y vinagre. El agua debe cubrir siempre los tamales por lo que debe tenerse agua caliente a mano para echarla en caso de que se consuma.

TORTA DE PLATANITOS

(Para 8 personas)

6	platanitos
1	taza de leche
2	cucharadas de mantequilla
2	cucharadas de azúcar
2	clavitos de olor para cada platanito
1	cucharadita de vainilla
1	cucharadita de canela.

Se pelan y se colocan en un pírex engrasado, se le pone a cada uno dos clavitos de olor y canela, a la taza de leche se le agrega el azúcar y la mantequilla, se coloca al fuego y cuando la mantequilla se derrita se le riega a los platanitos por encima, se le agrega la vainilla y se meten al horno hasta que estén cocidos.

PASTEL DE GALLINA Y PAPAS

1	gallina
2	libras de papas
2	tazas de salsa blanca
	queso parmesano rallado
	aceitunas y pimientos rojos.

Se guisa la gallina con tomate, cebolla, ajo, sal, vinagre y un poquito de color de achiote. Con las papas se hace un puré. La gallina después de guisada se aparta de la salsa, se le quitan los huesos, se parte con tijeras en pedazos no muy pequeños, y se mezcla con salsa blanca. Se arregla en un pírex una capa de puré, una de gallina y un poquito de queso. Se sigue así sucesivamente terminando con puré y queso. Se adorna con las aceitunas sin las semillas y tiritas de pimientos. Se mete a horno moderado hasta que dore.

Nota: esta misma receta se puede hacer, sustituyendo la gallina por un picado de cerdo.

RECETA No. 12

PASTEL DE POLLO

1	libra de harina
4	cucharadas de mantequilla
4	cucharadas de azúcar
1	cucharadita de sal
3/4	de taza de manteca
3	cucharadas de polvo de hornear
1	taza de leche helada.

La manteca y la mantequilla deben estar duras. La harina se cierne con la levadura, sal y azúcar. Se pone en un bol, se le agrega la manteca y la mantequilla, se amasa suavemente con la leche poniéndola poco a poco hasta que la pasta se recoja y no se pegue. Esta pasta no se amasa, se hace una bola y se deja tapada.

Relleno:

2	pollos partidos en pedazos
1/2	libra de cebollas chicas
1	frasquito de alcaparras
1	lata de petit pois
1/2	lata de pasta de tomate
2	zanahorias partidas en pedacitos
4	onzas de repollo picado
4	cucharadas de mantequilla
2	cucharadas de manteca
4	onzas de habichuelas partidas
3	cebollas picadas finamente
1	cucharada de salsa inglesa
	sal al gusto.

Los pollos se condimentan con pimienta y sal. En la mantequilla y manteca se fríen las cebollitas sin dejarlas dorar, se sacan y se apartan. En esa grasa se fríe el pollo, se le agregan las cebollas partidas, las verduras, alcaparras, salsa de tomate, salsa inglesa, el agua del petit pois y un poquito más de agua, suficiente para cocinar el pollo. Cuando esté blando se deja enfriar para sacarle los huesos, se mezcla con todo lo demás y se le agrega un poquito de harina tostada para espesar la salsa.

En un papel encerado se extiende la mitad de la pasta, se voltea sobre el pírex quitándole el papel. Se pincha con un tenedor y se mete al horno aproximadamente 1/2 hora a 350°F para que la pasta se cocine un poco y evitar que se empape con la salsa. Se retira del horno, se le pone el relleno y se extiende la otra pasta para hacer la tapa. Se vuelve al horno hasta que dore.

RECETA No. 13

EMPANADITAS DE HARINA

1	libra de harina de trigo
1/2	libra de mantequilla o margarina
2	yemas de huevo
2	cucharadas de aceite de olivas
	un poco de leche tibia, casi fría.

Se cierne la harina y se vierte en una tabla, se mezcla con la mantequilla y las yemas; cuando se formen como migas de pan, se añade la leche hasta que la masa se desprenda de la mesa. Se cortan redondeles pequeños y se rellenan de pollo, o picado de cerdo cocido. Se fríen en aceite bien caliente, o también se asan al horno.

CAPITULO X

Tortas y mazamorras

Indicaciones para las tortas y mazamorras

Si las tortas y comidas se están dorando mucho en el horno, se les cubre con papel encerado, pues esto lo evita.

Cuanto más grandes sean las tortas y pudines que van a cocinarse en el horno, la temperatura de éste debe ser más suave. Una torta en capas precisa horno más caliente, y las masitas chicas o bizcochos horno caliente.

Cuando se agregan las claras batidas a las tortas hay que hacerlo suavemente.

Cuando cocine tortas no cocine otra cosa al mismo tiempo en el horno. La torta debe colocarse en el centro.

Si las tortas se han levantado en el centro, es porque el horno estaba muy caliente al principio o porque al echarlo en los moldes no se tuvo en cuenta dejar los bordes más altos.

Tortas

CASABE

Se ralla la yuca, se exprime en un fique retorciéndolo bien, hasta que suelte todo el jugo. Cuando esté bien seco el afrecho, se pone en un pilón y se trabaja hasta pulverizarlo, se pasa después por un cedazo y el residuo que quede en éste, se echa de nuevo para pilarlo hasta que todo esté hecho polvo.

Para asarlos se tiene una plancha grande de hierro especial para ello. Esta se coloca encima de un armazón de barro, que por delante tiene un hueco para meter la leña y graduarle el fuego. La plancha tiene arriba un plato redondo de barro

que se pone a calentar a la vez que la plancha, para que éste dé la forma al casabe. (Aunque hay personas que tienen tanta práctica que no lo necesitan y lo van haciendo con la mano). Al echar la harina de yuca, ésta cuaja inmediatamente, cuando está cocida, se retira la torta y se procede de igual manera con las siguientes, haciéndolas una por una.

CASABES DE COCO

Cuando son rellenos se preparan de la siguiente forma: el coco y el queso se rallan, se mezclan con azúcar y unos granos de anís, se hace la torta corriente como las anteriores, cuando se está cocinando, se le pone un poco de esta mezcla en el centro al casabe y se dobla un lado para cerrarlo como una empanadita.

RECETA No. 3

TORTA ÑOCLOS

(Para 6 personas)

1   libra de harina
8   yemas de huevo
1   copa de vino blanco
¹/₂ libra de mantequilla
¹/₂ libra de azúcar
     canela, ralladura de un limón.

Se amasan bien la harina y la mantequilla, se les agregan las yemas batidas con el azúcar, canela, vino, ralladura de limón, se mezcla todo y se mete al horno en un molde engrasado hasta que se cocine a 350 °F aproximadamente una hora.

RECETA No. 4

TORTA DE PIÑA

1   piña grande
6   yemas batidas
¹/₂ cucharada de mantequilla
     azúcar al gusto

Se pica la piña en pedacitos y se revuelve bien con pan de dulce o bizcocho para formar una masa, cuando esté bien mojado con el jugo de la piña, se le ponen seis yemas batidas, un poco de azúcar y un poco de mantequilla, se pone en un molde engrasado y encima pan rallado. Se asa al horno moderado.

RECETA No. 5

TORTA DE QUESO

1   libra de queso
1   libra de azúcar
1   cucharada de mantequilla
7   huevos
2   cucharadas de vino
1   cucharada de canela en polvo.

Se ralla el queso y se mezcla todo, se mete al horno en un molde untado de mantequilla.

RECETA No. 6

TORTA DE GUAYABA

Se pelan y se pican en pedacitos las guayabas maduras, se ponen en una vasija con azúcar y canela, tapada por una hora. Cuando haya largado bastante agua, se le mezclan bizcochitos desmenuzados y un poquito de mantequilla, se le echa polvo de pan por encima y se mete al horno.

RECETA No. 7

TORTA DE PASAS

(Para 6 personas)

1   cucharada de cáscara de limón rallada
1   libra de pasas
12   onzas de almendras picadas
¹/₂   libra de mantequilla
1¹/₄ onzas de harina
1   cucharadita de polvo de hornear
4   huevos
3   cucharaditas de leche
1   cucharadita de nuez moscada rallada.

Se bate el azúcar con la mantequilla hasta que quede como una crema, se le agregan los huevos y el resto de los ingredientes. Se pone en el molde engrasado por 2 horas en horno moderado. Cuando esté fría se cubre con un merengue con pasas.

RECETA No. 8

TORTA DE PAN

¹/₂ libra de pan
¹/₂ libra de azúcar
1   taza de leche de coco
4   huevos
1   taza de leche de vaca
2   cucharadas de mantequilla derretida
2   onzas de queso rallado
1   copita de vino Jerez seco
¹/₂ cucharadita de vainilla
¹/₂ cucharadita de nuez moscada
1   cajita de pasas
¹/₂ cucharadita de sal (si el queso no tiene sal).

Se remoja el pan con las leches dejándolo hasta que ablande. Se maja muy bien o se pone en la licuadora, se agregan los huevos batidos y demás ingredientes. Se vierte en un molde enmantequillado y se pone al baño de María en el horno de

350°F por una hora aproximadamente. También se puede cocinar en un molde acaramelado como para flan.

RECETA No. 9

POSTRE DE LA BISABUELA

3   tazas de leche
1/2   libra de azúcar
4   onzas de pan
8   huevos
4   onzas de pasas
1   frasquito de cerezas
1 1/2 cucharadas de mantequilla
       canela al gusto.

Se pone a hervir la leche, se añade el pan hecho pedazos agregando la canela, azúcar y mantequilla, moviéndolo bien hasta que el pan se desbarate. Después se baten las claras a la nieve, se le adicionan las yemas y demás ingredientes, y un poco de vino. Se pone en molde untado en mantequilla y se mete al horno.

RECETA No. 10

PUDIN DE MAIZ

2   tazas de leche
2   tazas de maíz enlatado
2   cucharadas de mantequilla
1   cucharada de azúcar
1   cucharadita de sal
1/4   de cucharadita de pimienta picante
3   huevos bien batidos
1/2   taza de queso parmesano rallado
       unos pedacitos de ajíes verdes.

Se revuelve bien, se vierte en un molde engrasado y se mete al horno de 375°F por 45 minutos.

RECETA No. 11

TORTA DE PAN Y QUESO

1 1/2 tazas de leche
1/2   libra de azúcar
2   libras de pan
1   coco grande
4   onzas de queso duro
4   huevos
1   copa de vino Jerez
1/2   nuez moscada y vainilla.

Se remoja el pan con la leche y se machaca muy bien o se pasa por la licuadora. El coco se ralla, se

le saca la primera leche y se le añade al pan. El queso se ralla y los huevos se baten un poco revolviendo bien. Se le añade por último el vino, nuez moscada rallada y una cucharadita de vainilla. Se unta un molde con mantequilla y se asa. Si se quiere hacerla más rica se le pueden añadir pasas. También se puede hacer quemando un molde con caramelo y vaciarla allí, como si fuera para flan y se cocina a baño María.

RECETA No. 12

TORTA DE ÑAME

(Para 8 personas)

2   libras de ñame sin pelar
4   huevos
1/2   libra de queso costeño rallado
1 1/4 tazas de azúcar
1   taza de leche caliente
1   cucharadita de sal
3   onzas de mantequilla
2   ralladuras de nuez moscada
1   ralladura de cáscara de limón.

Se pela el ñame y se corta en pedazos del tamaño de una papa grande. Se cocina en suficiente agua con sal. Cuando esté blanda se cuela, se maja caliente con la mantequilla y se le agregan, uno por uno, los huevos enteros.

A esto se le añade inmediatamente y alternado, la leche caliente, el azúcar y el queso rallado. Finalmente se le agrega las dos ralladuras y todo se vierte en un molde refractario enmantequillado y se mete al horno a 350°F, por más o menos una hora. Se le introduce un palillo o un cuchillo y si sale limpio es porque está lista. Hay que enfriarla para partirla mejor.

RECETA No. 13

TORTA DE ARROZ

3   onzas de mantequilla
6   claras batidas
4   onzas de harina de arroz.

Se revuelve todo bien, se le echa una cucharada de azúcar y un poquito de sal. Se unta el molde en mantequilla y se mete al horno.

ENYUCADO

$^1/_2$ libra de queso blanco
1   coco bien grande
$2^1/_2$ libras de yuca pesada sin pelar
4   onzas de mantequilla
1   taza de azúcar
$1^1/_4$ tazas de leche de vaca
1   cucharadita de anís en grano.

Es importante rallar los tres primeros ingredientes en su orden, primero el queso, luego el coco y de último la yuca, pues a medida que se van rallando el uno arrastra al otro. A esto se le añade, amasando con la mano, la mantequilla, la leche, el agua del coco y el azúcar. Debe quedar con una consistencia bastante floja. Antes de mezclarle el anís se frota fuertemente entre las manos para sacarle el aroma.

TORTILLA DE PLATANO MADURO

(Para 6 personas)

5   plátanos maduros
4   huevos enteros
1   taza de aceite
      un poquito de sal.

Los plátanos se parten en cuadritos y se fríen en el aceite. Los huevos se baten, se juntan con el plátano y se vierten en un molde engrasado. Se mete al horno de 350˚F hasta que dore. También se le puede poner queso blanco rallado.

TORTICAS DE VINO

(Para 6 personas)

$2^2/_3$ tazas de bizcocho o galletas molidos
$^1/_2$ libra de panela (para la miel)
2   huevos
1   cucharada de mantequilla
$^1/_2$ taza de leche de coco
1   copa de vino.

Se pone a derretir la panela con $^1/_3$ de taza de agua, hasta que tenga punto. Los bizcochos o galletas se tuestan y se muelen, se les agrega los huevos batidos, la miel, mantequilla, leche de coco y

vino. (Para extraer la leche del coco, véase procedimiento al final de la obra). La masa queda como para pudín. Se unta una tártara de mantequilla y se vierte en ella la mezcla anterior. Se mete en el horno a 350˚F por 35 minutos. Puede agregársele un paquete de pasas. Se cortan en forma de bizcochos.

TORTA DE SESOS

(Para 6 personas)

5   sesos de res
5   huevos
$1^1/_2$ cucharaditas de mantequilla
      sal y pimienta al gusto.

Cocinar los sesos durante 5 - 8 minutos en agua hirviendo. Retirarlos y quitarles la tela negra, de manera que queden bien limpios y dejarlos enfriar. Molerlos y combinarlos con los huevos batidos, añadir la mantequilla, la sal y la pimienta, llevarlos a un molde engrasado sin que quede rebosante.

Ponerlos al baño María y cocinarlos en el horno a 350˚F durante 20 minutos. Al servirse se le pone salsa de tomate por encima.

ENYUCADO (Otro)

(Para 6 personas)

$1^1/_2$ libras de yuca
7   onzas de azúcar
6   onzas de queso blanco rallado
1   cucharada de mantequilla
1   taza de leche de coco
2   cucharaditas de anís en granos
2   cucharadas de nata de leche.

Rállese el queso y mézclese con la yuca cruda también rallada. Agréguesele la mantequilla, azúcar y queso. Sáquese la leche del coco, según instrucciones al final de la obra. Echele la leche, poco a poco, mezclando bien, a lo anterior. El anís frótelo un poco con las manos para que despida el olor, mézclelo bien hasta que quede una pasta suave. Viértalo en una tartera, untada en mantequilla y cocínese a horno moderado por $^1/_2$ hora o más, hasta que dore. Salen 16 pedazos. Se hace también agregándole el coco rallado sin sacarle la leche.

ASADO DE QUESO DORADO

2	tazas de arroz cocido
2	tazas de zanahoria rallada
2	tazas de queso estilo americano rallado
2	huevos batidos
2	cucharadas de cebolla finamente picada
1½	cucharaditas de sal
¼	de cucharadita de pimienta
½	taza de leche.

Combine el arroz, zanahoria, 1½ tazas de queso, leche, huevos, cebollas y sazónelo. Ponga todo en un molde engrasado. Rocíelo con la otra media taza de queso. Aselo en horno moderado a 350°F por una hora.

TORTA SECA

(Para 6 personas)

8	papas medianas
3	huevos duros
4	tomates
2	tazas de calabaza picada en cuadritos
2	berenjenas medianas
2	zanahorias medianas
2	colinabos
2	nabos
2	pepinos medianos.

Hervir las papas con su piel hasta que estén blandas. Pelarlas y cortarlas en tajadas. En un molde enmantequillado poner primero las papas y el resto de los elementos, formando capas. Finalmente batir unos dos huevos con un poquito de sal, distribuirlo bien sobre el molde y meterlo al horno.

TORTA DE PAPAS

(Para 6 personas)

8	papas medianas
½	taza de leche caliente
4	huevos
½	taza de queso parmesano.

Cocinar las papas en agua con sal. Majarlas o pasarlas por el pasa-puré caliente, poco a poco agregarle la leche así como los huevos, la sal, la

mantequilla y el queso rallado hasta formar una pasta suave y homogénea. Enmantequillar un pírex y poner allí esta masa. Espolvorearla con el polvo de pan y llevarla al horno para que gratine.

TORTA DE MACARRONES

(Para 6 personas)

1	libra de macarrones
3	tazas de leche
3	tazas de pollo desmenuzado (guisado previamente)
4	cucharaditas de alcaparras
4	huevos duros cortados en rodajas
4	tomates en rodajas
3	cebollas en torreja
3	cucharadas de pan rallado.

Poner a hervir agua con sal y cocinar allí un poco la pasta 5 minutos. Calentar la leche y pasar allí los macarrones colados y proseguir el cocimiento hasta que estén al dente. Enmantequillar un molde y poner una capa de macarrones, por encima otra de pollo, distribuyendo unas alcaparras, rodajas de huevo, el tomate y la cebolla. Cubrir con una capa de huevo batido y espolvorear ligeramente harina. Proseguir la operación de las capas y finalmente cubrir con el pan rallado. Lle-var al horno para que doren. Puede hacerse con atún o sardina en lugar de pollo.

ESPONJADO DE MAIZ

12	mazorcas verdes
1	taza de salsa blanca
6	huevos
1	cucharada de cebolla picada
1	cucharada de mantequilla.

Rallar el maíz aparte, en una sartén poner la mantequilla, dorar en ella la cebolla y agregar después el maíz; cocinar un momento a fuego no muy fuerte, retirarlo y dejar enfriar un poco; agregarle la salsa blanca y las yemas, condimentar bien con sal y pimienta y nuez moscada y agregarle por último las claras batidas a la nieve. Colocar la preparación en un molde enmantecado y cocinar en horno de temperatura moderada durante 40 ó 50 minutos. Servirlo caliente.

TORTILLA DE PLATANO Y QUESO

(Para 6 personas)

5	plátanos maduros
1½	tazas de nata de leche
1	taza de queso blanco rallado.

Cortar los plátanos en tajadas alargadas y freír-las. Se engrasa un molde de mantequilla y allí se colocan las tajadas. Esparcir por encima un poco de la nata y de queso blanco; otra capa de taja-das de plátano y nuevamente más nata y queso, y así sucesivamente hasta concluir, pero se ter-mina con nata y queso. Llevarla al horno para dorarla un poco.

CARISECA

1	libra de maíz pilado cocido y molido
2	tazas de leche de vaca
2	tazas de leche de coco
¾	de libra de queso criollo
10	cucharadas de azúcar
3	onzas de mantequilla
1	cucharadita de anís en grano
1	cucharadita de sal.

La leche del coco se saca con el agua donde se cocinó el maíz. La masa se deslíe con la leche de coco y de vaca. Se le agrega el queso rallado,

azúcar, mantequilla, sal y anís. Cuando todo esté bien revuelto, se vacía en un molde untado en mantequilla, se espolvorea por encima con azú-car en polvo, harina y pedazos de mantequilla, se asa al horno moderado (350 °F).

CUAJADO DE VERDURAS

(Para 6 personas)

3	zanahorias medianas partidas en trocitos
½	taza de habichuelas picadas
1	nabo partido en cuadritos
3	tallos de apio picaditos
¾	de taza de papas peladas y picadas en trocitos
3	cebollas picaditas
4	tomates sin piel ni semillas, partidos
4	cebollas de hoja picaditas
4	huevos
½	barrita de mantequilla sal y pimienta.

Se fríe la cebolla en una cucharada de mantequi-lla hasta que esté transparente, se agrega el to-mate y se cocina hasta que espese. Las verduras se fríen aparte en el resto de la mantequilla, mo-viendo constantemente, se juntan con la salsa de tomates y cebolla. Los huevos se baten juntos con un poco de sal y se unen a lo anterior. Se vierte en un molde refractario engrasado y se mete al horno de 350 °F hasta que cuaje y salga el cuchillo limpio al introducirlo en el centro.

Mazamorras

ARROZ CON COCO Y CHOCOLATE

(Para 6 personas)

10	ó 12 pastillas de chocolate dulce
½	libra de arroz
½	taza de azúcar
1	taza de leche
2	cocos grandes.

(Para sacarle la leche al coco véase al final de la obra).

Se ralla el coco sacándole la primera leche, esa se aparta. Con la segunda y tercera leches, se coci-

na el arroz, cuando esté casi blando se le pone la taza de leche de vaca y las pastillas de chocolate rallado. Se deja cocinar hasta que ablande bien el arroz. Se sirve en copas individuales y encima se le pone la primera leche del coco, como si fuera una crema de leche. Puede agregársele nueces partidas, si se desea. Se toma caliente o frío.

MAZAMORRA DE MAIZ SECO

Se deslíe la masa de maíz blanco en un poco de agua, unas cuatro onzas. Se pone a hervir una ta-za de leche sazonada con azúcar al gusto, un puntico de sal y canela. Cuando esté caliente se le va añadiendo la masa desleída y moviéndola para que no se hagan bolas. Se le da el espesor que uno desee, más o menos dura. Se le pueden agregar unas almendras molidas o esencia de almendras.

RECETA No. 29

ARROZ CON LECHE ESPECIAL

(Para 6 personas)

1½ litros de leche
¾ de taza de arroz
⅔ de taza de azúcar
1· cucharada de mantequilla
2 yemas de huevo
1 raja de canela, la cáscara de un limón.

Se pone la leche al fuego con la canela y cáscara de limón. Cuando hierva se le agrega el arroz, se deja cocinar de 50 a 60 minutos, añadiéndole el azúcar a mitad de la cocción. Se retira del fuego y se le agregan las yemas batidas y la mantequilla. Se vierte en un recipiente y se espolvorea por encima con canela rallada.

RECETA No. 30

MAZAMORRA DE MAIZ VERDE

(Para 6 u 8 personas)

5 mazorcas de maíz tierno
4 rajas de canela
2 tazas de leche de coco
3 ó 4 cucharadas de azúcar
8 tazas de agua.

Cortarle a la mazorca los granos. Puede molerse, o rallarse también. Ponerlos a cocinar en el agua, con la canela. Cuando aparezca cocido se le añade la leche de coco, el azúcar y un tris de sal. Proseguir el cocimiento por unos 3 minutos y se retira.

RECETA No. 31

MAZAMORRA DE PLATANO

8 plátanos bien maduros
1 coco grande
1 taza de arroz.

Se parten en dos los plátanos para quitarles el centro, después en trocitos. El coco se ralla y se cuela la primera leche que se pone aparte. Se sigue colando el coco hasta calcular la leche suficiente para que se cocinen bien el plátano y el arroz. Esta leche se pone junto con el arroz, para que se ablande, cuando ya esté un poco blando se echa el plátano. Se cocina moviéndolo hasta que se deshaga añadiéndole un momento antes de bajarlo un poco de la primera leche del coco. Se le pone un tantico de sal y si no tiene suficiente dulce se le añade un poquito de azúcar.

RECETA No. 32

NATILLA

12 mazorcas de maíz verde
1 coco mediano
 azúcar al gusto
 canela en rajas, en polvo y anís.

Las mazorcas y el coco se rallan aparte. Se extrae la primera leche del coco y se aparta. Se saca un poco más de leche de coco y se cuela con el maíz. Se pone a calentar una taza de agua con la canela en rajas y se va echando poco a poco el maíz ya colado, moviendo constantemente con una cuchara de palo como para hacer una crema. Se le agrega la primera leche del coco, azúcar al gusto y un puntico de sal. Se puede desmoldar untando la fuente con un poquito de mantequilla. Generalmente se acostumbra ponerlo en tazas abiertas o en platos chicos que al desmoldarlos hacen porciones individuales. Se espolvorea con canela.

RECETA No. 33

CHOCOLATE DE HARINA

(Para 6 personas)

4 bolas de chocolate de harina (está hecho de maíz cariaco, cacao, y pimienta picante)
3 pastillas de chocolate canela
6 tazas de leche de vaca
½ taza de leche de coco.

Poner en una olla el chocolate de harina y el de canela con leche. Llevarlo al fuego hasta que hierva, sin dejarlo de revolver con frecuencia. Una vez que tome espesor se le agrega la leche de coco sin dejar de revolver para que no se corte. Para tomarlo se acompaña con casabe y queso criollo. El azúcar se le pone al gusto.

PETO

3 tazas de leche
1 libra de maíz blanco seco
azúcar y canela al gusto.

Se lava el maíz blanco muy bien y se limpia quitándole los ojitos que tiene. Se deja en agua desde la víspera. En la mañana siguiente se pone a cocinar con agua suficiente, cuando esté blando se le agrega la leche y un puntico de sal, se deja al fuego, moviéndolo para que espese un poco, se le agrega una rajita de canela y se cocina hasta que ablande completamente. Se le pone azúcar al gusto.

BITIVITI (No se conoce la etimología del nombre)

2 libras de maíz (pilado especial)
1 coco grande (o dos pequeños)
1 libra de azúcar
1 cucharadita de sal.

Se lava el maíz y el agua se bota. Se le agrega nueva cantidad de agua, como el doble del maíz, y se deja reposar por dos días sin moverlo. Después se va sacando esta agua con un cucharón para pasarlo a otra vasija a través de un colador, para quitarle el sucio al maíz. Se repite esta ope

ración hasta que el maíz quede completamente limpio. El agua se deja en esa vasija unas horas, sin moverla, para que no se revuelva el asiento o la harina que suelte. El maíz se deja aparte agregándole un poco de agua. Pasadas varias horas se va sacando agua con cuidado y se vierte sobre el maíz. Este se pone al fuego hasta que ablande. Si se seca un poco puede agregarle agua caliente. El coco se ralla y se extrae la leche (siguiendo las instrucciones al final de la obra). Se echa la mitad de esta en el maíz y se reserva la otra. Se sigue cocinando para agregarle la segunda leche del coco mezclada con la harina que soltó el agua y se le añade al maíz para darle espesor; se le pone azúcar, canela y sal al gusto. Antes de servir se le añade la leche que se reservó. Esto debe quedar espeso como una mazamorra, es un poco ácida. Puede servirse frío o caliente.

ARROZ CON LECHE

1½ tazas de leche tibia
4 onzas de arroz
canela, azúcar y sal al gusto.

Ponga a hervir el arroz en 1½ tazas de agua, un poco de sal y una raja de canela. Cuando el arroz esté tierno y se haya evaporado el agua, añada la leche tibia, continúe cocinando por un rato y agregue el azúcar. Servir espolvoreando con canela. Puede también cocinarse el arroz con la leche en lugar del agua.

CAPITULO XI

Postres, pudines y pastelería

Postres, pudines y pastelería

OBSERVACIONES Y CONSEJOS

La confección de pasteles ha sido considerada por muchos expertos como uno de los renglones más difíciles de la cocina y las causas de fracasos son tan insignificantes que casi siempre ni se toman en cuenta. Se han reunido algunas observaciones que conviene tener presente, tales como:

1. Lea cuidadosamente la receta.
   ¿Tiene usted listos todos los ingredientes?
   ¿Tiene usted tiempo para amasar y hornear?
   Un pastel o pudín no puede apurarse.

2. Reúna todos los ingredientes en la mesa de trabajo.

3. Haga lo mismo con los utensilios. Medidas, moldes, batidores, cucharas, mezcladoras.

4. Prenda la estufa para tenerla caliente. Si tiene termómetro, tanto mejor, de lo contrario guíese por el control por medio de la prueba del papel o de la harina.

5. Cuando tenga todo listo principie a trabajar. Siga la receta, obedezca las instrucciones.

6. Quiebre los huevos uno por uno en una vasija separada antes de mezclarlos.

7. Vierta la pasta suavemente en los moldes, teniendo cuidado de que la masa quede más alta en los bordes que en el centro, esto ayuda para que la superficie quede pareja.

8. No mueva el molde antes de que haya subido completamente y entonces únicamente lo indispensable.

9. El pastel se desprende del molde cuando está bien cocido. Un palito limpio puede usarse para probar el proceso.

10. Abra el horno lo menos posible.

11. Déjelo enfriar y desmóldelo.

12. Si está pegado el molde, párelo de un lado, luego de otro y el peso del pastel casi siempre lo desprende.

13. Si ha levantado mucho en el centro presentando una superficie abombada es porque el horno estaba muy caliente al principio o porque no dejó la pasta como se indicó en el No. 7

14. Si se ha rajado y tiene costras es porque ha usado demasiada harina. Un horno muy caliente es causa de que se dore y forme costras por encima demasiado rápidamente, la que rompe la otra pasta al subir.

15. Se ha derramado por los bordes del molde. El horno no estaba suficientemente caliente. Un horno frío causa, la mayor parte de las veces, que la pasta se derrame.

16. El pastel está "asentado", muy poca harina se usó o mucho líquido.

17. Los pudines de capas se pueden prevenir de que se quemen en el fondo si se forran interiormente los moldes con papel.

OTRAS OBSERVACIONES

1. Mida exactamente.

2. Cierna la harina antes de medirla.

3. Todos los ingredientes para la pastelería deben estar a la misma temperatura.

4. Use el agua necesaria para unir los ingredientes. De esto depende la delicadeza de la pasta.

5. Maneje la pasta lo menos y lo más rápidamente posible.

6. Amase la pasta con un suave y ligero movimiento del rodillo.

7. Espolvoree la tabla de amasar con harina sólo por necesidad no usando sino la cantidad estrictamente necesaria para que no se pegue la pasta.

8. Los pudines no deben batirse en recipientes de aluminio porque se pone negra la masa.

CAUSAS DE FRACASOS

Resultado:	Causado por:
Grietas y deformaciones.	Demasiada harina - Horno demasiado caliente.
Bizcocho seco.	Demasiada harina - Poca grasa - Demasiado polvo de hornear.
Bizcocho pesado, correoso.	Demasiado azúcar - Poco polvo de hornear.
Una corteza húmeda, pegajosa.	Demasiado azúcar.
Una corteza veteada, desmoronada y quebradiza.	Demasiado azúcar - Horno demasiado lento.
Un bizcocho de textura ordinaria.	Horneo demasiado lento - Mucha grasa - Mucho polvo de hornear.

HORNEO A GRANDES ALTURAS

Desde el nivel del mar hasta 1.000 m (3.000 pies). Ningún cambio es necesario.

De 1.000 a 1.700 m (5.000 a 7.000 pies) úsense unas 2 cucharadas menos de azúcar y $\frac{1}{2}$ cucharadita menos de polvo de hornear. En bizcochos muy dulces, úsese como $\frac{1}{4}$ de taza menos de azúcar y $\frac{1}{2}$ cucharadita menos de polvo de hornear. Auméntese la temperatura del horno unos 3 °C (5 °F) más.

De 2.700 a 3.300 m (8.000 a 10.000 pies) úsese como $\frac{1}{4}$ de taza menos de azúcar, una cucharadita menos de polvo de hornear y una o dos cucharadas menos de mantequilla. Auméntese la temperatura de 6 a 8 °C (10 a 15 °F) más.

En bizcochos muy dulces, úsese $\frac{1}{3}$ de taza menos de azúcar, una cucharada menos de polvo de hornear y unas dos cucharadas menos de mantequilla. Auméntese la temperatura de 6 a 8 °C (10 a 15 °F) más.

CONSEJOS Y SUGERENCIAS

Para que los pudines queden más suaves, se aconseja poner $\frac{1}{4}$ de maizena por $\frac{3}{4}$ partes de harina, cerniéndolo 3 ó 4 veces. O sea, $1\frac{1}{2}$ tazas de harina y $\frac{1}{2}$ taza de maizena, cuando especifiquen dos tazas de harina de pastelería.

Hay una gran diferencia entre una taza de harina sacada de un recipiente que una llena por cucharadas: la primera tiene siempre más cantidad que la segunda.

Para que las pasas no se vayan al fondo de las tortas y masas, se pasan previamente por harina.

Cuando se agregan las claras batidas a los pudines y tortas, deben mezclarse muy suavemente con movimiento envolvente.

Baño María común: poner dentro de una cacerola con agua caliente el molde con lo que se desee cocinar y colocar aquella sobre el fuego.

Baño María al horno: es colocar el molde con la preparación a cocinar dentro de una tártara con agua caliente y poner al horno.

Las claras de huevo y la crema de leche se baten más pronto si se les añade una pizca de sal antes de batir.

Las claras de huevo levantan más ligero al batirlas si antes han estado en la nevera.

Lávense los moldes y cacharros que se usen para hacer bizcochos con agua fría porque el agua caliente empasta las partículas de harina, la cual es difícil de quitar.

Para probar si un pudín está listo se le introduce una pajita y ésta debe salir seca.

Las almendras se pelan fácilmente remojándolas un rato en agua hirviendo.

Para que la crema no se corte debe hacerse a fuego moderado y moviendo constantemente. Queda más suave y hay menos peligro si se hace en baño María. Cuando se note que principia a cortarse debe bajarse inmediatamente y batirla vivamente, pues a veces no está cortada sino que cuaja demasiado rápido.

Si la crema de mantequilla resulta cortada, se pasa el recipiente que la contiene por agua caliente, un minuto, se revuelve y queda lista.

Los caramelos y dulces de almíbar hechos en recipientes de cobre no corren riesgo de azucararse.

MODO DE ACARAMELAR MOLDES

1/2   libra de azúcar
1   tacita de agua (de las de café tinto).

Se pone a hervir el agua con el azúcar, en el mismo molde en que se va a hacer el dulce, sin moverlo, hasta que tenga color de caramelo. Así caliente se va moviendo el molde hasta cubrir todo el fondo y las paredes.

Estas cantidades son para un molde de seis tazas.

RECETA No. 1

CASTER

Se hace un bizcocho y se hiende por la mitad, untando una de las tapas de mermelada ácida, se vuelve a tapar nuevamente, y se corta en pedazos cuadrados. Se sumergen en leche azucarada y se colocan en copas individuales o en una sola bandeja. Se bañan con crema inglesa (*véase* receta No. 32 de este capítulo). Se adornan con copos de me-

rengue, hecho con las claras que quedaron de la crema inglesa, en la proporción de cuatro claras batidas a la nieve, y se va agregando media libra de azúcar y vainilla al gusto. Se mete al horno bien caliente por dos minutos sólo para que el merengue cuaje.

RECETA No. 2

PASTEL DE COCO

1 1/2   libras de azúcar
3   cocos biches
1   cucharada de mantequilla
4   onzas de pasas
1/2   cucharadita de canela en polvo.

Se ralla el coco sin conchita negra. Se pone al fuego azúcar, coco y pasas, hasta que esté de punto, o sea, cuando se desprende de la olla. Se baja y se le pone la mantequilla y la canela se hace una masa como la Pasta Clara Elena, se extiende y se pone sobre un molde para pastel, encima la mezcla de coco y tiritas de pasta arriba. Se asa a horno templado.

RECETA No. 3

PASTEL DE COCO (Otro)

Pasta:

1   libra de harina
1   cucharadita de polvo de hornear
1/2   libra de mantequilla
1/2   taza de azúcar
3   huevos enteros.

Se bate la mantequilla con cuchara de palo, se le agrega el azúcar, la harina ya cernida, poco a poco, luego las yemas una a una y un poco de las claras sin batir. Se extiende en una mesa enharinada y se coloca en el molde, luego se le pone la crema y se hornea a fuego moderado. Se adorna con tiritas de pasta.

Crema:

2   cocos
6   ciruelas pasas partidas en pedacitos
2   onzas de almendras peladas
1   yema y un poco de mantequilla derretida
1   cucharadita de vainilla
    el agua de los cocos
    unas gotas de limón
    azúcar, el mismo peso que den
    los cocos rallados.

Se quita la conchita negra al coco y se ralla menudito. Se pone a cocinar el azúcar con el agua del coco, cuando esté a punto de almíbar, se le agregan las ciruelas pasas, luego el coco revolviendo bien y se baja en seguida. La pasta se barniza con la yema y la mantequilla derretida.

PASTEL DE CREMA DE COCO
(Plato grande)

1¹/₂   tazas de harina
5   onzas de mantequilla
2   cucharaditas de polvo de hornear
3   cucharadas de azúcar
¹/₂   cucharadita de sal
3   cucharadas de agua helada.

La harina se cierne con la sal y el polvo de hornear tres veces. Se le pone la mantequilla y se revuelve con un tenedor, se le agrega el agua poco a poco y se extiende en un plato. Se pone a horno moderado.

Crema:
3   tazas de leche
4   huevos
3   cucharadas de harina
¹/₂   taza de maizena
1¹/₄   tazas de azúcar
2   cocos rallados sin la conchita negra.

Se cocina el coco con la leche de vaca hasta que comience a hervir, se deja reposar y se cuela, exprimiendo muy bien. La harina se revuelve con la maizena y el azúcar y se le agrega a la leche del coco. De último las yemas batidas y se cocinan moviendo bien hasta que cuaje. Se vierte en el plato, se decora con merengue y se mete al horno a dorar.

PASTEL DE PASAS

12   onzas de azúcar
1   libra de pasas
1   cucharadita de jugo de limón
3   huevos
2   cucharadas de maizena.

Se extiende en un plato refractario una pasta para pasteles. Se baten bien el azúcar, las yemas, las pasas con el jugo de limón y la maizena, se vierte sobre la pasta y se mete al horno hasta que esté dorada. Se baten las claras a punto de nieve, se le agregan dos cucharadas de azúcar y se coloca sobre el pastel en forma de copos. Se puede adornar con pasas.

PASTA ARENOSA

1³/₄   libras de harina
6   yemas de huevo
6   onzas de mantequilla
6   onzas de azúcar
1   copita de brandy o ron
1   taza de manteca.

Se amasa la harina con las yemas, la manteca, la mantequilla, el ron o brandy y de último el azúcar. Se puede rellenar con mermeladas o cremas. Horno templado. Esta pasta puede utilizarse para pasteles de sal, suprimiendo el azúcar y poniéndole sal al gusto.

PUDIN DE MATRIMONIO

1   libra de azúcar
1   libra de mantequilla
1   libra de harina
1   libra de pasas
2   copitas de brandy o ron
2   cucharaditas de polvo de hornear
16   huevos
¹/₂   cucharadita de sal
       nuez moscada y vainilla al gusto.

Se bate el azúcar con la mantequilla hasta que esté cremosa y se le añade el ron, la vainilla, la nuez moscada y parte de las pasas. Se baten las claras a punto de nieve y se le van incorporando, poco a poco, las yemas. Se agregan a la mezcla de mantequilla alternándolas con la harina que debe estar cernida con el polvo de hornear. El resto de las pasas se le pone por encima. Horno a 350 °F. Se cubre con merengue.

CASTER CORRIENTE

(Para 6 personas)

4¹/₂   tazas de crema inglesa
1   libra de azúcar para hacer el almíbar
1   tártara de bizcochos
1   copita de vino o ron.

Se elabora un bizcocho básico o el que se quiera, se parte en cuadros. Se hace un almíbar flojo de punto que se mezcla con vino dulce o ron viejo, en ésta se sumergen los bizcochos que se colocan después en la bandeja o en cada plato o copa, si van a servirse individualmente. Se hace una crema inglesa corriente y se bañan con ella dejándole suficiente salsa. Con las claras que quedaron sin utilizar de la crema, se hace un merengue (*véase* cubierto blanco en capítulo de decorados) y se adorna con él en forma de copos artísticamente presentados.

RECETA No. 9

PUDIN NEGRO

1½	tazas de miel de panela
1	libra de harina
½	libra de mantequilla
5	huevos
1	cucharadita de pimienta de olor molida
½	cucharadita de clavos de comer molidos
½	cucharadita de bicarbonato
4	onzas de pasas
1	tacita de extracto de café
1	copita de ron
3	cucharaditas de polvo de hornear
	el jugo de medio limón.

Se le puede poner ciruelas pasas, casquitos de naranjas, almendras, frutas cristalizadas que deben envolverse en harina. A la miel se le agregan todos los ingredientes, menos la harina, mezclándolos muy bien y de último se le añade la harina. Se cubre un molde con papel engrasado, se echa la masa y se mete al horno moderado hasta que esté listo, más o menos una hora.

Este pudín debe quedar un poco pegajoso.

RECETA No. 10

PASTEL DE MANZANA

(Para 6 u 8 personas)

Pasta:

1½	tazas de harina
½	taza de mantequilla
½	cucharadita de sal
2	cucharadas más o menos de agua helada.

Se revuelve todo con un tenedor. Cuando esté como migajón de pan se le agrega el agua lentamente, se amasa un poco, hasta que la masa se despegue de la mesa. La mitad se estira con el rodillo sobre un papel encerado y se coloca en el plato levantándole el papel con cuidado. Se ponen las manzanas y encima la otra mitad de la pasta que

se estira y coloca lo mismo que la primera. Antes de meterlo al horno se unta por encima con una yema de huevo batida con un poquito de leche para que dore más bonito y se le hacen unas puyaditas con un tenedor para que salga el aire y no se rompa al cocinarlo.

Relleno:

4	manzanas
¼	de taza de mantequilla derretida
⅔	de taza de azúcar
1	cucharada de harina o maizena que se mezcla con la mantequilla canela en polvo.

Se pelan las manzanas y se cortan en forma de gajos delgados. Se colocan en el plato sobre la pasta, se les echa un poco de azúcar, mantequilla y canela, otra capa de manzanas, etc., hasta terminar con la tapa de pasta. Se asa en horno de 350 °F por una hora aproximadamente.

RECETA No. 11

PUDIN NEGRO (Otro)

1	libra de harina
1	libra de mantequilla
1	libra de azúcar
1	libra de uvas pasas de Corinto
1	libra de pasas de Málaga
1	libra de frutas confitadas
1	libra de ciruelas pasas sin semilla y en pedacitos
½	vaso de ron
12	huevos
2	cucharaditas de polvo de hornear
1	cucharadita de pimienta picante (en polvo)
1	cucharadita de clavos de olor (en polvo)
4	onzas de panela costeña
1	cucharadita de pimienta de olor (en polvo) el jugo de dos limones y la corteza rallada.

Se pone al fuego la panela con poquita agua y cuando tenga bastante punto, que comience a tomar color quemadito, se baja y se le pone el medio vaso de ron. Aparte se bate la mantequilla con el azúcar, las ciruelas pasas y las frutas confitadas, así como las pasas que se mezclan poco a poco. Luego se van añadiendo las especias, la corteza y el jugo de limón. Poco a poco se le va poniendo la harina alternando con el melado que se preparó con la panela y el ron. Después las yemas bien batidas y por último las claras batidas a la nieve. Se engrasan los moldes y se les pone papel parafinado, se vierte la mezcla cuidando de que no queden demasiado llenos y se meten a horno moderado hasta que al introducir un cuchillo al pudín éste salga limpio.

RECETA No. 12

POSTRE DE GALLETICAS

2   libras de galleticas
      (Petit Beurre) de vainilla sin relleno
1   libra de mantequilla
1   libra de azúcar pulverizada
1¼   tazas de café tinto un poco fuerte,y se le añade
½   cucharadita de vainilla.

Se bate la mantequilla hasta que esté cremosa, se le va mezclando el azúcar poco a poco. Se pone una capa, no muy gruesa, en un molde, las galletas se van mojando en el café y colocándose encima de lo anterior hasta poner una capa, luego otra de la mezcla de azúcar y mantequilla y así sucesivamente hasta terminar con la crema y se mete en la nevera por 2 ó 3 horas. Si se quiere puede espolvorearse con nueces o almendras molidas.

RECETA No. 13

POSTRE INGLES

2   libras de azúcar
4   onzas de pasas o ciruelas
24   huevos
1½   tazas de leche.

Con el azúcar se hace un almíbar de mucho punto. Se baten las yemas y las claras por separado y se unen después, se vierten en el almíbar y se va dejando cuajar. En seguida se le agrega la leche, las pasas y se va volteando con cuidado para que no se parta este batido, dejándolo siempre a fuego lento, hasta que esté casi sin almíbar. Al hacer el almíbar se le agrega una astilla de canela, que se saca antes de agregarle los huevos.

RECETA No. 14

PUDIN DE LIBRA

(Para 8 personas)

1   libra de harina
1   libra de mantequilla
4   onzas de pasas
1   docena de huevos
1   libra de azúcar
4   onzas de ciruelas pasas partidas
1   copita de ron
1   cucharadita de polvo de hornear
      almendras, nuez moscada al gusto.

Se bate la mantequilla; cuando esté cremosa, agregue el azúcar, siga batiendo, añada las yemas una a una, después las ciruelas, almendras

y pasas y mezclarlas. Agregue poco a poco la harina cernida con el polvo de hornear. Aparte bata las claras a punto de nieve y únalas a la mezcla en movimiento envolvente. Viértalo en un molde engrasado y se asa a 350°F por 1¼ de hora aproximadamente.

RECETA No. 15

PUDIN DE CAFE

(Para 8 personas)

4   tazas de harina
2   tazas de azúcar
1   libra de mantequilla
1   taza de café tinto
2   cucharaditas de vainilla
1   cucharadita de sal
6   huevos
6   cucharaditas de polvo de hornear
½   taza de leche más o menos.

Se baten la mantequilla y el azúcar hasta que se forme una crema, se le añaden los huevos enteros uno a uno, y la harina ya cernida con la sal y el polvo de hornear alternando con el café, la leche y después la vainilla. Se vierte sobre un molde engrasado o forrado con papel. Se asa a horno de 300°F por espacio de una hora poco más o menos.

Véase el capítulo de decorados y póngase el que desee.

RECETA No. 16

PUDIN DE CHOCOLATE

3   tazas de harina
2   tazas de azúcar
1   taza de mantequilla
1   taza de leche
4   pastillas de chocolate
4   huevos
½   cucharadita de sal
2   cucharaditas de polvo de hornear.

El chocolate se disuelve con la leche y la sal poniéndolo al fuego pero sin dejarlo hervir. La harina se cierne con el polvo de hornear. Se bate la mantequilla con el azúcar hasta que esté bien cremosa y se le va añadiendo poco a poco la harina alternando con el chocolate (que debe estar frío) cuidando de que no queden grumos. Cuando está bien mezclado se le van echando los huevos enteros uno a uno, y se sigue batiendo la mezcla hasta que quede bien incorporado todo. Debe tenerse el horno listo para meterlo en seguida, porque es fácil de asentarse. Horno a 350°F, por $1^1/_4$ de hora.

Crema para cubrirlo:

2	tazas de leche
2	yemas de huevo
5	pastillas de chocolate
3	cucharadas de maizena
	vainilla y azúcar al gusto.

Se disuelve el chocolate con la leche y el azúcar, se baja y se le añaden las yemas cuando se haya refrescado un poco. La maizena se disuelve con un poquito de agua y se le agrega también, se cuela en un colador fino y se vuelve a poner al fuego hasta que tenga consistencia suficiente para cubrir.

RECETA No. 17

PUDIN DE CARAMELO

1	taza de mantequilla
2	tazas de azúcar
4	huevos
1	cucharadita de vainilla
$2^1/_2$	tazas de harina
$2^1/_2$	cucharaditas de polvo de hornear
1	taza de leche
$^1/_2$	cucharadita de sal.

La mitad del azúcar se pone al fuego para hacer un caramelo, cuando tenga color quemado, se vierte sobre la leche caliente y se deja enfriar. La mantequilla se bate hasta que esté cremosa, se añade el azúcar, se sigue batiendo y se agregan los huevos uno a uno. Por último la harina alternándola con la leche mezclada con el caramelo, la vainilla y se vierte en un molde engrasado. Se cocina en horno a 350°F por una hora aproximadamente o hasta que al meterle un palito éste salga limpio.

RECETA No. 18

FLANCITOS DE CHOCOLATE

2	tazas de leche
2	huevos enteros y 4 yemas
6	cucharadas de azúcar
1	cucharada de cocoa
	canela o vainilla.

Se pone a hervir la leche con el perfume. Se baten los huevos y las yemas, con el azúcar, se agrega poco a poco la leche, se mezcla bien y se pasa por un colador. Se vierte en pequeños moldecitos que se colocan en un tartera con agua hirviendo, se

meten al horno a 350°F por 10 minutos. Cuando enfríen se sirven en sus moldes.

RECETA No. 19

POSTRE DE COCO CON CREMA DE CARAMELO

(Para 16 personas)

2	cocos
4	onzas de pasas
4	onzas de almendras
4	huevos
5	cucharadas de harina
2	cucharadas de mantequilla
14	onzas de azúcar
1	cucharadita de vainilla.

Se le quita la conchita negra al coco y se ralla menudito. Se baten los huevos enteros, se les agrega la mantequilla, azúcar, el coco y por último la harina. Se le ponen las pasas y almendras en pedacitos, se coloca en un molde engrasado y se mete al horno a 350°F en una tártara para bizcochos, hasta que dore.

Crema:

Se prepara una crema inglesa con tres tazas de leche, una cucharada de maizena, dos cucharadas de azúcar y cuatro huevos. Se hace un caramelo, con una taza de azúcar y media taza de agua. Cuando esté color de caramelo, se le echa caliente a la crema inglesa moviéndola bien para que no se corte, se le añade un poquito de mantequilla. El bizcocho puede partirse en trozos, se baña con esta crema y se adorna con merengues.

RECETA No. 20

BESO DE NOVIA

12	onzas de azúcar
$^1/_2$	libra de mantequilla
1	libra de harina
1	cucharadita de polvo de hornear
7	huevos
4	onzas de pasas
	vainilla y nuez moscada al gusto.

Se mezcla la mantequilla con el azúcar hasta que esté blanca, se le agregan las pasas. Las claras se baten hasta que estén espesas y entonces se les van añadiendo las yemas poco a poco. Luego se junta esto y se sigue batiendo, añadiéndole los demás ingredientes lentamente. Se mete al horno en una tártara engrasada.

FLAN DE COCO

Para acaramelar los moldes de los flanes, ver al principio de este capítulo.

2   tazas de leche
1   coco grande
8   huevos batidos
12   onzas de azúcar
1   copa de vino Jerez.

Parta el coco, recoja el agua y quítele la conchita negra. Rállelo y mézclelo con la leche y su propia agua. Exprímalo y cuélelo. Añádale los huevos, el azúcar y el vino. Páselo por un colador fino y viértalo sobre un molde acaramelado. Prepare una olla al baño de María con el agua caliente y colóquelo adentro. Cocínelo en horno a 375 °F, por 1¼ horas. Desmóldelo al otro día.

FLAN DE LECHE

24   huevos
6   tazas de leche
1   libra y 12 onzas de azúcar
¼   de taza de vino
      vainilla al gusto.

El azúcar se disuelve en la leche y después se le agregan los huevos ya batidos y los demás ingredientes. Se mete al horno de 375 a 400 °F al baño de María durante 2 horas.

Nota: los flanes no deben desmoldarse el mismo día porque se rompen.

FLAN CLASICO

½   libra de azúcar
3   tazas de leche
8   huevos
      vainilla y vino al gusto.

Se baten muy poco los huevos, sólo para mezclarlos bien. Se les añade la leche, el azúcar, el vino y la vainilla y se vierte en el molde acaramelado. Debe colarse al verterse. Se cocina en el horno en baño de María, debiendo calentarse el agua de antemano. Horno a 375 °F por una hora o hasta que al introducir una paja salga limpia.

FLAN DE PIÑA

1½   libras de azúcar
12   huevos
1   piña grande.

Se ralla la piña, se cuela y se pone al fuego con una libra de azúcar para hacer un jarabe. Los huevos se baten, no para que levanten, sino para que se unan bien las claras y las yemas. Cuando estén mezclados, se les añade el jarabe. De antemano se quema el molde como para cualquier flan. Se vierte colándolo y se cocina al baño de María dentro del horno, como 1½ horas a 350 °F.

Con lo que ha quedado de la piña después de sacarle el jugo y la media libra de azúcar restante, se hace un dulce, poniéndole un poquito de agua. Cuando se desmolde el flan se le vierte por encima.

LECHE EN VINDE

3   tazas de leche
6   huevos
      azúcar al gusto (más o menos 4 onzas)
      rallado de limón.

Se baten los huevos, se les pone el azúcar, el limón y luego la leche. Se vierte en un molde sin caramelo o más bien en un pírex y se cocina en baño de María al horno.

CREMA PLANCHADA

1   libra de azúcar
12   yemas de huevos
6   tazas de leche
4   onzas de harina
      vainilla al gusto.

Se baten las yemas con el azúcar. La harina se deslíe en la leche y se le agrega moviéndolo bien. Se cuela y se cuaja en baño de María que quede espesa. Se sirve en un plato poco hondo y se deja enfriar. Se le riega azúcar por encima, se calienta bien una plancha de hierro y se le va poniendo suavemente sobre el azúcar para quemarla.

NATILLA DE LECHE

4   onzas de azúcar
3   tazas de leche
2   onzas de arroz molido

Se pone todo junto al fuego hasta que cuaje, se le pone canela en polvo al servirla.

BRAZO GITANO

12   huevos
$^1/_2$ libra de azúcar
12   onzas de harina
2   cucharaditas de Royal.
$^1/_2$ cucharadita de vainilla.

Se baten las claras a la nieve, se les agregan las yemas una a una y luego los demás ingredientes. Se coloca en una tártara de 2 cm de alto forrada de papel. Se mete al horno. Al sacarlo se enrolla caliente en una servilleta húmeda. Se desenvuelve, se le pone una capa de jalea de guayaba, se envuelve de nuevo. Se sirve rodeado de una crema inglesa. Para darle mayor apariencia se puede barnizar el rollo con una crema de chocolate.

POSTRE HELADO

3   claras de huevo
$^1/_4$ de cucharadita de crémor tártaro
     (bata esto y añádales una taza de azúcar)
$^1/_2$ cucharadita de polvo de hornear
1   cucharadita de vainilla
20   galletas saltinas ralladas
$^1/_2$ taza de nueces
$^1/_8$ de cucharadita de sal.

Bata las claras hasta que estén firmes, añada el crémor tártaro y bata hasta que forme copos. Mézclelo envolviendo en los demás ingredientes. Cocínelo en un molde para pastel engrasado. Horno de 325°F por 35 minutos. Enfríelo y póngalo en el congelador. Bata un tercio de litro de crema de leche, agréguele azúcar, vainilla y fresas o piña en pedacitos.

CREMA ASADA

3   tazas de leche
4   huevos batidos separados
3   cucharadas de maizena
1   taza de azúcar
$^1/_2$ cucharadita de vainilla
     corteza de limón.

Se mezcla todo y se mete al horno hasta que endurezca.

POSTRE MARIA

1   libra de azúcar
1   taza de piña cortada en pedacitos
1   taza de manzana cortada en pedacitos
$^1/_2$ taza de mango
     casquitos de guayaba y las frutas
     que se quieran.

Con el azúcar en media taza de agua hacer un almíbar. Pasar por agua caliente las frutas (pueden añadirse las que se deseen). Pasarlas al almíbar hasta que tomen espesor o el punto deseado. Enmantequillar un molde y vaciar allí las frutas. Dejarlo reposar y hacer un merengue con tres claras de huevo. Cubrir el molde y llevarlo al horno a fuego alto para que gratine.

CREMA INGLESA

3   tazas de leche
4   yemas de huevos
1   cucharadita de vainilla
4   onzas de azúcar
2   cucharaditas de maizena
2   conchitas de limón (si se desea).

Se pone la leche al fuego con la conchita de limón, cuando hierva se le agrega la maizena disuelta en un poquito de leche fría. Aparte se van batiendo las yemas con el azúcar hasta que endurezcan. Cuando ya la leche ha hervido con la maizena, se le van echando cucharadas de leche a las yemas batidas, moviendo fuertemente y se vierte a la leche que está en el fuego dejandolo unos minutos sin que hierva y moviendolo constantemente para que no se corte. Se retira del fuego y se continua batiendo hasta que enfríe para que no se forme nata, se cuela y se le añade la vainilla.

Esta sirve para muchos postres, gelatinas, borrachos, cáster, bizcochos, etc.

CREMA DE PIÑA

1   taza de jugo de piña
1   taza de leche
6   yemas de huevos
4   onzas de azúcar.

Se baten las yemas con el azúcar, se agrega el jugo de piña y la taza de leche. Se cocina hasta que reviente el hervor. Esta puede servir para bañar un pudín.

BIZCOCHO DE NOVIA

1   libra de azúcar
1   libra de harina
4   onzas de almendras
1   libra de mantequilla
12   huevos
2   copitas de brandy o ron
semillas de marañón, nuez moscada y rallado de limón.

Se prepara lo mismo que el pudín de matrimonio.

CASTER DE CHOCOLATE

(Para 12 personas)

½   libra de azúcar
1½   tazas de vino Jerez seco
3½   tazas de crema inglesa
6   huevos
1   tártara de bizcochos
6   pastillas de chocolate.

Se hace un almíbar con el azúcar y media taza de agua, hasta que tenga punto. A esto se le agrega el vino. Los bizcochos se parten en pedazos cuadrados, remojándolos con este almíbar. Estos se colocan en copas individuales o en una sola bandeja, se bañan con la crema siguiente.

Crema: el chocolate se pone al fuego con media taza de leche, hasta que se disuelva completamente; éste se le agrega a la crema inglesa (receta No. 32 de este capítulo). Con las claras restantes se hace un merengue y se mete al horno como la receta anterior.

COCADA AL HORNO

3   cocos
6   huevos
1   libra de azúcar
½   cucharadita de polvo de hornear
vainilla al gusto.

El coco se ralla y se añade el azúcar, se agregan los huevos batidos, el polvo de hornear y la vainilla y se deja descansar un rato. Se coloca en molde en mantequillado y se pone al horno cubierto con un papel húmedo. Horno bien caliente.

POSTRE DE COCO

1   libra de azúcar
4   onzas de pasas
4   onzas de almendras partidas
1   coco rallado
1   cucharada de mantequilla
1   cucharadita de canela
3   cucharadas de vino blanco.

Se hace un almíbar, cuando tenga punto de hilo se le echa el coco y el resto de los ingredientes, se revuelve bien y se mete al horno en molde enmantequillado. Si la mezcla queda un poco dura se puede suavizar con leche de vaca.

POSTRE SUPREMO

2   libras de azúcar
2   tazas de agua
2   cocos
12   yemas de huevo
pasas y almendras.

Se rallan los cocos y se les extrae la leche con agua hirviendo, a esta se le mezclan, poco a poco, las yemas batidas, se le añade el azúcar y se cuela todo. En una paila se lleva a fuego lento, se revuelve constantemente, se le da el punto que se quiera y se sirve en una fuente con las almendras tostadas y las pasas sin semilla.

RECETA No. 39

CREMA DE COCO

Nota: ver procedimiento para extraer la leche del coco en las últimas páginas de la obra.

Dos y media tazas de leche de coco espesa, sacada de dos cocos que se cuelan con su misma agua y un poco más de agua tibia si es necesario. Se baten ligeramente seis yemas de huevo y se les añade cuatro onzas de azúcar y la leche del coco. Se ponen a coger punto solamente el tiempo necesario a fuego lento, moviendo bien para que no se corten. Se sirve con merengue encima.

RECETA No. 40

POSTRE DE CAFE

2   tazas de leche
2   cucharadas de café tinto
6   yemas de huevo
$1^1/_2$ tazas de azúcar.

Se pone a hervir la leche con el azúcar, las yemas se baten un poco y cuando hierva lo anterior, se va echando por cucharadas la leche en las yemas, moviendo mucho, luego se vacían las yemas con la leche otra vez en la olla y se pone nuevamente al fuego hasta que comience a hervir, teniendo cuidado de moverlo mucho para que no se corte; al bajarlo se le pone el café y una cucharadita de vainilla. Se baten las claras a punto de nieve y se les va poniendo poco a poco un almíbar a punto de hilo que se puede hacer con media taza de azúcar y un poquito de agua. Se vierte la crema en un plato refractario, se cubre con este merengue y se pone al horno hasta que dore.

RECETA No. 41

POSTRE DE PIÑA

1   libra de azúcar
9   huevos
3   tazas de jugo de piña.

Se hace almíbar con el azúcar y el jugo, cuando tenga punto de hilo se deja enfriar y se le agregan los huevos, un poco batidos de antemano, se mueve constantemente, se coloca en un molde enmantequillado y se pone al horno hasta que dore.

RECETA No. 42

PIÑA NEVADA

(Para 6 personas)

6   ruedas de piña
3   claras de huevo
6   cerezas
1   taza de azúcar
     coco rallado.

Se le saca el corazón a las ruedas de piña, se cubren con claras batidas a la nieve y mezcladas con azúcar. Por encima se les pone coco rallado sin la conchita negra y se adorna con cerezas.

RECETA No. 43

POSTRE DE GUAYABA

4   tazas de jalea de guayaba suave
1   taza de azúcar
3   claras de huevo a punto de nieve.

Poner la jalea en un plato refractario redondo y colocar copetes de nieve encima. Distribuir alrededor crema inglesa con vino (*ver* receta No. 32). Si se prefiere, llevar el horno a temperatura alta para que dore.

RECETA No. 44

COPOS DE NIEVE

1   libra de azúcar
6   tazas de leche
$^1/_2$ libra de bizcochos
8   claras y 6 yemas de huevo
1   cucharadita de maizena
1   cucharadita de vainilla
     la cáscara de medio limón
     y esencia de vainilla.

Se baten las claras a punto de nieve y se les va agregando, poco a poco, media libra de azúcar hasta que endurezcan y se le añaden unas gotas de esencia de vainilla.

La leche, con el resto del azúcar, la vainilla y la corteza del limón, se ponen a hervir a fuego lento, en una olla abierta donde pueden colocarse varios merengues a la vez.

El bizcocho se parte en pedacitos, se envuelven en merengue, ayudándose con una cuchara humedecida previamente, para hacerlo con más facilidad, y se van echando uno a uno en la leche que está en el fuego, dejándolos un minuto, se sacan y se apartan. Al terminar esta operación, se le agrega a la leche maizena disuelta en un poco de leche fría, se deja hervir un momento, se le agregan las yemas batidas de antemano, moviendo constantemente para que cuaje como una crema, se retira del fuego, se cuela y se vierte sobre los copos.

RECETA No. 45

DULCE DE CHOCOLATE

4	onzas de mantequilla
3	huevos
4	onzas de azúcar
4	onzas de chocolate
2	cucharadas de harina.

Se ponen al fuego la mantequilla y el chocolate (al baño de María) hasta que se disuelvan. Mezclar las yemas con el chocolate y la mantequilla, agregar la harina, el azúcar y las claras batidas a la nieve. Poner la mezcla en un molde no muy alto, enmantequillado y meterlo al horno bien caliente por un cuarto de hora. Este dulce debe estar por encima más firme que en el centro, debe quedar como una crema. Es mejor hacerlo dos o tres días antes.

RECETA No. 46

AGUAS DORMIDAS

2	cocos grandes
1	libra de azúcar
$^1/_2$	vaso de vino Jerez o Moscatel
$^1/_2$	cucharadita de canela en polvo
6	yemas de huevo y 6 claras
	bizcochos.

Se rallan los cocos sin la conchita negra, se les agrega el agua necesaria para sacar seis tazas de leche espesa y se pone al fuego con el azúcar; cuando tenga punto alto, se retira e inmediatamente se le mezclan las yemas, que de antemano se tendrán disueltas en medio vaso de vino; una vez mezcladas, moviendo rápidamente, se vuelve al fuego, a llama baja, moviendo siempre sin esperar que hierva porque se corta. Al bajarla se le pone canela en polvo.

Se hace un bizcocho alto para poderlo dividir en tres capas, se remoja con el resto del vino, sin empaparlo mucho. Luego se coloca la primera capa en la bandeja, se le unta ligeramente mantequilla y se esparce bastante jalea; sobre esta capa se colo-

ca la otra de bizcochos, repitiendo la misma operación con la mantequilla y jalea, por último se le pone la tercera capa. Sobre esto se pone más abundante jalea para que cubra a los lados el bizcocho y llene la bandeja.

Con las claras que quedaron se hace un merengue para adornarlo.

RECETA No. 47

PASTEL DE MAMEY

Relleno:

2	libras de mamey
1 $^1/_2$	libras de azúcar
1	raja de canela
	el jugo de dos limones
	agua suficiente hasta cubrirlos.

Se pela el mamey, se le quita el ollejo y se lava para que no se amargue. Se pone al fuego con el agua, el azúcar y la canela. En la mitad de la cocción se le agrega el jugo del limón y se deja cocinar hasta que al moverlo se vea el fondo de la olla.

Pasta:

1	libra de harina
10	onzas de mantequilla fría
1	huevo
1	cucharada de azúcar
2	cucharadas de agua tibia
$^1/_2$	cucharadita de sal.

Se pone la harina en la mesa, se hace un hueco en el centro y se agrega la mantequilla y el huevo. Se amasa y se añade el agua, el azúcar y la sal, hasta que la masa se desprenda de la mesa. Se hace una bola y se tira tres veces sobre la mesa. Se envuelve en un paño y se deja reposar media hora, preferiblemente en la nevera.

Se extiende las dos terceras partes sobre un plato grande refractario para pastel, se vierte el relleno y se hacen las tiras de pasta para formar el enrejado. Se barniza con una yema de huevo disuelta en un poco de agua. Se pone en el horno de 305ºC durante 45 minutos, aproximadamente.

RECETA No. 48

ISLA FLOTANTE

8	claras de huevo
$^1/_2$	libra de azúcar
1	cucharadita de vainilla.

Se baten las claras a punto de nieve y se les va agregando el azúcar lentamente. Cuando estén duras se les añade la vainilla. En un molde acaramelado de seis tazas de capacidad, se vierte el batido tratando de cubrir el fondo primero y los lados para que al desmoldarse no queden huecos. Se cocina en baño de María en el horno a 350 °F por una hora aproximadamente o hasta que esté cuajado. Cuando esté frío se desmolda y se baña con una crema inglesa utilizando las yemas.

RECETA No. 49

BIZCOCHO MEJIO

$^1/_2$	**libra de harina**
$^1/_2$	**libra de azúcar**
8	**huevos.**

Se baten las claras a punto de nieve. Se agregan las yemas una por una, luego el azúcar y de último la harina. Se vierte en una tártara baja y se cocina en horno a 350 °F por $^1/_2$ hora aproximadamente. Se desmolda y cuando enfríe se abre por la mitad y se humedece con el siguiente almíbar, que se pone al fuego hasta que tenga punto flojo.

Almíbar:

$^1/_2$	**libra de azúcar**
$^1/_2$	**taza de agua**
$^1/_2$	**taza de vino jerez.**

Se hace una jalea de coco, poniendo la leche de coco al fuego con el azúcar hasta que tenga punto de hilo, se retira, se le agregan almendras tostadas partidas o molidas y ciruelas pasas en pedacitos. Se le pone una capa de esto entre las tapas del bizcocho y se riega el resto de la jalea por encima y alrededor. Se adorna con almendras tostadas y ciruelas pasas cortadas por la mitad, quitándoles la semilla. Puede hacerse un merengue, decorarlo con ello y meterlo al horno.

RECETA No. 50

BIZCOCHO DE NARANJA

$2^1/_2$	**tazas de harina**
1	**libra de azúcar**
1	**naranja dulce**
5	**yemas de huevo**
5	**claras**
2	**cucharaditas de polvo de hornear**
$^1/_2$	**taza de agua.**

La naranja se ralla con corteza y pulpa, es decir, toda. Se mezcla el azúcar con las yemas batidas, el agua con la naranja y después todo, dejando para último la harina. Se pone en una tártara engrasada y se mete en el horno. Se desmolda y se corta en forma de bizcochos.

Se bate una clara con cuatro onzas de azúcar y se le añade la corteza de la naranja rallada. Con esto se cubren los bizcochos y se meten en el horno nuevamente hasta que doren un poco.

RECETA No. 51.

PASTEL DE MANGO

(Plato grande)

6	**tazas de mango**
$^3/_4$	**de taza de azúcar**
2	**cucharaditas de harina**
1	**cucharadita de canela**
	una pizca de nuez moscada.

Divida una pasta "Clara Elena" en dos capas y cubra con una el fondo del plato. Rellénelo con los mangos cortados en rebanadas. Agregue los demás ingredientes y dos cucharaditas de mantequilla y tápelo con la otra capa. Barnícelo con una yema de huevo mezclada con un poquito de leche. Póngalo en el horno a 350 °F por una hora hasta que dore.

CAPITULO XII

Galletas, bizcochos y dulces para el té

(dulces de tártara)

El pregón callejero cartagenero...

Pirulí pi pi, pirulí.
Bueno para catarros
mata la lombrí...

CONSEJOS PARA LOS DULCES

Para hacer ciertos dulces es necesario quitarle la conchita negra que tiene el coco, esto se puede hacer con un cuchillo bien afilado o rallándolo de ese lado hasta que quede blanco. Aunque tal vez es más fácil rallarlo, aconsejamos la otra forma porque queda más limpio y la conchita puede utilizarse para hacer las cocadas de conchitas. (*Véanse* fotografías al final de la obra).

Para decorado de coco en forma de nieve hay que rallar el coco a lo largo para que quede como hebra.

Los caramelos hechos en recipientes de cobre no corren riesgo de azucararse.

El almíbar no se debe revolver nunca porque se azucara.

Los flanes no deben batirse demasiado, sólo lo necesario, para que se incorporen los ingredientes porque queda con ojos y no compacta bien.

EL ALMIBAR Y SUS PUNTOS

Primer punto ... Almíbar liviano: hervir durante 10 minutos a fuego fuerte.

Segundo punto ... Almíbar flojo: cuando tomando entre los dedos un poquito de almíbar y separando estos, forma un hilito que se corta.

Tercer punto ... Hilo fuerte: cuando al hacer la misma operación, forma un hilito que no se corta.

Cuarto punto ... Punto fondant: un poquito más fuerte que el anterior.

Dulces

RECETA No. 1

MELCOCHAS

1   libra de panela
1   coco.

Se pone a derretir la panela, se le añade la leche del coco, sólo la primera leche, y se deja coger punto moviéndola con una cuchara de palo o un palote, hasta que empiece a despegar de los lados de la paila. Se vacía sobre una piedra de mármol o una mesa de zinc, se deja enfriar un poco y se estira entre las manos hasta que blanquee. Entonces se hace un bolillo delgado que se va cortando en pedazos y se envuelve con una tira de papel, dándole la vuelta al papel como un pirulí.

ALFAJORES BLANCOS Y DE PANELA

1½   libras de azúcar o ½ libra de panela
½   vaso de agua de coco
15   tortas de casabe pulverizadas
1   coco grande
     pimienta picante.

Se ralla el coco (sin la conchita negra), se pone al fuego con el azúcar y el agua del coco, se deja hervir hasta que tome punto de cocada y se retira del fuego. De antemano se tuestan las tortas de casabe y se pulverizan. Este polvo se le pone a la cocada, hasta que adquiera cierta consistencia la pasta, sin olvidar que debe quedar un tanto floja porque al enfriarse se reseca y endurece demasiado. Se extiende sobre una mesa espolvoreada de casabe y se cortan calientes en la forma que se quiera. También se hacen con panela en la siguiente forma: se derrite la panela en un poquito de agua, se cuela y se pone al fuego con el coco. Se procede igual y se le agrega un poquito de pimienta picante en polvo.

CARAMELOS DE CACAO

½   libra de azúcar
⅔   de taza de miel de abejas
5   pastillas de chocolate amargo
1   botella de leche.

Se pone esto al fuego hasta que tenga punto de bola, se vierte en un molde untado de mantequilla y se corta en pedacitos.

TURRON DE MANI

10   onzas de azúcar
1   taza de miel de abejas
4   claras de huevo
1   taza de maní o almendras tostadas
     medio partidas.

Se pone al fuego el azúcar con la miel hasta que tenga punto de caramelo, se baja, se deja reposar y se le echan las claras batidas, se bate hasta que blanquee, se vuelve a poner al fuego por un momento, se baja nuevamente, se le agrega el maní o las almendras, se extiende en una mesa y se cortan o se untan en obleas.

COCADAS DE COCO

1   coco grande
½   libra de azúcar.

Se ralla el coco sin la conchita negra, se pone al fuego con el azúcar y un poquito de vainilla hasta que coja punto, moviendo hasta que se desprende de la olla. Se vacían por cucharadas aplanándolas en forma como de galletas y se dejan hasta que sequen.

COCADAS DE CONCHITAS DE COCO

1   libra de conchitas
1   libra de azúcar.

Se utilizan las conchitas que se quitaron en la receta anterior. Se ponen al fuego con el azúcar y un poco de agua. Se dejan coger punto moviendo y se procede como la receta anterior.

COCADAS DE MANI

1   libra de azúcar
1   libra de maní.

Se tuesta el maní y se pela. Se ponen al fuego el maní, el azúcar y un poquito de agua hasta que coja punto. El procedimiento, igual que las recetas anteriores.

COCADAS EN POLVO

1   libra de azúcar
1   coco grande
¾   de taza de agua (del coco o corriente).

Se ralla el coco y se pone a secar en el horno. El agua y el azúcar se colocan al fuego hasta que cojan punto, se les agrega el coco moviendo constantemente hasta que seque y se pulverice. Se envasan en cartuchos de papel.

COCADAS CON PANELA

(Salen 40)

1½ panelas oscuras
1 coco rallado
5 hojas de limón
   la cascarita de un limón.

Se derrite la panela al fuego y se le agrega el coco y la cáscara de limón. Se deja en el fuego hasta que coja punto, o sea, que al hacer las bolitas no se peguen en la mano. Cuando esté en el punto deseado se hacen bolitas y se oprimen en el centro con el dedo pulgar para formar un hueco sin perforar al otro lado.

MERENGUE DE COCO

6 onzas de coco rallado sin conchita
1 libra de azúcar
6 claras de huevo
4 onzas de harina
½ cucharadita de polvo de hornear
   vainilla.

El coco se pone a secar al sol o al horno. Se baten las claras a punto de nieve y se les va añadiendo el coco, la harina y vainilla moviendo hasta que se forme una pasta suave. Se va poniendo por cucharadas en una tártara forrada de papel engrasado y se mete al horno hasta que se vean dorados.

También sirven para rellenar las cajetillas de hojaldres, poniendo la pasta cruda y rellenándolo con los merengues, se asan al horno hasta que doren. Se les unta clara de huevo por encima para que brillen, antes de ponerlos al horno.

COCADAS DE AJONJOLI

1¼ libras de azúcar o 2 panelas
1 libra de ajonjolí.

Se tuesta el ajonjolí, y se hacen las cocadas como las recetas anteriores.

QUESILLO DE ALMENDRAS

1 libra de almendras peladas
1 libra y 12 onzas de azúcar
2 onzas de ñame
   vainilla al gusto.

Se sancocha el ñame y se machaca caliente hasta que esté suave. Las almendras se muelen, se mezcla todo que forme una pasta y se pone al fuego a coger punto; se echa en un mármol húmedo y se amasa hasta que quede compacto, se hacen bolitas, quesitos, corazones o lo que se quiera.

QUESO DE COCO

3 libras de azúcar
1 libra de coco rallado
16 yemas.

Se pone el azúcar al fuego a coger punto de caramelo, se le echa el coco y se baja. Cuando esté frío se le agregan las yemas batidas, se vuelve a colocar a fuego lento y se mueve hasta que desprenda de la paila, se baja y se bate hasta que blanquee. Se unta el molde de mantequilla, se echa y se deja allí para el día siguiente.

QUESITO DE COCO

1 coco grande rallado sin conchita
1 libra de azúcar
1 copita de vino o ron
½ taza de agua
2 ó 3 yemas
   canela en polvo para rociarle
   después de hechos los quesitos.

Se pone el azúcar al fuego hasta que tenga punto de caramelo, se le echa el coco y se baja; cuando esté frío se le agregan las yemas batidas. Se vuelve a colocar a fuego lento y se mueve hasta que desprenda de la paila, se baja y se bate hasta que blanquee, se unta un molde de mantequilla y se va poniendo por cucharadas como merengues.

QUESO DE COCO (Otro)

1	coco grande
3	tazas de leche
1½	tazas de azúcar
8	yemas de huevo
1	copita de vino Oporto.

Se hace el almíbar y cuando haga hoja se le agrega el coco rallado y la leche, se deja hervir hasta que desprenda de la paila. Entonces se retira del fuego dejándolo reposar un rato. Se le añaden las yemas de huevo muy bien batidas y la copa de vino. Se pone de nuevo al fuego para que cocinen las yemas, batiendo bien hasta que todo esté compacto, retirándolo del fuego. Se pone en un molde untado de mantequilla y rociado con canela en polvo. Al día siguiente se saca y se espolvorea con canela.

QUESO DE GUANABANA

1	libra de guanábana sin semilla
1	libra de azúcar
3	claras de huevo.

Se pone esto al fuego hasta que desprenda de la paila, luego se le agregan las claras batidas, se bate bastante y cuando despegue se retira del fuego.

QUESITOS DE CHOCOLATE

1	coco grande rallado sin conchita
1	libra de azúcar
4	pastillas de chocolate
1	copa de vino o ron
½	taza de agua
	un poco de vainilla.

Se derrite el chocolate en un poquito de leche. El azúcar se pone al fuego con el agua hasta que tenga punto de caramelo, se le echa el coco y el chocolate y se deja a fuego lento hasta que despegue de la paila. Se vierte por cucharaditas en una tártara untada de mantequilla.

QUESO DE PIÑA

1	lata de piñas en conserva
7	huevos
1	libra de azúcar.

Con el jugo de la piña y el azúcar se hace un almíbar espeso, se retira del fuego y se deja enfriar. Se baten los huevos y se agregan. Se corta la piña en trocitos pequeños y se añaden a lo anterior, se junta todo y se pone en molde acaramelado en baño de María al horno moderado. Cuando esté frío se desmolda.

CANELAQUEQUE

1	cucharadita de canela en polvo
1	libra de azúcar
8	onzas de harina
4	onzas de mantequilla
4	huevos.

Se mezcla el azúcar con la mantequilla hasta que quede bien blanca, se baten los huevos y se mezclan con lo anterior, se le agrega la harina cernida y la canela. Cuando esté suave se va echando por cucharaditas en una tártara untada en mantequilla y se asan en el horno moderado.

TRES EN UNO

3	libras de azúcar
3	latas de leche evaporada
8	yemas de huevo
4	claras de huevo
1	coco
	esencia de vainilla.

Se ralla el coco y se cocina con la mitad del azúcar, se le da punto de cocada no muy subido; con la leche y la otra mitad del azúcar se hace dulce de leche no muy espeso, se añade vainilla y se deja enfriar.

Se baten las yemas y se añaden poco a poco. Se baten las claras no muy duras y se agregan, se juntan con la cocada. Se acaramela un molde, se vierte todo y se pone al baño María en el horno bien caliente. Se deja enfriar, cuando esté cocido, y se voltea.

BOLAS DE COCO

1½ libras de azúcar
1   coco rallado
     el agua del coco.

Se ralla el coco sin la conchita negra, se pone a cocinar el agua del coco con el azúcar, cuando el almíbar coja punto se le echa el coco rallado, se deja un momento al fuego, moviendo constantemente (no debe cocinarse mucho porque se seca). Se le agrega vainilla o esencia de almendras y colorantes vegetales para hacerlas de diferentes colores, separando las porciones para cada color. Cuando enfríe un poco se forman las bolas, humedeciendo un poco las manos. Se pasan por azúcar en polvo y se dejan secar.

CUBANITOS

1   coco grande rallado sin la conchita
1   libra de azúcar
3   tazas de leche
     vainilla.

Se pone todo junto a hervir hasta que desprenda de los lados. El punto tiene que ser ni muy blando ni muy duro. Se vierte sobre una mesa de mármol espolvoreada de harina y cuando se enfríe suficiente para poderlo trabajar, se hace un bolillo que se va cortando de unos 12 ó 15 cm de largo y se envuelve en tiras de papel como los pirulís.

CASTILLOS

Se hace una pasta de galleta de limón (*ver* la receta de las galletas de limón)

½   libra de azúcar
6   claras de huevo bien batidas
     como para merengue
1   libra de coco rallado después de quitada
     la conchita negra y puesto a secar
     zumo de limón o vainilla.

Con el azúcar se hace un almíbar, se le agregan el coco y las claras. Se extiende la pasta de galleta en una tártara untada de mantequilla, se le pone el coco por encima, se adorna con tiritas de la pasta haciendo cuadritos y se mete al horno a 350 °F.

Cuando se saca del horno se deja enfriar un poco y se corta en forma de bizcochos o cuadrados.

REPUBLICANOS

1   libra de harina
4   onzas de mantequilla
6   onzas de azúcar
     un poquito de leche.

Esto se amasa muy bien hasta que esté suave. Se estira ni muy gruesa ni muy delgada, se le unta una capa de mermelada, de la que se quiera, se envuelve en forma de un pan y se corta sesgado, se le bate una yema con azúcar y se barniza con esto. Se espolvorea con azúcar por encima y se mete al horno.

MAZAPAN DE COCO

6   onzas de coco rallado seco
6   claras de huevo
2   onzas de harina
     libra de azúcar.

El coco se pone a secar al sol después de rallado y quitada la cobertura negra. Se baten las claras a punto de nieve, se les va echando el azúcar poco a poco, la harina y el coco. Se echa en moldecitos y se asa al horno de 350 °F.

GUSTO DE NOCHE

1   coco grande
1   libra de azúcar
4   onzas de harina
     clavitos de olor en polvo
     pimienta picante
     canela en polvo.

El azúcar se pone a hervir hasta que comience a coger punto, entonces se le agrega el coco que se ha rallado sin la conchita negra; cuando esté secando se le pone la canela, los clavitos y la harina. Se baja cuando se ve el fondo de la olla, se deja refrescar hasta cuando sea tolerable el calor en la mano para moldearlos en forma de tabaquitos.

YEMITAS DE COCO

2   ó 3 yemas de huevo bien batidas
1   coco rallado sin la conchita negra
1   copa de vino
1   libra de azúcar
    un poquito de harina.

Las yemas se mezclan con el vino y se baten bien, el coco se pone a hervir con el azúcar hasta que tenga punto, se baja para agregarle las yemas, se coloca de nuevo al fuego y se le echa un poquito de harina disuelta para que endurezca. Se hacen bolitas y se envuelven en papelitos de seda en colores, cortándole los lados como flecos.

DONCELLAS

2   ó 3 yemas de huevo
1   libra de harina
1   libra de azúcar
1   cucharada de mantequilla
    zumo de limón
    la leche de un coco (véase procedimiento
    al final de la obra)
    un poco de canela en polvo.

Se mezclan los ingredientes, se vacía en una tártara enmantequillada y se mete al horno a 350°F. Se parte en cuadrados cuando esté frío.

TABLETAS

½   libra de azúcar
1   libra de coco seco
2   huevos
1   taza de leche
1   libra de harina
    zumo de limón o canela en polvo.

El coco se ralla y se pone al sol a secar. Se amasa todo junto hasta que esté bien suave y se hacen bolitas que se extienden para que queden bastante delgadas y se asan en el horno de 375°F.

PASTA POLVOROSA

½   libra de harina
1   libra de azúcar
1   libra de manteca vegetal.

Se unen los ingredientes y se trabajan con un tenedor, se extienden y se asan en el horno a 350°F.

QUESILLO DE ALMENDRAS (Otro)

12 onzas de azúcar
4   onzas de almendras
4   onzas de ñame sancochado y molido
1   cucharadita de agua de azahares.

Se pelan las almendras y se muelen bien. Se mezclan con el azúcar hasta que formen una pasta, se le agrega el ñame y se pone al fuego para que coja punto. Se vierten en un mármol húmedo y se amasa hasta que quede compacto. Se cortan como quesitos, corazones o la forma que se desee.

AVIONES O AEROPLANOS

1   libra de harina de trigo
1   libra de manteca o margarina
2   huevos
½   onza de bicarbonato
1   taza de agua.

Se pone la harina en la mesa, se hace un hueco en el centro y se echan los huevos amasando muy bien. Se le agrega poco a poco el agua con el bicarbonato. Se espolvorea la mesa con harina, se pone la masa en el centro y se extiende con un bolillo, dejándolo aproximadamente de 0,45 cm de largo y de ancho. Sobre la masa extendida se coloca toda la manteca hasta que quede cubierta. Se dobla la masa de modo que quede la manteca dentro de las dos partes dobladas. Sobre este doblez se hace otro igual, primero al largo y después al ancho. Se extiende la masa por dos veces más, a la tercera se extiende con las dimensiones antes indicadas. Se cortan pedazos cuadrados de 5 ó 6 cm. Se meten al horno de 400°F espolvoreándolo con harina para que no se peguen. Cuando ya estén asados se abren con cuidado las tapas y con la punta de un cuchillo se les va metiendo dulce o mermelada. Se espolvorean con azúcar por encima. En lugar del dulce puede ponérsele carne molida.

PANOCHAS

¹⁄₂	libra de queso rallado (para rellenarlos)
1	libra de harina
4	onzas de mantequilla
4	onzas de azúcar
6	yemas de huevo
2	cucharadas de leche
2	cucharaditas de polvo de hornear.

Se hace una pasta con la harina, mantequilla, azúcar y yemas. Se extiende y se corta en redondeles, el queso se mezcla con un poquito de azúcar, se le pone una cucharadita de esto en cada redondel y se doblan como pastelitos. Se asan en horno de 350°F.

Se pueden rellenar también con un picado de cerdo, bajándole la cantidad de azúcar, en la pasta.

EMPANADITAS DE COCO

1	libra de harina
1	coco
1	huevo
4	onzas de azúcar
4	cucharaditas de manteca vegetal
	un poquito de canela o vainilla.

Se hace una masa con la harina, huevos, manteca y azúcar, se extiende y se corta en redondeles. Al coco se le quita la conchita negra y se ralla, se pone a secar, se le coloca un poco de azúcar y la vainilla o canela, se rellenan los redondeles y se doblan las empanaditas. Se asan en el horno a 350°F por ³⁄₄ de hora aproximadamente.

DIABOLINES

(Salen 170)

1	libra de almidón de yuca bien fresco
1	libra de queso rallado
4	huevos
1	taza de agua de sal.

Se mezcla todo, se hace una masa y se forman bolitas que se meten al horno hasta que doren. Horno a 375°F de 15 a 20 minutos.

SUSPIROS O PANDEROS

(Salen 30)

4	huevos
1	libra de almidón de yuca
12	onzas de azúcar
2	cucharaditas de leche de coco o de vaca vainilla o cáscara rallada de limón.

Se pone el almidón en la mesa y se le hace un hueco en el centro, se le echan cuatro huevos, el azúcar y la leche. Se mezcla formando una masa suave; en caso de que se necesite, se le agregan uno o dos huevos más. Se coge un trozo de la masa y se hace un bolillo de un dedo de grueso, se enrolla dándole varias vueltas en la forma y tamaño de una serpentina. A medida que se va amasando, se le va incorporando un poco más de almidón. Se asan en horno moderado.

CAJETILLAS PARA RELLENAR CON COCO O CREMA

1	libra de harina
2	cucharadas de manteca sólida
2	onzas de azúcar
	agua de sal.

Se junta todo y se amasa, se extiende con el bolillo dejándola delgada. Se corta en redondeles y para formar las cajetillas se le va oprimiendo el borde con los dedos haciendo unos pequeños frunces. Se asan en horno de 350°F y después se rellenan. Puede usarse el relleno de los pastelitos de coco.

MANTEQUILLADOS

1	libra de azúcar
1	libra de coco rallado sin conchita y puesto a secar al horno o al sol
12	onzas de harina
8	onzas de mantequilla
6	yemas
	cáscaras ralladas de 3 limones.

Se mezcla todo amasándolo con la mano, se le agrega la cáscara de limón; cuando se una bien se van haciendo bolitas alargadas en forma de barquitos, se colocan en la tártara, se aplanan un poco con dos dedos y se asan en horno a 350 °F por 20 minutos, más o menos. Salen 50.

PANDERITOS DE QUESO

(Salen 100)

1	libra de almidón
1	libra de queso duro rallado
1	libra de azúcar
4	huevos enteros o más, hasta que moje
1	cucharadita de mantequilla
	un poquito de vainilla.

Se pone el almidón en la mesa y se le hace un hueco en el centro, se echan los demás ingredientes y se elabora una masa suave. Se corta un pedazo de la masa y se hace un bolillo del grueso de un dedo más bien delgado, se parte en trozos y se enrosca en forma de espiral dejándolo del tamaño

PANDERITOS

(Salen 40 grandes)

$^1/_2$	libra de azúcar
1	libra de almidón de yuca
4	onzas de mantequilla
$^1/_2$	cucharadita de polvo de hornear
$^1/_2$	cucharadita de sal
$^1/_4$	de taza de leche de vaca (más o menos)
1	huevo.

Se cierne el almidón varias veces hasta lograr una harina fina, se le agrega el polvo de hornear

y la sal, luego se coloca en forma de círculo, dejándole un hueco en el centro, sobre la piedra o tabla de amasar, se echa en el hueco la mantequilla, el azúcar y el huevo, se va mezclando poco a poco hasta formar una masa suave y un poco dura, que permita extenderla gruesa para cortar con moldecitos, o hacer bolitas aplanándolas con un tenedor. A medida que se van haciendo los panderitos se van colocando en las tártaras enharinadas, procurando situarlos un poco separados para luego asarlos en horno a 350 °F por $^1/_2$ hora, más o menos.

Nota: además de la libra de almidón que se usa en la masa debe tenerse por separado un poco más, para enharinar cada vez que sea necesario y para las tártaras.

DAMAS DE HONOR

4	onzas de almendras peladas y molidas
4	onzas de azúcar molida
4	onzas de mantequilla derretida
4	yemas de huevo
1	copa de brandy o ron
	un poquito de canela molida (si se quiere).

Mézclese todo esto y bátase hasta que quede bien blanco. Se hace una pasta de hojaldre con la receta siguiente:

1	libra de harina
4	onzas de manteca
1	cucharadita de polvo de hornear
	un poquito de agua con sal y azúcar.

Se hace una masa, se extiende y se cubren los moldes untados en mantequilla. Se rellenan con el batido anterior y se meten al horno de 350 °F por 20 minutos. Se sacan ligero de los moldes y se espolvorean con azúcar en polvo.

Galletas

GALLETAS DE COCO

2	tazas de Corn Flakes (hojuelas de maíz)
2	claras de huevo
1	taza de azúcar (no muy llena)
1	coco rallado, sin la conchita negra.

Batir las claras como para merengue. Agregar luego el azúcar y el Corn Flakes desmenuzado,

cuidando de que esté bien tostado. El coco rallado sin la conchita negra, se pone a tostar un poco en el horno hasta que se dore. Mezclar todo y formar pequeñas bolitas, aplanchándolas luego con la mano. Se colocan en una tártara untada de mantequilla y se hornean a 350 °F hasta que doren.

GALLETAS DE COCO (Otra)

1½	libras de coco rallado sin la conchita negra
½	cucharadita de esencia de vainilla
¼	de libra de almendras molidas
2	libras de harina
1	libra de mantequilla
2	libras de azúcar
2	huevos.

Póngase la harina sobre la mesa en forma de círculo, colóquense los ingredientes en el centro, apartando un poco de coco, mézclense y amásehse. Se extiende después con el rodillo y se cortan en forma redonda. Se colocan en tártaras enmantequilladas, se pintan por encima con yema de huevo y se espolvorean con el coco rallado. Póngase en horno de 350 °F.

GALLETAS DE QUESO

1	libra de harina
1	libra de queso rallado
4	huevos
4	onzas de mantequilla
1	taza de leche.

Se mezcla todo, se amasa, se hacen las galletas de la forma que se desee y se meten en el horno a 350 °F.

GALLETAS DE LIMON

(Salen 40)

1	libra de harina
½	libra de azúcar
2	huevos
10	cucharadas de leche
1½	cucharaditas de polvo de hornear ralladura de 2 limones.

Póngase la harina sobre la mesa en forma de círculo. Colóquense en el centro los huevos y mézclese; agréguese la leche poco a poco y amásese hasta formar la pasta. Extiéndase y córtese. Colóquese en una tártara engrasada y enharinada, póngase en el horno a 350 °F por 30 minutos.

GALLETAS DE CHOCOLATE

½	libra de azúcar
½	libra de chocolate rallado
1	libra de harina
3	huevos
1	cucharadita de polvo de hornear
4	onzas de mantequilla
1	taza de leche de vaca o de coco.

Se mezcla bien todo, se pone en una tártara forrada de papel y untada con mantequilla. Se asa en horno de 350 °F por ¼ de hora. Después de asada se corta en cuadrados. Salen 50.

GALLETAS AMERICANAS

¾	de taza de azúcar
1	taza de mantequilla o ½ libra
½	cucharadita de sal
1½	cucharaditas de polvo de hornear
2½	tazas de harina cernida
1	huevo
1	cucharadita de vainilla.

Se bate la mantequilla con azúcar y sal. Se agrega la harina y el polvo de hornear, se revuelve bien hasta que la masa esté suave. De último la vainilla. No se debe batir mucho después de puesta la harina. Se hacen las galletas y se meten al horno de 375 °F hasta que doren.

GALLETAS DE JENGIBRE

½	libra de azúcar
1	libra de harina
2	huevos
1	cucharada de polvo de hornear
2	cucharadas de mantequilla
1	cucharada de jengibre
2	cucharadas de miel quemada
1	cucharadita de clavito y otra de canela molida si se quiere también se le puede poner un poco de leche de coco.

Se mezcla todo y se amasa, se extiende en una mesa y se cortan galletas redondas con un molde o un vaso. Se ponen en una tártara engrasada y se asan en el horno a 350 °F.

SUSPIROS DE LOS ANGELES

6   claras de huevo
12   cucharadas de azúcar
6   pastillas de chocolate rallado.

Se baten las claras a punto de nieve y cuando estén duras, se les va agregando el azúcar y el chocolate. Se vierte en una tártara mediana untada de mantequilla y se asa en horno de 350°F por 15 minutos aproximadamente. Se deja enfriar y se cortan en forma de bizcochitos.

GALLETICAS DE PARIS

1   libra de harina
2   onzas de azúcar
4   onzas de mantequilla
1   cucharadita de bicarbonato
     o polvo de hornear
1   cucharada de manteca sólida
     leche.

Se mezcla todo bien poniéndole la leche necesaria para que la masa quede suave, luego se extiende no muy delgada y se cortan las galletas. Se asan en horno de 350°F, deben quedar tostadas.

GALLETAS DE CHOCOLATE Y CAFE

$^1/_2$ taza de manteca o margarina
1   huevo
$^1/_2$ cucharadita de bicarbonato
2   tabletas de chocolate
$^1/_2$ cucharadita de sal
$^3/_4$ de taza de azúcar
$1^3/_4$ tazas de harina
$^1/_2$ taza de café frío
      nueces.

Mezcle la manteca, el azúcar y el huevo. Añada el chocolate derretido en la menor cantidad de agua posible. Cierna los ingredientes secos, añádalos a la mezcla anterior alternándolos con el café. Forme las galletas por cucharadas y póngalas en una tártara engrasada forrada con papel parafinado. En la parte de arriba, se le coloca media nuez a cada una, o puede sustituirse por una pasita. Cocínelas en horno de 400°F de 8 a 10 minutos. Salen 3 docenas.

GALLETAS ESCOCESAS

(Salen 90)

3   huevos
12   onzas de mantequilla
1   libra de harina
1   libra de azúcar
1   cucharadita de canela en polvo.

Mézclese la harina con la mantequilla, amásese, agréguesele los huevos batidos y la canela. Se vierte por cucharadas en una tártara engrasada. Póngase a horno de 350°F, aproximadamente por 20 minutos.

GALLETAS BOGOTANAS

(Salen 60)

4   onzas de mantequilla
6   onzas de azúcar
1   libra de harina
4   huevos
1   cucharadita de bicarbonato
     o polvo de hornear
4   cucharadas de ralladura de limón.

Se mezcla todo bien hasta que quede suave, se extiende en una tabla enharinada y se cortan las galletas. Se ponen a horno de 350°F hasta que tuesten.

GALLETAS LIBERALES

(Salen 72)

$^1/_2$ libra de azúcar
$^1/_2$ cucharadita de polvo de hornear
1   libra de harina
2   onzas de mantequilla
3   huevos
      nuez moscada y canela al gusto.

Bátanse las claras a punto de nieve con el azúcar. Agréguense las yemas, la harina y por último la mantequilla y el polvo de hornear. Se extienden, se cortan en la forma que se desee, se les pone clara de huevo batida y azúcar en polvo y un poco de colorante rojo. Se colocan al horno de 350°F por 25 minutos.

GALLETAS MORONAS

$^1/_2$ libra de harina de trigo
$^1/_2$ libra de azúcar
$^1/_2$ libra de manteca sólida
2 cucharaditas de clavitos molidos
1 cucharadita de canela en polvo.

Se amasa bien, se extiende en una mesa enharinada y se cortan las galletas de la forma que se desee. Horno de 350°F.

RECETA No. 56

GALLETAS RELLENAS

1 taza de mantequilla
$^3/_4$ de taza de azúcar en polvo
$^1/_2$ cucharadita de sal
1 huevo
$2^1/_2$ tazas de harina
1 cucharadita de polvo de hornear
  vainilla o esencia de almendras.

Se bate la mantequilla con el azúcar y la sal, se le añade el huevo, vainilla, de último la harina cernida con el polvo de hornear. Se elaboran las galletas y se ponen al horno de 400°F, de 8 a 10 minutos. Cuando se hacen con chocolate se quita un cuarto de taza de harina y se sustituye con cocoa.

Crema para las galletas:

2 tazas de azúcar en polvo
1 cucharada de mantequilla
  un poco de agua y vainilla al gusto.

Se mezcla el azúcar con la mantequilla, el agua se le agrega poco a poco para formar una crema suave. A las de chocolate se les pone un cuarto de cucharadita de bicarbonato. Se untan y se coloca otra encima.

RECETA No. 57

GALLETAS DE QUESO

(Salen 45)

$^1/_2$ libra de queso rallado
$^1/_2$ libra de mantequilla
$^1/_2$ libra de harina.

Se revuelve todo bien, se extiende sobre la mesa, se le da forma con una cuchara o con moldes especiales para galletas, se asan en horno caliente de 375°F por 20 minutos.

Bizcochos

RECETA No. 58

BIZCOCHO BASICO

12 huevos
1 libra de azúcar
1 libra de harina
1 ó 2 cucharaditas de polvo de hornear.

Se baten las claras a punto de nieve, se les agregan las yemas, el azúcar, la harina cernida con el polvo de hornear y un poquito de vainilla. Se cubre una tártara con papel en todo el rededor y se asa a horno de 350°F.

RECETA No. 59

BIZCOCHOS DE MANI

Las mismas cantidades del bizcocho básico, poniéndole media libra de maní partido antes de introducirlo al horno de 350°F. Se parten en cuadros.

RECETA No. 60

BIZCOCHO

1 taza de azúcar
6 huevos
$1^1/_2$ cucharaditas de polvo de hornear
1 taza de harina
2 cucharadas de jugo de limón
  corteza de limón rallado
  un punto de sal.

Se baten las yemas, se le agrega el azúcar poco a poco, la corteza de limón y el jugo. Aparte se baten las claras a punto de nieve y se añade a la primera mezcla alternando con la harina y batiendo poco. Se vierte en una tártara engrasada y se asa en horno de 350°F.

BIZCOCHO DE ANGEL

10   onzas de harina
12   claras de huevo
8   onzas de azúcar
2   cucharaditas de vainilla
2   cucharaditas de polvo de hornear.

Se baten bien las claras a punto de nieve, se les echa el azúcar, luego la harina, que se ha cernido de antemano con el polvo de hornear, y de último la vainilla. Se mete en un molde forrado de papel y se asa en horno a 375 °F.

BIZCOCHOS EN CAJETICAS

12   huevos
10   onzas de harina
½   cucharada de canela molida
      y ralladura de limón
1   libra de azúcar.

Se baten las yemas, cuando estén bien duras se les echa el azúcar, la canela y la ralladura de limón. Cuando se incorporen se baten las claras aparte y se mezclan con el batido poniéndole de último la harina. Se echan cucharaditas en cajeticas de papel, rociándole un poquito de azúcar encima al entrar al horno de 375 °F.

BIZCOCHO SANDOVAL

12   huevos
1   libra de azúcar
1   libra de harina
1   taza de leche
2   cucharaditas de mantequilla
2   cucharaditas de polvo de hornear.

Se baten las claras a punto de nieve, se le agregan las yemas, el azúcar y la leche intercalándola con harina, que se ha cernido con el polvo de hornear y de último la mantequilla, puede ponérsele vainilla o jugo de limón. Se vierte sobre una tártara engrasada y se mete al horno de 350 °F hasta que al introducirle una pajita ésta salga limpia.

BIZCOCHO DE LIMON

6   huevos
5   onzas de harina
3   limones rallados y el zumo de 2
1   libra de azúcar.

Se bate lo mismo que el anterior, se echan en cajeticas y se meten al horno de 375 °F.

PAN DE YUCA

2   tazas de almidón
2   cucharaditas de polvo de hornear
2   yemas de huevos
2½   tazas de queso rallado
      un poquito de leche.

Se amasa todo bien y se les da la forma a los panes, se meten al horno de 400 °F hasta que doren. Salen 15 panes.

PAN DE ESPECIAS

½   libra de harina
¼   de taza de miel de panela
¼   de libra de azúcar
½   cucharadita de anís verde
½   cucharadita de levadura.

Poner en una vasija honda la miel, el azúcar y el anís agregándole una tacita de agua caliente. Se disuelve todo y se le va añadiendo la harina poco a poco, trabajando la pasta con una cuchara de palo para que la harina no forme pelotas. Untar un molde con mantequilla y ponerlo en el horno de 350 °F durante una hora. Debe hacerse dos o tres días antes.

MOSTACHONES

12   onzas de harina
1   libra de azúcar
8   huevos.

Se baten bien las claras como para merengue, se le agregan las yemas bien batidas y se le va mezclando, poco a poco, el azúcar y de último la harina. Se mezcla bien, se le añade polvo de nuez moscada y vainilla al gusto. Se engrasan las latas y se meten al horno a 350 °F, cuando están dorados se sacan, se cortan en forma de bizcochos y se vuelven a meter al horno de 400 °F hasta que doren y tuesten.

POLVORONES

$^1/_2$ libra de harina
$^1/_2$ libra de azúcar
$^1/_2$ cucharadita de nuez moscada
$^1/_2$ libra de manteca sólida
$^1/_2$ cucharadita de canela.

Se amasan la harina, el azúcar, la manteca, una cucharadita de nuez moscada y una cucharadita de canela. Se forman arepitas y se meten al horno de 350 °F.

PRIMOS HERMANOS

Se hace un bizcocho básico, se corta en cuadrados, se abre por el medio o se hiende, se le pone crema o mermelada. Se le unta mantequilla por encima y se envuelve en azúcar.

BORRACHOS

El bizcocho básico se parte en pedazos de 8 cm de largo por 4 de ancho, se parten en el medio o se hienden, se les pone crema un poco dura, se unen, se rocían con vino Jerez seco, que se ha mezclado de antemano con un poco de almíbar floja, luego se untan de azúcar por todas partes.

SABOYANOS

Se corta el bizcocho básico en cuadros de 5 cm, se les unta mantequilla y azúcar con canela en polvo. Pueden ponerse a dorar en el horno a 350 °F.

PALANCINES

El bizcocho básico se corta en tiritas de 3 cm de ancho por 6 de largo. Se untan de almíbar espesa por todos lados, se rocían en azúcar refinada (de cubitos) medio partida y canela en polvo. Se meten al horno de 375 °F hasta que tuesten.

PIONONO

Las mismas cantidades del bizcocho básico, pero se pone de un dedo de alto, en una tártara baja, forrada con papel engrasado. Se asa en horno de 400 °F y se desmolda en seguida en una servilleta húmeda espolvoreada con azúcar, se enrolla en ella, se desenvuelve y se le pone crema o mermelada para enrollarlo de nuevo y se corta en ruedas de 3 cm de grueso. Se les pone por encima un poco de crema o mermelada.

BIZCOCHOS TOSTADOS

1   libra de azúcar
1   libra de almidón
12   huevos
1   cucharada de levadura o bicarbonato.

Se hace como todos los bizcochos, o sea, batir bien las yemas, cuando estén duras se les echa el azúcar, después el almidón alternando con las claras batidas a punto de nieve y se asan a horno de 350 °F, en una tártara con papel engrasado. Cuando estén asados se cortan sesgados, se envuelven en azúcar en polvo, harina y canela y se meten de nuevo al horno a 375 °F para que tuesten.

ALMOJÁBANAS

2   **libras de queso fresco**
4   **onzas de maizena o harina fina de maíz**
2   **onzas de tocino cocido y molido**
1   **huevo.**

Se mezcla todo, se muele y amasa. Se forman las almojábanas y se meten al horno a 400 °F.

BOCADO DE LA REINA

6   **onzas de coco rallado**
1   **libra de azúcar**
6   **huevos**
4   **onzas de harina**
     vainilla o cáscara rallada de limón.

Se le quita la conchita negra al coco y se ralla. Las claras se baten a punto de nieve y se les va mezclando el azúcar, el coco, las yemas y la harina, después la vainilla o el limón. Se cubre una tártara con papel, se van echando por cucharadas como si fueran merengues y se meten al horno de 300 °F hasta que doren.

Con esta misma receta se rellenan cajeticas de pasta de hojaldre, a la cual sólo se le pone harina y agua, extendiéndolas bien delgadas, se cortan redondas y se les hace unos piquitos con los dedos alrededor, para que forme la cajeta.

PAN DE YUCA (Otro)

1   **libra de queso rallado**
½   **libra de almidón de yuca**
2   **huevos**
1   **cucharada de mantequilla**
1   **cucharadita de polvo de hornear.**

Se amasa todo. Se hacen los panes en la forma que se desee; si la masa queda dura puede añadírsele un poco de leche. Las tártaras se untan en mantequilla y se colocan allí los panes, se meten al horno a 300 °F, después se sube a 400 °F y se dejan dorar.

CAPITULO XIII

Dulces de almíbar, jaleas y conservas

Dulces de almíbar, jaleas y conservas

RECETA No. 1

CONSERVAS DE GUAYABA

5   docenas de guayabas maduras
4   libras de azúcar
1   terroncito de alumbre.

Las guayabas se ponen a hervir enteras y con su concha, hasta que se ablanden. Se machacan y se pasan por un cedazo hasta que sólo queden las semillas, se les añade el azúcar, el alumbre y el agua en que se han cocinado. Se pone al fuego y se deja coger punto hasta que se desprenda de la olla. Se extiende caliente sobre una tabla enharinada dejándolas como de 1 cm de grueso, luego se corta en cuadritos cuando enfríe.

RECETA No. 2

CONSERVAS DE LECHE

15   tazas de leche
4   onzas de arroz molido o de harina
2½   libras de azúcar
      vainilla o canela al gusto.

El arroz se pone a remojar por la noche, al día siguiente se muele y se pone a hervir junto con la leche y el azúcar, moviéndolo constantemente hasta que tenga punto, o sea cuando se despren-

da de la olla. Se extiende caliente sobre una tabla enharinada, dejándola como de 1 cm de grueso, se corta en cuadritos cuando enfríe.

RECETA No. 3

CONSERVAS DE MAMEY

5   libras de mamey
4   libras de azúcar
1   terroncito de alumbre.

Se procede de la misma forma que las recetas anteriores.

RECETA No. 4

CONSERVAS DE ÑAME

2   libras de ñame
2   libras de azúcar
     canela o vainilla al gusto.

Se pela el ñame, se parte en pedazos y se pone a cocinar. Cuando esté blando se machaca hasta que quede suave, se le añade el azúcar y se le pone un poco de agua para cocinarlo hasta que coja punto, procediendo en la misma forma que las recetas anteriores.

CONSERVAS DE GUANABANA

2   guanábanas grandes
5   libras de azúcar
1   terroncito de alumbre
     un poco de colorante, si se quiere.

Se pelan las guanábanas y se quitan las semillas, utilizando para las conservas sólo la pulpa. Se machacan o se ponen en la licuadora hasta desbaratarlas, luego se cocinan con el azúcar hasta que coja punto y se procede como las recetas anteriores.

CONSERVAS DE PIÑA

4   libras de azúcar
2   piñas grandes
1   terroncito de alumbre.

Se pelan las piñas y se ponen en la licuadora hasta desbaratarlas, procediendo igual que la receta anterior.

CONSERVAS DE PLATANO

5   libras de plátano maduro
5   libras de azúcar
1   terroncito de alumbre
     un poquito de colorante rojo
     pimienta si se quiere.

Los plátanos se pelan y se les quita el corazón, se cocinan y se pasan por un cedazo colocándolos con la misma agua en que se cocinaron. Se ponen al fuego con el azúcar y lo demás, dejándolo que coja punto y se procede igual que las recetas anteriores. Se espolvorea con harina.

CONSERVA O PASTA DE TAMARINDO

Se procede de la misma manera que las anteriores, pero se va amasando el tamarindo y el azú-

car con la mano para que se vayan desprendiendo las semillas y que quede una pasta suave.

BOLAS DE TAMARINDO

Se pelan los tamarindos y se ponen en una vasija honda, que no sea de aluminio (nuestro pueblo usa la totuma, hecha de calabazo). Se machacan con un molinillo para que vayan soltando la carne y se le va añadiendo azúcar al gusto. Se sigue batiendo hasta que tenga la consistencia para las bolas. Se le dejan las semillas.

JALEA DE TAMARINDO

Se procede de la misma forma que la anterior, pero agregándole panela o azúcar, y se bate mucho, hasta que tenga consistencia de jalea, no se le quitan las semillas.

CONSERVAS DE TOMATE

5   libras de tomate
4   libras de azúcar
1   terroncito de alumbre.

Los tomates se pasan por agua caliente para quitarles la piel, y después por un cedazo, se ponen al fuego con el azúcar y el alumbre hasta que cojan punto. Puede añadírseles unas gotas de colorante rojo. Lo demás se procede como las recetas anteriores.

BOLLORIA

El plátano verde se corta en palitos y se pone a secar al sol o al horno durante unos dos días. Se pone a derretir panela y se le añade un poquito de leche de coco, se revuelven allí los palitos de plátano y se deja coger punto.

HUEVOS OBISPALES O CHIMBOS

1½   libras de azúcar
20   yemas de huevo
⅔   de taza de vino Jerez seco
1   raja de canela
3   tazas de agua.

Se baten las yemas hasta que estén espesas como una mayonesa. Se untan de mantequilla moldecitos chicos como del porte de una cáscara de huevo, se llenan y se cocinan destapados al vapor, en el horno. Con el azúcar, el agua y la canela, se hace un almíbar. Cuando esté cogiendo punto se echan los huevos ya cocidos; después de bajarlos se añade el vino. Estos huevos deben quedar más o menos del tamaño de una yema.

DULCE DE LECHE

½   libra de azúcar
6   tazas de leche
1   cucharada de bicarbonato.

Se pone a hervir la leche un rato, luego se le agrega el azúcar y se mueve constantemente, para que no se pegue ni se corte. Cuando espese y se vea el fondo de la olla se vierte caliente sobre un pírex y se deja fuera de la nevera hasta que enfríe.

Para que tenga más consistencia se le agregan dos cucharadas de arroz molido.

CABELLOS DE ANGEL

2   libras de papaya biche
1½   libras de azúcar
1½   tazas de agua
   el jugo de un limón.

Se pela la papaya y se parte en trocitos largos delgados. Se sancochan sin dejarlos ablandar, se cuelan, se escurren y se ponen a secar un rato al sol. Con la taza y media de agua y el azúcar se hace un almíbar, cuando tenga punto de hilo se le agrega la papaya, se deja cocinar hasta que el almíbar pegue, se le pone el limón y cuando esté listo, se echa por cucharadas sobre una mesa de mármol. Hay que estar pendiente de que no se pase de punto, porque se azucara.

DULCE DE MARAÑON

1   libra de marañones
1   libra de azúcar
   agua suficiente para cubrirlos.

Se pelan los marañones y se ponen en agua de limón. Se sacan y se cocinan con el agua suficiente y el azúcar. Se dejan en el fuego hasta que se ablanden y tengan punto de almíbar. Se les pone el jugo de un limón. Las semillas se asan en un caldero cuidando de no tocar el aceite que sueltan, porque es un cáustico. Cuando estén asados se pelan y se echan en el dulce poco antes de coger punto.

DULCE DE COCO

12   onzas de azúcar
4   onzas de pasas
1   coco grande sin la conchita negra
1   rajita de canela
2   tazas de agua.

Se pela el coco, se ralla, se pone al fuego todo junto con el agua y unas gotas de limón para que no se azucare y se deja coger punto. Se puede hacer con coco seco o biche.

CASPIROLETA

1   libra de azúcar
16   yemas de huevo
5   bizcochos o 12 galletas de dulce
½   cuarto de vino moscatel
   nuez moscada al gusto.

Se baten las yemas con la nuez moscada, cuando estén bien mezcladas se les agregan los bizcochos rallados y el vino. Se hace un almíbar con el azúcar y agua suficiente, cuando esté a punto de hilo se le echa al batido y se pone al fuego lento hasta que endurezca un poco.

DULCE DE CEREZAS

1   libra de cerezas
1   libra de azúcar.

Se ponen a cocinar las cerezas con el azúcar y el agua suficiente. Se dejan hervir bastante, hasta que cojan punto de dulce en almíbar. También puede hacerse como mermelada cocinando las cerezas y pasándolas por un cedazo.

DULCE DE GROSELLAS

1   libra de grosellas
1   libra de azúcar.

Las grosellas se rajan en cruz y se cocinan en agua para que suelten el ácido. Se bota el agua. Aparte se pone al fuego el azúcar con 1/2 taza de agua para hacer el almíbar, cuando comience a tener punto, se agregan las grosellas.

DULCE DE PAPAYA VERDE CON PIÑA

La papaya verde y la piña se rallan, se mide la cantidad y se le pone la misma cantidad de azúcar. Se pone al fuego hasta que tenga punto de almíbar suave. Con esta misma receta, dejándole un punto más alto, se hacen unos palitos como de un dedo de grueso, vaciando sobre una tabla espolvoreada con azúcar, moldeando con la mano y luego cortando en pedazos como de 6 a 8 cm de largo.

DULCE DE PAPAYA VERDE

1   libra de papaya verde
$^1/_2$ libra de azúcar
4   onzas de pasas
     el zumo de dos limones.

Se ralla la papaya y se pone a hervir todo junto con el zumo de dos limones. Se deja al fuego hasta que tenga punto.

DULCE DE GUANABANA

1   libra de guanábana
1   libra de azúcar.

Se pelan las guanábanas y se les quitan las semillas. Se ponen a hervir con su jugo, un poco de agua y el azúcar hasta que coja punto.

DULCE DE PIÑA

1   libra de azúcar
1   libra de piña
1   taza de agua.

Se pela la piña y se corta en trocitos, se pone a cocinar con el agua y el azúcar hasta que coja punto.

DULCE DE ZAPOTE

1   libra de azúcar
1   libra de zapote
$^3/_4$ de taza de leche
     agua suficiente.

Se pone el almíbar al fuego, cuando esté a medio punto, se le echa el zapote y al bajarlo se le agrega la leche.

DULCE DE MAMEY

2   libras de mamey
$1^1/_2$ libras de azúcar
     agua para cubrirlo.

Se pela el mamey, quitándole el hollejo y lavándolo bien para quitarle todo el amargo, se corta en trocitos y se pone al fuego con el agua y el azúcar. También se puede cocinar y pasar por un cedazo y queda como una mermelada o jalea. Para esto se ponen doce onzas de mamey, con una libra de azúcar.

DULCE DE PLATANO CON PIÑA

$^1/_2$	libra de azúcar
1	piña grande
4	plátanos amarillos.

Se sancochan los plátanos y se cuelan junto con la piña rallada, se le añade el azúcar y se pone al fuego hasta que coja punto.

DULCE DE CASQUITOS DE NARANJA AGRIA

$^1/_2$	libra de cascos de naranja
1	libra de azúcar
1	astilla de canela
	agua suficiente para cubrirla.

Se pelan las naranjas y se sacan los casquitos. Se pasan por agua caliente tres veces, cambiándoles cada vez el agua. Se ponen a cocinar con el agua, el azúcar y la canela hasta que coja punto. La vasija donde se cocine no debe ser de aluminio, sino de peltre.

DULCE DE PLATANOS

5	plátanos maduros
$^1/_2$	libra de azúcar
4	clavos de comer.

Se cortan los plátanos en pedazos de tres dedos de ancho, se ponen al fuego con bastante agua, el azúcar y los clavitos hasta que tenga punto.

DULCE DE TOMATE

2	tazas de agua
1	libra de azúcar
1	libra de tomates y una rajita de canela.

Los tomates se pasan por agua caliente, se pelan y se les saca las semillas, se parten en cuatro. Se pone al fuego todo junto hasta que tenga punto.

DULCE DE MAMON

1	libra de mamón
1	libra de azúcar
	agua hasta cubrirlo.

Se pelan los mamones y se ponen al fuego con el azúcar y el agua suficiente. Se deja hervir hasta que coja punto y se ponga rojo el mamón.

DULCE DE MELON

2	libras de melón
1	libra de azúcar.

Se pela el melón quitándole la parte que se come. El dulce se hace con el resto, partiéndolo en pedacitos y poniéndolo al fuego con el azúcar y un poco de agua, hasta que coja punto.

MERENGON

1	taza de agua
1	libra de azúcar
8	claras de huevo
1	cucharadita de vainilla
	la cáscara de un limón rallado.

Se baten las claras hasta que estén duras. Se ponen al fuego el azúcar y el agua, hasta que tengan punto grueso y se le va echando poco a poco a las claras sin dejar de batirlas. El merengón se puede usar con caspiroleta, dulce de coco, jalea de coco, bizcochos con vino, etc.

DULCE DE BIZCOCHOS

10	bizcochos
$^1/_2$	taza de vino
1	taza de agua
1	libra de azúcar
1	raja de canela.

Se pone el azúcar al fuego con el agua y unas gotas de limón. Se mojan los bizcochos en el vino y cuando el almíbar está en punto se baja y se le echan los bizcochos.

DULCE DE BERENJENAS

$1/_2$ libra de berenjenas chicas y verdes
$1\,^1/_2$ libras de azúcar
1   tapa de limón
1   ramita de canela o una hoja de higo
3   tazas de agua.

Las berenjenas se cocinan en agua hasta que estén blandas, se sacan y se lavan en agua fría. Se pone al fuego el agua con el azúcar, la canela, el limón, y las berenjenas hasta que coja punto. Si se quiere, al tiempo de bajarse se le pone una copita de vino tinto.

ANGELITOS

1   libra de azúcar
3   huevos
1   cucharada de harina
1   rajita de canela
1   taza de agua.

Se baten los huevos, cuando estén duros se les echa la harina. El azúcar se pone al fuego con el agua y la canela. Cuando tenga punto se le vierte el batido, se mueve, se baja inmediatamente y se le agrega un cuarto de botella de vino moscatel.

DULCE DE GUINDAS

1   libra de guindas
2   libras de azúcar
3   tazas de agua.

Se pelan las guindas y se echan en agua de limón hirviendo. Luego se agrega el azúcar y se deja al fuego hasta que quede rojo y tenga punto.

DULCE DE ICACOS

Los icacos se rajan en cruz y se ponen en agua de limón durante toda la noche. Por la mañana se les quita el hollejo, se pesan y se les pone igual cantidad de azúcar que su peso, deben cocinarse en suficiente agua, para que los icacos se ablanden

bien, suelten una parte de la pulpa y quede el dulce como especie de jalea. Cuando tenga un rato de estar al fuego, se le pone un poco de jugo de limón para darle el color rojo.

DULCE DE HIGOS

12   onzas de higos
1   libra de azúcar
1   taza de agua
       unas hojas de higos.

Los higos se pasan por agua caliente y se pelan. Se pone a hervir el almíbar y después de un rato se echan los higos, se dejan coger punto. También se puede hacer pelando los higos crudos, lavarlos con agua de limón y ponerlos al fuego con el agua y el azúcar hasta que tengan punto. Las hojas se cocinan junto con los higos y luego se sacan.

DULCE DE CASQUITOS DE GUAYABA

1   libra de guayaba en casquitos
12   onzas de azúcar
3   tazas de agua.

Se pelan las guayabas, se cortan en cuatro, se les saca las semillas, y se dejan un rato en agua de limón. Las semillas se machacan y se cuelan con el agua que va a servir para hacer el dulce. Se pone al fuego todo junto hasta que esté rojo y haya cogido punto. Al final se le agrega un poquito de jugo de limón.

DULCE DE PLATANITOS

(Para 6 personas)

12   platanitos pelados
5   cucharadas de azúcar
$1/_2$ vaso de vino Jerez blanco
$1/_2$ cucharadita de canela.

Distribuir en el fondo de una cazuela dos cucharadas de azúcar, poner encima los platanitos, el vino Jerez y la canela, cocinarlos a fuego lento, dándoles vuelta de vez en cuando hasta que aparezcan cocidos. Si el vino se consume y los plátanos no están aún, se le agrega un poco de agua.

cuando va cogiendo punto. Este se conoce cuando se despega de los lados de la paila. Antes de bajarlo se le agrega la pimienta picante al gusto. Se acostumbra a comer untándolo en casabe y acompañado de queso blanco criollo.

RECETA No. 42

PLATANO GUISADO

3   plátanos maduros
3   guayabas maduras
1   mamey
1   coco (se ralla y se le saca la leche)
2   panelas
     astillas de canela al gusto
     pimienta picante, más o menos
     10 pimientas pulverizadas.

Se pone la panela al fuego en cantidad suficiente de agua para hacer una miel gruesa y se le agregan unas rajitas de canela.

Se pelan los plátanos, se les quita el centro y se parten en pedacitos, lo mismo se hace con el mamey cuidando de quitarle bien el hollejo para que no amargue. Las guayabas se parten y se pasan por un colador con un poquito de agua para quitarles las semillas. Todo esto con la leche del coco se le agrega a la miel hirviendo. Se mantiene a fuego lento moviendo con frecuencia hasta que coja punto. Un rato antes de retirar el dulce del fuego se le agrega la pimienta, procurando revolver bien para que el picante quede uniforme.

Se deja enfriar y se sirve extendiéndole sobre casabe en forma de un emparedado.

RECETA No. 43

PLATANO GUISADO (Otro)

5   plátanos maduros
1   mamey grande
½   docena de guayabas maduras
3   panelas costeñas
     pimienta picante molida.

El plátano y el mamey se rallan, de la guayaba se ralla también la parte blanca, y la parte de la semilla se machaca y se cuela. Todo esto junto se pone al fuego con la panela, añadiéndole agua hasta que quede una pasta blanda. Este dulce hay que hacerlo a fuego muy lento y en una paila o caldero grueso, porque es muy propenso a pegarse. Hay que moverlo frecuentemente con una cuchara de palo o un palote, especialmente

RECETA No. 44

PLATANO EN TENTACION

6   plátanos maduros
1   panela
4   onzas de queso criollo
1   taza de leche de coco
     canela y clavos de olor.

Se deslíe la panela con un poquito de agua y se pone al fuego con los plátanos enteros, la leche, la canela y se cocina hasta que coja punto. Se le echa el queso rallado por encima al momento de servirlo. Se puede hacer con azúcar y suprimir el coco.

RECETA No. 45

DULCE DE NARANJAS AGRIAS

Se les quita con cuidado el zumo con un trapo de fique sobándolas o con un ralladorcito. Se parten en cuatro y quedan solo las cáscaras. Se dejan en agua fría varias horas, cambiándoles el agua hasta que suelten bastante el amargo y queden al gusto. Se cocinan después en agua sola, hasta que estén bien blandas. Después se pasan por molino o un cedazo, se pesa la masa y se le pone la misma cantidad de azúcar, o de cada libra se le quitan cuatro onzas, si no se quiere tan dulce. Se pone a cocinar con el azúcar sin agua, hasta que se le vea el fondo a la paila.

RECETA No. 46

DULCE DE CASQUITOS DE NARANJAS

1   docena de naranjas
1   libra de azúcar.

Se pelan las naranjas y se parten en cuatro, se sacan los casquitos y se dejan en agua un día entero, después se limpian quitándoles la pulpa y se pasan por agua caliente. Se pone a hacer el almíbar solo y cuando tenga punto de hilo se van cubriendo los cascos extendiéndolos sobre una mesa húmeda. Se dejan secar y se recogen desprendiéndolos con un cuchillo.

RECETA No. 47

DULCE DE QUESO

3	tazas de queso blanco rallado
4	huevos enteros
2	tazas de azúcar
2	tazas de agua
2	rajas de canela
1	cucharadita de vainilla.

En la licuadora se mezclan el queso, los huevos y la vainilla, se vierte esta mezcla en un molde cuadrado untado en mantequilla. Se mete al horno de 350°F durante 45 minutos. Cuando enfríe se corta en cuadritos. Se hace un almíbar flojo con el azúcar, el agua y la canela, cuando comience a tener punto se añaden los pedacitos de la torta y se deja cocinar aproximadamente 10 minutos.

RECETA No. 48

DULCE DE TAMARINDO VERDE

A los tamarindos se les hace un corte alrededor y se echan en agua. Al día siguiente se les cambia y al otro se les quita la concha. Se pesa la cantidad de tamarindo y se le pone igual cantidad de azúcar, se le añade el agua necesaria y se deja cocinar hasta que coja punto y los tamarindos estén blandos.

Otro: los tamarindos maduros se pelan y se van echando en un frasco de cristal alternándolos con azúcar hasta llenarlo. Se tapa bien y se guardan durante un mes por lo menos. Resultan exquisitos.

RECETA No. 49

DULCE O ESPEJUELO DE MANGO VERDE

Al mango se le va quitando con un cuchillo muy superficialmente la cáscara verde. Después se corta en ruedas delgadas y se van echando en agua. Se ponen a hervir unos 15 minutos, se escurren y se pasan por la licuadora y se cuela en colador fino. Se mide la cantidad y se le agrega la misma cantidad de azúcar. Se pone al fuego moviéndolo constantemente hasta que tenga punto, o sea cuando se vea el fondo de la olla. Al bajarlo se vierte caliente sobre una vasija húmeda y se desmolda al día siguiente.

RECETA No. 50

BIEN ME SABE

2	libras de batata
1	coco
1 1/2	libras de azúcar
	canela en raja.

Se sancochan las batatas, se pelan, se cuelan con la leche del coco y se ponen con el azúcar al fuego hasta que tengan punto de conserva.

RECETA No. 51

JALEA DE GUAYABA

2	libras de guayabas
1 1/2	libras de azúcar
	el zumo de un limón.

Se sancochan las guayabas hasta que ablanden, se cuelan y se ponen al fuego con el azúcar sin dejar de moverlas hasta que tengan punto de jalea.

RECETA No. 52

DULCE O JALEA DE MANGO MADURO

6	tazas de jugo de mango
6	tazas de azúcar.

Se pelan los mangos, se cortan en trozos y se les quita la semilla. Con la pulpa se hace un jugo bien espeso y se pone al fuego con el azúcar, moviéndolo constantemente durante la cocción. Está listo el punto cuando al moverlo se vea el fondo de la olla.

JALEA DE COCO

1	coco grande
4	onzas de azúcar
1	yema de huevo
1	cucharada de vino Jerez seco.

Se le quita al coco la película negra y se ralla. Se cuela con poca agua una sola vez. Se le agrega el azúcar y se pone al fuego moviéndolo desde que empiece a hervir, porque si no se hace manteca. Cuando coge punto se baja, se deja enfriar un poco y se le añade la yema de huevo batida con el vino, moviendo rápidamente para que no se cuaje.

JALEA DE PAPAYA MADURA

3	tazas de jugo de papaya
1/2	libra de azúcar
	el jugo de dos limones.

Se pone al fuego todo junto hasta que coja punto.

JALEA DE CEREZAS

1	libra de cerezas
1	libra de azúcar
1	taza de agua.

Se ponen a cocinar las cerezas en agua, un poquito solamente, se pasan por un cedazo y se les pone la misma cantidad de azúcar, se deja coger punto, puede añadírsele un terroncito de alumbre para clarificarlo.

JALEA DE PLATANOS

1	libra de azúcar
4	plátanos maduros
	canela al gusto.

Se sancochan los plátanos, se cuelan y se ponen al fuego con el azúcar y la canela, hasta que tomen punto de jalea.

MERMELADA DE MAMEY

Se pela el mamey cuidando de quitarle el hollejo que lo cubre después de desprenderle la cáscara, se lava y se ralla. Se le pone un poco de agua y se pasa por un cedazo, se mide la cantidad de jugo y se le añade igual cantidad de azúcar. Se pone al fuego añadiéndole una media cucharadita de ácido acético o de alumbre y se deja hervir hasta que coja punto. Este se conoce cuando al moverlo la cuchara deja marcas en la superficie. Se le puede dar forma vaciándolo en un molde mojado o engrasado.

CABALLEROS POBRES

1/2	libra de pan en rebanadas
4	huevos
1	taza de leche
1/4	de taza de vino
4	cucharadas de azúcar
	vainilla al gusto.

Se le quita la corteza al pan, se unta de mantequilla y se remoja con la leche mezclada con el azúcar y el vino. Los huevos se baten con una pizca de sal. Se va colocando el pan en un plato refractario untado de mantequilla, se le echa el huevo por encima, se riega con un poco de canela y se mete al horno hasta que dore. Se pueden hacer en la misma forma, pero fritos como las torrijas, regándoles un poco de azúcar y canela al sacarlos de la grasa.

GELATINA DE COROZO

| 2 | tazas de jugo de corozo |
| 2 | cucharadas de gelatina sin sabor. |

Los corozos se ponen a hervir hasta que ablanden un poco, se majan o se pasan por la licuadora sacándoles las semillas de antemano. Se cuela y se azucara al gusto, la gelatina se disuelve con una taza de este jugo caliente y luego se le añade la otra taza previamente helada, vaciando esto en un molde y se pone en la nevera hasta que cuaje.

GELATINA DE LECHE DE COCO

2   tazas de leche de coco
2   cucharadas de gelatina sin sabor
     azúcar al gusto.

Se ralla el coco y se sacan dos tazas de leche, en una se disuelve la gelatina, la otra se pone a calentar y se le vierte a la anterior. Se pone a cuajar en la nevera y cuando tenga consistencia de claras sin batir, se vierte encima de la gelatina de corozo, receta anterior. En esta forma quedan los dos sabores y es muy decorativa. Se sirve con crema inglesa.

DULCE DE ARROZ

(Para 6 personas)

$^1/_2$ taza de arroz
6   cucharadas de azúcar
$2^1/_2$ tazas de leche de coco
     canela al gusto.

Se moja el arroz unas horas antes, se muele dos veces. El coco se ralla, se le saca la leche, se mezcla ésta con el arroz y se pasa tres veces por un colador. Se cocina hasta que esté espeso. Queda como una natilla y puede echarse en moldecitos individuales humedecidos previamente para desmoldarlos después.

ALEGRIAS DE BURRO

Se remoja el millo y se escurre. Se pone un caldero al fuego con media taza de agua aproximadamente, cuando esté caliente se va echando por pequeñas cantidades el millo y se tapa. Al abrir el grano se sacan de allí. Aparte se hace un almíbar derritiendo suficiente panela oscura y se cocina hasta que tenga punto de miel, con ella se rocía el millo ya tostado para que se pegue y con las manos humedecidas se le va dando forma de bolas.

DULCE DE ÑAME

2   libras de ñame
1   coco
$1^1/_4$ libras de azúcar
1   rajita de canela.

Se sancocha el ñame y se muele. Se ralla el coco y se sacan aproximadamente cuatro tazas de leche. Se afloja el ñame con la leche del coco y se añade el azúcar. Se cocina hasta que despegue de la olla. Hay que moverlo mucho porque se pega con facilidad.

Puede agregársele pasitas si se desea.

JALEA DE PIÑA

1   libra de piña rallada
$1^1/_2$ libras de azúcar.

La piña se pela, se ralla y se pasa por un cedazo. Se pone al fuego con el azúcar hasta que tome punto de jalea.

GELATINA DE MANGO

3   tazas de jugo de mango
1   taza de crema de leche
4   huevos
6   hojas de colapiscis
$^3/_4$ de taza de azúcar.

La pulpa de los mangos se pone en la licuadora, sin agua, se pasa por un colador, se le agrega la crema y los huevos batidos. La colapiscis se remoja en agua fría y se deja 20 minutos, se escurren y luego se le agregan dos cucharadas de agua hirviendo. Cuando esté completamente disuelta, se añaden a los demás ingredientes. Se vierte en un molde y se pone en la nevera. Se desmolda y se acompaña con crema inglesa.

CAPITULO XIV

Helados
y decorados

Helados

La crema para hacer el helado se deja enfriar; se pone en la máquina con tres partes de hielo y una de sal gruesa, intercalándolas.

RECETA No. 1

HELADO DE COCO

(para 6 personas)

1 1/2   **litros de leche cocida**
2   **cocos rallados**
10   **onzas de azúcar.**

El coco se cuela con su agua y con la leche de vaca, se le agrega el azúcar y se pone al fuego sin dejarlo hervir. Se cuela y se hiela.

RECETA No. 2

HELADO DE CREMA

(Para 6 personas)

3   **tazas de leche**
4   **huevos**
2   **cucharaditas de maizena**
1   **cucharadita de vainilla**
5   **onzas de azúcar.**

Se pone a hervir la leche con la mitad del azúcar, cuando esté hirviendo se le agrega la maizena disuelta en un poquito de leche fría. Las yemas se baten con el resto del azúcar hasta que queden bien espesas. Cuando la leche haya hervido se baja del fuego y se agrega un poco a las yemas batiendo muy bien, se vierte todo de nuevo a la cacerola y se deja hasta que comience a hervir moviendo continuamente. Se enfría, se le pone vainilla y se cuela. Si se desea se le puede añadir un poco de crema de leche.

RECETA No. 3

HELADO DE CHOCOLATE

(Para 12 personas)

4   **tazas de leche**
6   **yemas de huevo**
6   **onzas de azúcar**
7   **pastillas de chocolate**
1   **cucharadita de vainilla**
2   **cucharadas de maizena**
1 1/2   **tazas de crema de leche**
2   **cucharadas de azúcar para**
        mezclarla con la crema de leche.

Se mezcla la leche, el azúcar, el chocolate rallado y se cocina al baño de María por 15 minutos, moviendo constantemente. Cuando esté hirviendo se agrega la maizena disuelta en un poquito de leche. Se baten bien las yemas y se le añaden. Se enfría y se le pone la crema y la vainilla.

HELADO DE COCO CON CREMA

(Para 12 personas)

$^1/_2$ taza de agua
4   cocos rallados
1   taza de leche de vaca
1   pote de leche evaporada
2   huevos
1   pote de crema de leche.

Se rallan los cocos y se cuelan con la taza de leche. Se pone a hervir el pote de leche evaporada
con la media taza de agua. Los huevos se baten
con azúcar al gusto y se le agrega a la leche hirviendo, se deja espesar sin dejar de mover y se
retira del fuego. Cuando esto enfríe se le agrega la
leche de coco y el pote de crema.

HELADO DE CHOCOLATE (Otro)

(Para 6 personas)

3   tazas de leche
4   onzas de chocolate
4   huevos
4   onzas de azúcar
     vainilla.

La leche se calienta con el azúcar y el chocolate
raspado. Las claras se baten a la nieve y se les va
agregando poco a poco las yemas mezclando
muy bien. Sobre esto se va vertiendo la leche bien
caliente sin dejar de batir para que no se cuaje.
Cuando esté frío se le agrega la vainilla, teniendo
cuidado de moverlo mientras se enfría para que
no se forme nata. Se hace en máquina de helados.

HELADO DE CREMA DE COCO

(Para 4 personas)

1   coco
3   tazas de leche de vaca
3   huevos
7   onzas de azúcar.

Se pone a hervir la leche con el coco rallado, se
exprime y se pone a fuego lento con las yemas
batidas de antemano con cuatro onzas de azúcar.
Se deja cocinar lentamente hasta que espese, moviendo constantemente porque se corta, se baja, y
cuando enfríe se le agregan las claras batidas a la
nieve con el resto del azúcar. Se pone en la máquina a congelar.

HELADO DE CEREZAS MARRASCHINO

(Para 8 personas)

$^1/_2$ taza de cerezas marraschino
$^1/_4$ de cucharadita de sal
2   tazas de crema
2   tazas de leche
1   taza de azúcar
1   taza de jugo de cerezas.

Se mezclan el azúcar, la sal con la crema y la leche. Se muelen las cerezas y se le añade el jugo a lo
anterior, al momento de ponerlo a helar.

HELADO DE LIMON

(Para 4 personas)

$^1/_2$ taza de jugo de limón
1   taza de azúcar
2   tazas de agua
2   claras de huevo bien batidas
     sal al gusto.

Se hace jarabe con el agua y el azúcar, se le agrega
el limón y la sal, cuando enfríe se le echan las
claras.

HELADO DE NARANJA

(Para 10 personas)

$^1/_4$ de cucharadita de sal
2   tazas de leche
2   tazas de crema
1   taza de azúcar
2   tazas de jugo de naranja y
     el rallado de dos naranjas y medio limón.

Se mezclan bien la leche, el azúcar y la sal. El rallado de la naranja y el limón se le ponen al jugo.
Se congelan las dos mezclas y se hielan.

HELADO DE CEREZAS CRIOLLAS

Las cerezas bien maduras se majan bien y se cuelan en un cedazo de crin o un colador corriente
hasta dejar sólo la semilla. Se endulza como un
refresco dejándolo un poco más alto, porque al
hacer el helado el frío baja el azúcar. Se hace en
una máquina para helados.

HELADO DE CIRUELAS PASAS

(Para 8 personas)

1 ¹/₂   tazas de agua
1   taza de puré de ciruelas pasas
1   taza de azúcar
2   cucharadas de jugo de limón
1   taza de crema batida
      un tris de sal.

Las ciruelas se ponen a remojar desde la víspera. Al día siguiente se cocinan en la misma agua y se ciernen. Se juntan con los demás ingredientes y se pone a helar.

HELADO DE LECHE

(Para 4 personas)

3   tazas de leche
5   onzas de azúcar
4   huevos
      vainilla al gusto.

Se pone al fuego la leche con el azúcar hasta que hierva. Las claras se baten a la nieve y se le agregan las yemas batiendo muy bien. A estos huevos así batidos se les va agregando poco a poco la leche hirviendo sin dejar de batir. Se vuelve a poner al fuego muy suave y se deja hasta que esté cremoso, sin dejar de moverlo. Se le pone la vainilla y se cuaja en máquina de helados.

HELADO DE PIÑA

(Para 10 personas)

1   piña bien madura
2 ¹/₂   tazas de azúcar
4 ¹/₂   tazas de agua
1   taza de crema de leche
      el jugo de medio limón.

Pelar la piña, cortarla en trozos y echarla en la licuadora, con un poquito de agua y el jugo de limón. Colarla cuando esté bien disuelta. Aparte poner el azúcar con el agua y colocarla al fuego hasta que suelte el hervor y se retira en seguida, dejándola enfriar. Agregar la piña, revolviendo bien todo y por último se le añade la crema de leche. Se pone en la máquina de helados. Pueden añadírsele pedacitos de piña (de piña en su jugo) antes de ponerlo a cuajar en la máquina.

HELADO DE ZAPOTE

6   zapotes maduros (costeños)
2 ¹/₂   tazas de azúcar
4 ¹/₂   tazas de agua o leche
¹/₂   taza de crema de leche.

Los zapotes se majan hasta dejarlos bien deshechos, se les añade leche o agua, según se desee y se pasan por un colador para que no les queden grumos; se endulzan con punto alto de azúcar y se hace el helado.

ICE CREAM SODA DE KOLA ROMAN

Se sirve un vaso de kola bien fría y se agrega una bola de helado de crema de vainilla o de caramelo.

HELADO DE LIMON CON CREMA DE LECHE

(Para 6 personas)

4 ¹/₂   tazas de agua
2 ¹/₂   tazas de azúcar
1   taza de crema de leche fresca
      el jugo de diez limones grandes
      ralladura de dos limones.

Poner en una cacerola el agua con el azúcar, colocar al fuego y dejar hervir; retirarla y enfriarla un poco, agregarle la ralladura de los limones, pasarla por un colador y añadirle el jugo de los limones y la crema. Ponerla en la máquina hasta que cuaje.

HELADO DE COROZO

Se ponen a hervir los corozos y cuando estén blandos se majan bien y se cuelan hasta sacarles la mayor cantidad de pulpa posible. Se endulza dejándole el punto de azúcar un poco alto y se cuaja en máquina.

HELADO DE MANGO

(Para hacer en congelador)

2   latas de leche evaporada
1   lata de leche condensada
6   mangos maduros.

Se saca la leche evaporada de su lata y se pone a enfriar en el congelador por 2 horas. Los mangos se pelan y se licuan, si se quiere en la licuadora, después se cuelan. Cuando la leche esté dura, se desbaratan los grumos con un tenedor y se pone en la batidora eléctrica muy suavemente primero y después se aumenta la velocidad. Se agregan los mangos, pero no se baten más sino que se mezclan con una cuchara. Se sacan del congelador una hora antes de servir para que no estén duros. Para hacer los helados en el congelador debe demorar de 2 a 2$^{1}/_{2}$ horas que es cuando están listos para servirlos.

HELADO DE AGUA DE COCO

Este helado se hace con el coco que no está seco, o mejor dicho, con el coco biche.

Se recoge el agua del coco y la pulpa se hace pedacitos, se azucara al gusto y se hace el helado, la pulpa del coco se le agrega después que haya cuajado un poco.

HELADO DE AGUA DE COCO
(Otro)

Se ralla un coco seco. Con el agua de un coco biche se va colando el rallado del coco, se endulza al gusto y se pone en la máquina de helado. Cuando esté cuajado se le echa la pulpa del coco biche para que no se desbaraten los pedacitos.

Decorados

DECORADO BLANCO

(Suficiente para pudín de 1 libra)

4   claras de huevo
1   taza de agua
1   libra de azúcar.

Se baten las claras a punto de nieve. El azúcar y el agua se ponen al fuego, a coger punto de hilo; cuando esté listo, se le va echando sobre las claras, poco a poco, moviendo constantemente hasta mezclarlo bien. Si se quiere de colores, se le pone unas gotas de colorante. Se esparce sobre el pudín, con una espátula. El pudín debe estar completamente frío para que no se espolvoree y dañe el decorado.

DECORADO DE COCO

Se le quita la conchita negra al coco y se ralla al largo, de manera que el coco vaya saliendo como hebra; se pone a secar, al sol o en el horno. Se echa encima de decorado blanco o también sobre decorado de chocolate que parezca nevada.

DECORADO DE CHOCOLATE

2   tazas de leche
2   yemas de huevo
5   pastillas de chocolate
     vainilla al gusto
     azúcar al gusto.

Se disuelve el chocolate con la leche y el azúcar, se baja y se le añaden las yemas cuando haya refrescado un poco, se cuela, y se vuelve al fuego moviéndolo constantemente hasta que endurezca, agregándole entonces la vainilla y una cucharadita de mantequilla.

DECORADO DE MANTEQUILLA

Se mezcla mantequilla con azúcar en polvo y canela en polvo al gusto. Se esparce sobre el pudín

Gallina guisada con papas

página 89

Tamales

página 131

Pavo relleno

página 87

Isla flotante

página 156

Posta negra

página 75

Berenjenas a la parmesana

página 284

Filet Mignón

página 244

Sopa de candia con mojarras

página 40

Sopa de frijoles rojos con chicharrones

página 44

Ensalada de manzana

página 315

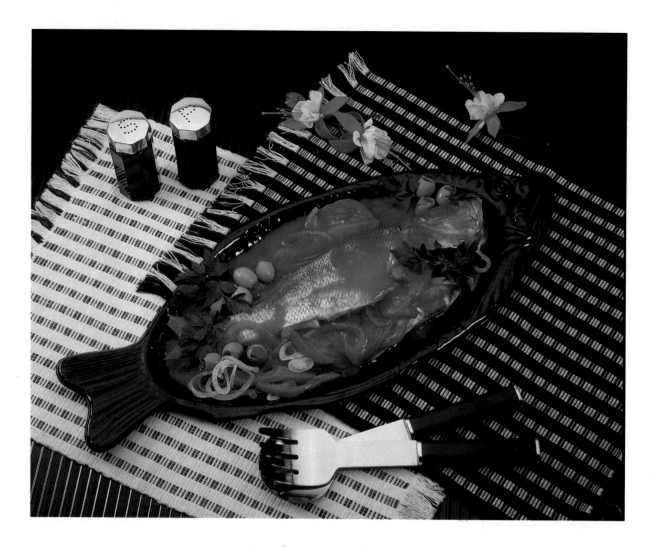

Pescado con salsa Román

página 56

Cebiche con leche de coco

página 57

Muelas de cangrejo al natural

página 52

Empanaditas de harina

página 132

Cangrejas al gratín

página 59

Bizcocho de natas

página 350

Paté de hígado de cerdo

página 254

Pollo a la marengo

página 251

Dulces

páginas 177-186

Calamares rellenos

página 237

Esponjado de curuba

página 200

Cocido Cartagenero

página 39

Ensalada china de gallina

página 250

Soufflé de queso

página 290

o bizcocho, acabado de salir del horno, para que al enfriarse, endurezca. Este es muy sencillo y fácil, para hacerlo cuando se está de carreras.

RECETA No. 25

CUBIERTA DE CAFE

½	libra de nueces
½	libra de mantequilla
2	cucharaditas de café tinto
1	taza de azúcar en polvo
3	claras.

La mantequilla se bate con el azúcar hasta que esté bien cremosa, se le agregan las claras batidas previamente, después el café y las nueces machacadas. Con esto se cubre el pudín o bizcocho que se desee.

RECETA No. 26

DECORADO DE NARANJA

3	cucharadas de mantequilla
1	cucharada de cáscara de naranja
3	cucharadas de jugo de naranja
1½	cucharadas de azúcar
	un poquito de sal.

Bata la mantequilla en un bol pequeño hasta que esté suave. Agréguese la cáscara, el azúcar y la sal y bata hasta que suavice. Añada el jugo de naranja poco a poco hasta que tenga consistencia para cubrir. Puede agregársele más azúcar si le hace falta consistencia.

RECETA No. 27

COMO PREPARAR UN BUEN CAFE

Para hacer un buen pocillo de tinto

Ponga en un colador de tela una cucharada sopera llena de café molido por cada pocillo de agua.

Luego vierta sobre el colador la cantidad ya indicada de agua hirviendo.

Si lo prefiere más fuerte ponga más café en el colador.

Nunca recaliente ni ponga a hervir el café.

Para hacer un buen café con leche

Para elaborar una taza grande de café con leche, siga las instrucciones anteriores, ponga en el colador de tela dos cucharadas soperas de café molido.

Café helado

Esta es una bebida que tonifica y refresca, a la vez. Duplique la cantidad de café molido, vierta la bebida caliente en vasos de hielo y endúlcela al gusto.

RECETA No. 28

MANERA DE HACER UN CHOCOLATE

(Para 6 personas)

6	tazas de leche
7	pastillas de chocolate
	azúcar al gusto
	crema chantilly, si se quiere.

Póngase a hervir la leche, y cuando esté hirviendo se le añade el chocolate partido y el azúcar, se deja cocinar hasta que hierva y suba tres veces, retirándolo del fuego para que no derrame. Durante todo el tiempo se bate para que quede espumoso y al retirarlo del fuego se bate fuertemente en una chocolatera con un molinillo o en la licuadora.

Se vierte sobre las tazas desde cierta altura para que tenga espuma en la superficie.

En cada taza se coloca una cucharada de crema batida, o también un poco de merengue, como para adornar.

RECETA No. 29

PREPARACION DEL TE

Hay dos cosas esenciales en la preparación del té: la tetera y la temperatura del agua. Además, la calidad del té.

Se calienta previamente la tetera echándole un poco de agua hirviendo y vaciándola, en seguida se le echa el té por cucharaditas, calculando una por cada taza, sobre este té se vierte un poco de agua hirviendo, se tapa la tetera y se deja unos 5 minutos; al cabo de este tiempo se echa el resto del agua hirviendo, y se procede a servir. Si queda fuerte no debe nunca echársele agua nuevamente en la tetera, es mejor llenar poco las tazas y rellenarlas después con el agua conveniente.

Se sirve con crema, con leche, o solo con rodajas de limón.

Té helado

Se prepara el té, se cuela, se hace un jarabe para endulzarlo, se le ponen unas rebanaditas de limón, de naranja, o también unas hojitas de yerbabuena. Se deja helar y se sirve con hielo picado.

SOBREMESA

Se vive, amada mía,
según y como... Yo
por la mañana tengo hipocondría
y por la noche bailo un rigodón.

¿Y qué? Pura ironía
del hígado, muchacha. En el amor
y en otras cosas de menor cuantía
todo depende de la digestión.

Que no fume, que olvide la lectura,
que no maldiga en ratos de amargura
y mil consejos más de este jaez,

como si se pudiera
vivir a la manera
de las calles tiradas a cordel.

Luis C. López

Comida colombiana

Antioquia

BUÑUELOS

1   libra de queso rallado
1   paquete pequeño de maizena o Delmaíz
2   huevos enteros
1   cucharadita de polvo de hornear.

Se mezclan con la mano, el queso y los huevos, a esto se le echa poco a poco la maizena. Se hacen en forma redonda y se fríen en manteca no muy caliente hasta que queden dorados. Salen 60 aproximadamente.

FRIJOLES
(Fonda antioqueña)

(Para 6 personas)

1   libra de fríjoles rojos
$^1/_4$ de libra de tocino o garra
      y chicharrones, si se quiere
      sal y suficiente agua para cubrirlos.

Se lavan y se dejan remojar varias horas y en esa agua se cocinan a fuego lento hasta que ablanden. Aparte se hace un guiso, o ahogo, como le dicen, con dos cebollas de hoja (junca) picadas, dos tomates, un poco de manteca y se echan ya cocidos sobre los fríjoles, al momento de servir. Se acompañan con arroz blanco, patacones y chicharrones.

AREPAS

2   libras de maíz blanco pilado.

Se deja el maíz en agua un rato antes de cocinarlo. Se sancocha en la olla de presión con agua suficiente para cubrirlo, sin sal, por 15 minutos. Se pasa por la máquina de moler maíz, después se amasa, se hacen unas bolas que se van aplanando con los dedos hasta darles la forma redonda y de un poco menos de un cm de espesor. Se ponen a asar en la parrilla de ambos lados. Se acostumbra comerlas con sabores fuertes, como chorizos, salchichas, etc.

MONDONGO
(Fonda antioqueña)

(Para 6 personas)

1   libra de mondongo
1   libra de cerdo con gordo
3   libras de papas
2   chorizos.

Se pica el mondongo y el cerdo en trocitos chicos. Cuando todo esté blando, se le añade la papa en pedacitos pequeños. Cuando ésta haya ablandado se fríen los chorizos con un poco de achiote, tomate, un poco de cebolla de hoja (junca), se revuelve bien y se juntan con el mondongo. Se acompaña con arroz blanco y patacones.

RECETA No. 5

FRIJOLES CASEROS
(En olla de presión)

(Para 6 personas)

3	tazas de fríjoles rojos
4	tazas de agua (de la misma en que se remojaron)
1	plátano verde mediano (que debe cortarse con tenedor, nunca con cuchillo)
$\frac{1}{2}$	libra de tocino que no sea muy grueso
1	codillo o pezuña
$\frac{1}{2}$	libra de costillas de cerdo de las largas partidas en pedacitos
1	cucharada de manteca.

Los fríjoles se limpian, se lavan y se ponen a remojar en bastante agua desde la víspera. Al día siguiente se sacan los fríjoles malos que se encuentren y se pone la olla con todo junto. Cuando la olla pita se baja el calor y se deja 20 minutos (al nivel del mar). Se espera que la olla se refresque, se destapa y se le pone sal al gusto. Se le da bastante movimiento rotativo a la olla —porque no debe moverse con cuchara— y se pone al fuego lento durante unos 10 minutos más.

Se hace un "rehogo", con tomate, cebolla, cebollín, sal, pimienta, un poquito de comino y un poquito de manteca. Cuando se sirve se le pone por encima.

Para hacerse en olla corriente se cocinan a fuego lento hasta que los fríjoles estén blandos y en salsa suficiente.

RECETA No. 6

EMPANADAS

4	onzas de cerdo
2	papas
1	cebolla
2	ramas de cebollín, 3 cebollas, 2 tomates
1	rama de cilantro, pimienta, comino, vinagre, sal.

El cerdo y las papas se pican bien menudo. Se hace el "hogado" con los demás condimentos, dejándolos freír en manteca o mantequilla, se le agrega el cerdo y las papas y se cocina hasta que ablande.

Masa: se hace con una taza de areparina y media taza de yucarina, un poco de panela raspada y un tantico de sal, si se quiere.

Se amasa y se extiende en un plástico, dejándola delgada ; se cortan pequeños redondeles, se rellenan y se doblan. Se fríen en manteca bien caliente.

Atlántico

RECETA No. 7

ARROZ CON LISA

(Para 8 personas)

2	libras de arroz
5	lisas bien secas
1	taza de cebollín picado
1	taza de cebolla cabezona picada
1	taza de tomates picados
1	taza de pimientos picados ajos, sal, pimienta y cominos aceite o manteca con achiote.

Se cocinan las lisas en un poquito de agua, se desmenuzan y se sacan las espinas. Se ponen a guisar con todos los condimentos, se le agrega el agua necesaria y el arroz, procediendo como cualquier arroz. Puede añadírsele alcaparras.

Boyacá

MAZAMORRA CHIQUITA

(Para 8-10 personas)

4	tazas de maíz amarillo
1	libra de hueso
4	libras de carne de murillo
4	libras de callo (mondongo) previamente cocido
1	libra de arveja verde
1	libra de habas verdes
2	libras de papa de año
2	libras de papa criolla
4	mazorcas tiernas zanahoria, perejil, tallos tiernos, cebolla.

El maíz se sancocha y se muele con ajos, cebolla, cilantro y perejil. Después se desata en agua y se cuela para extraerle su almidón. Se tiene listo el caldo con el sabor del hueso, la carne y las verduras, se va calculando la cocción porque la carne es más dura. Se le echan las mazorcas, la papa de año pelada y en cuadritos y las criollas enteras. Por último el almidón que se preparó y el callo picado. Este se hace aparte para quitarle su olor característico. El murillo también con las verduras y la sal se coloca tan pronto se pone la olla con el agua.

CUCHUCO DE TRIGO

1	libra de trigo
1½	libras de espinazo de cerdo
1	libra de papa
½	libra de arveja
½	libra de habas
¼	de libra de repollo
1	zanahoria zapallo un ramillete de hierbas (apio, cebolla de hoja, lechuga) sal, pimienta y ajo.

Se muele el trigo dejando la máquina floja para que salga grueso pero no entero; una vez molido se pone en tres tazas de agua y se cuela, se guarda esa masa, se repasa con la misma agua hasta que la cáscara se desprenda y quede solo el grano. Este se pone en el caldo a cocinar en diez li-

tros de agua a fuego fuerte con la carne, el ramillete de hierbas, se le agregan las habas y las arvejas cocidas aparte para que no ennegrezca el cuchuco, después se le añaden el repollo cortado y las papas peladas y cortadas. Se sazona y de último se mezcla la masa que se reservó del trigo molido.

SANCOCHO (Seco para el almuerzo)

(Para 6 personas)

6	mazorcas
3	libras de papa gruesa
½	libra de habas verdes
2	libras de lomo de res o costilla de cordero
3	tomates gigantes
½	de tocino (manteca de cerdo) cebolla, ajo, sal, cominos, color.

Se ponen a cocinar las mazorcas y las habas (sin sal), la papa se cocina pelada y entera, con ajo y sal. Se hace un guiso con tocino, media taza de cebolla, con los tomates picados, color, cominos, sal y se le puede picar un poquito de pan y agregarle pimienta. Cuando estén cocidas las mazorcas, el haba y las papas se les vierte el guiso, luego se sirve. La carne se cocina a la brasa o se fríe.

RUYAS DE MAIZ

(Para 6 personas)

½	libra de arveja verde
½	libra de haba verde
½	libra de papa
½	libra de harina de maíz
1½	libras de carne de res.

Se moja la harina, quedando humedecida, de tál manera que se puedan hacer bolitas de masa; se le pica cebolla, ajo, cilantro; se le agrega un poquito de sal. Luego se revuelve esto con los grumos de masa. La carne se pone a cocinar primero, cuando esté cocinada se echa la masa al caldo de la carne, hasta que dé un espeso al gusto y se deja hervir ½ hora. La papa se cocina con la carne, picada en fósforo.

Córdoba y Sucre

SOPA O MOTE DE ÑAME CON QUESO

(Para 6 personas)

3	libras de ñame
2	libras de queso blanco
8	litros de agua
4	dientes de ajo majados

Salsa:

6	dientes de ajo majados
4	tomates
4	cebollas grandes partidas menuditas
3	cucharadas de aceite.

En el aceite se sofríen las cebollas, los ajos, y los tomates, hasta que todo esté cocido. El ñame se pela y se corta en trozos, se pone a cocinar en el agua con cuatro dientes de ajo y un poco de sal. Cuando el ñame ablande y espese un poco, se le agrega la salsa, y al servirlo el queso en cuadritos o desmenuzado. En la sopera se agrega una salsa hecha de tres cebollas fritas sin dejarlas dorar, y una cucharada de suero a cada plato.

MONGO SINUANO

8	plátanos maduros
8	mangos verdes sancochados y pasados por un cedazo
1	piña chica rallada
1	papaya verde, chica, rallada
12	guayabas maduras estrujadas
2	mameyes partidos en pedacitos
3	batatas sancochadas y coladas
1	coco rallado
5	libras de panela
	clavitos de especia, pimienta y picante.

Se ponen a cocinar el plátano y la guayaba sin la semilla en un poco de agua. Cuando estén cocidos se les agrega la panela y los demás ingredientes. Se deja cocinar, a fuego bajo, moviendo constantemente con un palote, hasta que tenga bastante punto, que se desprenda de la olla.

ARROZ CON MOLONGOS

(Para 6 personas)

1	libra de arroz
1	taza de molongos (gusano de la palma de vino)
2	cebollas medianas
2	tomates picados
8	ajíes picados gruesos
3	tazas de agua
2	cucharaditas de sal
	color de achiote al gusto.

Los molongos se ponen al fuego con una taza de agua hasta que suelten la grasa, dejándolos cocinar un poco. Sofreír la cebolla, los tomates y los ajíes. Agregar luego el agua necesaria, la sal y el color. Cocinar como todos los arroces corrientes.

VIUDA DE CARNE SALADA

(Para 4 personas)

2	libras de carne salada
2	libras de yuca
2	libras de ñame
3	plátanos maduros sin pelar
3	plátanos verdes
1	libra de cebolla
1	libra de tomates
8	ajíes criollos
6	dientes de ajo majados
	batata, auyama y maíz (opcional)
	queso blanco en ruedas (opcional).

Se debe hacer en olla especial para cocinar al vapor, a falta de ésta se puede sustituir por una olla de barro, poniéndole un poco de agua y atravesándole unos palitos en el centro, que queden aislados, tapándolos con una hoja de plátano o bijao. Colocar encima la vitualla y de último la carne, intercalándola con los condimentos partidos en ruedas. Si lleva queso se le pone encima. Se tapa bien y se cocina a fuego vivo aproximadamente 2 horas. Hay que tener cuidado de que el agua no sobrepase los palitos. Se acompaña con la siguiente salsa:

RECETA No. 16

MAÑUNGADO DE AJI

Se sancochan un poco los ajíes criollos (pueden hacerse también con ajíes pimientos) con un poco de sal, sin dejarlos ablandar demasiado. Se les quita el hollejo y las semillas, se machacan bien, se les agrega cebolla picadita, unos dientes de ajo majados, un poquito de manteca con color de achiote, sal, y se pone al fuego unos 10 minutos moviendo para que no se pegue. Cuando se baja, se le coloca un poco de limón y picante si se desea.

Bogotá

RECETA No. 17

PAPAS CHORREADAS

6	papas sin pelar cocidas en agua de sal
2	cebollas blancas partidas en ruedas
3	hojas de cebollín cortadas en 3 cm de largo
3	tomates pequeños picados en pedazos grandes
2	cucharadas de mantequilla
$^3/_4$	de taza de queso rallado
$^1/_2$	taza de leche
1	cucharadita de harina sal y pimienta.

Fría en la mantequilla la cebolla, el cebollín y los tomates con sal y pimienta, sin dejar de revolver, hasta que se cocinen sin que se desbaraten. Se bajan del fuego y se añade la harina, se mezcla bien y se agregan el queso, la leche poco a poco y se deja cocinar hasta que se derrita y se vierte sobre las papas.

RECETA No. 18

SOPA DE PAN EN CAZUELA

(Para 8 personas)

8	tazas de caldo
2	tazas de trozos de pan viejo
1	taza de jamón picado
1	taza de salchichas partidas
$1^1/_2$	tazas de queso blanco en trocitos
3	cebollas picadas
1	cucharada de pimientos partidos
3	dientes de ajo majados
2	tomates pelados y picados
8	huevos crudos sal y pimienta al gusto.

Se hace un guiso con la cebolla, tomate, ajo y pimientos en cucharadas de mantequilla. Cuando estén cocidos se añade caldo. Se sirven en cazuelas individuales y a cada una se colocan pedazos de jamón, salchichas, queso, trocitos de pan y un huevo crudo. Se meten al horno hasta que estén cocidos.

RECETA No. 19

POSTRE DE NATAS

$1^1/_2$	libras de azúcar
1	taza de leche
1	taza de natas
4	yemas
1	cajita de pasas (opcional) ron al gusto.

Se hace un almíbar con el azúcar y un poquito de agua. Cuando tenga punto se baja y se deja reposar, ya frío se le echan las yemas disueltas en leche. Se pone a hervir y se le agregan las natas, se mueve constantemente y se deja hasta que se desprenda de los lados, poniéndole entonces el ron.

RECETA No. 20

EMPANADAS BOGOTANAS

El maíz blanco se cocina que quede tierno, pero un poco duro. Se muele en la máquina dos o tres veces y en la última vez se le añade una yuca cocida. Se soba con achiote y sal; se extiende en un plástico y se rellena, se dobla y se fríe.

Relleno:

Se sofríe cebolla larga (la parte blanca) bien picada, papas amarillas en rebanaditas y una taza de caldo hasta que se vuelva un puré. Antes de esto se le agrega cerdo molido, comino y sal. Cuando esté desbaratada se le añade longaniza picadita, se retira del fuego y se deja hasta el día siguiente, se le añade perejil picado y con esto se rellenan las empanadas. Se acompañan al servirlas con ruedecitas de limón.

RECETA No. 21

AJIACO DE POLLO

(Para 8 personas)

1	pollo de dos libras en presas
1½	libras de papas (cáscara blanca)
½	libra de papas amarillas (criollas)
1½	libras de papas moradas
1	frasquito de alcaparras
2	zanahorias
3	tomates maduros
1	ramita de cilantro
3½	litros de caldo
3	cebollas finamente picadas
4	mazorcas de maíz en ruedas
	unas hojas de guasca, sal
	y pimienta picante.

Se sazona el pollo con pimienta, sal y ajo. Se sofríe en mantequilla y se añade la cebolla cuidando de que no se queme. Se agrega el caldo, zanahoria, unos tomates, cilantro, maíz y las papas amarillas (criollas) partidas en ruedecitas. Cuando ya estén cocidas se le añade el resto de las papas partidas en ruedas. Se deja al fuego hasta que todo esté tierno. De último se le ponen las alcaparras, las guascas y una cucharada de crema de leche a cada plato al momento de servir. Debe quedar una sopa un poco espesa ya que la mayoría de las papas se desbaratan. Este plato se acompaña con ají de huevo bogotano o aguacate.

RECETA No. 22

AJI DE AGUACATE

1	aguacate
1	huevo sancochado duro
	cebollín, cilantro
	ají picante.

Se maja todo menos la clara del huevo, que se pica en pedacitos. Se sazona con sal y vinagre. Esto acompaña muy bien la sobrebarriga y el ajiaco bogotano.

RECETA No. 23

SOBREBARRIGA

(Para 6 personas)

4	libras de sobrebarriga, de preferencia delgada
2	cebollas medianas cortadas en rodajas
3	tomates en rodajas
2	zanahorias medianas peladas y picadas en rodajas
6	dientes de ajo machacados
1	botella de cerveza
½	cucharadita de tomillo
2	cucharadas de perejil picado
1	cucharada de mostaza
3	cucharadas de vinagre
4	cucharadas de aceite sal y pimienta al gusto.

En un pírex poner la carne en trozos grandes y marinarla con todos los ingredientes y el aceite desde la víspera, y conservarla en la nevera. Al día siguiente retirarla una hora antes. Con todos los ingredientes llevar la carne a un caldero y cocinarla a fuego lento hasta que esté blanda, si se reduce el líquido agregarle poco a poco agua caliente. Momentos antes de servirla sacarla y cortarla en trozos medianos, al gusto. Se unta un poco de mantequilla y envuelve cada trozo en migas de pan rallado y se meten al horno precalentado. A medida que se va cocinando se le baña con salsa por encima. Presentarla caliente acompañada con papas chorriadas y ensalada o ají de aguacate.

RECETA No. 24

ESPONJADO DE CURUBA

(Para 6 personas)

1	taza de jugo de curuba
1	taza de azúcar
1	taza de crema de leche
5	claras de huevo
3	cucharadas de gelatina simple.

Se prepara el jugo con la menor cantidad de agua posible, se mezcla con el azúcar y se le agrega la crema poco a poco moviendo bien. Aparte se disuelve la gelatina en dos cucharadas de agua caliente. Se deja enfriar un poco y se agrega a lo anterior. Las claras se baten a punto de nieve y a éstas se les añade la mezcla de curuba y crema, batiendo con cuidado para que no se corte. Se vierte en un molde mojado; si se quiere desmoldar. Se sirve con jugo de curuba endulzado para echarlo por encima o con una crema inglesa.

CUAJADA CON MELADO

Se corta la leche y cuando este cuajada se pone a escurrir colocándole unas pesas encima. Cuando haya soltado bien el suero, se cortan rebanadas no muy delgadas. Se pone a hervir agua ligeramente salada y se echan unas pocas rebanadas cada vez, dejándolas un momento. Se sacan con la espumadera escurriendolas bien y se pasan a una refractaria, se le vierte por encima la panela derretida espeselo con punto de bola dura y se meten al horno alto 10 minutos hasta que dore un poco.

MASATO DE AZUCAR

1	libra de azúcar
2	onzas de arroz
2	onzas de maíz.

Se ponen el arroz y el maíz en agua el día anterior. Se muelen bien y se cuelan. Con el azúcar se hace un almíbar y cuando esté bien espeso se le echa la masa, el zumo de un limón o vainilla. El punto es cuando despegue de la paila.

Cauca

LANGOSTINOS DEL PACIFICO

(Para 6 personas)

3	libras de langostinos con cabeza
1	taza de aceite de olivas
1	botella mediana de salsa de tomate
$1/4$	de libra de mantequilla
1	cucharadita colmada de clavos de olor molidos
1	cucharadita de canela molida
4	cebollas picadas
6	ramas de cebollín perejil picado sal y pimienta picante al gusto.

Se ponen los langostinos sin pelar y con cabeza, en la olla de presión con el aceite, mantequilla, salsa de tomate y especias por 10 minutos. Se agregan las cebollas y el perejil y se cocina directamente al fuego hasta que se cocine la cebolla. Se acompaña con arroz blanco y plátano maduro.

TAMALES DE PIPIAN

Se toma la masa de maíz añejo que se explica más adelante, sal al gusto y unas dos o tres cucharadas de manteca de cerdo y se soba hasta que quede suave. Se hacen bolas de regular tamaño, se extienden sobre hojas de plátano quebrantadas al fuego y untadas con un poquito de manteca de cerdo derretida. Sobre ellas se pampea la masa, es decir, se le da golpes con los dedos hasta extenderla bien delgada. Sobre ésta se coloca el pipián, un pedacito de carne de cerdo frita y una rebanada de huevo cocido duro. Se arman los tomates, se amarran con cinchos (corteza de colino de plátano seca y de la cual se sacan tiras), se echan en agua hirviendo sobre hojas de plátano, se cubren con más hojas, se tapan y se cocinan durante 20 minutos poco más o menos. Cuando se vean esponjados se retiran del fuego, se les quita el agua, se dejan reposar un poco y se sirven acompañados de ají de maní.

MASA DE MAIZ AÑEJO

Se ponen a remojar en agua por tres o cinco días dos libras de maíz pilado (trillado), al cabo de los cuales se muele muy fino en la máquina, se deslíe en agua, se cierne y se deja asentar. Luego se le bota el agua y se cocina esta pasta en una paila (mejor de cobre), meneándola con una espátula, hasta que tocándola con los dedos, no los unte. Se deja reposar y se usa para tamales, empanadas, masitas fritas, pastelitos, etc. En el fondo de la paila en que se cocina esta masa, queda una caracha; ésta al dejarla enfriar se desprende y es lo que se llama en Popayán *Carantanta*; con ella se prepara sopa o también se frita en pedazos pequeños, los cuales se usan para pasabocas.

RELLENO DE PIPIAN

Se cocinan unas papas criollas, tomates, cebollas, sazonadas con canela, pimienta y demás aliños.

Esta es otra forma de relleno que ha hecho más famosas las empanadas caucanas.

PIPIAN

Se pelan seis libras de papa colorada (amarilla), se parten en tajaditas pequeñas con el cuchillo y se lavan. Si este pipián se va a usar para tamales, se fritan en aceite pedazos pequeños de carne de cerdo, calculando uno para cada tamal; se sacan y en este mismo aceite, para que el pipián quede más gustoso, se rehogan unas seis u ocho cebollas picadas finamente. Se deslíen en un poco de agua fría los granos que contengan seis cocas de achiote. Después de estar frita la cebolla, se le pone el achiote que se ha disuelto en agua, se agrega un poco más de agua, se aliña con sal, pimienta, cominos y luego se le agrega la papa. Se cocina esta preparación hasta que se consuma el agua y quede como un puré, meneándolo si es necesario para que no se pegue. Después de bajarlo, se le agrega media libra de maní tostado y molido. Hay personas que le agregan al cocinarlo canela y clavos de olor, pero otras lo prefieren solo.

AJI DE MANI

Se muele media libra de maní después de haberlo tostado en el horno. A esto se le agrega tomate, cebolla y cilantro picados finamente y un huevo cocido duro también picado. Se le mezcla el caldo suficiente para hacer una pasta ni demasiado dura ni demasiado corrediza y unas gotas de jugo de limón. Por último se le agrega sal al gusto y el jugo de unos seis ajíes piques disueltos en un poquito de agua. Sirve para acompañar los tamales, empanadas y también para sancocho y sopas.

EMPANADAS CAUCANAS

1   libra de maíz amarillo pilado
1   cucharada de manteca de cerdo
    (endurecida previamente en la nevera)
2   cucharadas de almidón
    sal.

El maíz se remoja durante cinco días, cambiándole diariamente el agua. Se muele, se le agregan $3\frac{1}{2}$ tazas de agua. Se mueve y se cuela en cedazo o en un colador muy fino, varias veces hasta que salga toda la harina y quede solamente el afrecho grueso. Después de colado se pone al fuego hasta que cuaje, moviendo constantemente, cuando se desprende de la olla se baja, y se sigue moviendo un minuto. Se vierte sobre la mesa, se amasa con una cuchara de madera hasta que enfríe y pueda continuar trabajándose con la mano, se le agrega la manteca y el almidón, se sigue amasando hasta que suavice. Se hacen bolas que se extienden en una hoja de bijao o papel encerado hasta hacer el redondel del tamaño que se desea. Se rellenan con el picado, se doblan por la mitad ayudándose con la hoja o el papel, se cierran haciéndoles un poco de presión y después se adornan efectuándoles unos piquitos con los dedos. Se fríen en manteca bien caliente. Si se hacen de unos diez a doce cm de largo, salen 20.

Picado:

$1\frac{1}{2}$ libras de masa de cerdo
2   papas grandes
2   huevos duros
2   cebollas
2   tomates
2   dientes de ajo
    tomillo, orégano,
    sal, pimienta, comino al gusto
    un poco de manteca con achiote.

Se muele el cerdo con los condimentos, menos la papa y los huevos, que se sancochan aparte y se pican en trocitos para agregárselos al final, al picado.

Santanderes

AREPA DE QUESO

La masa de maíz blanco se amasa con nata de leche. Se añade igual pesode queso blanco durorallado. Se amasa y se forman bolas y en el centro de cada una se le pone una tajada de queso. Se aplasta, que no quede demasiado delgada. Se asan y se sirven calientes. Son muy buenas para el desayuno.

CALDO O CHANGUA

Se pican muy menudos: tomates, junca (cebolla de hoja), cilantro, se les agrega un poquito de manteca y se estrujan un poco con la mano del mortero, sin que lleguen a desbaratarse. Aparte se pone a hervir un poco de agua, cuando esté hirviendo, se le agrega lo anterior y unas ruedecitas de papa. Al momento de servir se le añade una cucharada de natas y se le agrega un huevo a cada plato, si se quiere. Esto se sirve al desayuno, acompañado de la arepa santandereana.

RUYAS

Se hace un caldo con huesos, carne, fríjoles verdes, habas, arvejas, repollo, arracacha, papa criolla, cebolla y auyama todo picado. Se sazona con sal, ajo y perejil y se deja hervir hasta que esté cocido.

Aparte se muele media taza de maíz humedecido con agua y se le muele también tomate, perejil, y unos dientes de ajo. Se amasa un poco y se hacen unas telitas muy delgadas que se van echando en el caldo hasta que las telitas o ruyas estén cocidas. Se acompaña con crema de leche al gusto.

MUTE FACUNDA

(Para 8 ó 10 personas).

2	libras de mondongo (callos)
2	libras de bollito (capón o muchacho)
1	libra de masa de cerdo
10	chorizos
2	onzas de garbanzos cocidos
2	onzas de maíz blanco pilado, cocido
1	libra de papas
2	zanahorias medianas
2	cebollas y 4 ramas de cebollas de hoja (junca)
4	onzas de habichuelas cortas
2	hojas de col
1	frasco de alcaparras
2	huevos duros
1	paquetico de pasta (caracolitos)
2	onzas de arvejas cocidas
1	pedazo de auyama
1	pedazo de calabaza ajo, pimienta picante y de olor, comino, vinagre y sal un pedazo de repollo aceitunas tomates.

Se cocina el mondongo en suficiente agua hasta que esté blando. Aparte se cocinan el cerdo y el bollito, y el caldo en que se cocinaron se junta con el mondongo. A los caldos ya mezclados se le agregan las legumbres partidas en pedacitos, los condimentos, caracolitos, chorizos y las papas partidas en dados, sazonándolo con sal y vinagre al gusto. De último se le añaden los garbanzos, el maíz y las arvejas. Esta sopa debe tener suficiente caldo para que resista los aliños.

Aparte se pica el mondongo en tiritas delgadas y cortas, el cerdo en trocitos, se adoba bien con vinagre, sal, cominos, aceite con color, tomates, cebollas, alcaparras y un poquito de caldo, dejándolo cocinar un rato, debe quedar jugoso. Este plato se sirve en la siguiente forma: en la sopera la sopa y en bandeja el guiso adornado con aceitunas, ruedas de huevos duros, daditos de pan frito y los chorizos que previamente se han retirado de la sopa. Se sirve en platos apartes, pero se come conjuntamente.

Nota: el bollito que se cocinó puede utilizarse en la siguiente receta: SALPICON: se parte la carne en ruedas finamente. Se cortan dos cebollas grandes en ruedas y se dejan en una taza de vinagre con un poquito de agua, sal y pimienta. Al momento de servir se le vierte a la carne por encima. Esta debe comerse fría.

MUTE DE MAIZ PELADO

Manera de pelar el maíz:

Para pelar el maíz se hace un poco de lejía con ceniza de carbón vegetal, que no sea muy clara. Se pone al fuego y cuando esté hirviendo se echa el maíz. Se mueve de vez en cuando dejándolo hervir bastante, se refriegan unos granos con los dedos, si se levanta el pellejo ya está listo. Se echa en un canasto o cernidor, se lava estrujándolo y enjuagándolo con bastante agua, hasta que esté perfectamente listo y sin nada de ceniza.

Modo de hacer el mute:

Se pone a cocinar una taza de maíz, ya pelado, echándolo cuando el agua está hirviendo, hasta que esté floreado. Al día siguiente se pone en la olla una libra de carne de cerdo (masa), media libra de menudo o mondongo ya cocido, media libra de coto (papada) de cerdo, media libra de carne de res, sal, media libra de cebolla, perejil, cilantro, ajo picado y un poco de agua.

Cuando haya hervido bastante, se agrega el maíz, media taza de fríjoles verdes, media taza de habas verdes, media taza de arvejas verdes, una tacita de arroz, media taza de garbanzos, una libra de papas criollas, auyama en pedacitos y unas hojas de repollo. Se deja hervir todo hasta que se concentre bien. Cuando se vaya a servir, se pican todas las carnes, se hace un "rehogo" de cebolla, tomate, cebollina, etc., manteca con color y se le riega por encima. Se acompaña con la arepa de la receta No. 42.

CARNE ESTILO OCAÑERO

(Para 6 personas)

2½	libras de carne
3	tomates
3	cebollas
1	libra de candias
3	ajos picados
2	cucharaditas de sal
2	limones
1	cucharadita de pimienta
	aceite para freír
	agua para cubrir la carne.

Se parte la carne en trozos, se condimenta con sal, pimienta y ajo y se fríen en el aceite hasta

que doren, se le pone el resto de los condimentos (excepto la candia) y se sigue sofriendo hasta que éstos se deshagan, se le añade agua y se cocina a fuego lento tapada. Las candias se parten en ruedecitas y se ponen en agua de limón, se escurren y se fríen en aceite caliente y se le agregan a la carne cuando esté casi para servir. Se puede hacer en la misma forma sustituyendo las candias por berenjenas o habichuelas.

ARROZ CON PEPITORIA

Cuando se da muerte al cabro se recoge la sangre en una vasija. A ésta se le agrega un poquito de sal y se lleva al fuego, se le da vuelta constantemente hasta que quede bien desmenuzadita. Lista ya se le agrega un poco de cebollín y bastante comino, cebolla picada, aparte se tiene la cantidad de arroz que se desea hecho como un arroz blanco corriente. Se une todo y se deja un ratico que se conserve a fuego lento. Se sirve caliente. En este arroz debe predominar el sabor del comino.

COSTRON

(Para 10 ó 12 personas).

1	libra de mondongo cocido bien blando y partido menudito
1	libra de cerdo cocido partido en pedacitos
10	chorizos cocidos y partidos en pedazos
2	libras de arroz blanco cocido
½	libra de garbanzos cocidos
3	cebollas de hoja
1	frasco de alcaparras
	ajíes pimientos
	aceitunas
	ajo, comino y una pizca de pimienta picante, manteca con color y sal
	queso parmesano rallado
	y tiras de queso amarillo, rebanadas de huevo duro

El mondongo, cerdo, garbanzos y arroz se mezclan y se sazonan con todos los condimentos. En un molde pírex untado de mantequilla y espolvoreado con queso parmesano, póngase una capa de guiso y encima unos chorizos partidos, tiritas de queso amarillo, rebanadas de huevo, ruedas de tomate y tiras de pimientos; se continúa así hasta terminar con el queso parmesano, pedacitos de mantequilla y pringues de salsa de tomate. Se adorna con el resto de las aceitunas. Al meterlo al horno se le agrega media taza de leche cruda para que no se reseque.

RECETA No. 42

AREPA

2   **libras de maíz (pelado en la misma forma que la receta No. 38).**

Este maíz se deja entre agua y al día siguiente se escurre bien para molerlo seco. Cuando se esté moliendo se le añaden trozos de empella, chicharrón, dejándolo todo bien molido con el maíz. Esta masa se echa en una vasija, se le agrega mantequilla, sal y un poquito de caldo o leche. Se amasa mucho y con fuerza hasta que esté suave, se hacen bolas que se extenderán en un papel parafinado o en un plástico, con los dedos, hasta formar la arepa delgada, del tamaño que se quiera. Se tiene la plancha o el tiesto, bien caliente, y se pone a cocinar la arepa volteándola varias veces hasta que esté tostada.

RECETA No. 43

TAMALES O HAYACAS

3   **libras de masa de maíz**
3   **libras de cerdo**
4   **cucharadas de vinagre**
1   **cucharadita de azúcar**
2   **cucharadas de pasta de tomate**
6   **tazas de leche**
6   **huevos cocidos duros**
5   **cucharaditas de sal**
2   **cebollas grandes**
2   **tomates grandes**
    sal, pimienta y un pedacito de panela, pasas y alcaparras.

Se disuelve la masa en la leche, se pasa por un colador, se le agrega el vinagre, la sal y el azúcar. El cerdo se parte en pedacitos y se le coloca sal, pimienta, cebolla, dos cucharadas de pasta de tomate, la panela y se pone a guisar.

En media hoja de bijao se colocan dos cucharadas de masa, en el centro la cucharada del guiso con un poquito de salsa, la rueda de un huevo, cinco pasas y tres alcaparras. Se echa por encima

otra cucharada de masa y se amarran. Se cocinan en 15 minutos en olla de presión o ½ hora en olla común.

Se hacen del tamaño que se desee.

RECETA No. 44

CABRITO ASADO

El cabro se puede hacer como se prepara la ternera a la llanera. Después de haberlo lavado previamente en agua de limón, se asa sobre la parrilla enjugándolo para que no se reseque, con jugo de naranjas agrias, en el que se han majado un poco de ajos, una cebolla cabezona y pimienta picante.

RECETA No. 45

TURMADA

(Para 10 personas)

1½   **libras de papas cortadas en ruedas**
1½   **tazas de cebolla picada**
1½   **tazas de tomates picados**
½   **taza de apio picado**
½   **taza de pimientos picados**
¾   **de taza de queso blanco rallado**
¾   **de taza de queso en tajaditas**
2   **tazas de leche**
½   **pan de molde sin la corteza**
1   **paquete de salchichas**
2   **chorizos en trocitos**
6   **huevos duros en ruedas**
1   **cubito de caldo concentrado**
1   **hoja de laurel**
1   **rama de tomillo**
    sal y pimienta picante.

Se cocinan las papas en agua de sal, que no queden muy blandas. En un poco de mantequilla se fríe la cebolla hasta que esté transparente, se agrega el apio y el pimiento, después el tomate, el caldo, el laurel y el tomillo. El pan se remoja en la leche. En un refractario se coloca una capa del guiso, una de pan desmenuzado, papas, salchichas y chorizo, y se repiten las capas alternándolas con el queso rallado, se termina con la salsa y el queso en tiritas. Se pone al horno de 350°F hasta que el queso se derrita y dore.

Tolima

LECHONA TOLIMENSE

Después de limpiar muy bien la lechona, se sala por dentro, cuidando de que no le caiga por fuera la sal. Las entrañas se pican, se les coloca color y arvejas cocidas, sal y se ponen a cocinar. Se prepara arroz cocido con cebolla picada y condimentos al gusto. Se revuelve todo, se rellena la lechona y se cose. Por encima se le echa bastante jugo de naranjas agrias o de limón, con el objeto de que tueste el cuero. El horno debe estar bien rojo, la brasa no se saca, sino que se aparta alrededor del interior del horno para evitar que el animal se queme. La lechona se cubre con hojas de plátano y se cambian cuando se queme. Esta debe ir colocada en una horqueta de madera y se voltea de un lado a otro para que se dore. Cuando esté dorada, se tapa la puerta del horno y el oído, con barro, dejándola hasta el día siguiente.

Esta es la receta tradicional que se hace en los antiguos hornos de barro. Se acompaña con la receta siguiente:

Insulsos:

Se cocina maíz pilado (trillado), en agua suficiente, se muele, se cuela y echa en una paila con astillas de canela y un poco de panela rallada. Se pone a fuego lento revolviendo sin cesar y cuando tenga suficiente consistencia, se hacen una especie de tamalitos en hojas de plátano, se meten al horno al tiempo con la lechona y se sacan cuando se vaya a tapar el horno con barro.

Bolívar

COCIDO

Se ponen al fuego unas costillitas de carne en agua suficiente, con cebollas en pedacitos, tomates, ajíes criollos, sal y un pedazo grande de repollo. Se cocinan a fuego lento hasta que las costillas estén blandas. Se le agrega yuca, ñame, plátano maduro y maíz verde, auyama y batata si se desea. Se continúa la cocción sin moverla y se sirve sin colar el caldo.

AREPAS DE MAIZ HARINADO

2   libras de queso duro rallado
2   libras de maíz trillado (pilado)
1   coco grande.

El maíz se moja en agua caliente y se deja hasta el otro día. Se saca el maíz del agua y se lava, se escurre un poco y se muele, la harina se le saca con un colador. El coco se ralla, se le sacan cinco tazas de leche, a ésta se le añade una panela grande y se pone a hervir. Cuando esté hirviendo se le agrega la harina de maíz mojada con cinco tazas de agua y se mueve hasta que esté bien espeso. Se baja y se deja enfriar. El queso se ralla, se

divide en dos partes iguales, una de éstas se le pone a la masa y se amasa bien. Se hacen las bolitas huecas, dentro de ese hueco se rellenan con el queso restante, se cierran y se espolvorean con queso. Se meten al horno en unas tártaras con papel engrasado, horno a 500 °F.

DULCE DE LIMON

Para que este dulce quede bien es indispensable saber escoger los limones. Ante todo deben cogerse con la mano porque cualquier golpe lo daña y que estén todavía biches, pero ya al principio de madurez. Deben ser más bien chicos.

Se principia frotándolos con un pedazo de fique para hacerlos perder el aceite o zumo de la corteza pero sin estrujarlos. Se les hace una incisión en la punta y se echan en agua, cambiándola varias veces durante dos días para que pierda el amargo. Al tercer día se le saca la pulpa por la misma incisión que se hizo al principio, se enjuagan y se ponen a cocinar hasta que estén tiernos pero no demasiado cocidos. Luego se hace un almíbar con unas rajas de canela y se echan los limones cuando ya ha hervido un rato, dejándolos entonces hasta que el almíbar esté a punto. Para cien limones se calculan siete libras de azúcar y doce tazas de agua aproximadamente.

San Andrés y Providencia

RUNDOWN (RONDON)

(Para 6 personas)

3	libras de caracol blanco, de los llamados en la Costa de pala y en Haiti lambí
2	libras de pescado (róbalo, pargo, sierra o bonitos)
2	plátanos verdes
3	bananos verdes (colí o popocho)
1½	libras de ñame
1	libra de fruta de árbol de pan
12	dumplings
2	cocos secos grandes
3	hojas de laurel.

Lo más importante es ablandar bien el caracol. En algunas partes se le golpea con una madera, pero se lastima sin duda la carne. En Haití los lavan y frotan enteros con hojas de papaya, poniéndolos a sancochar en poca agua, la que se aumenta poco a poco hasta que ablande. Sugerimos este procedimiento. Al hacer el Rondón se aconseja que esa agua sea con suficiente leche del coco, la cual se saca rallándolo o pasándolo por la licuadora. Cuando esté tierno el caracol

añadir el ñame en trozos medianos, los plátanos y bananos enteros cortados a lo largo, conservando caldo a base de la leche de coco. Cocinar aproximadamente 15 minutos. Poner las hojas de laurel. Limpiar bien el pescado, que debe tener inclusive la cabeza. Cortarlo en postas y conservarlo.

Agregar a la olla donde se cocina el Rondón la fruta del árbol de pan en pedazos medianos también, los dumplings y proseguir el cocimiento durante unos 15-20 minutos más.

Incorporar el pescado, más leche de coco y salpimentar. Verificar tanto la sazón como el cocimiento del pescado. Servir caliente.

Dumplings:

1	libra de harina
½	taza de leche de coco
½	cucharadita de sal.

Mezclar la harina con la leche de coco y la sal hasta que quede una pasta homogénea y flexible. En caso de que aparezca algo dura añadirle un poco más de leche de coco. Dejarla reposar y hacer un cilindro grueso y con un cuchillo cortar los dumplings a dos dedos de ancho.

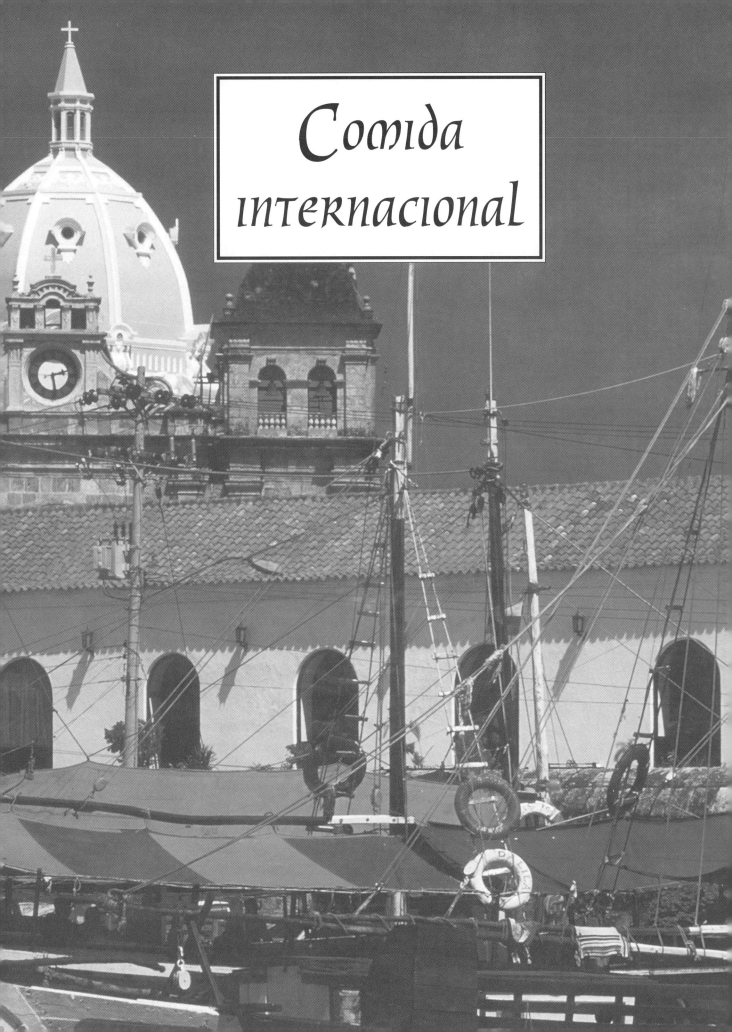

Comida internacional

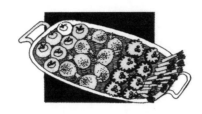

CAPITULO I

Entremeses, abrebocas, sándwiches y canapés

Entremeses, abrebocas, sandwiches y canapés

RECETA No. 1

BOLITAS DE PESCADO

(Salen 60)

3	cucharadas de mantequilla
$^3/_4$	de taza de cebolla picada
$1^1/_2$	libras de filetes de pescado
1	huevo
2	cucharadas de polvo de curry
$^1/_4$	de cucharadita de pimienta
1	ajo picadito
$^1/_2$	taza de coco rallado seco
$^1/_2$	taza de polvo de pan
1	cucharadita de sal
	sal de ajo.

Mezcle dos cucharadas de mantequilla en una sartén, cocine ligeramente la cebolla y el ajo por 10 minutos. Retírelo del fuego. Derrita el resto de la mantequilla en una cacerola, y ponga el coco a cocinar ligeramente, moviendo constantemente hasta que tenga un color dorado. Tenga cuidado de que no se ponga negro. Muela el pescado, cebolla, ajo y coco, en máquina de moler o desmenúcelo. Mezcle huevo, sal, pimienta y curry, haga bolitas y páselas por pan rallado. Fríalas en manteca caliente. Estas pueden congelarse previamente, poniéndolas en vasijas plásticas y papel entre capa y capa. Para usarlas sáquelas del congelador directamente a la grasa hirviendo.

RECETA No. 2

CANAPES DE AGUACATE Y QUESO

1	aguacate pelado
2	ó 3 onzas de queso crema
	jugo de limón
	salsa negra
	jugo de cebolla
	sal.

Pele y machaque el aguacate. Maje el queso, añada los demás ingredientes y mezcle todo bien. Se sirve sobre galletas o papas fritas.

RECETA No. 3

CREMA DE QUESO ROQUEFORT

$^1/_2$	libra de queso Roquefort o tipo azul
2	cucharadas de margarina con sal
4	cucharadas de crema de leche.

Desmenuzar con un tenedor el queso en un plato y combinar con los otros ingredientes hasta que quede una pasta untuosa. Servir con galleticas, papas fritas, o ramas de apio.

PICADA DE QUESO Y CERVEZA

$\frac{1}{2}$ libra de queso amarillo
3 dientes de ajo
2 cucharaditas de salsa inglesa
$\frac{1}{2}$ cucharada de mostaza en polvo
1 tris de pimienta de cayena
$\frac{1}{2}$ taza de cerveza.

Rallar el queso, machacar el ajo y combinar bien con el resto de los ingredientes hasta que quede una pasta suave y esparcible. Para acompañar como en el caso de la receta anterior.

BOLITAS DE QUESO Y CURRY

Mezcle una taza de queso crema, una cucharada de chutney picadito y una cucharadita de polvo curry. Haga bolitas y páselas por coco rallado.

BOLITAS DE POLLO Y CURRY

$\frac{1}{2}$ taza de pechugas de pollo cocidas y molidas
polvo de curry al gusto.

Macháquelas hasta formar una pasta, añada el polvo Curry, sal y pimienta al gusto. Haga bolitas con la mezcla y páselas por perejil picado.

CHUZOS EN MINIATURA

1 libra de cordero o filete de res
2 cucharadas de aceite de olivas
2 ajos majados
3 cebollas medianas
2 pimientos verdes grandes
jugo de un limón
sal y pimienta al gusto.

Cortar la carne en trozos más bien pequeños aunque no diminutos, y marinarla con los ingredientes indicados, cuando menos una hora, revolviéndolos de vez en cuando. Coloque la carne en los chuzos o palillos adecuados, intercalando la carne con trozos de cebolla, y de pimientos verdes, los que deben estar cortados un poco más grandes que el tamaño de la carne. Cocinarlos al carbón o en el asador hasta que estén dorados por todos lados. Con una brocha, untarlos frecuentemente con la marinada y un poco de mantequilla derretida.

BOLITAS DE QUESO ESTILO AMERICANO

1 taza de queso estilo americano rallado
$\frac{1}{8}$ de cucharadita de sal
$\frac{1}{4}$ de taza de mantequilla o margarina
$\frac{1}{2}$ taza de harina cernida.

Ponga los ingredientes en una vasija y mézclelos con los dedos hasta que se suavicen y junten bien. Enfríelos en la nevera. Para servir, cocine las bolitas en horno de 350 °F por 10 ó 15 minutos. Salen 2$\frac{1}{2}$ docenas

ZANAHORIAS O PEPINOS CRUDOS

Se pelan y se cortan en trocitos largos delgados. Se dejan en agua helada con sal y azúcar. Al servirlos se sacan del agua. Pueden dejarse en la nevera para que estén bien helados. Los pepinos pueden también cortarse en ruedecitas, dejarlos en la nevera hasta el momento de servir, escurrirlos y ponerles sal, pimienta y crema de leche.

ENSALADA RUSA

$\frac{1}{2}$ libra de habichuelas cortas
$\frac{1}{2}$ libra de remolachas
$\frac{1}{2}$ libra de zanahorias
$\frac{1}{2}$ libra de papas
1 pote de arvejas
1 ramo de apio
1 ramo de lechugas verdes
$\frac{1}{2}$ libra de tomates.

Esta ensalada se compone de toda clase de verduras cocidas en agua de sal, por separado, menos tomate, apio y lechugas. Escúrranse, déjense enfriar y córtense en dados, ligándolas con salsa mayonesa, pero sin revolver unas con otras. En plato redondo se prepara así: se van colocando las verduras en forma de estrella intercalando los colores. En el centro se le pone un tomate, no muy grande, cortado en forma de flor, poniéndole en el centro de éste un poco de yema de huevo cocido pasado por un colador.

RECETA No. 11

CROQUETAS DE QUESO

2	cucharadas de mantequilla
1¼	tazas de harina
½	taza de leche
2	yemas
½	taza de queso gruyère rallado
1	taza de queso amarillo en pedacitos
	sal y pimienta.

Se hace una salsa blanca con la mantequilla, harina y leche, cuando esté lista se le agregan las yemas y los quesos rápidamente, bajándolos en seguida. Se forman las croquetas, si quedan flojas se les pone un poco de polvo de pan. Se fríen en aceite caliente y se sirven.

RECETA No. 12

ENTREMESES DE REMOLACHA

Las remolachas se sancochan, se parten en cuadritos, se les agrega cebolla bien picadita y se acompaña con una salsa vinagreta. Se puede poner un poco de azúcar y sal al agua para cocinarlas.

RECETA No. 13

ENTREMESES DE HUEVO

Se sancochan los huevos duros y se parten en rebanadas o a lo largo, cuidando de que la yema no se rompa. Se pasan por harina. Aparte se hace una salsa blanca dura como para croquetas y se deja enfriar, cada mitad de huevo se envuelve cuidadosamente con esta salsa moldeándolos un poco con las manos, luego se pasan nuevamente por harina, después por clara de huevo (sin batir) y de último por pan rallado. Finalmente, se fríen en manteca bien caliente, hasta que doren un poco.

Esta misma receta se puede hacer con ramitos de coliflor, previamente sancochados.

RECETA No. 14

ENSALADA DE TOMATES

1	libra de tomates
4	cucharadas de salsa vinagreta
1	cebolla
1	cucharada de perejil picado

Pélense los tomates, para lo cual se tendrán en remojo durante diez minutos en agua hirviendo, lo que permite quitar la piel cómodamente. Córtense en rodajas, alíñense con salsa vinagreta y colóqueseles encima anillos de cebolla con perejil picado en cada uno de ellos.

RECETA No. 15

SANDWICHES DE QUESO Y PEPINO

(Para 50 personas)

1	frasco de pepinos dulces
1	frasco de aceitunas
1	frasco de alcaparras
1	lata de crema de queso.

Se pican muy menuditos los pepinos, aceitunas y alcaparras, luego se mezclan con salsa mayonesa.

Se unta el pan con mantequilla, después una capa de la mezcla y otra de queso bien amasado y se cubre con otra rebanada de pan con mantequilla.

RECETA No. 16

SANDWICHES DE HUEVO

(Para 12 personas)

6	huevos sancochados duros
	mantequilla, mayonesa, mostaza
	y pedacitos de encurtidos.

Se majan los huevos y se revuelven con los demás ingredientes. Se untan las ruedas de pan con mantequilla y después con la mezcla. Se le puede poner una hoja de lechuga o tomate si se desea.

PICADA MEXICANA DE QUESO

1	taza de cebolla finamente picada
$^1/_2$	taza de pimientos verdes en cuadritos
8	ó 10 tomates sin piel ni semillas
1	libra de queso que derrita bien
$^1/_2$	taza de apio picado
1	taza de caldo de pollo
	ají picante o chile, o tobasco al gusto
	orégano, albahaca, tomillo.

Dore la cebolla y los pimientos en mantequilla hasta que ablanden. Ponga los tomates a cocinar con pimienta y macháquelos hasta que formen una pasta. Pique el apio y póngalo a cocinar en el caldo hasta que esté suave. Escúrralo y añádalo con el tomate a la mezcla de cebolla y de pimiento. Agregue las especias y déjelo en el fuego unos minutos. Añada el queso rallado hasta que se disuelva, y sal si es necesario. Por último agréguele el ají picante o el tobasco. Esto se puede servir con yuca frita o galletas, conservando la mezcla caliente. Puede congelarse.

SANDWICHES DE POLLO

(Para 20 sandwiches)

2	pechugas de pollo
	(puede utilizarse todo el pollo, pero quedan mejor con la pechuga solamente)
3	onzas de crema
	mayonesa al gusto
	mostaza, pimienta picante,
	unas gotas de jugo de limón.

El pollo se cocina y se muele mezclándolo después con todos los demás ingredientes. Se untan con mantequilla las rebanadas de pan y encima lo demás. Se le puede agregar apio, aceitunas o queso en pedacitos delgados.

Pueden hacerse como canapés usando el apio, las aceitunas y el queso como adorno.

SANDWICHES DE ATUN

El atún se limpia y se desbarata con un tenedor, se mezcla con salsa mayonesa en cantidad como para formar crema. Se agregan dos cucharadas de crema de leche, aceitunas, apio, nueces o almendras en pedacitos, si se desea.

CROQUETAS FONDUE DE QUESO

(Para 6 personas)

1	taza de leche
1	libra de queso gruyère
$^1/_2$	taza rasa de harina
2	huevos enteros
2	yemas
	pimienta y sal.

Mézclese la harina con los huevos, yemas, sal y pimienta hasta tener una pasta bien suave, luego se añade la leche hirviendo y se mezcla bien. Déjelo cocinar hasta que espese. Se agrega el queso rallado hasta que se derrita. Se extiende sobre una mesa esmaltada dejándola como de 4 cm de grueso. Cuando enfríe completamente, se cortan en cuadros. Se untan de huevo por todos lados con una brocha y se pasan por miga de pan. Se fríen en aceite caliente. En el momento de servir se meten al horno para que estén bien calientes. Se adornan con ramitos de perejil.

SANDWICHES DE JAMON

(Para 20 sandwiches)

$^1/_2$	taza de queso rallado
$^3/_4$	de taza de jamón molido
3	cucharadas de encurtidos molidos o muy bien picaditos
$^1/_2$	cucharada de cebolla rallada mayonesa al gusto.

Se mezclan todos los ingredientes y se esparce en las rebanadas de pan untadas con mantequilla. Puede mezclarse mostaza a la mantequilla.

CANAPES DE MAYONESA

Corte redondeles o cuadritos de pan de molde. Mezcle mayonesa con cebolla picadita, sal, pimienta picante y queso rallado. Ponga un montoncito sobre cada redondel y colóquelos en el horno a 375 °F hasta que doren.

RECETA No. 23

SANDWICHES DE QUESO

(Para 30 sandwiches)

1   taza de queso rallado (del que usted desee)
2   cucharadas de cebolla picada y frita en mantequilla
4   cucharadas de pimientos morrones picaditos
2   cucharadas de pepinos dulces
4   huevos duros.

Todo esto se mezcla y se esparce sobre las rebanadas de pan previamente untadas con mantequilla revuelta con un poquito de mostaza.

RECETA No. 24

SANDWICHES DE LENGUA

(Para 30 sandwiches)

$1^1/_2$ tazas de lengua cocida y molida
$^1/_2$ cucharadita de sal
$^1/_2$ taza de mayonesa.

La lengua se cocina con todos sus condimentos, se muele y se revuelve con la mayonesa y la sal. Pueden añadirse pepinitos en vinagre o champiñones de lata.

Untese el pan con mantequilla mezclada con mostaza y espárzase encima la lengua.

RECETA No. 25

SANDWICHES DE JAMON Y QUESO

(Para 20 sandwiches)

$^3/_4$ de taza de jamón
$^1/_2$ taza de queso
2   cucharadas de nata
2   cucharadas de mayonesa
     salsa negra al gusto.

Se muele el jamón y el queso se ralla mezclándolo con los demás ingredientes hasta que quede una pasta suave. Las rebanadas de pan se untan con mantequilla y mostaza y luego se esparce sobre ellas una capa de la mezcla.

RECETA No. 26

SANDWICHES DE PERNIL DE CERDO

Se hacen rebanadas de pernil delgadas, se espolvorean con un poquito de pimienta blanca y se meten entre las dos ruedas de pan untadas en mantequilla. Puede añadírsele una rueda de tomate, una hoja de lechuga o una rebanada de cebolla blanca o las tres cosas, según el gusto.

RECETA No. 27

CANAPES DE QUESO

(Para 15 canapés)

Se maja media libra de queso blanco o cualquier otro, pero que sea blando y se mezcla con mayonesa hasta que parezca una crema. Se le pone mantequilla al pan y se unta la mezcla. Se adorna con pedacitos de aceitunas, tiritas de pimientos y también de jamón si se desea.

RECETA No. 28

SANDWICHES DE ALMENDRAS, NUECES O AVELLANAS

(Para 15 sandwiches)

Se mezclan media libra de almendras molidas con un cuarto de mantequilla. Se sazona con sal y pimienta. Se ponen sobre las rebanadas de pan untado en mantequilla y se adornan como se desee. Se prestan más para canapés que para sandwiches.

RECETA No. 29

SALCHICHITAS ENVUELTAS

Se cortan trocitos de salchichitas de Viena y se envuelve cada uno en un cuadrito de pasta. Se guardan en la nevera y al día siguiente se cocinan en horno unos cuantos minutos. Sirven para picadas o para té. (*Véanse las Pastas en el Capítulo X*).

RECETA No. 30

CANAPES DE PAVO

1   pechuga de pavo cocida y molida
4   huevos cocidos duros
1   cucharada de mantequilla
1   cucharadita de hierbas
1   cucharadita de perejil
     pan mojado en leche
     sal, pimienta, nuez moscada al gusto.

Se corta la pechuga, se le agrega la misma cantidad de pan mojado en leche bien exprimido, la mantequilla, las yemas, las especias, se amasa y se hace una bola. Luego se toma una taza de dicha pasta con una onza de mantequilla, media taza de crema de leche, las claras partidas en pedacitos y dos onzas de queso parmesano, una vez ligado todo se coloca en torrejas de pan y se meten al horno. Se sirven calientes.

RECETA No. 31

SANDWICHES DE VERDURAS

1   pan de molde
6   huevos sancochados duros
1   barrita de mantequilla
2   cucharaditas de mostaza
2   cucharadas de alcaparras
1   cebolla blanca picadita
2   pepinos en ruedecitas delgadas
3   tomates en rebanadas
4   cucharadas de aceite de olivas
2   cucharadas de vinagre
     unas hojas de lechuga verde
     sal y pimienta.

Las rebanadas de pan se dividen en dos para formar los sandwiches y se untan de mantequilla. La cebolla se pone a macerar en vinagre un rato. Aparte se hace una vinagreta y se echan las rebanadas de pepino y tomate. Se les saca la yema a los huevos y se majan con mantequilla, mostaza y sal. Las claras se parten en pedacitos y se agregan a lo anterior, con las alcaparras majadas, sin el vinagre, y la cebolla bien escurrida, con esta mezcla se untan las rebanadas de pan y a cada sandwiche se le coloca una rueda de to-

mate, una de pepino y una hoja de lechuga, se tapa con la otra rebanada y se asegura con un palillo.

RECETA No. 32

SANDWICHES DE JAMON FRITO

Se corta el jamón en rebanaditas y se coloca entre dos de pan. Luego se baten unos huevos con una pizca de sal, se envuelven en esto los sandwiches, se les pone polvo de pan o bizcocho y se fríen a fuego lento. Este plato es buen acompañamiento para té o almuerzo.

RECETA No. 33

BOLITAS DE HUEVO Y JAMON

6   huevos cocidos
1   cucharadita de cebolla finamente picada
4   onzas de jamón picado
     mayonesa, sal, pimienta,
     hojuelas de maíz (Corn Flakes).

Se mezcla todo, machacando bien las yemas y agregándoles después las claras picaditas para formar las bolitas que deben envolverse en el Corn Flakes desmenuzado. Pueden guardarse en el refrigerador.

RECETA No. 34

ENCURTIDO DE CEBOLLAS

Se parten en ruedas unas cebollas cabezonas y se pasan un momento por agua hirviendo. Se sacan en un colador, dejándolas enfriar y se echa un puñado de sal, estrujándolas bien, sin romperlas. Se enjuagan para sacarles la sal y se colocan en un recipiente con bastante jugo de limón, aceite de olivas y ajíes.

CAPITULO II

Sopas

Sopas

SOPA MINESTRONE

(Para 10 ó 12 personas)

$^1/_2$	**taza de fideos**
$^1/_4$	**de taza de tocineta cortada en cuadritos**
$^3/_4$	**de taza de zanahoria cortada en cuadritos**
$^3/_4$	**de taza de nabo picado**
$^1/_2$	**taza de apio picado**
$^1/_4$	**de cucharadita de pimienta**
$^3/_4$	**de taza de arvejas**
$1^1/_2$	**tazas de papas cortadas**
$1^1/_2$	**tazas de queso parmesano**
1	**taza de tomates partidos en pedacitos, sin piel ni semilla**
1	**taza de cebolla picada finamente**
1	**taza de fríjoles blancos o rojos cocidos, bien blandos**
1	**cucharada de perejil picado**
10	**tazas de caldo**
1	**taza de repollo picado**
1	**ramito de albahaca**
4	**dientes de ajo**

Se sofríe la cebolla en mantequilla con un punto de azúcar, hasta que esté blanda. La tocineta se pone a freír sola, se le agrega la zanahoria, el nabo, el repollo, el apio, se deja a fuego lento hasta que todo se cocine, sin dorarse, se le agrega la cebolla ya cocida. Se le quita un poco de grasa, se le agrega el caldo y se deja hervir por 15 minutos. Se le añaden las papas, las arvejas, tomates, fríjoles y se cocinan hasta que estén tiernos. Los fideos se echan unos 10 minutos antes de bajarse del fuego y lo mismo el perejil y la albaha-ca majada con el ajo. Al momento de servir se le pone el queso.

SOPA DE CEBOLLA

(Para 6 personas)

8	**cebollas grandes blancas**
3	**cucharadas de margarina**
$^1/_2$	**cucharadita de pimienta blanca**
1	**cucharada de vino blanco**
7	**tazas de caldo**
2	**cucharadas de harina**
5	**cucharadas de queso gruyère rallado**
6	**tajadas de pan francés sal, nuez moscada al gusto.**

Cortar la cebolla en lajas, calentar la mantequilla y dorarla (sin quemarla). Echarle entonces la harina para que espese y bañarla con el vino y el caldo (hay que dejar que hierva para que la harina no forme grumos). Revolver bien el fondo para que no se pegue y tapar, para que hierva 10 minutos a fuego suave. Quitar la espuma e impurezas y colocarla en refractarias individuales, poner el pan tostado con mantequilla al horno, encima se echa el queso rallado y ponerlo sobre el caldo y llevar al horno hasta que derrita el queso.

Nota: se puede colocar un huevo crudo en el fondo para que se cocine con el caldo.

SOPA DE CREMA DE CEBOLLA

(Para 6 personas)

8	cebollas grandes partidas en ruedas
6	tazas de caldo
4	onzas de mantequilla.

Se hace una salsa blanca bien espesa. La cebolla se fríe con las cuatro onzas de mantequilla, cuando estén medio fritas se le agregan a la salsa blanca y después al caldo, se deja hervir hasta que esté espesa y se le pone sal al gusto y queso parmesano rallado si se desea. Esta sopa se puede hacer para los días de vigilia, suprimiendo el caldo y dejando la salsa blanca bastante floja

SOPA DE BERROS

6	tazas de caldo
2	libras de papas
2	mazos de berros
1	cucharadita de mantequilla
	sal y un poquito de pimienta picante.

En el caldo se cocinan las papas y los berros y se pasan por la licuadora. Se cuelan, se rectifica la sazón y se le agrega la mantequilla; al servirla se adorna con hojitas de berro, previamente pasadas por agua hirviendo, y costrones.

SOPA DE CEBOLLA EN CAZUELA

1½	libras de cebolla picada finamente
3	cucharadas de mantequilla
1	cucharada de aceite de olivas
1	cucharadita de sal
½	cucharadita de azúcar
3	cucharadas de harina
6	tazas de caldo o consomé
½	taza de vino blanco seco o Dry Vermouth
	sal y pimienta al gusto.

Cocine a fuego lento la mantequilla, aceite y la cebolla por 15 minutos en una sartén tapada. Destápela y déjela a fuego moderado, agregue la sal y el azúcar, cocínelo por 30 ó 40 minutos batiendo fuertemente hasta que las cebollas se doren. Espolvoréele la harina y cocine 3 minutos. Agréguele el caldo hirviendo, añada el vino y sa-

zónelo. Déjelo a fuego lento tapado parcialmente por 30 ó 40 minutos, moviendo de vez en cuando. Tueste seis u ocho pedazos de pan untado en mantequilla. Agréguele a la sopa, si se quiere, tres cucharadas de brandy. Coloque en las cazuelas el caldo con la cebolla, encima las rebanadas de pan y espolvoréele queso gruyère rallado (una o dos tazas). Métalas al horno de 375°F para que gratinen.

SOPA DE CEBOLLA A LA FRANCESA

(Para 6 personas)

8	cebollas grandes partidas en ruedas
2	onzas de mantequilla
6	tazas de caldo
1½	onzas de harina
3	onzas de queso gruyère
1	taza de leche caliente
	pan frito.

Se fríe la cebolla en la mantequilla sin dejarla dorar, luego se le mezcla la harina, poco a poco se le incorporan el caldo y la sal. Se mueve hasta que rompa el hervor y luego se deja hervir sólo 10 minutos. Se baja del fuego, se le añade la leche caliente y se vuelve a poner hasta que hierva. En la sopera se tendrá el pan frito, se vierte la sopa para servirla inmediatamente. De último se le agregan tres onzas de queso gruyère rallado.

SOPA DE CREMA DE TOMATES

3	tazas de tomates cocidos o de pote
2	cucharaditas de azúcar
2	cucharadas de cebolla picada
2	clavos de especia
1	cucharada de mantequilla
¼	de cucharadita de pimienta
1½	cucharaditas de sal
1½	cucharadas de harina
1⅓	tazas de crema
¼	de cucharadita de bicarbonato de soda.

Cocinar los tomates, azúcar, pimienta, cebollas, clavos y sal por 15 minutos. Cernir por un tamiz. Fundir la mantequilla, agregarle la harina y revolver muy bien. Incorporar lentamente la crema revolviendo constantemente. Aguardar que hierva. Agréguese el bicarbonato a los tomates, agitando hasta que se disuelvan. El jugo de los tomates se mezcla con la salsa y se sirve inmediatamente con pedacitos de pan tostado o galleticas saltinas.

Nota: el secreto para que resulte esta crema es bajar al mismo tiempo del fuego los tomates y las salsas, combinándolas inmediatamente.

RECETA No. 8

SOPA DE QUESO

(Para 2 personas)

1 cebolla blanca picada
2 cucharadas de aceite
2 papas cocidas y deshechas
2 cucharadas de pan rallado
3 tazas de caldo
2 huevos duros picaditos
3 cucharadas de queso rallado
   sal y pimienta.

Fría la cebolla en el aceite, sin dejarla dorar, agregue pimienta y sal, las papas, el pan y el caldo. Déjelo cocinar por 15 minutos. Se ponen en la sopera, el queso y los huevos, eche el caldo hirviendo y sirva.

RECETA No. 9

SOPA O CREMA DE ALCACHOFAS

(Para 6 personas)

6 tazas de caldo
5 ó 6 alcachofas
2 cucharadas de harina
1 taza de maíz verde
   un poco de crema de leche, si se quiere.

Se cocinan las alcachofas en agua de sal con el maíz. Se parten en cuatro pedazos y se echan en la licuadora, con todo y hojas, agregándole de vez en cuando un poco de caldo. Cuando esté todo bien licuado, se cuela, se pone de nuevo al fuego con el resto del caldo y cuando esté hirviendo se le añade la harina disuelta en un poquito de leche. Al momento de servir se prueba de sal y se le añade la crema de leche, calculando una cucharada por plato. También puede hacerse utilizando sólo los corazones de las alcachofas y en este caso se necesitarían más; si se quiere puede pasarse el maíz por la licuadora.

RECETA No. 10

SOPA DE FRIJOLES BLANCOS

(Para 4 personas)

1   libra de fríjoles blancos
4   onzas de tocineta
4   onzas de tallarines
1/2 libra de papas.

Se cocinan los fríjoles con la tocineta, verduras bien picaditas, ajo y cebolla; cuando estén cocidos se les echan los tallarines, las papas partidas en cuatro y la sal.

Si son para el almuerzo deben echarse en agua la noche antes, ponerlos a cocinar temprano, agregándoles desde el principio el agua suficiente. Deben quedar espesos.

RECETA No. 11

SOPA DE AJO CON COSTRA

(Para 6 personas)

6 dientes de ajo
6 tazas de agua
2 panes medianos
6 cucharadas de aceite
2 huevos batidos
1 cucharadita de pimentón.

Caliente el aceite en una olla y fría los dientes de ajo hasta que estén dorados, sáquelos y bótelos. Agregue el pan cortado en rebanadas muy finas y el pimentón. Se rehoga moviendo lentamente para que se cocine por igual, añada el agua, sazónelo y déjelo cocer muy despacio por 10 minutos. Bata los huevos y extiéndalos por encima de la sopa o por cada cazuela, espolvoréelo de pan rallado y métalo al horno para que se forme costra. Sírvalo en cazuelas.

RECETA No. 12

SOPA DE CREMA DE COLIFLOR O DUBARRY

Esta se hace igual que la sopa de crema de apio. Rehogando un poco el coliflor antes de añadírselo a la salsa bechamel.

RECETA No. 13

CREMA DE APIO

(Para 8 personas)

4   matas de apio previamente hervido
3   tazas de salsa blanca
2¹/₂   tazas de consomé
1   taza de crema
4   cucharadas de mantequilla
     sal y pimienta.

Se rehoga en mantequilla el apio ya cocido, se juntan con la salsa blanca y se cocinan por 25 minutos, se licuan y se cuela. Se le añade el consomé. Se retira del fuego y se le agrega la crema de leche y la mantequilla. Puede servirse con pedacitos de apio hervido.

RECETA No. 14

SOPA DE LECHUGAS

(Para 4 personas)

6   cabezas de lechuga
1   barrita de mantequilla
3   tazas de salsa blanca
1   taza de crema de leche
     sal y pimienta.

Pónganse a hervir las lechugas, escúrralas y prénselas. Rehóguelas en la mantequilla. Mezcle las lechugas con la salsa blanca y déjelas cocinar por 45 minutos, licuelas y páselas por un colador fino. Al servirse se le agrega la crema. En esta misma forma se preparan las espinacas, achioria, etc.

RECETA No. 15

SOPA JULIANA

4   onzas de zanahorias
4   onzas de nabos
3   onzas de repollo
3   onzas de apio
2   onzas de papas
2   onzas de cebolla de hoja (sólo la parte blanca)
1   cucharada de mantequilla
1   cucharadita de sal
     pimienta picante molida

Las verduras se parten en tiritas bien delgadas, se pone la cebolla en la sartén con la mantequilla, sal y pimienta. Cuando se haya frito unos

instantes, sin tomar color, se echan las verduras, se revuelve bien y se deja al fuego 3 minutos. Se le agrega el agua, la cantidad justa para cubrir las verduras, y se le pone encima un disco de papel del tamaño de la sartén, untado en mantequilla, dejándolo cocinar 20 minutos (hasta que estén secas las verduras), luego se echa todo en la sopera y se le añade un buen caldo (más o menos seis tazas).

RECETA No. 16

GAZPACHO ANDALUZ Y SALMOREJO

2   libras de pan duro
2   libras de tomates pelados y sin semillas
5   dientes de ajo
2   ó 3 pimientos verdes
¹/₃   de taza de aceite de olivas
     sal y vinagre al gusto.

Se ponen en la licuadora los pimientos, tomates con el ajo, aceite y la sal. El pan se pone a remojar un rato y se le añade a la mezcla anterior, exprimiéndolo muy bien antes. Se cuela y se estruja, hasta que quede bien espeso. Se le añade el vinagre y la sal. Se presenta en un bol hondo, salpicado de pedacitos de pimientos y pepinos. Esta es la base del gazpacho que se licua con trozos de hielo. Se acompaña con platicos aparte de cebolla picadita, pepinos, huevos duros, cuadritos de pan, etc. Esta es una sopa fría para época de verano.

RECETA No. 17

SOPA DE ESPARRAGOS

(Para 4 personas)

1   lata grande de espárragos
1   litro de caldo
1   rama de perejil
1   cucharada de mantequilla
1   cucharada de harina
2   onzas de jamón o de tocino crudo
2   yemas de huevo
     sal.

Se cortan las puntas de los espárragos como de 2 cm y se reservan. Derretir la mantequilla, agregarle la harina y cuando esté bien mezclado añadirle el caldo, el resto de los espárragos, perejil, jamón y se deja cocer. Se cuela y se liga con las dos yemas de huevo, media cucharada de mantequilla y se vacía en la sopera donde se habrán puesto las puntas de los espárragos que se reservaron.

SOPA O POTAJE SAINT GERMAN

4	onzas de arvejas secas
1	tarrito de crema
3	papas grandes.

Remojar de antemano las arvejas y lavarlas bien; ponerlas en una cacerola, agregarles las papas cortadas en pedazos y un buen caldo, dejándolo cocinar hasta que las arvejas estén blandas. Se pasa luego por un colador para hacer un puré, añadiéndole más caldo de manera que quede como una crema, ni muy dura ni demasiado liviana y sazonarla al gusto. Al momento de servirla añadirle la crema, unas arvejas enteras (que pueden guardarse de las que sirvieron para hacer la sopa). Al servir se le ponen costrones de pan frito cortado en forma de dedos. Este potaje hace siempre honor a una mesa bien servida.

GUMBO DE CAMARONES ESTILO NEW ORLEANS

(Para 5 personas)

18	langostinos pelados y limpios
$^1/_2$	taza de cebolla picada
5	cucharadas de mantequilla
3	cucharadas de harina
$4^1/_2$	tazas de caldo de pollo
6	tomates frescos picados
2	cucharaditas de perejil picado
$^1/_4$	de cucharadita de tomillo
1	clavo de olor molido
2	hojas de laurel
2	tazas de candias partidas en ruedas
1	tarro de $^1/_2$ libra de carne de cangrejo o la misma cantidad de frescos arroz blanco caliente.

Cocine las cebollas en dos cucharadas de mantequilla por 5 minutos. Agregue el resto de mantequilla y cuando se derrita añadir la harina y el caldo, mezclando hasta que se disuelva. Agregar tomate, perejil, tomillo, ajo, sal y tápelo, cocínelo a fuego muy lento por una hora. Añada candias, langostinos, cangrejos y siga cocinándolos lentamente por 10 minutos. Sírvase sobre arroz caliente.

CONSOME AL JEREZ

(Para 10 personas)

1	cola de res
1	libra de carne magra
2	zanahorias grandes
2	rábanos blancos
$^1/_2$	libra de tomates
5	ramas de cebolla de hoja
1	hoja de laurel
6	pimientas de olor
6	ajíes dulces
2	cucharadas de salsa negra
$^3/_4$	de vino Jerez sal y pimienta.

Cocine todo por 2 ó 3 horas a fuego lento y tapado. Cuele el caldo, rectifique la sazón, agregue salsa negra. Al servirlo se le añade el vino.

VICHYSSOISE

(Para 6 personas)

$^1/_2$	libra de tallos blancos de puerros
1	cebolla mediana pelada y cortada verticalmente
2	cucharadas de mantequilla sin sal
1	libra de papas medianas cortadas en cuadritos
4	tazas de caldo de pollo
2	tazas de leche
1	taza de crema espesa nuez moscada, pimienta de cayena, sal y pimienta blanca.

Se derrite la mantequilla en una cacerola, se añaden las papas y los puerros finamente picados, se tapa y se cocina suavemente 5 minutos. Se añade el caldo removiendo para que se mezcle hasta que empiece a hervir, se agregan las pimientas y la sal. Se tapa y se deja cocinar por 30 minutos hasta que comience a hervir, se agrega la crema, se sazona y se refrigera hasta el momento de servir. Se vierte en la sopera o en los platos. Se adorna con cebollín picado. Se acompaña con pan de ajo.

CAPITULO III

Pescados y mariscos

Pescados y mariscos

PESCADO EN CACEROLA

(Para 6 personas)

2	libras de pescado en filetes
3	tomates picados sin piel ni semillas
3	cebollas picadas
3	cucharaditas de sal
1	cucharadita de pimienta
1	hoja de laurel
1	ramita de tomillo
1	taza de salsa blanca espesa
$^1/_2$	taza de queso parmesano rallado
1	cucharada de alcaparras
1	cucharada de mostaza
	el jugo de 2 limones.

El pescado se cocina con cebolla, tomate, hierbas, sal y el jugo de los limones. Cuando esté cocido se desmenuza y se mezcla con la salsa blanca y el queso, alcaparras y la mostaza. Se pone en un refractario untado en mantequilla y encima se espolvorea con polvo de pan y pedacitos de mantequilla, se mete al horno a dorar.

SEVICHE O CEBICHE PERUANO

Se parte el pescado crudo en trocitos medianos, se cubre con limón y se le agrega unos dientes de ajo picados. En esta preparación se deja 1 ó 2 horas. Aparte se cortan unas cebollas en ruedas, se les agrega limón suficiente para marinarlas agregándoles sal, pimienta, el ají picante y un poco de cilantro picado. Después de 1 ó 2 horas de tener ambas cosas en preparación, se juntan, y si se quiere se le añaden unas tiritas de ajíes rojos para darle colorido.

Esto lo acostumbran comer allí acompañado con pedazos de yuca, de batata y ruedas de maíz verde.

PESCADO AL GRATIN

(Para 6 personas)

2	libras de pescado cortado en filete
$^1/_2$	barra de mantequilla
$^1/_2$	taza de vino Jerez
2	cucharaditas de sal
$1^1/_2$	tazas de salsa blanca
3	ramas de perejil picado
$^3/_4$	de taza de queso parmesano rallado.

El pescado se cocina con el vino y la sal. Se mete al horno hasta que esté cocido. El jugo que suelte el pescado, se une a la salsa blanca. Se vierte esta salsa sobre el pescado, se espolvorea con queso rallado y se gratina hasta que dore.

ROLLO DE LANGOSTA, CAMARONES O SALMON

(Para 15 personas)

Se baten ocho claras a la nieve con media cucharadita de sal, se agregan las yemas sin batir y cuatro cucharadas de harina de trigo, se revuelve todo pronto para que no se baje. Se pone al horno en una tártara engrasada, a temperatura de 375 °F de 15 a 20 minutos, sin dejarlo tostar. Se voltea en una servilleta húmeda, se enrolla caliente, se desenvuelve para ponerle el relleno y se enrolla de nuevo.

Relleno: se hace una taza de salsa blanca espesa, se le agrega una y media tazas de mariscos en pedacitos, si es de salmón se tritura éste, se le añaden unos encurtidos picados o alcaparras, tres cucharadas de salsa de tomate. Se colocan en una bandeja y se bañan con la salsa de la receta siguiente. También puede usarse para el relleno la receta de la Langosta a la thermidor.

Salsa:

1	taza de caldo
1	taza de leche
2	cucharadas de mantequilla
2	cucharaditas de sal
4	yemas
2	cucharaditas de perejil picado
1	cucharadita de azúcar
2	cucharaditas de maizena disuelta en un poco de leche o agua y mezclada con las yemas
2	cucharadas de vinagre o jugo de limón pimienta al gusto.

Se pone todo junto al fuego, exceptuando la maizena y las yemas, que se agregan cuando esté hirviendo lo anterior. De último el vinagre o limón y dos cucharadas de salsa de tomate de frasco.

CAMARONES REBOZADOS

1	taza de harina
1	huevo
1	taza de agua helada
1	cucharada de aceite de olivas
1/2	cucharadita de azúcar
1/2	cucharadita de sal.

Los camarones se pelan crudos, dejándoles sólo la colita. Se secan bien con un paño y se les unta sal y pimienta.

Se baten juntos todos los ingredientes anteriores hasta mezclarlos bien. En esta masa se envuelven los camarones y se fríen en bastante manteca o aceite bien caliente. Se sirven solos o con una salsa hecha de tomate, cebolla y un poco de picante. Sirven para picadas.

SOUFFLE DE CAMARONES

(Para 6 personas)

6	rebanadas de pan sin çorteza
2	tazas de queso gruyère rallado
2	tazas de leche
2	tazas de camarones cocidos enteros o picados
4	huevos
1 1/4	de taza de migas de pan sal, pimienta picante mantequilla o margarina.

Unte las rebanadas de pan con la mantequilla o margarina. Córtelas en cuadritos de 2 cm. Bata los huevos ligeramente y mézclelos con la leche. En un molde refractario de dos litros de capacidad, distribuya la mitad del pan en el fondo, cúbralos con la mitad de los camarones y la mitad de queso, póngales sal y pimienta. Repita la operación con el resto del pan, camarones y queso. Vierta por encima la mezcla de leche y huevos. Espolvoréelo con migas de pan, ponga el molde a baño María en el horno de 350 °F por una hora. Se adorna con perejil picado. Sírvalo caliente.

PESCADO A LA DUGLERE

(Para 6 personas)

2	libras de filetes de pescado
1	vaso de vino blanco
4	cucharadas de mantequilla
1	libra de tomates partidos y majados
2	ramitos de perejil picado
1	cucharada de harina
2	cucharaditas de sal
4	cebollas finamente partidas
1/2	cucharadita de pimienta.

Se cocinan los filetes con el vino, sal y pimienta. Fría la cebolla en dos cucharadas de mantequilla hasta que esté transparente, agregue el tomate, pimienta y sal, cuele el jugo que soltó el pescado y agréguelo a la salsa dejándolo cocinar un momento. Mezcle la mantequilla restante con la harina y añádala a la salsa, cocínela por 15 minutos. La salsa debe quedar cremosa, no espesa. Viértala sobre los filetes y espolvoréele el perejil por encima.

LANGOSTA A LA THERMIDOR

(Para 2 personas)

1	langosta grande sancochada
6	hongos picados
5	cucharadas de mantequilla
1	cucharada de perejil picado
2	cucharadas de harina
1	taza de crema de leche
2	cucharadas de queso parmesano
$^1/_8$	de cucharadita de mostaza
$^1/_2$	copa de Sherry Brandy
$^1/_2$	cucharadita de sal
	paprika o tobasco al gusto.

Parta la langosta en dos, sáquele la carne y pártala en pedazos pequeños, cocine los hongos en tres cucharadas de mantequilla y añádale el tobasco, mostaza, perejil y vino. Déjelo hervir, derrita el resto de la mantequilla y mézclele la harina, añádale la crema, cocínelo hasta que espese, moviéndolo constantemente, rellene la concha de la langosta y espolvoréelo con el queso, métalo a horno a 375 °F por 15 ó 20 minutos hasta que dore por encima.

FLAN DE SALMON

(Para 10 personas)

8	huevos
2	latas de salmón de 8 onzas
2	frascos de alcaparras de los pequeños
3	cucharadas de salsa inglesa
3	panes mojados en leche o 14 rebanadas de pan de molde
$^1/_2$	frasco de salsa de tomate
$^1/_4$	de libra de mantequilla
	pan rallado.

Al salmón se le quitan las espinas y se desmenuzan, se le añaden la mantequilla, salsa de tomate, salsa inglesa, los frascos de alcaparras con el vinagre. Se le agrega el jugo del salmón, el pan mojado en leche y los huevos. Batir primero las claras a punto de nieve y después se le añaden las yemas. Se mete al horno de 350 °F, al baño de María en moldes grandes o chicos, engrasados y con polvo de pan.

Tarda en cocinar poco más o menos una hora.

Salsa: a $^1/_2$ taza de salsa de tomate de frasco se le agrega una cucharada de mantequilla y 2 o 3 cucharadas de leche, sal y pimienta, salsa inglesa, se calienta y se baña el flán con esta salsa.

LANGOSTA A LA NEWBURG

(Para 8 personas)

2	tazas de carne de langosta picada
2	cucharadas de mantequilla
2	cucharadas de brandy
3	yemas ligeramente batidas
$^1/_2$	taza de crema de leche
$^1/_2$	cucharadita de sal
8	tostadas de pan, canasticas de hojaldre o galletas
	nuez moscada.

Cocine la langosta en mantequilla y agréguele el brandy, dejándola un rato al fuego. Mezcle las yemas y la crema y agréguese esto a la langosta dejándose en el fuego hasta que espese, siempre revolviendo para que no se corte. Retírese del fuego y agréguele la sal y nuez moscada y sírvase sobre las tostadas, canasticas o galletas.

CALAMARES

(Para 8 personas)

4	libras de calamares
1	libra de cebollas finamente picadas
5	dientes de ajo picado
$^1/_2$	taza de crema de leche
$^1/_2$	taza de salsa de tomate
1	copa de brandy
1	copa de whisky
	sal, pimienta, perejil.

Limpiar los calamares como se explica al principio de la obra. Secarlos y cortarlos en anillos. Poner la cebolla a cocinar en un poco de aceite, dejarla hasta que esté blanca, agregarle los calamares, ponerle sal, pimienta, perejil picado y el ajo. Añadir la salsa de tomate, el brandy y dejar cocinar por una hora aproximadamente. Por último agregar la crema sin dejar hervir. Si se quiere flamear, se calienta previamente una cuchara y se echa mitad de brandy y mitad de whisky, se vierte sobre la bandeja y se le prende un fósforo. Se espolvorea con perejil picado. Se acompaña con arroz blanco.

PISTO MANCHEGO

(Para 6 personas)

10	onzas de cebolla picada
3	libras de tomate
1	lata de pimentones morrones de $^1/_2$ libra
1	hojita de laurel
1	pizca de pimienta picante
3	dientes de ajo
1	ramo de hierbas y una pizca de azúcar
4	tazas de calabaza picada
$1^1/_2$	libras de pimientos verdes y rojos picados en cuadritos
12	onzas de bonito o atún en escabeche
1	mata de apio en trocitos (tallo).

En una taza de aceite bien caliente se rehogan los ajos picados finamente y la cebolla. Se deja freír lentamente sin permitir que la cebolla tome color y luego se le añaden los pimientos verdes cortados en cuadritos. Cuando todo está a medio freír, se le añaden los tomates previamente pelados pasados por agua caliente y se cortan en trocitos desprovistos de las semillas, después la calabaza y se sazona con sal, pimienta blanca, el ramo de hierbas, perejil, apio y laurel. Cuando esté terminado de freír todo se le incorporan los pimientos morrones, también cortados en cuadritos, y el bonito o atún desmenuzado, se deja que dé un hervor con todos estos ingredientes y se retira del fuego. Se hace un aro de arroz blanco y el pisto se coloca en el centro y alrededor.

LANGOSTA A LA AMERICANA

(4 porciones)

4	langostas vivas de $1^1/_2$ libras cada una
2	cucharadas de mantequilla
1	cucharada de aceite
1	cebolla
1	ajo
2	cucharadas de pasta de tomate
1	vaso de vino blanco
$^1/_2$	copa de coñac
	un poquito de perejil
	pimienta molida y sal.

Se desprende la cabeza de las colas cuidando de recoger el líquido que suelten, se parten las colas en tres o cuatro pedazos, dejándoles las cáscaras. En una sartén se pone la mantequilla y el aceite y se fríen la cebolla, ajo y perejil todo bien picado. La langosta se fríe poniéndole sal y pimienta de ambos lados, se le agrega el brandy y se fla-

mea prendiéndolo con un fósforo. Cuando se apaga se le añade una taza de caldo, el vino, la pasta de tomate, hoja de laurel y de último se le agrega el jugo o la "sangre" de la langosta. Si tiene corales también se le añaden, se prueba de sal y se le agregan dos cucharadas de mantequilla. Se deja un rato a fuego lento para que tome un poco de consistencia. Al servirla se saca de las cáscaras.

PESCADO A LA HOLANDESA

(Para 10 personas)

1	libra de pescado
1	libra de puré de papas
2	cucharadas de crema de leche
6	onzas de camarones sin conchas
3	huevos
$3^1/_2$	cucharadas de mantequilla.

Cocine el pescado en agua con sal y verduras, desmenúcelo, júntelo con el puré, agréguele los ingredientes menos los huevos, condiméntelo y ponga la mitad en un molde engrasado, espolvoreado con pan rallado. Hacer tres pequeños huecos y romper en cada uno un huevo. Tapar con el resto y cocinar a horno regular una hora. Bañarlo con salsa holandesa, o con salsa de tomate.

ESPONJADO DE BACALAO O DE BAGRE

1	libra de bacalao o bagre salado
$^1/_2$	taza de aceite o manteca
4	huevos enteros
1	cebolla grande
2	tomates
1	cucharadita de azúcar
	pimienta y nuez moscada al gusto
$1^1/_2$	tazas de salsa blanca.

Se pone a remojar el bacalao para desalarlo y sacarle las espinas y el pellejo. Se desmenuza el pescado y se mezcla con la salsa blanca, nuezmoscada huevos y pimienta. Verificar la sazón y verterlo en un molde engrasado al Baño María en el horno de 350º, aproximadamente 1 hora.

Se dora en el aceite la cebolla bien picadita agregándole los tomates pelados y picados, el azúcar, sal y pimienta. Con esta salsa se acompaña el esponjado.

CAMARONES EN GABARDINA

1	libra de camarones
5	onzas de harina
1	clara de huevo
7	onzas de agua
1	cucharada de vinagre
	sal y pimienta.

Se lavan los camarones y se ponen a cocinar en agua de sal. A los 3 minutos de hervir se apartan, se cuela el caldo y se dejan enfriar. Se pelan los camarones, dejándoles la colita. Se pone la harina en un recipiente, se añade el vinagre, sal y poco a poco el agua donde se cocinaron los camarones, pero debe estar bien fría. Se bate la clara a punto de nieve y se agrega a la pasta. Se van envolviendo en ella, uno a uno los camarones, cogiéndolos por la colita y se van echando en el aceite bien caliente. Se sirven en una fuente cubierta por una servilleta. Son excelentes para picadas.

BULLABESA

(Para 6 u 8 personas)

3	libras de pescados variados, langostas y camarones
1	taza de aceite
2	cogollos de puerros
2	cebollas
10	dientes de ajo
1	libra de tomates
2	tazas de vino blanco
2	tazas de agua
1	cucharada sopera de sal
½	cucharadita de pimienta
1	cucharada sopera de perejil picado
2	gramos de azafrán
18	pedacitos de pan.

Límpiense y pártanse en pedazos todos estos pescados. Lávense, rehóguense en aceite los cogollos de puerros y la cebolla partidos muy finos, añádanse los dientes de ajo picados, los tomates pelados y machacados o su equivalente en puré de conserva, el vino blanco, el agua y póngase el pescado en esta cocción, adicionándole la sal, pimienta, perejil picado y azafrán. Rocíese con aceite fino y déjese 20 minutos hirviendo a borbotones, sirviéndose entonces con pedacitos de pan fritos en aceite y perejil picado encima. En Marsella se echa el caldo de la cocción sobre rebanadas de pan y se sirve como sopa, con el pescado aparte. Al momento de llevarlo a la mesa se le pone una copa de Pernot (Tiempo de cocción: 20 minutos).

ENSALADA DE LANGOSTAS O CAMARONES

(Para 8 personas)

3	libras de langostas o camarones cocidos
1½	libras de papas
1	libra de manzanas
1	taza de mayonesa
	sal y pimienta al gusto
	espárragos, si se quiere.

Las langostas o camarones se parten en pedazos. Las papas se parten en cuadritos y se sancochan en agua de sal por 10 minutos echándolas con el agua hirviendo. Las manzanas se parten también en cuadritos y se mezcla todo con la mayonesa. Se adorna con puntas de espárragos, petit pois y pueden agregársele unas lechugas partidas menudito.

SOPA DE ALMEJAS

(Para 15 personas)

4	libras de papas
4	libras de tomates
14	onzas de cebollas
6	pimientos verdes y rojos
6	cucharadas de aceite de olivas
15	docenas de almejas
1	pargo o sierra
	sal, 1 hoja de laurel, apio, pimienta,
	2 clavos, perejil, 4 - 6 granos de cominos,
	ajo (6 machacados y 6 partidos).

Se fríen en el aceite los ajos partidos finamente y la cebolla muy menuda, se sazona con sal, pimienta y una pizca de azúcar. Se rehoga todo ello muy lentamente para que la cebolla no tome color, se le añaden los pimientos en pedacitos, el tomate también partido desprovisto de la piel y las semillas. Cuando ambas cosas estén bien cocidas se le añaden las papas partidas en trozos más bien grandes, y se deja cocinar con la cebolla y el tomate cuidando de que no se doren ni se quemen. Se incorporan las almejas bien lavadas y se dejan rehogar 5 ó 10 minutos. Se añade el agua necesaria para su cocción (el agua debe estar hirviendo) y un poço de pasta de tomate disuelta. Se maja en el mortero el ajo, pimienta, con perejil, dos clavos, cuatro o cinco granos de comino y se incorpora al guiso. Por último el pescado, partido, sazonado con sal y pasado por harina. Si ha quedado muy líquida se añade un poco de harina, ya que no debe tener tanto caldo.

RECETA No. 20

MOLDE DE ESPINACAS CON CAMARONES

(Para 6 personas)

3	mazos de espinaca sancochados
4	cucharadas de mantequilla
1	libra de camarones
4	huevos batidos
2	cucharadas de queso rallado
2	cucharadas de pan rallado
	sal y pimienta.

Lavar las espinacas y sancocharlas, saltearlas en la mantequilla, añada los camarones y el resto de la mantequilla, el queso y los huevos batidos. Espolvoréele con pan rallado, hornéelo ¾ de hora a 350°F.

RECETA No. 21

MOUSSE DE SALMON

(Para 10 personas)

½	taza de agua helada
1	taza de agua hirviendo
2	cucharadas de jugo de limón
3	cucharadas de cebolla finamente picada
2	cucharaditas de alcaparras, escurridas y majadas
½	taza de crema batida
2	envelopes de gelatina simple
1	taza de mayonesa
1	cucharadita de tobasco
½	cucharadita de paprika
1	cucharadita de sal
2	latas (15½ onzas) de salmón o 1½ libras de salmón fresco.

Adórnelo con pimentones, pepinos formando las escamas y aceitunas para los ojos.

Engrase un molde en forma de pescado. Ponga agua fría en una vasija y espolvoree la gelatina sobre el agua, déjelo 5 minutos hasta que suavice. Vierta encima el agua hirviendo y muévalo para que se disuelva la gelatina. Mezcle mayonesa, jugo de limón, cebolla, tobasco, paprika, sal,

alcaparras. Quite la piel del salmón y despójelo de las espinas, desmenúcelo y júntelo con la gelatina. Bata la crema hasta formar picos, y mézclela en movimiento envolvente con lo anterior. Vierta todo en el molde, cúbralo con plástico y refrigérelo hasta que endurezca. Puede conservarse dos semanas en la nevera.

RECETA No. 22

CRÊPES DE MARISCOS

(Para 12 personas)

1	taza de leche fría
1	taza de agua fría
4	huevos
1	cucharadita de sal
2	tazas de harina
4	cucharadas de mantequilla derretida.

Ponga en la licuadora todos los ingredientes y déjelos en la nevera varias horas. Caliente una sartén de 16 cm y engrásela. Vierta ¼ de taza del batido en la sartén y muévalo para que cubra toda la superficie. Cocínela hasta que los bordes cuajen y doren. Voltéelas con la espátula y dórelas un poco. Ponga los crêpes en un plato y cúbralos con papel encerado.

Relleno:

1	barra de mantequilla
½	taza de cebolla picada
2	libras de langostinos o cangrejos
¼	de cucharadita de polvo de ajo
½	taza de Vermouth
	sal y pimienta blanca.

Derrita la mantequilla en la sartén, mezcle cebolla, marisco, sal, pimienta y ajo, añada el vino y déjelo hervir hasta que evapore.

Salsa:

⅔	de taza de Vermouth
¼	de taza de maizena
¼	de taza de leche
¼	de taza de crema espesa
2½	tazas de queso gruyère rallado
	sal y pimienta blanca.

En la sartén añada el Vermouth y déjelo hervir hasta que reduzca a dos cucharadas. Mezcle la harina con la leche y agréguelo al Vermouth, reduzca el fuego y añada la crema, sal y pimienta, de último agregue el queso rallado, 1½ tazas. Cocínelo hasta que endurezca. Ponga en la licuadora la mitad de la salsa con el marisco. Ponga una cucharada grande sobre cada crêpe y enróllela. La salsa restante se vierte sobre los crêpes; espolvoréelos con el resto del queso. Cocine 20 minutos en el horno a 400°F hasta que dore.

OSTRAS AL AJILLO

10   docenas de ostras
1   cubito de caldo de carne
8   ajos picados
3   cucharadas de aceite de olivas
½   taza de sopas de tomate
3   ramas de perejil picadas
1   cucharada de polvo de pan.

Se cocinan por 5 minutos en una taza de agua y se escurren en un colador. Se fríen en el aceite los ajos, se le añaden las ostras, las sopas de tomate, el cubito, tobasco y perejil picado. Si queda muy floja, se le pone el pan rallado. Se sirve en cazuelas de barro. Se pueden hacer también con camarones.

ZARZUELA O CAZUELA DE MARISCOS

(Para 15 personas)

1   libra de camarones
1   libra de calamares
1   libra de almejas
1   libra de mero en filetes
1   libra de cebolla cabezona
1   libra de pimientos
1   copa de vino blanco
2   cucharadas de pasta de tomate
1   libra de langostas
1   libra de caracoles
1   libra de pargo en filetes
1   libra de jurel en filetes
1   libra de tomates pelados
10   dientes de ajo
1   frasco de aceitunas sin semillas
      pimienta y sal al gusto.

Se sancochan los camarones y las langostas reservando el agua. Se hace un sofrito con aceite de olivas, cebolla, puerros, pimientos, ajo, perejil y en este se echan los distintos pescados, agregándole de último el tomate, el caldo donde se cocinaron los camarones (cuatro tazas), las langostas y camarones. Después se vierte el vino blanco y la pasta de tomate con las aceitunas. Se deja cocer a fuego lento tapado, revolviendo de vez en cuando y se sirve en cazuelas de barro. Esto no debe quedar con mucho caldo. Tiempo de cocción: 20 minutos.

ALMEJAS A LA MARINERA

2   libras de almejas
2   vasos de vino blanco
2   ajos picados
4   onzas de mantequilla
2   pizcas de pimienta picante
1   ramita de tomillo
2   cucharadas de perejil picado.

Lavarlas muy bien, rasparlas, moverlas dentro del agua fría, pero no dejarlas mucho rato.

Póngalas a cocinar con el perejil, pimienta (nada de sal), tomillo y ajo bien picado, mojarlos con el vino blanco y dejarlo hervir, taparlo y conservarlo a fuego vivo. Moverlas y cuando estén todas abiertas y cocidas se pasa el jugo a otra cacerola. Agregándole la mantequilla, más perejil picado y dejarlo cocinar sin las almejas, debe hervir bastante y quedar reducido a la mitad de su volumen primitivo. Quitarle una de las conchas a las almejas y rociarlas con el caldo. Sírvanse en seguida.

ENSALADA DE ATUN

1   libra de papas
1   lata de atún en aceite
      apio picado.

Se sancochan las papas en cuadritos, se mezclan con el atún desmenuzado, se le agrega un frasco pequeño de alcaparras y cebolla cruda picadita si se quiere. Se adereza con mayonesa.

ATUN EN ESCABECHE

Se le pone al pescado, después de cortado en postas, la sal y se fríe en abundante aceite de olivas, sin dejarlo dorar. A medida que se va friendo se saca. En ese aceite se fríen diez dientes de ajo, diez pimientas picantes, cinco hojas de laurel y unas ruedas de cebolla. El aceite se mide y se le pone la misma cantidad de vinagre, tapando la sartén para que no salte. Se meten las postas, procurando que queden cubiertas. En esta composición puede durar varios días y usarse después para hacer la ensalada o el pisto manchego.

BACALAO A LA VIZCAINA

(Para 10 personas)

2	libras de bacalao
¹/₂	taza de harina
1	taza de aceite de olivas
4	cebollas en rodajas finas
1	libra de tomates, sin piel ni semillas

Salsa:

4	dientes de ajo
2	cebollas picadas
2	libras de tomates cortados en trozos
3	pimientos secos previamente remojados
4	rebanadas de pan de molde frito, seco y picado.

Se corta el bacalao en trozos y se pone en remojo desde la víspera. Se cocina en una cacerola en agua fría, retirando antes de que hierva. Se le sacan las espinas sin deformar los trozos; se pasan por harina y se fríen en aceite sin dejarlo dorar mucho. Se fríen las cebollas en rodajas, se le añade el tomate picado y se deja sofreír despacio. En otra cacerola se sofríen los ajos y las cebollas bien picadas para hacer la salsa, con el tomate, pimientos, el pan frito y se cocina a fuego lento, se saca y se pasa por un cedazo. Se agrega el sofrito de cebolla y tomate. Se coloca en una vasija de barro poniendo una capa de salsa que cubra el fondo, sobre ella los trozos de bacalao frito y encima la salsa restante y pimientos morrones cortados en tiras, por último se espolvorea con migas de pan rallado mezclado con perejil picado. Se deja cocinar 10 minutos al fuego directo y después se mete al horno hasta que dore la superficie.

LANGOSTA A LA PARRILLA

(Para 4 personas)

4	colas de langostas medianas
¹/₄	de taza de jugo de limón
1	cucharadita de sal
1	cucharadita de paprika
¹/₄	de taza de cebolla de hoja menuda.

Quite con las tijeras la parte de abajo de las colas, o sea el lado blando. Haga una pequeña rajita en la carne para sacar la tripa. Mezcle los ingredientes y bañe con esto la carne de las langostas y déjelo varias horas. Al momento de asarla, engrásela un poco y póngala sobre el fuego del carbón dejando una distancia como de 10 cm. Cuando se vea la carne cocida, se pueden voltear con la cáscara hacia arriba. Esto se sirve acompañado de una salsa de mantequilla derretida. Combina muy bien con puntas de espárragos y papas fritas a la francesa.

LANGOSTA ENCHILADA

2	langostas de regular tamaño
2	cebollas
6	dientes de ajo
³/₄	de taza de vino blanco
1	pote de pimientos morrones
¹/₄	de taza de vinagre
³/₄	de taza de aceite
12	tomates
4	ajíes pimientos
2¹/₂	cucharaditas de sal
¹/₂	cucharadita de pimentón
¹/₂	cucharadita de pimienta picante.

Se pasan por la máquina de moler la cebolla, tomates y ajíes. Se machacan en el mortero los ajos con la pimienta y el pimentón, hasta triturarlos bien. Se arranca la cabeza de la langosta y se le saca toda la grasa o carne, raspando bien con una cuchara y se separa en una taza. A la cola se le quita con cuidado la vena y se corta en trozos. Se pone en una cacerola el aceite y se añaden los ajos machacados con el picadillo de cebolla, poniéndolo después al fuego. Cuando el sofrito presenta una capa de grasa, se añade la langosta, el vino y el vinagre. Se sazona con sal y se deja cocinar; después que hierva a fuego lento durante 30 minutos, o hasta que cuaje la salsa. Se le añade picante al gusto. Se sirve adornado con pimientos morrones.

ENSALADA DE ATUN

(Para 15 personas)

1	libra de arroz cocido duro
3	latas de atún en aceite
1	lata de petit pois
1	repollo picado fino
	mayonesa
	salsa de tomate y tobasco al gusto
	aceitunas en ruedecitas.

Se pone el repollo en vinagre unas horas y después se mezcla todo.

CAMARONES MARINADOS EN CERVEZA

(Para 4 personas)

2	libras de camarones pelados y sin vena
1	cucharadita de cebollín bien picado
1	cucharada de perejil picado
2	cucharaditas de albahaca seca (opcional)
1	cucharadita de ajo majado
1	cucharadita de mostaza seca
½	cucharadita de pimienta negra fresca
½	cucharadita de sal de ajo
1	cucharadita de sal
1	botella de cerveza o una lata.

Marine los camarones en estos ingredientes lo menos 8 horas o hasta el día siguiente, preferible 24 horas en la nevera moviendo frecuentemente. Séquelos. Páselos un poco por mantequilla al fuego y después viértales la salsa en que se prepararon.

LANGOSTINOS A LA PORTEÑA

(Para 12 personas)

3	libras de langostinos
3	cucharadas de aceite de olivas
3	cucharadas de mantequilla
3	cebollas blancas grandes picadas
3	dientes de ajo machacados
6	tallos de apio pelados y picados
1	pimiento rojo en tiras delgadas
1	pimiento verde en tiras delgadas
1½	libras de tomates pelados y picados
3	hojas de laurel
1	cucharadita de tomillo
½	taza de vino blanco
½	taza de ron
1	caja de hongos
½	taza de crema de leche
	ají en polvo al gusto
	sal y pimienta al gusto.

Se pone en una sartén el aceite y la mantequilla; cuando esté caliente, se agregan las cebollas y el ajo. Cuando estén transparentes añada la mitad del apio y los pimientos y cocínelos a fuego lento durante 5 minutos. Se añaden los tomates con los condimentos y se tapa la cacerola por 10 minutos. La mitad de esta mezcla se licua con el vino, el ron y el ají y se reincorpora a la mezcla. Se agregan los langostinos y los hongos, se cocina todo por 5 minutos. Se agrega el resto del apio y se deja al fuego 3 minutos. Se añade la crema sin dejar que hierva. Se acompaña con arroz blanco.

CAMARONES A LA BORDELESA

(Para 6 personas)

2	libras de camarones
2	vasos de vino blanco
4	hojas de laurel
2	hojas de orégano
1	ramo de perejil, unas ramitas de tomillo
2	cucharadas de mantequilla
1	cucharada de harina
	sal y pimienta.

Se cocinan los camarones con el vino y las especias exceptuando el perejil y la mantequilla. Cuando estén sancochados se pelan, se machacan las conchas y las cabezas para sacarles el jugo, se revuelve con el jugo en que se cocinó, se cuela y se ponen de nuevo al fuego añadiéndole al final la mantequilla, el perejil picado y la harina disuelta en un poquito de agua.

CALAMARES EN SU TINTA

(Para 4 personas)

1	libra de calamares
1	libra de cebollas
2	cucharadas de aceite de olivas
2	tomates
1	pimiento
4	dientes de ajo
1	copa de vino blanco o brandy
1	cucharada de harina
	laurel, pasta de tomate, perejil picado
	sal y pimienta.

Se limpian los calamares como se explica al final de la obra, teniendo cuidado de sacar las bolsitas de la tinta y reservarlas. En el aceite se sofríe la cebolla y el ajo picaditos, añadiéndole una rebanada de pan mojado en vinagre. Se sacan y se maja todo junto. Al aceite restante se le agregan los calamares cortados en ruedecitas, se dejan cocinar un momento y se le añade el majado de cebolla, ajo y pan, laurel, pasta de tomate disuelta, el vino y demás ingredientes. Se van exprimiendo muy bien las bolsitas de la tinta hasta que no quede nada en ellas y se van disolviendo con un poco del jugo que soltaron los calamares; cuando esté bien mezclado se le agrega esta salsa a los calamares. Se cocina un rato más; si la salsa no está espesa, se le añade la harina disuelta en un poco de agua. Deben quedar con bastante caldo. Se sirve acompañado de arroz blanco.

Se cortan en ruedecitas delgadas, se pasan por harina y sal, se fríen en aceite de olivas bien caliente al momento de servirlo. Se presentan a la mesa con unas rodajas de limón.

PAN FRIO DE ATUN

(Para 8 personas)

2	laticas de atún en aceite
4	ó 5 anchoas
10	onzas de mantequilla o margarina
1	limón
1	cucharada de mayonesa
1	cucharada de alcaparras.

El atún se tritura finísimo, o mejor machacado en un mortero con las anchoas, la mantequilla y las alcaparras hasta lograr una masa muy fina y homogénea; luego se le agrega el jugo de limón y si se quiere se le añade más mayonesa. Se forra un molde liso con papel parafinado, ligeramente untado de aceite, se vacía en éste la masa de atún con todo el resto, pisándolo un poco para no dejar vacíos. Se pone el molde en la nevera unas horas, se desmolda y se decora con mayonesa, huevos duros y encurtidos.

PESCADO A LA VASCA

1	pescado grande, cherna o pargo rojo
30	almejas grandes
1	cucharada de harina
5	ó 6 dientes de ajos
$^3/_4$	de taza de aceite
1	frasco de pimientos morrones
1	pote de arvejas
	caldo de gallina
	perejil, sal y pimienta.

El pescado se parte en trozos, se unta de sal, pimienta y limón; se pasa por harina cada pedazo. En el aceite caliente se fríen hasta que doren de ambos lados. Se sacan de la grasa y se colocan en otra olla, añadiéndoles perejil, ajos picados, el caldo hasta que lo cubra, la cucharada de harina disuelta en un poco de caldo, las almejas, pimientos y arvejas. Se tapa y se cocina a fuego lento por $^1/_2$ hora, aproximadamente.

CALAMARES REBOZADOS

Se limpian los calamares según instrucciones y fotografías al final de la obra.

CALAMARES CON PAPAS

(Para 8 personas)

2	libras de calamares partidos en trozos
2	libras de papas partidas en trozos
2	cebollas grandes picadas
$^1/_2$	taza de aceite de olivas
4	dientes de ajo
4	ó 5 hojas de laurel
	sal y azafrán.

Se limpian los calamares según instrucciones al final de la obra. Se fríen los ajos en el aceite, cuando doren se botan. En ese aceite se fríe la cebolla hasta que dore, se le añade el azafrán y todos los demás ingredientes dejándolo rehogar un rato y moviendo de vez en cuando. Se cubre con agua hirviendo, se le añade sal y pimienta, se tapa dejándolos cocinar una $^1/_2$ hora o hasta que los calamares estén blandos, y haya espesado la salsa.

PESCADO MERCEDES

1	pescado (pargo rubia o cherna) entero de 3 libras
2	libras de papas
3	cebollas medianas
2	tomates grandes
3	dientes de ajo picado muy menudo
1	limón en ruedecitas
	pan rallado
	pimienta y sal al gusto.

Al pescado se le hacen unas rajas en la carne. Se le pone sal por dentro y por fuera. Se le colocan por dentro unas ruedas de cebolla y tomate. Las papas se cortan del grueso de una moneda y se fríen en abundante aceite dejándolas tiernas, se fríen también unas rodajas de cebollas. Se sacan del aceite y se ponen las papas en una tartera, distribuyéndole por encima las cebollas. Encima se coloca el pescado. En un plato se mezcla el pan rallado, la pimienta molida y el ajo, echándoselos por encima al pescado. Se adorna éste con ruedas de tomate, cebolla y limón lo más artísticamente posible. Se añade aceite por los lados y agua en cantidad adecuada para cocinar esto. Se mete al horno y una vez que ha comenzado a tomar color se baña con la salsa dejándolo dorar de nuevo hasta que esté en punto.

RECETA No. 41

PESCADO DE VERANO

(Para 6 personas)

1	pescado de 3 libras o filetes
3	libras de tomates, sin piel ni semillas
1	libra de pimientos verdes picados
$\frac{1}{2}$	libra de cebolla picada
$\frac{1}{2}$	taza de aceite
1	hoja de laurel
2	dientes de ajo picados
3	cucharadas de perejil picado
	sal y pimienta al gusto.

Se limpia bien el pescado y se sazona con pimienta y sal. Los tomates pelados se pican muy menudos. En una cacerola se pone el aceite y cuando esté muy caliente se le echa la cebolla, pimientos, tomates, ajo, perejil y laurel. Se tapa herméticamente y a fuego lentísimo se cocina hasta que esté todo completamente deshecho y de vez en cuando se machaca con la cuchara. Se añade el pescado y se vuelve a tapar cocinándolo en la misma forma y en su propio jugo. Esta receta se puede hacer también con camarones pelándolos crudos y agregándolos a la salsa, para cocinarlos.

RECETA No. 42

CALAMARES A LA ROMANA

1	libra de calamares
1	taza de harina
1	limón
1	ramo de perejil
$\frac{1}{4}$	de litro de leche
1	huevo
5	cucharadas de agua
2	cucharadas de levadura en polvo.

Limpiar los calamares, cortarlos en anillos de 1 cm y ponerlos en remojo dentro de la leche.

Poner en la licuadora la mitad de la harina, levadura, yema de huevo, una cucharada de aceite, sal y agua. Batir unos segundos hasta formar una masa lisa y clara. Dejar reposar 30 minutos. Escurrir los calamares, secarlos y envolverlos en el resto de la harina. Añadir a la masa la clara batida a la nieve. Mojar en la masa los anillos, uno por uno, y freírlos en bastante aceite, medianamente caliente. Se escurren y se sirven con perejil y limón.

RECETA No. 43

ADOBO DE PESCADOS

Se toma el pescado partido y se coloca en un recipiente hondo, primero una tanda de pescado rociándolo con sal, ajos machacados, vinagre, orégano y un punto de comino. Se vuelve a poner otra tanda de pescados y otra de los condimentos, y así sucesivamente hasta terminar. Se deja unas cuantas horas revolviéndolo de vez en cuando y antes de servir, se saca del jugo, se envuelve en harina y se fríe en abundante aceite.

RECETA No. 44

CALAMARES RELLENOS

(Para 6 personas)

2	libras de calamares
6	rebanadas de jamón
2	huevos batidos
3	cucharadas de pan rallado
$\frac{3}{4}$	de taza de aceite de olivas
1	vaso de vino blanco
1	rama de perejil
6	cebollas grandes
	ajo, sal y pimienta.

Se toman los calamares de tamaño regular y después de limpiarlos se le cortan los tentáculos y las aletas, se voltean y se rellenan como sigue: se pican menudo o se muelen los tentáculos y las aletas con el jamón, se juntan con la pimienta, sal, huevos batidos, ajo, perejil y pan rallado, con un tenedor se mezcla todo, se introduce en la bolsa del calamar y se cose la boca de este con un palillo, se pinchan un poquito los calamares y se enharinan. En una cacerola se fríe la cebolla picada y ajo, cuando estén dorados se sacan y en ella se ponen los calamares y se doran por todos lados, se le agrega el vino y se tapan. Se cocinan lentamente en su propio jugo y en el vino, se le añade el majado de la cebolla y los ajos con una hoja de laurel y un poco de perejil picado. Antes de terminar se verifica la sal, el secreto está en que no necesiten agua.

PESCADO A LA MARINERA

En una cacerola se pone un pescado de carne dura. Se le añaden trozos de cebolla, dientes de ajo picado, tomates sin piel ni semillas, en pedazos, pimientos verdes en tiritas, laurel, perejil picado, pimienta negra en grano, comino, sal y orégano. Se pone a cocinar con un poco de agua, aceite y vinagre, se le agregan los demás ingredientes hasta que esté listo. Se sirve en una fuente honda porque queda con bastante salsa.

PESCADO AL CHAMPAÑA

(Para 6 personas)

6   filetes de pescado
$1/2$ taza de crema
$3/4$ de taza de champaña o vino blanco
4   ajíes pequeños
2   tomates picados
2   cebollas picadas
$1/2$ taza de agua
        sal y pimienta.

Los filetes se ponen a cocinar con la cebolla, tomates, ajíes y el agua por 15 minutos. Se sacan los filetes y se colocan en un refractario, se vierte encima la champaña, la crema de leche en montoncitos y pedacitos de mantequilla. Se pone al horno de 400 °F por 20 minutos.

TORTA DE OSTIONES

(Para 4 personas)

10   docenas de ostiones
$1/2$ cucharadita de sal
$1/2$ cucharadita de pimienta picante
2   cebollas partidas en ruedas
2   tomates partidos en ruedas
$1/2$ barra de mantequilla
$1/2$ taza de pan rallado.

Se sacan los ostiones de sus conchas y se ponen en un pírex untado de mantequilla, se les agrega sal y pimienta, ruedas de cebolla, tomate, polvo de pan y se asan en el horno.

ESCABECHE DE PESCADO

2   ó 3 libras de filete de róbalo o corvina
2   tazas de aceite vegetal
4   cebollas medianas
3   dientes de ajo
4   ó 5 cucharadas de harina
1   lata de pimientos morrones o 2 pimientos grandes frescos
1   frasco mediano de aceitunas con semillas
$2^1/2$ tazas de vinagre
2   tazas de agua
$1/2$ taza de aceite de olivas
1   copita de vino blanco seco (opcional).
        hojas de laurel, unas ramitas de tomillo, pimienta negra en granos, sal al gusto.

Cortar el pescado en porciones regulares, esto es, ni muy pequeñas, ni muy exageradas. Ponerles sal al gusto.

Calentar en una sartén el aceite vegetal, pasar discretamente los trozos de pescado por la harina y dorarlos.

Retirarlos a una fuente refractaria o a una cazuela amplia de barro curada. Y en el mismo aceite donde se fritó el pescado sofreír el ajo machacado y las cebollas cortadas en rodajas delgadas, sin que doren. Añadir entonces el vinagre y el agua, así como tres hojas de laurel, unas ramitas de tomillo y los granos de pimienta. Dar un hervor fuerte y vaciar en seguida sobre el pescado.

Dejarlo reposar y enriquecer el escabeche con las aceitunas, el aceite de olivas, el vino, si se desea, y los pimientos morrones cortados en tiras más bien gruesas, distribuyéndolas por encima.

Si se utilizan los pimientos frescos, chamuscarlos a la brasa y pasarlos por agua fría para retirarles la piel gruesa.

Frío el pescado llevarlo a la nevera donde debe permanecer mínimo 24 horas. Sacarlo una hora antes de servirlo.

Puede presentarse en la misma fuente o en platos individuales. En este último caso adornar con las aceitunas, las tiras de pimiento y bañarlo con dos o tres cucharadas de caldo.

PESCADO RELLENO

Abrase el pescado por el lomo quitándole las espinas; remójense migas de pan en leche con sal, pimienta, mostaza, queso rallado, orégano y perejil picaditos, más dos claras batidas a la nieve. Rellénese y cósase. Se pone un poquito de aceite en la asadera y se espolvorea con pan rallado, se mete el pescado regándole un poco de aceite por encima y se lleva al horno a 300 °F. Se sirve con salsa blanca.

PUDIN DE SALMON

Se desmenuza el salmón, se mezcla con migajas de pan y se le echa un poquito de pimienta, nuez moscada y unas gotas de limón o vinagre. Se baten cinco huevos por separado, el salmón se mezcla con ellos, batiendo todo junto y luego se echa en un molde untado de mantequilla con polvo de pan en el fondo; en el horno a 350 °F, se deja cocinar hasta que esté duro y al servirlo se cubre con una buena salsa de tomate o blanca.

MOLDE DE PESCADO

3	ó 4 latas de sardinas o macarelas
1	lata de hígado de ganso (pâte-foie-gras)
2	huevos
$^1/_2$	libra de pan mojado en leche
$^1/_2$	libra de zanahoria
$^1/_2$	libra de papas
	tomates, pimienta, perejil y sal.

Se embadurna bien de mantequilla un molde en forma de pescado. Las sardinas o macarelas se abren por la mitad y se van colocando en el molde poniendo la parte de las escamas para abajo de manera que quede completamente forrado, pues al desmoldarlo queda ese lado hacia arriba formando el pescado. Se hace un guiso con los demás ingredientes añadiéndole un poquito de mantequilla; se pone esto sobre el pescado apretándolo un poco y se cocina al baño de María. Cuando se desmolda se le hacen los ojos al pescado con unas semillitas. Para adornar el plato se elaboran bolitas de las zanahorias y las papas previamente sancochadas, y se le pone a cada una una hojita de perejil. Se acompaña con una salsa que puede ser de tomate, mayonesa, o simplemente vinagreta.

SALMON O CAMARONES A LO DON CARLOS DE BORBON

(Para 10 personas)

3	onzas de mantequilla
$^1/_4$	de taza de natas o crema
1	lata de salmón grande o una libra de camarones
2	ramitas de perejil
1	copa de vino blanco
3	cebollas picadas
4	cucharadas de salsa de tomate
$^1/_2$	taza de leche
	nuez moscada al gusto
	sal al gusto.

La mantequilla se derrite y se fríe la cebolla sin dejarla quemar, añadiéndole el perejil y la salsa de tomate; cuando todo esté frito se le agrega la nuez moscada, el vino, las natas batidas, la leche y la sal. El salmón se desmenuza y la mitad de la salsa se vierte en un molde que pueda ir a la mesa, encima el salmón y se termina con la salsa; se hornea a 350 °F durante $^1/_2$ hora. Sirve esta preparación para cualquier otra clase de pescados o para gallina, cocinándolos antes y quitándoles los huesos.

POTAJE DE VIGILIA

$^1/_2$	libra de bacalao
1	libra de garbanzos remojados durante la noche
1	manojo de espinacas
1	cabeza de ajo
2	cebollas
	laurel, perejil
	aceite de oliva para freír.

Saque el pescado del agua y fríalo en el aceite. Cocine los garbanzos en una olla con suficiente agua, agregue las cebollas, la cabeza de ajo, el laurel, el perejil y unos granos de pimientas. En la mitad de la cocción añada las espinacas burdamente partidas. En el aceite en el que se frió el bacalao, frite una rebanada de pan previamente mojada en vinagre, póngala en el mortero con un trozo de cebolla, 4 dientes de ajos y májelas. Agregue a los garbanzos con dos cucharadas de pasta de tomate. Casi al final incorpore los trozos de bacalao y rectifique la sazón.

CAPITULO IV

Carnes y aves

Carnes y aves

MODO DE NITRAR LA CARNE

La carne que se va a nitrar no se debe mojar, debe enjugarse bien con un paño y hacerle con un cuchillo pequeñas incisiones y frotarla bastante con el nitro.

Para tres libras de carne puede usarse una cucharadita de nitro. Se deja en una vasija que no sea de aluminio en lugar fresco y cuando se va a usar debe lavarse muy bien con agua fría.

RECETA No. 1

CARNE BULLI

(Para 6 personas)

2	libras de carne de pecho
1	libra de ñame o de papas
2	onzas de habichuelas
2	cebollas grandes
2	tomates
1	zanahoria
1	nabo
1	berenjena grande o 2 chicas
1/2	libra de repollo
4	ó 5 hojas de col
	ajíes y cebollitas de hoja.

Se pone todo esto entero en una olla suficientemente grande y se cubre con agua, se sazona con sal y vinagre y se pone a fuego lento de 2½ a 3 horas o sea hasta que la carne, que es bastante dura, esté blanda. Debe quedar con salsa que se espese un poco con lo que sueltan las verduras o machacando un pedacito del ñame.

También puede hacerse con cualquiera otra carne que tenga buen gordo, pues es lo que le da sabor y cambiar el ñame por papas.

RECETA No. 2

LOMO DE CARNE EN CREMA

(Para 6 personas)

2	libras de lomo fino
4	onzas de tocineta
2	onzas de mantequilla
1	copita de vino Jerez seco
1	taza de crema
	sal y pimienta.

Se limpia bien el lomo y se mecha con la tocineta, se sazona y se dora por todos los lados en la mantequilla bien caliente. Una vez dorado, se saca de la grasa y se pone nuevamente en la sartén colocándole el vino y después la crema; si se espesa mucho se pone un poco de caldo. Por último, una cucharada de harina disuelta en agua, esto para que la salsa no se separe de la crema con el vino.

BISTE A LA PLANCHA

Se cortan los pedazos de lomo fino bastante gruesos y se redondean aplastándolos un poco con la mano. Poco antes de servir se calienta bien la plancha de asar o una sartén gruesa y se van poniendo los bistés previamente mojados con un poco de manteca o mantequilla espolvoreándolos con sal y pimienta, a medida que se van asando. No deben ponerse todos juntos para evitar que suelten a la vez su propio jugo y se sancochen perdiendo así su sabor. Cuando estén todos listos se calienta un poco de mantequilla o manteca y se fríe cebolla picada echándole unas gotas de vinagre antes de retirarlas del fuego. Al servir se le pone un poquito de esta a cada bisté.

CARNE MARROQUI

(Para 6 personas)

1	libra de carne (centro de cadera)
3	cebollas
5	ajíes dulces
2	pimientos rojos
2	cucharadas de pasta de tomate
1½	cucharaditas de sal
1	cucharadita de pimienta picante y de olor
1	taza de caldo
2	limones en ruedecitas
6	huevos enteros y 3 yemas
½	libra de mantequilla o margarina
½	taza de harina
	cáscara de 2 limones rallada.

Se muele la carne con la cebolla, ajíes (la sal se le pone antes de molerla para que no pierda el jugo), pimienta picante y de olor. Se amasa y se agregan las yemas de huevo y cuatro cucharadas de harina para darle consistencia. Se hacen bolas pequeñas para que al cocinarlas no se desbaraten, se envuelven un poco en harina. En una olla de barro se pone la mantequilla con tiras de ají pimiento, se deja calentar al fuego y se fríen las bolas. Cuando todas estén fritas se sacan y se colocan en un refractario. En la mantequilla sobrante se pone la pasta de tomate, el caldo, más ajíes pimientos y las ruedas de limón, y la cáscara, pimienta, sal y un poquito de azúcar. Con esta salsa se bañan las bolas y se ponen encima los huevos enteros crudos y se meten al horno de 375°F hasta que los huevos estén cocidos, cuidando de que la salsa no se seque.

HAMBURGUESAS

(Para 6 personas)

6	panes cortados por la mitad y untados de mantequilla
6	hojas de lechuga
6	ruedas de tomate
6	ruedas delgadas de queso suizo
6	ruedas delgadas de cebolla
1¼	libras de carne molida (la sal se le pone antes de moverla)
¼	de taza de sebo (se muele con la carne)
2	cucharadas de salsa mayonesa.

Se hacen las hamburguesas, se ponen en dos papelitos parafinados y se guarda en nevera hasta la hora de freírlas. Se fríe en una sartén con poca manteca. El pan se tuesta ligeramente, en el fondo se pone la lechuga, la mayonesa, la rueda de queso, las tortas de carne ligeramente fritas, agregándoles sal, pimienta y encurtido, ruedas de tomate, la cebolla y se tapa.

FILET MIGNON

(Para 6 personas)

2½	libras de lomo sal y pimienta.

Se limpia bien el lomo, se lava y se seca. Se corta en ruedas y se golpea un poco, se envuelven en tocineta y se forran con papel parafinado. Al momento de freírlos se pone al fuego un poquito de aceite o manteca, se les quita el papel y cuando esté caliente se echa la carne, se dora de un lado, se le echa sal y pimienta, repitiendo la operación al voltearla de nuevo. Se van poniendo en una bandeja procurando que se conserven calientes y se cubren con la siguiente salsa:

Salsa de hongos:

2	cucharadas de mantequilla
1	latica de hongos
1	cucharadita de harina
3	cebollas picadas
1	taza de caldo
1	copita de Jerez
	sal al gusto.

Se fríe la cebolla en mantequilla hasta que dore un poco, se le ponen los hongos sin el jugo para sofreírlos, se le agrega el caldo, la cucharadita de harina y el vino. Se dejan cocinar un rato y se les pone por encima a los lomos.

LENGUA CON CIRUELAS PASAS

(Para 6 personas)

1	lengua (2 $1/2$ - 3 libras)
4	tazas de agua
2	cucharaditas de sal
2	cebollas molidas
1	hoja de laurel
5	pimientas de olor
$1/2$	frasco de salsa de tomate
1	libra de ciruelas pasas sin semilla
1	cucharada de alcaparras
1	cucharada de mantequilla.

Se lava bien la lengua después de rasparla con el cuchillo y se pone al fuego con el agua, sal, cebolla y la hoja de laurel. Cuando esté blanda se pela, se parte en tajadas y se pone de nuevo al fuego con el agua que soltó al cocinarse, salsa de tomate, pimienta de olor, ciruelas, alcaparras y la mantequilla. Se deja cocinar un rato teniendo cuidado de no dejarla secar.

ROAST-BEEF

Meta la carne en la nevera por tres días, sáquela dos horas antes de hacerla; séquela con un paño y úntela de pimienta y harina. Se calcula media cucharadita de sal por una libra, poca pimienta y harina al gusto. Póngala en una vasija sin agua, en el horno, con el gordo hacia arriba. Si está flaca, colóquele unas tiritas de tocineta, métala en el horno de 500°F por 20 minutos, luego redúzcalo a 300°F hasta que esté cocido.

Para que quede cruda debe dejarse 16 minutos por libra de carne, 22 minutos para que quede media y 30 minutos para que esté bien cocida.

Salsa del roast-beef:

4	cucharadas de la grasa que suelta la posta
$1 1/2$	tazas de caldo o agua caliente
	harina suficiente para espesarla
	sal y pimienta al gusto
	jugo de cebolla (si se quiere).

Ponga la harina con la grasa a que quede morena, añádale el agua o caldo, cocínela 5 minutos, sazónela y cuélela.

RABO A LA FINANCIERE

(Para 6 personas)

1	rabo o cola de res cortado en ruedas (4 libras)
2	nabos o rábanos blancos
2	cebollas
1	rama de apio
2	cucharaditas de sal.

Cocine las ruedas del rabo por una hora con estos ingredientes. Sáquelas y escúrralas. Aparte ponga tres cucharadas de mantequilla y rehóguelas a fuego vivo hasta que doren.

1	libra de cebollitas
4	zanahorias en ruedas
4	rábanos blancos cortados en ruedas
1	manojo de laurel, tomillo, romero, apio y un diente de ajo sin pelar
2	clavos
1	copita de cognac o ron
1	vaso de vino.

Añada estos ingredientes al rabo y cúbralo con el caldo en que se cocinó, tápese bien y déjelo hervir hasta que la carne esté blanda. Verifique la sazón y añada sal y pimienta si es necesario. Sírvalo con arroz blanco o macarrones con mantequilla y queso.

GOULASH

(Para 6 personas)

2	libras de lomo fino partido en trozos de pulgada u otra clase de carne
3	ajos
1	cucharada de harina
2	cucharadas de paprika
1	litro de agua o caldo
$1/2$	libra de cebolla
$1/2$	libra de mantequilla
$1/2$	libra de papas
$1/2$	libra de zanahorias.

Derrita la mantequilla, parta la cebolla y el ajo en pedacitos y fríalos ligeramente. Agregue la carne y cocínela por 5 minutos, añada la harina, sal y paprika. Póngale agua o caldo y un poco de salsa de tomate. Cocine a fuego lento hasta que esté blanda (por una hora aproximadamente). Unos 20 minutos antes de servir agregue la papas, zanahorias y picante al gusto. Esto se acompaña con arroz blanco.

QUIBBE

(Para 6 personas)

1   libra de carne sin pellejo
    (masa de frente o lomo ancho)
12 onzas de trigo
3   cebollas grandes
4   onzas de piñones (opcional)
    hojas de yerbabuena
    sal y pimienta al gusto.

Se corta la carne en trozos, se le pone la sal antes de molerla para que no suelte su jugo. Se muele en la máquina con la pieza de tres patas, con la cebolla, unas hojitas de yerbabuena, y pimienta. El trigo se lava en el momento de molerlo, se exprime bien, se amasa con la carne ya molida y se pasa dos veces por la máquina de moler maíz, se suaviza con un poquito de agua helada. Cuando se hace en tártaras hay que amasarlo más para que quede más blando. Generalmente se elaboran en bolas alargadas huecas y se rellenan con el picado siguiente: media libra de carne gorda, cuatro cebollas, cuatro onzas de piñones, sal y pimienta al gusto. Se fríen los quibbe en manteca caliente.

Relleno:

Muela la carne, condiméntela con sal y pimienta, parta la cebolla a lo largo finamente. En un poco de aceite se fríe hasta que comience a tomar color, se le pone la carne y se deja dorar, se le agregan los piñones un poco antes de bajarlo.

CARNE SALCHICHON

(Para 6 personas)

2   libras de cualquier carne para moler
      (centro de cadera, punta de cadera,
      por ejemplo)
1/2   libra de tocino
2   cucharadas colmadas de mantequilla
3   huevos
1   cucharadita de pimienta picante
1   cucharadita de sal o más si lo necesita
1   cucharadita de nuez moscada
5   cucharadas de polvo de pan
      (o más si se necesita)
2   pimientas de olor
2   clavitos de olor tostados y molidos.

El tocino se parte en pedacitos muy pequeños y se une a la carne que se tendrá ya molida, se le agregan los demás ingredientes, y el pan rallado. Se amasa muy bien y se le da la forma de un sal-

chichón, se espolvorea con un poco de pan rallado y se mete al horno de 350°F por 1½ horas aproximadamente. También puede hacerse en un molde de pan, éste deberá untarse de antemano con mantequilla y espolvorearlo con polvo de pan. Esta carne sirve para comerla, caliente o fría, de varios días de hecha.

CARNE EN MOLDE

(Para 6 personas)

1/2   libra de carne (lomo ancho)
1/2   libra de jamón
1/2   libra de tocino
2   onzas de pan
2   cebollas
4   yemas
2   huevos enteros
      queso rallado
      laurel, tomillo
      sal al gusto.

Se remoja el pan en leche, se exprime y se le mezclan dos cebollas finamente picadas y doradas en manteca, media hoja de laurel, tomillo, las carnes molidas y los huevos batidos. En un molde engrasado se pone una capa de la mezcla, otra de queso, se repite y se termina con el queso y trocitos de mantequilla, se cocina al baño de María en el horno y se sirve frío con mayonesa y puntas de espárrago. Pueden usarse tres yemas y dos huevos o cuatro enteros. También se le pone un poquito de polvo de especias.

CARNE A LA RAIMUNDA

(Para 6 personas)

2   libras de carne dura magra
4   onzas de tocino partido menudamente
1   cabeza de ajos
2   cebollas
3   tomates
1   hoja de laurel
1   cucharadita de pimienta
2   cucharaditas de sal
1   vaso de vino y ½ taza de ron
3/4   de taza de aceite
1/2   taza de migas de pan
1   hoja de laurel
      agua o caldo hasta cubrirla.

La carne se mecha con tocino, sal y pimienta. Se colocan en una olla de boca ancha, se le añade la cabeza de ajo entera, la cebolla picadita, tomate picado, una hoja de laurel. Dore la carne en el aceite y agregue el vino y el aguardiente. Después se añade la miga de pan y se deja a fuego lento tapado con papel de aluminio y la tapa, se cocina hasta que ablande. La salsa se pasa por un tamiz añadiéndole un poco de agua o caldo. Se acompaña con un puré de papas.

RECETA No. 15

PUDIN DE CARNE

(Para 6 personas)

2	libras de masa de cerdo molido
1	libra de cualquier carne para moler
4	onzas de tocino molido o en pedacitos
4	onzas de mantequilla
4	huevos
1	copa de vino
1	cucharadita de sal de nitro
10	bolillos tostados
	nuez moscada, sal,
	pimienta picante de olor y clavos al gusto.

La víspera se nitra la carne y al otro día se desagua, se muele y se mezcla con los ingredientes arriba indicados; cuando esté todo bien mezclado, se pone en un molde untado en mantequilla al horno, se sirve con la salsa que se quiera. Las carnes nitradas deben guardarse en la nevera bien fría.

RECETA No. 16

STEACK EN SALSA DE VINO

3	libras de lomo fino
3	cebollas en rebanadas delgadas
2	ajíes pimientos picados
1	taza de apio picado
1	taza de jugo de tomate
1	cucharada de salsa de tomate
1	cucharadita de salsa negra
$1\frac{1}{2}$	tazas de vino tinto de mesa
$\frac{1}{4}$	de libra de harina
	mantequilla o aceite, sal y pimienta al gusto.

Limpie bien la carne quitándole todos los pellejos y córtela en ruedas gruesas. En un plato mezcle la harina con la sal y la pimienta. Sazone la carne con salsa negra y salsa de tomate frotándola muy bien. Envuelva la carne en la harina y dórela en mantequilla. Póngala en un molde de asar, cúbrala con las verduras, agréguele la mitad del vino y ásela por $\frac{1}{2}$ hora en horno caliente (400°F).

Mezcle el resto de vino con salsa de tomate, añádalo a la carne y ase $\frac{3}{4}$ de hora más.

RECETA No. 17

RIÑONES AL VINO BLANCO

(Para 6 personas)

4	pares de riñones
4	cebollas grandes
2	cucharadas de harina
2	copas de vino blanco
1	taza de caldo
2	cucharadas de mantequilla.

Se corta el riñón en pedacitos quitándole la parte dura del centro y se pasa dos o tres veces por agua hirviendo hasta que el agua quede limpia, secándolo con una servilleta. Aparte se pone un poco de manteca en la sartén y se fríe la cebolla finamente picada, cuando está dorada se echan los riñones y los demás ingredientes, menos la mantequilla, dejándolos hervir a fuego lento hasta que estén blandos y en salsa más bien espesa. Al servirlos se les pone la mantequilla y se adornan con pedazos de pan frito.

RECETA No. 18

RIÑONES EXQUISITOS

(Para 6 personas)

4	riñones de res
4	onzas de tocino partido menudamente
4	onzas de jamón picado
1	lata pequeña de hongos
3	cebollas picadas
3	ramas de perejil picado
$\frac{1}{4}$	de taza de caldo
$\frac{1}{2}$	taza de vino blanco
2	cucharadas de mantequilla derretida
$\frac{1}{2}$	taza de polvo de pan
	sal y pimienta.

Se cortan los riñones después de limpiarse, quitándole bien los canales y se ponen en agua de sal y vinagre por una hora. Se sacan y se lavan nuevamente. Se unta un molde de mantequilla y se colocan los riñones alternándolos con el tocino, se espolvorean con sal y pimienta, se cubren con un picadillo de hongos, cebolla y perejil, se rocían con el caldo y el vino. Se espolvorean con el polvo de pan y se le riega la mantequilla. Se meten al horno de 300°F hasta que se cocinen y ablanden. Pueden dejarse en el molde para presentarlo en la mesa.

RECETA No. 19

RIÑONES CON VINO TINTO

(Para 6 personas)

4	pares de riñones
3	cebollas grande
2	copas de vino tinto
2	cucharadas de harina
2	cucharadas de mantequilla
2	dientes de ajo
1	hoja de laurel
½	libra de hongos
½	cucharadita de tintura de panela
	un poquito de romero, limón y sal al gusto.

Se limpian los riñones quitándoles la grasa del medio y se parten en ruedecitas bien delgadas y se dejan un rato en agua de limón. Se sancochan con cebolla, limón y romero. Cuando están tiernos se sacan y se ponen junto al fuego para que no se atiesen. Se hace una salsa con el vino y los demás ingredientes. Esta se cuela y se le pone a los riñones dejándolos hervir hasta que la salsa tenga buen espesor. De último se le agregan los hongos partidos

RECETA No. 20

CARNE A LA BORGOÑONA

(Para 6 personas)

4	libras de carne (punta de nalga)
2	onzas de tocineta (si se quiere)
1	libra de cebolla (en pedazos y otras enteras para ponerlas al final)
1	litro de vino tinto seco
5	cucharadas de aceite de olivas
3	cucharadas de harina
1	libra de tomates
	Se hace un ramito de:
1	nabo, 2 ramas de apio (enteros)
2	hojas de laurel
2	puerros, 2 zanahorias. Estos se sacan al servirlos
2	libras de hongos frescos o una lata.

Se le quita el gordo a la carne, se corta en trozos como de 5 cm y se sofríen con el aceite a fuego vivo junto con la cebolla en pedacitos. Cuando la carne esté dorada, se espolvorea con la harina y se deja freír hasta que dore la harina, entonces se le añade el vino y unos cuantos dientes de ajo. Se adiciona el tomate en puré hecho en la siguiente forma: se parten en trozos los tomates y se ponen al fuego con un poquito de aceite de olivas, ajo, sal y pimienta, hasta que se cocine, se pasa por un colador y se une con la carne. El ramito de verduras se amarra y se le agrega con la tocineta cortada en trocitos pequeños. Se tapa la olla y se deja cocinar a fuego lento hasta que ablande

aproximadamente 1½ horas. Se retira la grasa sobrante, se agregan las cebollas enteras y los hongos crudos, se deja cocinar unos 10 minutos, se sirve en una bandeja honda, adornándolos por encima con perejil picado. Se acompaña con macarrones en mantequilla, o arroz blanco.

RECETA No. 21

MONDONGO A LA COLONA

(Para 6 personas)

3	libras de mondongo
1	libra de papas picadas en cuadritos
2	pimientos verdes
2	pimientos rojos
5	cebollas de las grandes
1	tallo de apio
1	lata de pasta de tomate
2	pastillas de caldo
1	lata de arvejas
	cebollín, cilantro, sal, salsa negra.

El mondongo, después de dejarlo con bicarbonato la víspera, se lava, se corta en trozos y se pone a cocinar en agua solamente hasta que ablande. El mondongo se saca de allí y se pone a cocinar con sal, ajo, pimienta, salsa negra, pasta de tomate, caldo, etc., y una taza de agua en la que se cocinó. Se deja hervir un rato y se le agregan las verduras picadas y las papas dejándolo cocinar hasta que la salsa quede espesa. Al final se agregan las arvejas.

RECETA No. 22

CURRY CON CARNE

(Para 6 personas)

2	libras de carne de coete (murillo)
2	cucharadas de mantequilla
1	cucharada de polvo Curry o más si se quiere
½	libra de cebolla cabezona bien picada sal al gusto.

Se limpia bien la carne de pellejos y se parte en trocitos de 2 cm. Se derrite al fuego la mantequilla y se le añade la cebolla dejándola hasta que esté transparente. Se le agrega la carne, se cocina un momento hasta que suelte su jugo y se cubre de agua, se tapa, se agrega la sal y se cocina a fuego lento. Cuando ablande se le pone el polvo Curry disuelto en una pequeña cantidad de agua. Se continúa la cocción hasta que la carne esté blanda. Debe quedar con suficiente salsa y más bien espesa. Se acompaña con arroz blanco y la salsa de Chutney, coco rallado, pasitas y almendras tostadas. Esta receta puede hacerse con pollo, conejo o riñones.

OSSOBUCO

(Para 6 personas)

6	trozos de ternera, cortados gruesos de la parte alta de la pata, de tamaño grande, o dos medianos por persona
4	cucharadas de harina
1	cebolla mediana
1	zanahoria
½	taza de aceite
3	tomates maduros
1	copa de vino blanco seco
3	dientes de ajo
3	tazas de consomé de carne
1	cucharadita de cáscara de naranja rallada
1	cucharada de pasta de tomate
½	cucharadita de azúcar sal, pimienta, 2 hojas de laurel, tomillo y 2 clavos de olor perejil picado.

Con la harina dorar los pedazos de ternera y retirarlos. Si el aceite quedó muy oscuro, reemplazarlo por uno nuevo y sofreír el ajo y la cebolla; pero si se considera en buen estado aprovecharlo. Devolver la ternera a la sartén u olla, mezclarla bien con el sofrito y ponerle el vino. Taparlo y a fuego suave cocinarla por 5 minutos. En seguida agregarle los tomates debidamente pelados y cortados en pequeño. Cocinar 3 minutos y añadirle sal, las hojas de laurel, el tomillo, los clavos de olor, así como el consomé y la pasta de tomate.

Proseguir con el cocimiento durante 45 minutos o hasta que la carne esté suave.

Separar los trozos y colar la salsa, la que debe ponerse nuevamente a la ternera, sin olvidar que quede abundosa, añadiendo, así mismo, la cáscara de naranja rallada. Cocinar suavemente, por último, unos 5 minutos.

Verificar la sazón.

Acompañar con arroz blanco o verde. O pasta, fetuchinis, por ejemplo, aderezados con mantequilla y queso parmesano.

CARNE CON MOSTAZA

6	trozos de lomo fino, cortados del centro, como para chateaubriand
6	cucharadas de crema de leche
1	cucharada de mostaza francesa sal y pimienta al gusto

En una sartén se ponen, al fuego, un poco de mantequilla y pimienta picante. Cuando estén calientes, se colocan encima, de uno en uno, los trozos de carne sin sal y se dejan cocinar por el otro lado 1½ minutos.

Se retiran los trozos de carne y en la mantequilla que quedó en la sartén se añaden la crema y la mostaza, se deja al fuego 10 minutos y se vierte sobre la carne.

CURRY LEGITIMO HINDU

(Para 6 personas)

2	libras de carne magra o ave de corral
1	cucharada de mantequilla
3	cucharadas colmadas de cebolla picada
4	dientes de ajo finamente picados
1½	cucharadas de Curry en polvo, o en pasta, colmada
½	libra de tomates frescos o una cucharada de pasta disuelta en un poquito de agua.

Ponga la mantequilla en una cacerola con la cebolla y el ajo. Cocine esto por 4 ó 5 minutos, pero sin dorar. Añada el Curry, mezcle bien y cocínelo por otros 4 ó 5 minutos en fuego lento moviéndolo todo el tiempo. Agregue los tomates y la carne partida en pedazos pequeños, si es pollo en presas. Mezcle bien, tape la cacerola y cocínelo lentamente hasta donde sea posible, sin añadir ningún líquido. Después adicione suficiente agua, gradualmente, hasta formar una salsa espesa; agregue sal al gusto y un poco de jugo de limón o una cucharadita de vinagre. En caso de que no haya espesado, agregue harina disuelta en un poquito de agua.

Nota: para pescado, carne cocida o vegetal, etc., haga la salsa primero y luego añada el principal ingrediente, calentándolos juntos. Para huevos cocidos, pártalos en cuatro y cúbralos con la salsa.

ROLLO DE CARNE

(Para 6 personas)

2	libras de carne de res molida (centro de cadera)
1	pote de sopas de vegetales
½	taza de polvo de pan
1	huevo ligeramente batido
½	taza de cebolla picadita
1	cucharadita de sal pimienta al gusto.

Combine todos los ingredientes mezclándolos muy bien. Dele forma de rollo. Colóquelo en una tártara y cocínelo en horno de 375 °F por 1¼ horas.

POLLO AL HORNO CON JEREZ

(Para 6 personas)

1	pollo grande (3 libras)
¾	de taza de vino Jerez
2	cebollas ralladas
2	cucharaditas de sal
1	cucharadita de pimienta
1	ajo majado
	mantequilla.

El pollo se condimenta con sal, pimienta, ajo y la cebolla rallada. Se unta de mantequilla y se mete al horno en una olla tapada por ¾ de hora. Se saca de la olla y se pone sobre una tártara untándole nuevamente mantequilla, se baña con el vino y se pasa al horno de nuevo a 400 °F hasta que dore, teniendo cuidado de darle vuelta para que dore de todos lados. El jugo que soltó al cocinarlo se le echa a la tártara donde se asó, se pone al fuego moviéndola bien, se cuela y se vierte por encima al pollo.

GALLINA EN PEPITORIA

(Para 6-8 personas)

1	gallina despresada (3 libras)
1	copa de Jerez
10	almendras tostadas y picadas
½	onza de tocineta
¼	de libra de cebolla
2	cucharadas de mantequilla
¼	de taza de aceite fino
1	clavo, canela, pimienta, limón, laurel, nuez moscada.

Se despresa la gallina y se sazona con limón, pimienta y sal. Se fríen las presas en aceite, luego se añade el Jerez y se tapa para que el vino se evapore a fuego lento.

En dos cucharadas de mantequilla se fríe la cebolla (sin tostarla), luego se le añaden tres tazas de consomé o agua. Se pone a fuego fuerte y luego lento, hasta que se ablande. Se hace un majado de dos dientes de ajo, una hoja de laurel, un clavo, pimienta, nuez moscada, y azafrán. Esto se añade a la gallina y se deja cocinar hasta que esté blanda. En un poco de mantequilla se rehoga la tocineta y dos cucharadas de harina (grasa no muy caliente). Por último se le echan las almendras disueltas en agua fría, dos aceitunas deshuesadas, se adornan con costrones de pan frito y rodajas de huevos duros.

ENSALADA CHINA DE GALLINA

(Para 6-8 personas)

1	gallina grande guisada con 4 cebollas y condimentos al gusto
2	libras de papas picadas en tajaditas delgadas
2	libras de zanahorias cortadas en la misma forma
1	mazo de cebollín picadito
5	ajíes pimientos en tiritas largas
2	libras de repollo del que se pica sólo la parte más tierna
1	pote de arvejas finas
1	frasco de aceitunas rellenas cortadas en rebanadas suficiente aceite para freír las papas y demás verduras cada verdura sola sin dejarla dorar.

La gallina se deshuesa y se corta en tiritas y el caldo se cuela. A la gallina se le agregan todos los ingredientes y por último el caldo para que quede jugosa pero no muy mojada. Se sazona al gusto con sal, pimienta, salsa negra y vinagre. Por último se fríe un paquete de fideos y se decora con ellos.

PATOS SALVAJES AL VINO

(Para 6 personas)

6	patos pequeños
1	libra de cebollas picadas finamente
2	cubitos de caldo de carne
½	botella de vino tinto
2	hojas de laurel
½	taza de crema de leche
2	cucharadas de harina tostada
2	cucharadas de salsa inglesa
1	cucharada de caramelo
1	pote grande de champiñones
2	cucharadas de harina sal, pimienta, ajo.

Los patos se despluman igual que una gallina. Se sazonan con sal, pimienta picante, ajo majado, salsa inglesa y se dejan dos días en la mitad del vino. Se sacan y se ponen un momento al fuego con leche hasta que suelten el hervor. Se sacan de allí y se sofríen uno por uno en un poco de mantequilla sin dejarlos dorar. Aparte se fríe la cebolla en mantequilla sin que tome color; cuando esté lista se agregan los patos enteros y cuando hierva se pone el resto del vino dejándolo cocinar un momento. Después se le añade el caldo disuelto en un poco de agua y se deja a fuego lento hasta que ablanden. A la salsa se le agrega la harina tostada, el caramelo y por último la crema y la harina disuelta en un poco de agua, los champiñones y se deja cocinar 5 minutos. Se acompaña este plato con puré de papas.

RECETA No. 31

CROQUETAS DE GALLINA

(Para 6-8 personas)

1	gallina sancochada o guisada
2	cucharadas de mantequilla
1	potecito de trufas o un pote de paté
2	cucharadas de harina, sal al gusto y un poquito de leche.

La mantequilla se pone al fuego a derretir, se le agrega la harina mezclando bien, se le echa la leche, la trufa o el paté, la sal y se deja hervir. Se le añade la gallina molida, se cocina un rato más, se sazona y se deja enfriar. Con esto se hacen croquetas y se pasan por claras de huevo, sin batir, y después en pan rallado. Se fríen en manteca caliente. Pueden servirse con salsa de tomate.

RECETA No. 32

POLLO A LA MARENGO

(Para 6 personas)

1	pollo grande (3 libras) despresado
1/2	taza de aceite
1	taza de vino
2	tazas de caldo
1	cucharada de harina
2	cucharaditas de sal
1	lata pequeña de hongos
2	cucharadas de pasta de tomate
1	cebolla mediana
1	libra de cebollitas pequeñas
3/4	de barra de mantequilla
1	pote de petit pois
1/2	cucharadita de pimienta picante
3	huevos cocidos duros en ruedas bouquete garnie (un macito de tomillo, laurel y perejil) triángulos de pan frito.

Sazonar las presas de pollo con sal, pimienta y ajo. Dejarlo en reposo durante 2 horas; pasarlo por harina y saltearlo en seis cucharadas de aceite y dos de mantequilla. Espolvorearle una cucharada de harina, mezclarlo bien para que dore. Añadirle la cebolla finamente picada y sofreírla un poco en el pollo. Agregar el bouquete garnie, el vino blanco y tapar por 5 minutos para que prosiga el cocimiento a fuego mediano. Poner el caldo y salpimentar. Incorporar la pasta de tomate. Cocinar de 20 a 25 minutos. Retirar el pollo y colocar la salsa. Pasar las cebollitas por agua caliente, escurrirlas bien y abrillantarlas en una sartén con mantequilla. Poner el pollo nuevamente en una cacerola, cubrir con la salsa y añadirle los hongos sin líquido. Proseguir el cocimiento a fuego lento hasta que la salsa tenga consistencia y el pollo aparezca cocinado. Finalmente añadir la lata de petit pois sin líquido. Al servirlo colocarlo en el centro de una bandeja y rodearlo con los triángulos de pan frito y las rodajas de huevo duro sobre el pan. Espolvorearle perejil picado por encima.

Otrosí: también se puede adornar el plato con langostinos o camarones previamente pasados por agua con sal.

RECETA No. 33

POLLO AL WHISKY

(Para 6 personas)

1	pollo de 3 libras
4	cucharadas de aceite o mantequilla
3	cebollas picadas
2	dientes de ajo
1	vaso de vino blanco seco
1	cucharada de harina
1	rama de tomillo
10	cucharadas de crema fresca sal y pimienta.

Se parte el pollo en trozos y se dora en aceite, se le agrega la cebolla, el ajo picado y el tomillo. En otra cacerola se echa el whisky y se prende fuego con un fósforo, cuando se apague la llama se le añade el vino, encima de esto se coloca el pollo y se cocina aproximadamente unos 20 minutos. Se sacan las presas, se le agrega la harina disuelta en un poco de crema, se vierte de nuevo el pollo y se verifica la sazón.

RECETA No. 34

ROLLO DE POLLO

(Para 6 personas)

3	huevos bien batidos
1 1/2	cucharaditas de sal o al gusto
1	taza de leche tibia
2 1/2	tazas de puré de papas
2	tazas de pollo cocido cortado
1	cucharadita de paprika
2	cucharaditas de perejil finamente cortado.

Agréguense el huevo bien batido, la sal y la leche tibia al puré de papas. Incorpórese el pollo, perejil y la paprika. Enmóldese en una lata engrasada.

Horno moderado de 350°F hasta que esté dorado por encima.

POLLO CON HONGOS

(Para 6 personas)

1	pollo de 3 libras
½	libra de papas
½	libra de cebollitas enteras
1	cebolla grande
1	hoja de laurel
2	cucharadas de mantequilla
2	cucharadas de harina
1	pote de hongos.

Se despresa el pollo y se adoba con sal, pimienta y ajo. Se sofríe en aceite, se le agregan las cebollitas enteras y la otra partida. Se cocina sin dejar quemar la cebolla. Aparte se derrite la mantequilla y se le agrega la harina dejándola cocinar hasta que dore; se le añade poco a poco una taza de agua, cuando haya hervido se le agrega el pollo, hongos, laurel y de útimo las papas. Se deja hasta que el pollo esté tierno y la salsa un poco espesa.

POLLO CON ESPARRAGOS

(Para 6 personas)

1	pollo grande (3 libras) despresado
1	pote de espárragos
2	zanahorias
3	tomates sin piel ni semillas, picados
3	cebollas picadas
2	cucharaditas de sal
½	cucharadita de pimienta
	aceite y mantequilla para sofreír.

Se sofríe el pollo en la grasa, se cocina con los demás ingredientes, tapado hasta que ablande.

Salsa:

2	cucharadas de mantequilla
3	cucharadas de harina
1	taza de caldo de pollo
½	taza de crema de leche
1	yema de huevo batida
½	cucharadita de sal
½	cucharadita de pimienta
	el jugo de la lata de espárragos.

Se derrite la mantequilla, se agrega la harina, se mueve fuertemente, se le agrega poco a poco el jugo del pollo colado y el jugo de los espárragos. De último la yema y la crema batida sin dejar que hierva, porque se corta. Se verifica la sazón. Se coloca en un pírex en la siguiente forma: salsa, espárragos, hongos, unas presas de pollo y se repite terminando con la salsa. Se le riega pan rallado y se mete al horno de 400 °F por ¼ de hora hasta que dore.

POLLO ENVUELTO EN REPOLLO

(Para 6 personas)

1	pollo grande (3 libras)
4	cebollas grandes
2	tomates grandes
2	dientes de ajo
1	rajita de canela
	un ramito de perejil, repollo, harina y sal.

El pollo partido se fríe con la canela. Las hojas de repollo (se calcula una hoja para cada pedazo de pollo) se cocinan con sal por cinco minutos y se les quita la vena. Se envuelven los pedazos de pollo en las hojas de repollo untándolas de harina para que peguen. Se hace un picado con el ajo, las cebollas y los tomates, sofriéndolo un poco y añadiéndole agua, el perejil y el pollo. Se tapa y se deja hervir hasta que quede en salsa espesa.

POLLO A LA CHILINDRON

(Para 6 personas)

1	pollo grande (3 libras)
4	cucharadas soperas de aceite
1	libra de cebolla
½	libra de apio
½	libra de pimientos verdes
½	libra de jamón
2	libras de tomates
	sal, azúcar, pimienta blanca.

Se limpia el pollo y se le unta limón abundante, se le pone pimienta blanca y se fríe en aceite; se pasa a una olla y se pone a hervir con muy poca agua hasta que esté tierno. En el aceite sobrante del pollo se sofríen las cebollas finamente picadas, los pimientos también picaditos, y pasado ¼ de hora se añaden los tomates despojados de la piel y las semillas, se les agrega sal, pimienta y azúcar, por último el jamón cortado en trocitos. Cuando se vea todo bien cocido se le añade el pollo y se deja cocinar más o menos unos 20 minutos. Se sirve adornado con papas al vapor o con triángulos de pan fritos y redondeles de huevo duro.

POLLO A LA KING

(Para 6 personas)

4	cucharadas de mantequilla
4	cucharadas de harina
½	libra de hongos en rebanaditas pasados por mantequilla
1	taza de apio cortado
2	tazas de leche
½	taza de crema de leche
4	tazas de pollo o pavo cocido, en pedacitos
½	pimiento verde partido
½	pimiento rojo
3	yemas batidas
	sal y pimienta.

Derrita la mantequilla en la sartén. Añada apio y hongos. Agregue la harina, mezcle leche y crema, poco a poco moviendo hasta que esté espeso y suave. Añada el pollo o pavo, pimientos y cocine destapado a fuego lento, más o menos 10 minutos. En el momento de servir agregue las yemas, las que se han mezclado previamente con tres cucharadas de leche, sazone con sal y pimienta. Puede acompañarse con arroz blanco o papas al vapor.

PATE DE POLLO CON PIMENTON

600	gramos de pollo molido
500	gramos de crema de leche
1	cucharada de paprika
1	cucharada de sal
1	cucharadita de pimienta
150	gramos de champiñones
2	pimentones picados
75	gramos de polvo de bizcocho
1	copa de brandy
4	huevos.

Mezclar el pollo molido con la crema de leche, los huevos, la sal, pimienta, paprika y demás ingredientes, los pimentones se pican en cuadritos pequeños, y los champiñones se sofríen en mantequilla con la sal y la pimienta. Trabajar bien la mezcla hasta formar una pasta homogénea.

Colocar la mezcla en un molde de paté engrasado y enharinado, meter al horno al baño de María por una hora o hasta que el cuchillo salga limpio. Se desmolda en agua caliente. Dejar en el horno hasta que el termómetro marque 60°F. Se usa al otro día y se deja en la nevera.

Cuando se hace con gelatina se saca de la nevera, se lava el molde, se echa la gelatina y se mete de nuevo, a los lados se les vierte gelatina. También puede barnizar con la gelatina por encima.

La gelatina se prepara con caldo de pollo y verduras, al final se le pone el licor.

Consejo: para cortar el molde, el cuchillo se pasa por agua caliente.

POLLO A LA VALENCIANA

(Para 6 personas)

1	pollo grande (3 libras)
½	taza de aceite
½	libra de cebolla finamente picada
3	libras de tomates sin piel ni semillas
1	lata de pimientos morrones
2	cucharaditas de sal
1	cucharadita de pimienta.

Se despresa el pollo, se fríe en el aceite y se aparta. En ese aceite se fríe la cebolla sin dejarla dorar, se le agrega el tomate partido en pedazos y la lata de pimientos. Se pone a hervir hasta que el agua del tomate evapore un poco, se agrega el pollo, se rectifica la sazón y se deja cocinar hasta que ablande. Se acompaña con puré de papas o arroz blanco.

MENUDILLOS DE POLLO O RIÑONES EN VINO

(Para 6 personas)

1½	libras de menudillos
1	taza de vino
1	cucharada de mostaza
1½	cucharaditas de sal
3	cucharadas de mantequilla
2	cebollas grandes finamente picadas
1	taza de caldo o agua para cubrirlos
1	cucharada de maizena disuelta en agua.

Después de lavar los menudillos o riñones, se meten en vino, mostaza, una hoja de laurel y un poquito de sal, se dejan varias horas en este adobo. Se fríe la cebolla en la mantequilla sin dejarla dorar, cuando esté cocida, se agregan las mollejas o riñones, previamente escurridos. Se sofríen en la cebolla y se le añaden la salsa en que se prepararon y el caldo o agua. Se dejan cocinar tapados hasta que ablanden, agregándole la maizena disuelta en agua para espesarla.

Nota: si se hace con riñones hay que quitarles los conductos blancos.

PATE DE CHAMPIÑONES

1	taza de crema de leche
1/2	taza de mayonesa
3	cucharadas de gelatina sin sabor
1	cucharada de sal
1	cucharada de pimienta
1	copita de brandy
1	libra de champiñones o puede hacerse con una libra de trucha ahumada, o dos latas de atún (añadiéndole una cucharada de pasta de tomate), o una lata grande de salmón.

Se cocinan los hongos en mantequilla y se enfrían. Derrita la gelatina en un poco de agua caliente. Mezcle todo lo frío excepto la gelatina que se agrega de último muy lentamente. Se vierte en un molde y se mete en la nevera.

PATE DE HIGADO DE CERDO

1/2	libra de lomo de cerdo
1/2	libra de hígado
5	onzas de tocino
2	huevos (las claras batidas a la nieve)
1	cucharada de ron
2	cucharadas de Jerez seco
	tomillo
	sal al gusto.

Se remoja en leche media libra de pan con un poquito de tomillo, se muele todo muy bien y se mezcla hasta que quede uniforme. Se unta un molde en mantequilla y se cocina en baño de María. Para probar si está cocido se le mete un cuchillo hasta el fondo y si sale limpio ya está.

JAMON A LA HUNGARA

Tómense lonjas de jamón que no sean muy gruesas ni delgadas. En una sartén se pone mantequilla al fuego y cuando ésta apenas comience a colorear, se le agregan las lonjas de jamón, dejándolas rehogar a fuego lento 5 minutos; luego se saca el jamón y en esta misma sartén se pone un poco de vinagre y azúcar al gusto, esa salsa se deja hervir a fuego lento unos 3 minutos. Entonces se ponen las lonjas de jamón dejándolas cocinar unos 5 minutos. Póngase en una fuente redonda con puré de papas.

JAMON AL HORNO

Un jamón entero se unta de panela rallada, un poco de mostaza y se le entierran unos clavitos de olor, se pone a horno moderado por una o dos horas, dándole vuelta de vez en cuando y bañándolo con la salsa que va soltando.

JAMON CON VINO OPORTO O MADERA

Se hacen rehogar en mantequilla lonjas de jamón gruesecitas, añadiéndoles una copita de vino Oporto. Se sirven con petit pois pasados por mantequilla.

PERDICES CON REPOLLO

(Para 6 personas)

12	perdices
1	repollo mediano
2	zanahorias
3	onzas de jamón crudo
3	onzas de tocineta magra
4	cucharadas de mantequilla
3	cucharadas de aceite de olivas
3	tazas de caldo
	vinagre, sal y pimienta al gusto.

En el aceite se doran ligeramente las perdices, en ese punto se les añade la cebolla bien picada, las zanahorias, el jamón y el tocino picados como dados, sal, vinagre y una pizca de pimienta. Cuando todos los ingredientes se hayan frito agréguese el caldo, tápese y déjese a fuego lento una hora.

Por otro lado cocínense ligeramente los repollos en agua de sal, retírense y con cuidado se les extrae parte del medio; uno se deposita en una cacerola en la que se habrán derretido las cuatro cucharadas de mantequilla. En el centro del repollo se colocan las perdices con toda su salsa y después se cubren con el otro, tápese y déjese cocinar a fuego lento, después de 1/2 hora se da vuelta de manera que el repollo de abajo quede arriba, dejándolos cocinar 1/2 hora más.

PERDICES A LA CRIOLLA

(Para 6 personas)

12	perdices
3	cebollas cortadas en pedazos grandes
3	dientes de ajo
3	ramitas de perejil picado
1/2	taza de aceite
1	cucharada de vinagre
1 1/2	cucharaditas de sal
1/2	cucharadita de pimienta.

Se colocan las perdices cortadas en dos en una cazuela, se agregan la cebolla, el ajo, la sal, la pimienta, el vinagre, se fríen en el aceite y se ponen a cocinar con un poco de agua, dándoles vuelta de vez en cuando.

GUARTINAJA AL MURO ROJO

(Para 6 personas)

3	libras de guartinaja
2	potes de pasta de tomate
1/2	libra de cebollas
4	onzas de harina
1	pote de hongos
1/2	libra de zanahorias
1	frasco de aceitunas
1/2	libra de mantequilla
1	frasco de alcaparras
3	libras de papas
6	huevos
1/2	litro de vino Moscatel (u otro vino tinto dulce)
1	litro de caldo de huesos (hecho con 2 libras de huesos)
1	botella de salsa de tomate (tamaño chico) torrejas de pan frito.

La guartinaja se parte en pedazos chicos y se fríe en la media libra de mantequilla, cuando esté a medio freír se le echa la cebolla bien picada y se deja un momentico, se le agregan los potes de tomate y el caldo. Cuando vuelva a hervir se le pone el vino. Al ablandarse la guartinaja se le coloca la zanahoria ya cocida, en pedacitos, y los hongos. Cuando esté todo tierno se le pone la harina disuelta en caldo o agua fría, y después que espese se le colocan las aceitunas, las alcaparras y se retira del fuego. Debe quedar con mucha salsa.

Preparación del muro rojo:

Las papas se cocinan peladas con un poquito de sal, se majan calientes poniéndoles un poco de

mantequilla y la botella de salsa de tomate, con esto se forma el muro alrededor de la bandeja donde se va a servir la guartinaja. Este muro se adorna con torrejas de pan frito cortadas en forma de rombos. Dentro del muro se sirve la guartinaja con su salsa adornándolo con ruedas de huevos cocidos. Sirve también esta receta para hacerla con pavo en lugar de guartinaja.

BARRAQUETES RAMON

(Para 6 personas)

12	barraquetes
1/2	taza de cebolla rallada
1/2	taza de vinagre o limón
1	taza de vino seco
4	cucharadas de salsa negra
1/2	taza de mantequilla
3	cucharadas de polvo Curry
1	cucharada de mostaza
2	hojas de laurel sal y pimienta.

El barraquete es un pato silvestre que se alimenta sólo de pescados, no hay necesidad de desplumarlo, porque se le hace una cortada en el pecho y se desprende el pellejo junto con las plumas como si fuera una camisa. Se lavan bien con bastante limón y se secan. Se componen con la cebolla, vinagre o limón, vino, salsa negra, mantequilla, mostaza, sal y pimienta picante. En este adobo se dejan hasta el día siguiente. Se ponen a cocinar a fuego lento tapado con las hojas de laurel, unas pimientas de olor hasta que ablanden.

Salsa:

5	tazas de caldo
4	cucharadas de pasta de tomate
4	cucharadas de harina tostada
1/2	taza de vino
2	cucharadas de harina disuelta en agua o caldo
2	cucharadas de crema de leche el jugo donde se cocinaron los barraquetes petit pois para adornar.

Se mezclan el caldo, la pasta de tomate, la harina tostada, el vino y el jugo donde se cocinaron, cuando esté hirviendo se agregan los barraquetes dejándolos cocinar 1/2 hora. Si queda floja se espesa con la harina disuelta en el caldo. Antes de servir se le pone la crema de leche. Se presentan enteros adornados con petit pois y acompañados con puré de papas.

CONEJO EN SALSA DE COÑAC

1   taza de aceite
4   cebollas picadas
1   taza de caldo
3   cucharadas de coñac
1   conejo
$1/2$ cucharada de harina
2   dientes de ajo picados
    sal, pimienta y perejil picado.

Se parte el conejo y se fríe rápidamente en el aceite a fuego vivo, cuando esté dorado se le echa la cebolla, harina, caldo, sal, pimienta y perejil. De último se agrega el coñac y el ajo, se deja a fuego lento, más o menos una hora. Antes de servir se le añade otra cucharada de coñac.

CONEJO A LA SARTEN

(Para 6 personas)

$2^{1}/_{2}$ libras de conejo
$1/2$ libra de tocineta
3   tazas de caldo
1   taza de vino blanco
6   cebollas pequeñas
1   lata pequeña de hongos
    sal y pimienta al gusto.

Corte la tocineta en trocitos y fríala, el conejo se parte en pedazos y se dora en esta grasa, se le agrega el caldo, el vino, las cebollas, los hongos, sal y pimienta. Se cocina a fuego lento hasta que ablande y reduzca la salsa que no debe ser muy abundante.

PALOMAS AL VINO

(Para 6 personas)

6   palomas
2   cebollas picadas
3   ajos majados
2   cucharaditas de sal
1   cucharadita de pimienta
$3/_4$ de taza de agua.

Se ponen a cocinar las palomas con todos los ingredientes y a medida que se vaya secando la salsa se le agregan cucharadas de agua caliente y cuando estén tiernas se bajan.

Salsa:

2   cebollas picadas
$1/2$ barrita de mantequilla
1   cucharada de harina
1   hoja de laurel
    sal y pimienta.

Se sofríe la cebolla en la mantequilla hasta que esté transparente, se agrega la harina disuelta en el vino, una hoja de laurel y se deja hervir un rato hasta que la salsa espese un poco. Se vierte sobre las palomas y se deja cocinar un rato.

PICHONES CON NARANJAS DULCES

(Para 6 personas)

6   pichones
$3/_4$ de barra de mantequilla
3   cebollas finamente picadas
4   pimientas de olor
1   raja de canela
2   cucharaditas de sal
$1/2$ cucharadita de pimienta picante
1   cucharada de harina con 1 cucharada de mantequilla
$3/_4$ de taza de vino
    el jugo de 4 naranjas.

Se doran los pichones en la mantequilla y se les pone el jugo de las naranjas, el vino, canela, laurel, cebolla, sal y pimienta. Se tapan y se ponen a fuego lento hasta que ablanden. Se les agrega la mantequilla con la harina. Se verifica la sazón.

GUARTINAJA RELLENA CON HOJAS DE TAMARINDO

(Para 10 personas)

1   guartinaja entera que pese de 5 a 6 libras
2   cucharadas de sal
1   libra de cebollas partidas
1   cabeza de ajo majado
$1^{1}/_{2}$ tazas de vino
1   libra de tomates partidos
4   cucharaditas de pimienta
4   cucharadas de salsa negra.

La guartinaja se limpia bien y se adoba con los ingredientes, dejándola en esta preparación por varias horas. Se rellena con hojas de tamarindo y se cose. Se mete al horno a 300°F y se deja hasta que esté cocida. Se destapa y se sube el horno para que dore.

PATOS GUISADOS CON HONGOS

(Para 6 u 8 personas)

1	par de patos de cacería
2	cebollas
1	cabeza de ajos
1	lonja de jamón de una pulgada de grueso
1	ramillete de hierbas
2	tazas de agua
1	pote de hongos

Límpielos y quíteles los cañones, úntelos bien de limón y si es necesario, quíteles el pellejo (según la clase del animal). Despréselos o cocínelos enteros, como se quiera. Generalmente se cocinan partidos. Unteles sal y pimienta. Parta las cebollas menudas y póngalas en una sartén con una cucharada de mantequilla y déjelas dorar ligeramente, después añádale el ajo y dos ramas de tomillo, perejil, una hoja de laurel y hongos, todo bien picadito. Déjelo dorar con los patos, moviendo frecuentemente y después se le agrega el jamón en trocitos. Añada el agua hirviendo moviéndolo constantemente para que no se queme. Sazónelo bien y déjelo cocinar a fuego lento por una hora más o menos. Sírvase caliente, usando parte de los hongos para la decoración.

HAMBURGUESAS (Otra)

(Para 12 personas)

2	libras de carne molida
2	cucharaditas de sal
1	cucharadita de pimienta
$1/4$	de cucharadita de nuez moscada
6	huevos enteros
2	rebanadas de pan seco remojadas en $1/2$ taza de crema.

Se mezcla todo bien y se hacen las tortas, se cocinan al carbón o fritas. Salen 12.

COSTILLAS LARGAS DE CERDO CON AZUCAR

Las costillas se preparan con sal y un poco de limón verde. Para asarlas debe esperarse a que el carbón tenga la brasa en rojo para que no dé llama ni humo. La parrilla debe quedar un poco separada del fuego y se ponen las costillas con el gordo hacia arriba. Mientras se asa de ese lado se le riega un poco de azúcar al gordo formándole una capita y cuando esté asada la parte de abajo se voltea para que se dore del lado del gordo.

RABO ENCENDIDO

(Para 6 personas)

4	libras de rabo o cola de res grande
4	cebollas picaditas
1	libra de tomates sin piel ni semillas
3	ajíes pimientos en tiritas
6	ajíes dulces
1	pote de pasta de tomate
1	cucharada de alcaparras
3	ajos majados
2	cajitas de pasas
1	taza de manzanilla o vino blanco
6	pimientas de olor
2	cucharaditas de sal
2	cucharaditas de pimienta picante ajibasco al gusto.

Se limpia muy bien de la grasa que los cubre, se lava y se parte por las vértebras. Se cocina con sal, pimienta de olor, picante y ajo en suficiente agua para cubrirlo, cuando ablande se le agrega la cebolla, tomate, ajíes, y demás ingredientes. Se continúa la cocción hasta que la salsa espese. De último se le añade la manzanilla o el vino, se verifica la sazón, pues debe quedar un poco picante.

BARRAQUETES CON VINO TINTO

Los barraquetes se arreglan en la misma forma que la receta No. 51 de este capítulo. Después de lavarlos muy bien con limón o naranja agria se dejan compuestos con un poquito de ajo majado, sal y vinagre unas 2 horas. Se ralla una cebolla por cada barraquete y se sofríe también el barraquete. Cuando esté dorado se añade medio vaso de vino tinto, dejándolo hervir unos 10 minutos, se le agrega una taza de caldo, una hoja de laurel y un poquito de pimienta picante. Cuando esté blando se le pone una cucharada de harina tostada, desleída en agua y se deja espesar.

POLLO AL CURRY

(Para 6 personas)

1	pollo grande (3 libras)
2	cebollas picadas
3	cucharadas de mantequilla
1	cucharada de polvo Curry
1	cucharada de harina para espesar, si es necesario.

Se despresa el pollo, se prepara con sal y pimienta y se sofríe en la mantequilla, se le agrega la cebolla dejándolo un rato hasta que se cocine ésta. Se le añade el agua suficiente sólo para cubrirlo y el polvo de Curry disuelto en un poquito de agua. Se deja cocinar tapado a fuego lento, hasta que ablande. Debe quedar con suficiente salsa. Se acompaña con arroz blanco y según la costumbre hindú con salsa Chutney, pasas, maní tostado, tocineta frita, coco rallado, presentados a la mesa en pequeñas bandejas.

LECHON CUBANO AL MOJO AGRIO

1	lechón
½	taza de sal
3	cabezas de ajo
3	cucharadas de orégano tostado
6	naranjas agrias
	manteca para untar.

Se mata el lechón la víspera de asarlo. Después se pela y se limpia bien raspándolo con un cuchillo y echándole agua caliente. Se abre el vientre y se limpia el interior. Después de limpio y lavado por dentro y por fuera, se cuelga hasta el día siguiente. Se espolvorea con sal, 2 ó 3 horas antes de adobarlo. Se machacan en el mortero los dientes de ajo con el orégano hasta triturarlos bien. Se le agrega el zumo de naranja, se frota todo el interior del lechón con esta mezcla y se deja durante 5 ó 6 horas. Se coloca el lechón en una tártara con la piel hacia arriba, se asa en el horno hasta que esté dorado y al pincharlo no salga jugo. Se retira del calor y se parte. Se sirve con un mojo hecho con manteca, dientes de ajos machacados y zumo de naranjas agrias. El asado típico cubano en el campo consiste en asar el lechón abriendo un hueco en la tierra donde se coloca la leña y unas hojas de guayaba para darle aroma. Cuando esté todo ardiendo se cubre con una pa-

rrilla y sobre ésta se coloca el lechón que se barniza con el mojo frecuentemente. Se cubre con hojas de plátano.

CODORNICES A LA CAZADORA

(Para 6 personas)

12	codornices
3	cucharadas de mantequilla derretida
¾	de taza de pan rallado
1	cucharadita de pimienta picante
½	cucharadita de sal
¼	de cucharadita de nuez moscada.

Se desplumán y se chamuscan abriéndolas por el espinazo y limpiándolas. Se colocan en la mantequilla, pasándolas en seguida por pan rallado y sazonándolas con sal, pimienta y nuez moscada. Después se aplastan ligeramente, se asan en la parrilla y se riegan nuevamente en mantequilla.

Salsa:

2	dientes de ajo machacados
½	cucharadita de sal
¼	de cucharadita de pimienta picante
1	cucharadita de harina
2	ramitas de perejil picado
¾	de taza de caldo
	el jugo de dos limones.

Cocínela por 10 minutos y coloque las codornices, déjelas por 10 minutos más.

VENADO ASADO (Bisté y chuletas)

Póngase a calentar el asador u horno, colóquense los bistés o chuletas en la parrilla del asador, poniendo ésta de tal manera que las llamas queden a 10 cm de la carne. La puerta del asador u horno debe dejarse entreabierta. Asese de un lado hasta que esté bien dorado de 5 a 7 minutos; luego voltéese del otro lado y déjese dorar por el mismo tiempo. La carne de venado debe cocinarse poco, pero la superficie debe dorarse bien. Sírvase inmediatamente sazonándola con sal y pimienta o mantequilla con perejil.

Mantequilla con perejil: media taza de mantequilla o margarina batida hasta el punto de crema, sal, un poquito de pimienta, dos cucharaditas de perejil picado y finalmente ²/₄ de cucharada de jugo de limón añadido lentamente.

PATAS A LA RIOJANA

(Para 10 personas)

2	libras de patas de res limpias de la parte gelatinosa, cocidas
2	cucharadas de salsa inglesa
1	frasco de alcaparras pequeño
$1/2$	libra de garbanzos
$3/4$	de taza de salsa de tomate
6	onzas de mantequilla
$1/2$	libra de cebollas chicas
$1/2$	libra de habichuelas
$1/2$	libra de zanahorias
4	onzas de repollo
$1/2$	libra de papas
1	ramito de perejil
1	taza de caldo
1	taza del agua donde se cocinaron las verduras
2	ó 3 cucharadas de harina encurtidos y picante al gusto.

Se parten las papas en cuadritos de una pulgada y se fríen en la mitad de la mantequilla. Cuando ya estén medio doradas, se sacan y se fríen la cebolla y el perejil picado, sin dejarlos quemar. Se sacan y se fríen las patas partidas en trozos. Se agrega la harina, el caldo y el agua de las verduras, añadiéndole después los demás ingredientes, se le da un buen punto de sal y pimienta, se tapa, y se deja hervir $1/4$ de hora hasta que todo esté tierno, moviendo de vez en cuando para que no se pegue, y si está muy seco se le pone más caldo. No se deben dejar cocinar demasiado los garbanzos y las verduras. Se sirve adornado con huevos duros picados, aceitunas y rábanos.

GALLINA O PAVITA CON ALMENDRAS

Se fríe en aceite una cebolla grande picada muy menuda o rallada y seis dientes de ajo, cuando estén listos se majan en el mortero con un poco de pimienta picante, nuez moscada, canela y clavos de olor en polvo.

Se despresa el ave en los trozos que se deseen, se enharinan y se sofríen en aceite. Cuando estén un poco dorados, se les añade $1/4$ de litro de vino Jerez y se deja que se consuma muy lentamente. A la vez se le agrega el majado anterior, dos hojas de laurel, perejil picado y sal. Se deja cocinar con una taza de caldo o más si es necesario, hasta que esté tierna. Antes de terminar de cocinar-

se se pelan 24 almendras y se machacan o se muelen, agregándoselas al final. Hay que tener cuidado porque tiende a pegarse.

LOMO DE CERDO EN LECHE

3	libras de lomo de cerdo pimienta y sal.

Se sazona con pimienta y sal, se deja un par de horas y se amarra con un hilo grueso para que no pierda la forma. Se fríe hasta que esté dorado y se cubre con leche, dejándolo hervir hasta que esté bien cocido.

LOMO DE CERDO A LA NARANJA

3	libras de lomo de cerdo
3	libras de naranjas.

Se compone el lomo con sal y se dora en un poco de manteca, a continuación se cocina con el jugo de las naranjas, se le añade un poco de agua y se sigue cocinando hasta que esté blando. La salsa que quede se sirve aparte. Para comerlo frío se deja cocinar con la naranja hasta que la salsa se consuma.

ESCALOPINES DE TERNERA

(Para 6 personas)

$1^1/2$	libras de masa de ternera
4	dientes de ajo
$1/2$	cucharadita de pimienta
1	cucharadita de sal
2	tazas de galletas molidas
1	taza de queso parmesano rallado
6	huevos
2	tazas de aceite
$1/2$	taza de mantequilla jugo de un limón.

Corte la ternera en filetes muy delgados. Májelos y adóbelos con el majado, sal, pimienta y limón. Se dejan en esa mezcla un rato. Mezcle las galletas molidas con el queso rallado. Bata los huevos y pase los filetes por esta mezcla, después por el queso, repita la operación y fríalos en la grasa caliente.

RABO ALCAPARRADO

(Para 6 personas)

2	rabos de res (4 libras)
½	taza de aceite
½	taza de vino blanco seco
2	tazas de vino tinto
1	taza de alcaparras
1	pote de pasta de tomate
1	cucharadita de pimienta picante
¼	de cucharadita de orégano en polvo
3	pimientos asados y pelados
½	taza de perejil picado
1	libra de cebollas
8	dientes de ajo
1	cucharada de vinagre
1½	cucharaditas de sal
	comino al gusto.

Se limpian bien los rabos quitándoles la grasa y se parten en trozos. Lávelos y séquelos. Dórelos en el aceite caliente, sáquelos y en esa grasa sofría la cebolla, ajíes, ajos, perejil, todo bien picado. Eche el rabo en el sofrito, agregue el tomate y demás ingredientes. Revuélvalo todo y déjelo cocinar hasta que los rabos se ablanden, aproximadamente 3 horas. Debe quedar con suficiente salsa.

CARNE RELLENA

(Para 6 personas)

1	lomo fino (3 libras poco más o menos)
½	libra de cerdo gordo
4	onzas de jamón
3	huevos duros
1	frasquito de alcaparras
2	onzas de aceitunas
2	onzas de arvejas
	pimienta, vinagre y sal al gusto.

Se muelen la carne de cerdo y el jamón sin quitarle su grasa. Se revuelven con las aceitunas, alcaparras, arvejas (petit pois) y se sazona con sal, pimienta picante, salsa inglesa, pimienta de olor, laurel y clavitos de olor.

El lomo se abre de punta a punta sin partirlo completamente. Luego, de cada lado, se saca otro filete de manera que quede abierto como un pedazo de tela y se sazona con sal, vinagre, ajo, pimienta picante y un poquito de salsa inglesa.

Se rellena extendiendo el picado sobre la carne y colocando en el centro los huevos sancochados. Luego se enrolla y se amarra o se cose.

Entonces se fríe con un poquito de mantequilla y de manteca hasta que dore por todos lados, se le agrega un poco de caldo y se deja ¾ de hora. Se saca y se le pone un peso encima para que escurra. Se deja enfriar 4 horas y se parte en rebanadas.

Se sirve con una salsa que se hace con una cucharada de mantequilla, a la que se le añade una cucharada de harina tostada moviéndola constantemente para que no se hagan grumos y se le agrega un poco del caldo en el que se cocinó.

PUDINCITOS DE JAMON

(Salen 20)

½	libra de queso
2	libras de jamón molido
3	onzas de harina
2	tazas de leche
1	pote de crema de leche
12	huevos
1	libra de papas sancochadas
	sal al gusto.

Se mezcla todo y se vierte en moldecitos individuales engrasados. Se asan al horno de 350°F hasta que al introducir un palillo éste salga limpio.

HIGADO A LA ITALIANA

1	libra de hígado
2	cebollas grandes
1	ají pimiento grande
¼	de taza de vinagre
1	cucharada de harina
2	dientes de ajo
½	cucharadita de sal
¼	de cucharadita de pimienta
1	hoja de laurel
½	taza de vino blanco seco
2	cucharadas de aceite.

Limpie bien el hígado y pártalo en pedacitos. Cúbralo con la cebolla cortada en ruedas, el ají en tiritas y la hoja de laurel. Mezcle el vino, vinagre, ajo, sal, pimienta y harina y viértalo sobre el hígado. Tape el recipiente y déjelo una hora en la nevera. Antes de servir, caliente el aceite en la sartén y añada el hígado con sus ingredientes, cocínelo a fuego lento revolviendo constantemente para que se cocine bien por todos lados. Aproximadamente 10 minutos. Se endurece cuando se cocina mucho.

RECETA No. 75

MEDALLONES ENRIQUE IV

Los medallones en verdad son pequeños bistés, sacados de la punta del lomo o lomillo bien aplanado y que no pesen más de 60 gramos.

12	medallones de 4 cm de grueso
2	cucharadas de aceite de olivas
	sal y pimienta
	salsa bearnesa (*ver* salsas).

Salpimentar los trozos de carne y untarlos con el aceite. Preferencialmente encerrarlos en una parrilla de dos tapas para poderlos dorar fácilmente de ambos lados a fuego de carbón. Deben quedar jugosos y rosados en el centro. Pueden hacerse también en un asador de hierro con estrías, bien caliente.

Servir los medallones con papa frita y un copete de salsa bearnesa en cada uno de los trozos.

RECETA No. 76

MOLDES DE CARNE CON JAMON

(*Para 6 personas*)

$^1/_2$	libra de carne
$^1/_2$	libra de jamón
2	cebollas
2	huevos enteros
1	hoja pequeña de laurel
1	lata de petit pois
$^1/_2$	libra de tocino fresco en pedacitos
2	onzas de pan
6	yemas
2	onzas de queso
2	onzas de mantequilla.

Se muelen las carnes y se revuelven con el pan previamente mojado en leche y exprimido. Las cebollas se cortan finamente y se doran en mantequilla. Se mezcla todo y se vierte en un molde engrasado colocando una capa de ésta, otra de queso y así sucesivamente hasta terminar con queso. Se cocina al baño de María en el horno a 350°F por espacio de 1$^1/_2$ horas. Se adorna con el petit pois.

RECETA No. 77

LENGUA EN SALSA DE TOMATE

Se mete la lengua en agua hirviendo por $^1/_4$ de hora, se saca y con un cuchillo se raspa la superficie callosa. Se prepara con sal, vinagre, pimienta picante, dos ajos majados. Se guisa, y a medi-da que se vaya consumiendo el líquido, se le va agregando agua caliente, dejándola al fuego, hasta que al puyarla se sienta blanda. Se baja y se corta en rebanadas.

Salsa: derrita al fuego tres onzas de mantequilla, añádale una cucharadita bien llena de harina, una taza de leche y una taza de vino blanco. Aparte se tienen diez tomates grandes pasados por agua caliente y despojados de piel y semillas, machacándolos un poco en el colador, y se le agrega a lo anterior, junto con una hoja de laurel, seis pimientas de olor enteras, una cucharadita colmada de azúcar y media cucharadita de sal. Se deja en el fuego hasta que espese. Esto se le añade a la lengua momentos antes de servir. Se adorna con petit pois y unas hojas de lechugas.

RECETA No. 78

MOLDE DE CERDO

(*6 porciones*)

2	libras de cerdo
4	huevos
1	pan pequeño
2	cucharaditas de mantequilla
1	poquito de salsa inglesa
	guiso de tomate y cebolla con manteca
	mostaza
	sal y pimienta
	alcaparras.

El cerdo y el pan remojados en un poco de leche se muelen muy bien; los huevos se baten y se mezcla todo, que quede una pasta suave. Se engrasa un molde, se coloca la pasta y se cocina al baño de María en el horno a 350°F, aproximadamente una hora.

RECETA No. 79

CARNE EN MOLDES

(*Para 6 personas*)

1	libra de carne
1	pocillo de pan remojado en leche
1	cucharadita de mantequilla
$^1/_2$	libra de cerdo
1	cebolla
1	tacita de leche
	sal, pimienta picante.

Se muelen las carnes con la cebolla; se junta todo y se pone en molde engrasado en el horno. Puede bañarse con una buena salsa o acompañarse con ensalada de papas y verduras.

ROLLO DE HARINA Y CERDO

(Para 6 personas)

½ libra de harina
2 huevos
1 cucharada de mantequilla
2 libras de cerdo
tomates, cebollas, coles o bledos, mantequilla.

Masa: la harina, los dos huevos y la cucharada de mantequilla se amasan con medio pocillo de agua de sal hasta que esté suave.

Picado: el cerdo se pica muy bien y se guisa con los demás ingredientes. La pasta se extiende, se le pone el picado, se hace un rollo y se cocina en un caldo de una libra de huesos. Pártase como los piononos y sírvase con salsa de tomate.

COCIDO O PUCHERO ESPAÑOL

(Para 5 a 6 personas)

1 libra de carne (murillo o jarrete)
2 libras de huesos blancos en trozos de res
½ libra de tocino
4 chorizos tipo español duros
1 hueso pequeño de jamón serrano
2 morcillas tipo español
1 taza de garbanzo
2 libras de repollo
3 zanahorias medianas
6 papas
½ gallina o pollo cortado en 6 trozos
2 puerros
1 nabo pequeño
1 cebolla.

Remojar los garbanzos desde la víspera en abundante agua y con una cucharadita de sal. En una olla con suficiente agua se ponen las carnes, los huesos blancos, así como el hueso pequeño de jamón y la gallina. Cuando rompa el hervor se quita la espuma que se forma dejándolos hervir a fuego suave una hora.

Escurrir los garbanzos, lavarlos un poco y meterlos en una tela de gasa, cerrándolas bien para que no se desbaraten. Añadir esa bolsa al caldo y proseguir el cocimiento, siempre a fuego suave. Cuando comience a hervir de nuevo añadir las zanahorias limpias y enteras, el nabo, los puerros y una rama de perejil, continuar el cocimiento durante unas 3 horas aproximadamente, observando que las carnes no se desbaraten, de

ser así se retiran y reservan. En caso de que se reduzca el caldo añadirle agua caliente. Cuando las verduras estén cocidas se retiran también. En una cazuela aparte se cuece el repollo cortado en trozos con el chorizo y un poco de caldo, luego se añaden las morcillas para que se cocinen, sin que se revienten. Retirarlas cuando estén listas. Llevar a la cacerola donde está el repollo el resto de los vegetales, rehogarlos con un poco de aceite de olivas en el que se freirán antes tres dientes de ajo. Cocinar las papas en una ollita con poco caldo hasta que ablanden. Pasar el caldo por una gasa de manera que quede bien limpio, separar la cantidad que se considere necesaria para las seis personas y agregarle un puñado de fideos muy finos hasta que cocinen. Verificar la sazón.

Relleno o pelota: este puchero castellano se acompaña con unas bolas que se preparan así: tres huevos, perejil finamente picado, cinco dientes de ajo picado, media cucharadita de pimentón, un poco de tocino —si es de jamón serrano o de otro, mejor— picado, un chorizo tipo español picado, dos rodajas de pan. Mezclar bien todos estos ingredientes hasta formar una pasta homogénea y con dos cucharadas hacer buñuelos y dorarlos en aceite, escurrirlos y llevarlos a la olla del cocido, dejándolos allí una ½ hora.

Para servirlo: en una fuente o bandeja se amontonan los garbanzos bien escurridos, alrededor se colocan las verduras (papa, zanahorias, etc.); sobre los garbanzos se ponen la carne cortada en rodajas, así como las bolas, y la gallina también troceada. En otra bandeja poner el repollo con la morcilla cortada en trozos, los chorizos y el tocino. Las dos bandejas se sirven al mismo tiempo acompañadas de una salsa de tomate (*ver salsas*). El caldo, bien caliente, se sirve por separado.

GUISO DE CABEZA DE CERDO

1 cabeza de cerdo y 2 pezuñas
1 tajada de jamón
2 cebollas grandes
1 cucharada de mantequilla
2 limones, tomillo, laurel y especias,
pimienta roja y sal.

La cabeza y las pezuñas se raspan, se limpian bien y se cocinan enteras agregándoles cuatro cucharadas de sal y un limón cortado por la mitad. Después de 4 horas, cuando esté tierna, se saca y se deja enfriar. Luego se le quita la carne y el agua en que se cocinó se guarda. Se cortan la carne, orejas, lengua y las pezuñas en pedazos de una pulgada de largo. Se pican las cebollas finamente y se ponen al fuego con la mantequilla sin dejarlas quemar, se les añade el tomillo molido, pimienta, etc., y una cucharadita del agua en que se cocinó y se deja hervir ligeramente. Después se le agregan dos tazas del agua que se reservó, la cáscara de otro limón cortada en pedacitos y se sazona alto. Cocínese bien todo y luego agréguese la carne, se le añaden las demás especias y tres ajos molidos, dejándolos cocinar ½ hora más.

RECETA No. 83

CROQUETAS DE JAMON

½	libra de jamón
¼	de libra de tocino o tocineta
2	huevos
	alcaparras, pimienta
	y polvo de bizcocho o de pan.

Se muele el jamón agregándole el tocino picado, las yemas de los huevos, las alcaparras majadas y suficiente polvo de pan o bizcocho. Se forman las croquetas, se mojan en las claras, se empolvan en la harina de bizcocho y se fríen en manteca caliente. Luego se escurren y se colocan en una fuente sobre una servilleta, adornándolas con perejil.

RECETA No. 84

TIMBAL DE MACARRONES

2	libras de espaguetis
1	pollo
1	libra de cerdo
½	libra de jamón
4	onzas de tocineta
2	latas de pasta de tomate
2	tazas de caldo
4	onzas de queso parmesano
1	lata de petit pois
4	onzas de mantequilla
6	huevos
1	frasco de alcaparras.

El pollo se despresa, el cerdo se parte en pedazos y se condimenta con sal, pimienta picante y salsa inglesa. El jamón y la tocineta se parten y se guisan con el pollo y el cerdo, se agregan cuatro tomates, cuatro cebollas y se cocinan hasta que todo esté blando. Ya cocido el pollo se sacan

los huesos. Se rallan dos cebollas y se fríen en la mantequilla sin dejarla dorar, se le añade la pasta de tomate disuelta en el caldo, un ramo de hierbas: tomillo, laurel, seis pimientas de olor, una rajita de canela, todo esto se mete en un pedazo de tela y se amarra, esto se retira al final. Cuando haya hervido aproximadamente una hora, si está ácida se agrega un poquito de azúcar y se mezcla con todo menos el queso. Los espaguetis se sancochan en agua de sal con un chorrito de aceite, que no queden muy cocidos y se mezcla con el guiso, añadiéndole la mitad del queso. Se baten las claras a punto de nieve, se le van mezclando las yemas con un poquito de sal y se revuelve con lo anterior. Se unta un molde redondo de mantequilla y se espolvorea con el queso, se vierte la mezcla y se le pone el queso por encima. Se mete al horno de 350°F hasta que dore, se deja reposar y se desmolda.

RECETA No. 85

PASTEL ARENOSO DE POLLO
(Plato grande)

1½	libras de harina
4	yemas
6	onzas de manteca
6	onzas de mantequilla
1 -	cucharada de brandy
	azúcar al gusto.

Se pone la harina en la tabla de amasar y se le hace un hueco en el centro, agregándole allí los huevos y demás ingredientes, de último el brandy, amasando hasta que la pasta esté suave. Se divide en dos la masa, se extiende con un rodillo en un papel encerado y se coloca en el plato refractario, luego se pone el relleno guisado y se cubre con la otra mitad de la masa. Se hacen unos pinchazos con un tenedor para que salga el aire. El horno debe estar previamente calentado a 275°F.

Relleno:

1	pollo
4	onzas de cebollas chicas
3	tomates grandes
1	cucharada de harina
	un pedazo de repollo, una taza de caldo, etc.

El pollo se parte y se fríe; se le añaden las cebollas y demás ingredientes. La harina se deslíe en un poquito de agua y se le echa así como el caldo dejándolo guisar hasta que esté blando. Se le pueden añadir petit pois, alcaparras y vino blanco seco.

CROQUETAS DE POLLO, PESCADO O JAMON

(Salen 26)

1	taza de pollo molido (cocido de antemano)
3	onzas de mantequilla
1½	tazas de leche
¼	de taza de caldo del pollo
4	cucharadas de harina
1	diente de ajo picadito
1	cucharadita de jugo de limón
	y nuez moscada
	pimienta y sal al gusto.

Caliente la leche y el caldo separados hasta que hiervan. Derrita la mantequilla y agréguele el ajo y la harina moviendo fuertemente hasta que se vea la pasta suave. Añádale la leche y el caldo hirviendo; se sigue moviendo y se deja cocinar bien para que la harina no quede cruda. Añádale el pollo, mezclando muy bien. Extiéndalo en una bandeja y déjese enfriar para poder darle forma a las croquetas. Se bate un huevo entero. Se pasan las croquetas por harina, después por huevo y de último por pan rallado. Se fríen en abundante manteca y muy caliente. Cuando se hacen de pescado hay que cocinarlo y molerlo, reservando el jugo en que se cocinó para utilizarlo en las croquetas.

PUDIN DE GALLINA

1	gallina
4	onzas de jamón
1	latica de jamón picado
1½	libras de papas para hacer un puré duro
1	frasco de alcaparras
	aceitunas
	polvo de pan
	mantequilla y sal.

Se guisa la gallina bien condimentada, se saca de los huesos y se muele con el jamón, añadiéndole el jamón de lata, las alcaparras con su vinagre y el puré de papas. Se coloca esta mezcla en un molde engrasado apretándolo con cuidado para que quede uniforme. Se le ponen pedacitos de mantequilla, pan rallado por encima y se mete al horno de 350°F. Se deja hasta que al meterle un cuchillo salga limpio. Se desmolda y al servirlo se baña con salsa de tomate; puede adornarse con puntas de espárragos.

MOLDE DE PAVO HELADO

(Para 25 personas)

1	pavo
1	frasco chico de mayonesa
1	libra de manzanas
1	cucharadita de paprika
1½	tazas de crema
1	lata grande de piñas
½	libra de almendras
1	botella chica de salsa de tomate.

Se guisa el pavo muy bien con todos sus condimentos y después se pone al horno a dorar. Luego se corta tan menudito que parezca molido. Se pone en un recipiente para amasarlo agregándole la crema y demás aliños. De esto salen dos moldes. Se ponen 3 horas al hielo.

PICADILLO (Plato cubano)

(Para 6 personas)

2	libras de carne molida (lomo barcino, lomo redondo)
½	libra de masa de cerdo
1	cebolla grande
3	dientes de ajo
1	ají grande
3	cucharadas de puré de tomate
½	cucharadita de pimienta
1	cucharadita de sal
¼	de taza de vino seco
6	cucharadas de aceite o manteca con achiote alcaparras y aceitunas cortadas en lascas y pasas al gusto.

Moler las carnes y combinarlas con los vegetales bien picados. Agregarles el vino, las alcaparras picadas y las aceitunas cortadas en lascas, mezclar bien y dejarlas en este adobo de una a dos horas.

Poner en una sartén seis cucharadas de manteca o aceite (preferencialmente de olivas); cuando esté caliente colocar las carnes adobadas, revolver bien y cuando comience a soltar su jugo añadirle las pasas, el puré de tomate, sal y pimienta al gusto. Proseguir el cocimiento durante 20-25 minutos advirtiendo que este plato debe quedar jugoso. Tradicionalmente se sirve este plato con huevos fritos y tajadas de plátano maduro.

RAGOUT DE GALLINA

(Para 6 personas)

1	**gallina**
3	**tomates**
3	**cebollas**
	sal al gusto
	un poquito de vinagre.

Se cocina la gallina con los tomates, cebolla, sal, vinagre, hasta que esté blanda. Se pica y muelen los pellejos, hígado y molleja. El caldo donde se cocinó se reserva para preparar la salsa.

Salsa:

1	**pote de espárragos**
1	**pote de champiñones**
2	**cucharadas de harina por cada taza de caldo**
2	**yemas de huevo por cada taza de caldo**
4	**onzas de mantequilla.**

Se derrite la mantequilla en el fuego, se agrega la harina moviendo bien para que no se formen grumos. El agua de los espárragos se le agrega al caldo donde se cocinaron las gallinas y esto se vierte poco a poco a la mezcla anterior, se deja cocinar moviendo frecuentemente hasta que cuaje y se le añaden las yemas batidas y la gallina, los espárragos y los champiñones en pedacitos.

ROSCA DE ARROZ CON RAGOUT DE POLLO

(Para 6 personas)

1	**libra de arroz**
4	**huevos**
2	**cucharadas de mantequilla**
1	**poquito de nuez moscada y pimienta.**

Se hace un arroz blanco con manteca, se muele en la máquina y se revuelve con los huevos y los demás ingredientes. Se unta de mantequilla un molde de los que tienen tubo en el centro, se llena con la pasta apretándola bien y se mete al horno a dorar.

Para el ragout:

1	**pollo grande**
1½	**tazas de salsa blanca**
1	**latica de hongos**
	unas ramitas de perejil.

El pollo se guisa sin dejarlo secar, se saca, se le quitan los huesos y se parte con tijeras. La salsa

blanca se mezcla con una taza del caldo donde se cocinó. Se mezcla el pollo con la salsa y los hongos poniéndolo unos momentos al fuego. Se desmolda el arroz, se coloca el pollo en el centro y se adorna con el perejil.

QUESO DE POLLO

(Para 8 personas)

½	**libra de jamón**
1	**pollo**
2	**cucharadas de mantequilla**
3	**huevos batidos**
4	**onzas de harina**
	guiso de tomate, cebolla y manteca
	alcaparras, encurtidos.

El pollo se cocina y se despresa con la mano o cortándolo en cuadritos con unas tijeras. Se echa todo en una vasija, con la harina, mantequilla derretida, huevos, alcaparras, encurtidos, el guiso, sal, pimienta y un ajo molido. Se le pone caldo del pollo hasta que quede una pasta blanda revolviendo bien y se echa en un molde liso untado de mantequilla, espolvoreándolo con harina. Se cocina a baño de María en horno por 2 horas y se sirve con mayonesa y lechugas.

POLLO IMPERIAL

(Para 4 personas)

1	**pollo grande**
1	**lata de hongos**
1	**taza de vino blanco seco**
1	**copa de vino Jerez**
1	**cucharadita de harina**
1	**hoja de laurel**
1	**cucharada de pasta de tomate**
1	**cucharadita de mantequilla**
	sal, pimienta y ajo.

Se prepara el pollo entero con sal, pimienta y ajo molido. Se deja así hasta el día siguiente. Se parte el pollo en cuatro pedazos. Se pone a calentar al fuego un poco de manteca, se le echa el pollo, moviéndolo constantemente para que dore sin quemar. Se le agrega el vino blanco y Jerez, se deja hervir tapado con el laurel, aproximadamente una hora a fuego lento. Se le agrega el tomate y la harina mezclada con la mantequilla y de último los hongos. Se deja cocinar un momento. Si la salsa se merma puede agregársele más vino.

CROQUETAS DE VOLATERIA

(Porciones para 6 personas)

½ libra de pechugas de pollo o gallina
2   onzas de mantequilla
3   tacitas de caldo
1   cebolla
4   onzas de hongos
1   tacita de harina
    migas de pan rallado
    huevos
    un ramillete surtido de hierbas.

Las pechugas después de cocidas se muelen y los hongos se pican finamente. Se prepara la salsa echando en la cacerola la harina, la mantequilla y la cebolla picada, se pone a fuego lento para hacerla cocer sin dejarla tomar color. Luego se vierte poco a poco el caldo hirviendo, se le agrega el ramillete, se mezcla con el pollo y los hongos (se le puede agregar trufas picadas) y las yemas de los huevos. Cuando esté todo bien compacto se deja enfriar sobre un plato untado de manteca. La pasta debe quedar bien firme y si no lo estuviere se le puede agregar un poco de pan molido. La masa se pasa a una mesa empolvada con harina para formar las croquetas, se sumergen en las claras de huevo a medio batir, se empolvan con pan rallado y se fríen en manteca caliente, volteándolas con cuidado para que no se desbaraten. Se sirven en figura piramidal.

ROSCA DE POLLO

6   onzas de harina
6   huevos
2   cucharaditas de sal
4   onzas de mantequilla
2   cucharaditas de polvo de hornear
1½ tazas de agua
    crema de pollo.

Se pone al fuego el agua con la mantequilla y la sal; al hervir se le agrega de golpe la harina sin dejar de mover. Cuando la masa esté compacta se retira del fuego y se deja enfriar 10 minutos. Añádale cuatro huevos enteros y dos yemas sin dejar de batir. Agregue el polvo de hornear, revolviendo un poco para echarlo en un molde con hueco en el centro y engrasado, se mete al horno. Al servirlo se rellena con una crema de pollo y se adorna con ramilletes de perejil.

PUDINCITOS DE GALLINA

1   taza de gallina cocida y molida
½ taza de pan rallado
½ taza de caldo
4   claras bien batidas
2   cucharadas de mantequilla
4   yemas de huevo
½ taza de leche
    sal y pimienta al gusto.

Se derrite la mantequilla agregándole la sal y la pimienta, se le agregan el pan, la gallina y se deja cocinar por 10 minutos; en seguida se le echan las yemas mezcladas con el caldo y la leche. Cuando todo haya hervido un ratico se le añaden las claras moviendo y se bajan. Luego se le echan las alcaparras, pedacitos de aceitunas y, si se quiere, ruedecitas de salchichas de Viena o de jamón picado. En moldecitos engrasados se cocina al baño de María por ½ hora o hasta que se vean secos y compactos. Pueden servirse con mayonesa, salsa de tomate o salsa blanca.

MACARRONES CON POLLO

(Para 6 personas)

1   libra de macarrones
3   dientes de ajo
3   cucharadas de mantequilla
2   cebollas medianas
1   pollo mediano (2- 2 ½ libras)
4   tomates
2   cucharadas de vinagre
1   lata de pasta de tomate
½ taza de caldo de pollo
6   cucharadas de queso parmesano.

Colocar en una olla agua y cuando esté hirviendo ponerle una cucharada de sal y cocinar los macarrones hasta que queden al dente, o sea, ligeramente duros pero no crudos. Colocar la mantequilla en una sartén y dorar allí los ajos. Retirarlos, añadir y freír la cebolla finamente picada. El pollo se cocina con los tomates, la otra cebolla, picada también, y una hoja de laurel, sin dejar de revolverlo y mezclarlo. Si aparece muy seco, ponerle media taza de agua hasta que reduzca un poco y el pollo esté cocinado. Incorporarle la pasta de tomate con un poco más de caldo, de manera que quede salsa suficiente. Retirar el pollo y dejarlo que enfríe. Mientras tanto proseguir el cocimiento de la salsa a fuego lento hasta que tome un poco de consistencia. Colar ese jugo y reservarlo. Desmenuzar el pollo, mezclarlo con los macarrones y regar con la salsa, combinándolos suavemente. Calentarlos un poco y al servirlos espolvorearles el queso parmesano.

RECETA No. 98

CARNE ESTILO ALEMAN

(Para 6 personas)

1	posta de carne (3 libras de centro de cadera)
3	cebollas en rodajas
$^1/_2$	taza de vinagre
6	clavos de olor
6	cucharadas de aceite
4	hojas de laurel
$^1/_2$	taza de agua, sal y pimienta
$^1/_2$	taza de crema de leche.

Sazonar la carne con el vinagre, el agua, el laurel, los clavos y dejela en la nevera por 3 días. Al sacarla se escurre, se fríe en aceite, cuando esté bien dorada se le agrega el jugo en que se preparó y se cocina afuego lento, un poco antes de servir se le añade la crema.

RECETA No. 99

POLLO A LA ITALIANA

(Para 6 personas)

1	libra de tallarines
1	taza de leche
3	huevos
1	pollo mediano (2$^1/_2$ libras)
6	tomates
3	hojas de laurel
1	copa de vino Jerez
1	taza de caldo
3	huevos
$^1/_2$	taza de leche
3	cucharadas de harina de bizcocho
4-5	trocitos de mantequilla
1	taza de caldo.

Poner en una olla agua y llevarla al fuego. Cuando hierva agregar una cucharada de sal y los tallarines; cuando hayan cocinado un poco se les quita el agua y se les agrega la leche hasta que sequen, entonces se retiran del fuego y se dejan refrescar para agregarles los tres huevos batidos. Aparte se cuece al vapor el pollo despresado; se deshuesa y se pone al fuego con los tomates molidos, sal, pimienta, hojas de laurel, vino Jerez, el

caldo y se cocinan por espacio de 15 minutos, cuando se retira. Engrasar la refractaria y agregar una capa de tallarines, otra de pollo y se termina con tallarines. Cubrir con dos huevos batidos con media taza de leche, tres cucharadas de harina de bizcocho, unos trocitos de mantequilla y llevar al horno precalentado a 350°F. Retirarlo cuando dore un poco y servirlo en la misma fuente.

RECETA No. 100

MONDONGO CON VINO

1	libra de mondongo cocido
2	cucharadas de mantequilla
1	cucharada de harina
2	tazas de caldo
	y partido en pedacitos
$^1/_2$	taza de vino blanco seco
1	frasquito de alcaparras
	queso parmesano rallado
	sal al gusto.

Se derrite la mantequilla al fuego, se mezcla con la harina. Cuando esté bien incorporada se le agrega el caldo, la sal y el mondongo. Se deja hervir bastante, se le echa el vino, el queso y las alcaparras hasta que ablande.

RECETA No. 101

PERNIL DE CERDO

1	pernil de 10 a 12 libras
1	taza de vino Cinzano rojo
1	taza de jugo de naranja
$^3/_4$	de taza de vinagre
2	botellas medianas de salsa de tomate
$^1/_2$	taza de aceite de olivas
1	libra de cebolla bien picada o rallada
1	cubito de caldo concentrado
6	cucharaditas de pimienta picante
1	cucharada de salsa negra
1	cucharadita de sal por cada libra de cerdo
1	hoja de laurel, clavitos de olor
	y pimienta de olor
	unos dientes de ajo majados.

Se unta el pernil con la sal, cebolla, ajo y pimienta. En un recipiente se preparan los demás ingredientes y con esto se baña el cerdo dejándolo 24 horas en la nevera. Se pone en el horno a 300°F preferiblemente tapado, hasta que se cocine. Se destapa y se sube la temperatura del horno a 450°F hasta que dore. Mientras dura la cocción se baña con su salsa y se voltea. Puede servirse frío o caliente acompañado de su salsa.

PECHUGAS CON SALSA SUPREMA

(Para 6 personas)

6	pechugas
1	cabeza grande de puerros
½	mazo de apio
2	zanahorias partidas
1	mazo de cebolla de hoja picada
2	tomates enteros
	sal y pimienta.

Se colocan todos los ingredientes en agua caliente, y las pechugas hasta cubrirlas. Dejar cocinar hasta que estén tiernas. Se les quita el pellejo y los huesos a las pechugas. Al servir se calientan en un poco de caldo del cocimiento. Se colocan en una bandeja y se cubren con salsa suprema.

PAVO TRUFADO

Se toma un pavo de buen tamaño y se despluma todavía caliente, acabado de matar, sin mojarlo. Se limpia muy bien del resto de plumas. Inmediatamente se le quita la piel haciendo una incisión a lo largo del espinazo, se corta también la piel alrededor de las alas y se procede a despegar la piel del hueso procurando que ésta salga entera, se quita también con ella las pechugas. Se muele el resto del pavo (excepto una pata que servirá de control al cocinarlo) junto con tres libras de lomo de cerdo y una libra de ternera, separando algo de estas dos carnes para cortar en tiras, se agrega a ello media libra de jamón y otra cantidad igual de tocino de jamón, dejando también unas tiras para adornar. Cuando esté todo bien molido se le agrega sal, pimienta molida, nuez moscada, un cuarto de litro de vino Jerez y dos huevos batidos, se amasa muy bien esto y se le incorpora un diente de ajo, un poco de perejil y unas hojas de hierbabuena majada. Se le añade el jugo de las trufas. Se deja reposar esto unas horas y se prueba en crudo rectificando la sazón. Cuando se va a hacer se extiende el pellejo sobre una tabla, remendándolo en donde sea necesario, se pone un poco de grasa de la que tiene cerca del buche y a continuación una capa de pechuga, otra de picado y se intercalan las tiras que se han reservado, introduciendo salteados los trocitos de trufas. Se cose la piel cerrándolo completamente y teniendo cuidado de darle forma redondeada, luego se envuelve en un paño

blanco cosiéndolo también y se amarra con una cuerda alrededor. En una pavera se pone manteca de cerdo o aceite y cuando esté caliente se introduce el preparado dorándolo un poco a continuación, se le echa otro cuarto de litro de vino Jerez, una rama de tomillo, otra de hierbabuena, pimienta negra, nuez moscada, sal, dos zanahorias y la pata que se dejó para control. Antes de consumir el vino se le añade agua suficiente para que se cocine bien, aproximadamente una hora, después de ese tiempo se pincha la pata a ver si está tierna. Se verifica el sabor y si es necesario se le agrega un poco más de agua y vino. Cuando la pata esté blanda se saca, el pavo se pone en una tartera, encima otra tartera o tabla que lo cubra completamente y se prensa con bastante peso arriba. Se deja así por varias horas o hasta el día siguiente. Al servirlo se le quita el paño y se presenta entero, decorado con trufas, aceitunas, etcétera, y al partirlo se hacen las ruedas bien delgadas. En la misma forma se puede preparar una gallina.

PAVO AMERICANO RELLENO

1	pavo doble pechuga (16 a 20 libras)
1½	libras de apio
1	libra de cebolla
½	taza de perejil
1	zanahoria
1	libra de champiñones
¼	de libra de uvas pasas
½	libra de nueces
1½	libras de mantequilla
3	libras de miga de pan
1½	libras de mantequilla
6	tazas de caldo
6	cucharadas de salvia
6	dientes de ajo
1	cucharadita de nuez moscada
1	limón
2	tazas de Jerez
	mostaza, sal y pimienta al gusto.

Se recomienda adobar el pavo el día anterior. Lave el pavo con agua y el jugo del limón. Inyéctelo de Jerez (1½ tazas), dando énfasis a la zona de las pechugas. Adóbelo con tres cucharadas de salvia, cuatro dientes de ajo machacados, una cebolla, pimienta, sal y el resto del Jerez. Déjelo reposar.

Relleno:

Pique bien fino el resto de la cebolla, la zanahoria, el apio, el perejil, las nueces, dos dientes de ajo y rebane los champiñones. Coloque a hervir las seis tazas de caldo, la salvia restante y la mantequilla; cuando hierva, añádale la miga de pan y el picado anterior, junto con las uvas pasas y la nuez moscada, mezcle bien teniendo cuidado de no amasarlo o sobremezclarlo. Rellene el pavo y tenga en cuenta que este se expande un poquito, es decir, que no se debe rellenar muy apretado. La abertura del pavo puede coserse con hilo y una aguja gruesa.

Cubra el pavo de mostaza y métalo al horno precalentado a 300 °F, teniendo en cuenta que las pechugas deben ir hacia abajo. Dependiendo del tamaño del pavo déjelo de 3½ a 7 horas en el horno, refrésquelo cada 30 minutos con el jugo del adobo. Al sacarlo puede frotársele mantequilla para que dé brillo. Puede adornarse con gorritos de papel en las patas.

RECETA No. 105

LOMO DE CERDO CON SAMFAINA

(Para 6 personas)

6	filetes de cerdo, sacados del lomo, o las chuletas sin hueso, con un peso aproximado de 75 a 80 gramos cada uno
100	gramos de jamón serrano
1	cebolla grande
1	pimiento morrón verde
1	pimiento morrón rojo
6	tomates grandes maduros o 10 medianos
2	dientes de ajo
2	berenjenas medianas
1	hoja de laurel
	sal y pimienta al gusto.

Para sofreír los vegetales es mejor usar manteca de cerdo; pero si no se tiene a la mano, utilizar aceite.

Cortar en cuadritos las berenjenas y en bandeja refractaria ponerle sal, para que suelten el amargor. Después de una hora pasarlas por agua fría, para sacarles la sal. Reservarlas.

Cortar en espiga la cebolla, machacar el ajo, pasar por agua caliente los tomates para retirarles la piel, cortar en trocitos el jamón y chamuscar los pimientos, apenas se hayan limpiado, para quitarles la piel. El tomate se pica gruesamente y los pimientos en tiras medianas y no muy gruesas.

En una sartén poner manteca o aceite necesario y sofreír primero la cebolla y el jamón. Añadir las berenjenas y los pimientos morrones, así como el ajo. Freír hasta que cocinen bien y queden un poco dorados los ingredientes. Entonces añadir los tomates, el laurel, la sal y un tris de azúcar para atenuar la acidez del tomate. Seguir el cocimiento hasta que el tomate quede bien reducido. Rectificar la sazón.

Salpimentar los filetes de cerdo, y si se desea, untarlos con mostaza, y freírlos en una sartén, en la que se ponen dos cucharadas de mantequilla y un poco de aceite. Cuando estén cocinados se retiran a una bandeja, colocándolos en forma de corona. Disponer la samfaina en el centro. A la grasa que quedó en la sartén añadirle algo de vino de cocina, reduciéndolo por unos 3 minutos. Regar con esta salsa los filetes y espolvorearlos con perejil finamente picado.

Acompañar con arroz blanco, o con arroz verde.

Otra idea: arroz con caldo de gallina con tomate. A una taza de arroz poner media cebolla picada, dos tazas de agua, dos cubos del mencionado caldo, tres cucharadas de aceite.

RECETA No. 106

CONEJO CON VINO TINTO

(Para 6 personas)

1	conejo de 3 a 4 libras
30	cebollitas moradas (de las que se usan para encurtidos)
1	rama de apio
1	cebolla grande o 2 medianas
5	dientes de ajo
1	zanahoria grande
2	copas de vino tinto
½	cucharadita de laurel en polvo
½	cucharadita de tomillo
3	tazas de caldo
2	cucharadas de harina
2	cucharadas de perejil picado
2-3	cajitas de champiñones
2	copitas de coñac o brandy (opcional)
2	cucharaditas de mostaza tipo Dijon
¼	de libra de tocineta cortada en trocitos
6	rodajas de pan de molde
	sal y pimienta al gusto.

Cortar en trozos el conejo y enjuagarlos. Secarlos. En una refractaria marinarlos, preferiblemente durante 24 horas. Para el caso ponerle el apio picado, la cebolla en rodajas, así como las zanahorias, el ajo machacado. Bañarlos con el vino y el coñac. Añadirles pimienta molida, el laurel, el tomillo, algo de sal y la mostaza. Mezclar bien y dejar reposar en un lugar fresco o en la nevera.

Al día siguiente revolver el conejo, de manera que se sature bien con la marinada.

Quitarle a la tocineta el cuero si lo trae y en una sartén cubrirlo con agua, a fin de que suelte la grasa. Cuando esté un poco dorada, no tostada, retirarla y reservarla.

Sacar con cuidado los trozos de conejo y secarlos con un limpión o toalla de papel de cocina.

En la sartén donde quedó la grasa, poner un poco de mantequilla y si fuere necesario algo de aceite. Dorar el conejo, pero sin freírlo completamente.

Pasar los trozos a una olla, de fondo de hierro con preferencia; añadir un poco de mantequilla y grasa donde se cocinaron, así como los vegetales de la marinada, sin el líquido. Freír conejo y vegetales durante unos 10 minutos a fuego suave. Espolvorear entonces la harina y proseguir entonces la mezcla por unos 3-4 minutos más. Incorporar la sustancia de la marinada y dos tazas de caldo. Proseguir el cocimiento con la olla tapada hasta reducir un poco la salsa. Verificar si la carne está tierna y si no, continuar el hervor con la otra taza de caldo.

Mientras tanto poner los champiñones en una olla con agua y limón, habiéndole quitado antes los tronquitos, de manera que queden en botón.

Sacarlos con cuidado y pasarlos a otra ollita con agua caliente para hervirlos brevemente 2 ó 3 minutos. Para que no tomen color oscuro, ponerle a esa agua dos rodajas de limón o agua con almidón de arroz (la que sale al lavarlo).

Pelar con cuidado las cebollitas y colocarlas en una sartén, cubriéndolas con agua, mantequilla, una pizca de sal y otra de azúcar. Tapar hasta que sequen. Revolverlas hasta que caramelicen un poco.

Verificar la sazón de la salsa. Retirar los trozos a otra olla o fuente, ponerles los champiñones, la tocineta frita, las cebollitas y el perejil picado. Mezclar suave y darle un poco más de hervor, aproximadamente 5 minutos a fuego lento.

Freír en aceite caliente las rodajas de pan y cortarlas transversalmente.

Distribuir con buen gusto el conejo en una fuente y distribuir alrededor los elementos que están en la salsa. Cubrirlo con ésta y espolvorearle perejil picado por encima. Distribuir a los lados el pan frito.

Servir con arroz verde o blanco.

Nota: Para oscurecer un poco la salsa, añadirle unas gotas de tintura de panela.

RECETA No. 107

AJI DE GALLINA (PERUANO)

2	pechugas de pollo
2	perniles de pollo
7	torrejas de pan de molde, sin corteza, humedecidas en leche
4	huevos duros
2	cebollas medianas finamente picadas
1	taza de aceite Mazola
6	dientes de ajo machacado
$^1/_3$	de cucharadita de café de palillo amarillo o cúrcuma
4	cucharadas de nueces picadas
1	taza de leche
	papas amarillas
	aceitunas negras
	naranja agria
	sal y pimienta al gusto
	ají amarillo, mediano, picante machacado
	queso parmesano rallado.

Hervir el pollo cubriéndolo con agua. Ponerle una cebolla, ajo, zanahoria. Cuando esté cocinado retirarlo y conservar el caldo.

Poner en un caldero mediano o una sartén aceite y cuando esté caliente freír la cebolla bien picada junto con el ajo. Exprimir bien las torrejas de pan y agregarlas a la cebolla y el ajo hasta que tomen color moreno. Poner el caldo colado, así como la leche, si es evaporada mejor. Mezclar bien y agregar el pollo desmenuzado grueso. Retirar a un lado y añadir las nueces picadas así como el queso parmesano. Combinar bien.

Las papas amarillas se cocinan por separado. Para que no se desbaraten, se les da un poco de cocimiento y se dejan en el agua caliente a fin de que prosiga ese cocimiento.

Los huevos duros se pueden cortar en cuadros o en rodajas.

Este plato es más bien una entrada. En ese caso las papas se cortan por la mitad y se ponen en un plato mediano. Encima se coloca el pollo caliente, adornándosele con el huevo duro y una o dos aceitunas negras.

FIAMBRE DE POLLO

Se toma un pollo joven y bien gordo. Se unta de sal y pimienta por un par de horas. En una cacerola se pone la manteca de cerdo, mantequilla o aceite de oliva, en éste se dora por todos lados, se le coloca una "camisa" de tocineta muy finita y bien atada en la pechuga. Se le echa una cebolla, vino y unos dientes de ajo, perejil y laurel. Se cocina lentamente hasta que esté tierno, sin agregar agua. Cuando esté cocido se saca, se deja enfriar y se parte en pedazos.

POLLO MARROQUI

(Para 8 personas)

2	pollos
1	kilogramo de cebolla
750	gramos de ciruelas pasas
100	gramos de almendras sin cáscara
10	gramos de ajonjolí tostado
2	rajas de canela
1	pizca de azafrán
1	bolsita de colorante de azafrán
50	gramos de miel espesa (una cucharada)
7	gramos de pimienta (una cucharadita de pimienta blanca)
6	gramos de sal
4	gramos de canela en polvo
300	gramos de mantequilla

Parta los pollos en presas, adóbelos con anticipación con sal, ajo majado y pimienta. Pique menudo $^3/_4$ de la cebolla y el resto en ruedas.

Ponga las ciruelas a remojar en agua por una hora, escúrralas y viértales agua caliente encima para que se inflen.

Aparte, fría la cebolla en ruedas con mantequilla y una cucharada de miel y añada las ciruelas.

Pele las almendras pasándolas por agua caliente y dórelas en un poco de mantequilla.

Sofría el pollo con la cebolla picadita, una cucharada de miel y la mitad de la mantequilla, las rajas de canela y la pimienta blanca.

Cuando estén doradas baje el fuego, cubra con agua, tápelo y cocínelo $^3/_4$ de hora. Retire las presas y deje reducir la salsa agregando la canela en polvo, una cucharadita de miel y verifique la sazón. Añada el pollo a la mezcla de cebolla y ciruelas. Cocine un momento más. Sírvalo colocando las presas en forma de pirámide y rodeada de la salsa con ciruelas, adornando con las almendras y espolvoreándole un poco de ajonjolí.

PASTEL DE HOJALDRE

(Para 10 porciones)

2	pollos deshuesados
350	gramos de almendras saladas
$^1/_2$	taza de aceite para cocinar
150	gramos de azúcar refinada
3	cucharaditas de canela en polvo
2	paquetes de masa de hojaldre descongelados
200	gramos de mantequilla
$1^1/_2$	kilogramos de cebolla picada
2	cucharadas soperas de perejil
4	cucharadas soperas de azúcar
8	huevos
2	cucharaditas de jengibre rallado o en polvo sal y pimienta al gusto azúcar en canela y azúcar pulverizada para espolvorear.

1. Corte cada pollo en ocho presas y deshuéselo. Condimente con sal y pimienta. Sumerja las almendras en agua hirviendo y déjelas hervir tres minutos. Retire la piel de las almendras y frítelas en aceite. Déjelas enfriar y páselas por una máquina de moler con 150 gramos de azúcar refinada y una cucharadita de canela en polvo.

Extienda la masa de hojaldre bien fina. Coloque en una sartén la mantequilla, la cebolla, tres cucharadas soperas de perejil, dos cucharaditas de canela y cuatro cucharadas soperas de azúcar. Cocine a fuego medio por 10 minutos. Mezcle bien y revuelva ligeramente en el fogón y deje cocinar por 15 ó 20 minutos, a fuego lento, sin tapar. Quiebre 8 huevos y cólóquelos en un recipiente aparte con una pizca de sal y jengibre, y bata bien. Reserve. Revuelva luego el pollo y adicione una cucharada sopera de perejil. Mezcle y retire el pollo del fuego, que ya debe estar cocido.

Deje enfriar el pollo, desmenúcelo y mézclelo con el resto de la canela. Tome entonces los huevos batidos y póngalos al fuego y mezcle sin parar. De toda esta mezcla se obtiene un relleno suave y apetitoso que se retira del fuego y se deja enfriar.

2. Tome un molde grande y redondo y úntelo en mantequilla; fórrelo luego con una capa de masa de hojaldre. Empólvelo con azúcar y canela y salpíquele almendras picadas. Coloque otra capa de hojaldre y repita el procedimiento del azúcar, canela y por último riegue la otra mitad del pollo.

3. Cubra entonces la torta con una hoja de masa de hojaldre y doble las esquinas sobre sí mismas. Póngala a asar en horno precalentado a 300 ˚C. Cuando la capa de arriba esté dorada voltee la torta sobre el plato.

Colóquela nuevamente en el molde para dorar el otro lado. Cuando esté doradita, retire del horno y espolvoréele el azúcar pulverizada.

Decore con canela en polvo dándole la forma de bizcocho. Sírvalo inmediatamente.

CAPITULO V

Arroces

Arroces

ARROZ SEPULTADO

(Para 10 personas)

1	pollo de 3 libras
3	tazas de caldo
1$^1/_2$	laticas de pasta de tomate
1	cucharada de salsa inglesa
$^1/_2$	libra de queso parmesano rallado
1	frasquito de alcaparras
3	tazas de arroz
1	libra de cebolla cabezona
1	taza de mantequilla
1	lata de petit pois (arvejas)
1	hoja de laurel
1	copa de vino blanco seco
	sal y pimienta.

Arroz: en media taza de mantequilla se cocina la mitad de la cebolla picada, se agrega el arroz, moviendo un poco y después el caldo con la mitad del tomate y la sal. Se deja hervir y cuando comience a secar, se tapa bajando el fuego hasta que se cocine bien el arroz.

Pollo: se despresa el pollo y se sazona con dos cucharaditas de sal, un poco de pimienta picante, ajo majado y salsa inglesa. Se deja varias horas en esta preparación. La mantequilla restante se pone al fuego con un poco de aceite y se van friendo las presas, se retiran y en esa grasa se fríe la cebolla picada sin dejarla dorar, cuando esté cocida se echa de nuevo el pollo con 1$^1/_2$ tazas de agua con el resto de la pasta de tomate, la hoja de laurel y se cocina a fuego lento hasta que el pollo esté cocido. Debe quedar con bastante salsa.

El arroz se mezcla con el queso parmesano, reservando un poco para el final. En un pírex rectangular grande se arma el plato de la siguiente forma: se coloca la mitad del arroz, arriba el pollo despojado de los huesos y la mitad de la salsa. Por último la otra capa de arroz, se vierte por encima el resto de la salsa, queso, se rocía con el vino y se ponen cuatro o cinco trocitos de mantequilla. Se mete al horno a 400°F o hasta que dore por encima.

ARROZ CON QUESO

(Para 12 personas)

2	libras de arroz
10	ó 12 onzas de queso rallado
4	cebollas bien picadas
4	onzas de mantequilla
1	potecito de tomate disuelto
	en 6 tazas de agua o caldo.

En la mantequilla se fríe la cebolla, se le agrega el tomate disuelto con el agua necesaria para cocinar esa cantidad de arroz. Se echa el arroz, se deja cocinar, se le pone la sal, cuando esté listo para voltearlo se le añade un poco más de la mitad del queso y se revuelve bien. El resto del queso se le pone encima al momento de servirlo, el arroz debe estar bien caliente.

ARROZ CON BERENJENAS

1	libra de arroz
½	taza de aceite
2	berenjenas grandes
2	cebollas
4	dientes de ajo
1	hoja de laurel
1	cucharada de apio picadito
1	cucharada de pimientos picados
1	cucharadita de perejil
2	cucharadas de pasta de tomate
1	litro de agua
2	cubitos de caldo.

Se parten las berenjenas ya peladas y se dejan en agua de sal. Se pone al fuego el aceite, cebolla, ajos, apio, pimientos y perejil, en seguida se agrega la berenjena, la salsa de tomate y se sofríe todo por 8 ó 10 minutos revolviendo bien para que no se pegue, se le agrega el arroz y se revuelve un poco. Los cubitos de caldo se disuelven en el agua hirviendo y esto se le agrega al guiso anterior, añadiéndole sal y pimienta, dejándolo hasta que hierva. Cuando el grano comience a ablandar se tapa y se deja a fuego lento hasta que seque.

ARROZ CHINO

(Para 12 personas)

1	pollo de 3 libras
3	tazas de arroz
2	tazas de apio picado
1	libra de jamón partido
1	taza de raíces chinas
3	tazas de repollo picado
1	libra de langostinos
1	taza de mantequilla
1	taza de cebolla cabezona picada
1	pote de pasta de tomate
3	tazas de ajíes pimientos cortados a lo largo
1	taza de hongos frescos o 1 pote
2	tazas de cebollín picado
2	tazas de zanahoria cortada en tiritas
	salsa soya, sal, pimienta, perejil picado
	salsa inglesa, ajos.

Se despresa el pollo y se sazona con dos cucharaditas de sal, una cucharadita de pimienta picante, cuatro dientes de ajo majados, una cucharada de salsa inglesa. Se derrite la mitad de la mantequilla y se sofríe el pollo, se le agrega la cebolla y se cocina hasta que esté transparente, se cubre con agua disuelta en ella la pasta de tomate y se deja al fuego hasta que el pollo esté cocido. Se ponen al fuego cuatro cucharadas de aceite y se fríen dos cebollas picadas, se añade el

arroz moviéndolo para que se sofría un poco. Se agrega la salsa del pollo y se añade agua hasta completar cuatro tazas, se agrega la sal y se cocina a fuego vivo hasta que comience a secar. Se baja el fuego y se tapa hasta que esté cocido.

Las verduras se sofríen en el resto de mantequilla, dejándolas muy poco tiempo. Cuando el arroz esté listo se le agregan los langostinos cocidos desprovistos de la cáscara, las verduras, el pollo sin huesos, en trozos pequeños, el jamón y la salsa soya (esta es un poco salada, por lo tanto hay que tener cuidado).

PAELLA A LA VALENCIANA

(Para 12 personas)

2	libras de arroz
2	pollos chicos
1	libra de almejas
4	onzas de chorizos
1	libra de langostinos o camarones frescos
1	libra de cebolla
1	hoja de laurel
4	onzas de jamón serrano
4	pimientos
1	lata de pimientos morrones de una libra
1½	libras de tomates
¾	de taza de aceite de olivas
½	taza de manteca de cerdo
10	dientes de ajo
2	libras de lomo de cerdo partido en trozos perejil, apio, sal, pimienta, azafrán.

Los pollos se dividen en ocho pedazos cada uno, se sazonan con sal, pimienta blanca y limón. Se pone al fuego la manteca de cerdo y se rehoga el pollo sin dejarlo dorar. Se sacan a un perol y se ponen a hervir con el cerdo con un poco más de medio litro de agua o caldo, el tiempo que precisa para que se ablanden.

En el aceite de olivas se fríen cuatro dientes de ajo hasta que doren y se le agrega la cebolla finamente picada sin dejarla tomar color, los pimientos picados en cuadritos y se sazona con sal. Cuando esto esté frito, se incorpora el tomate, despojado de la piel y las semillas, el laurel, se sazona con pimienta blanca, una pizca de azúcar y se deja un momento al fuego. A esto se le agregan los langostinos y camarones, pelados crudos, sazonados con sal y limón y las almejas bien lavadas.

En la grasa sobrante de haber rehogado el pollo se sofríe el chorizo y el jamón, cortados en cuadritos, a fuego lento para que no se endurezcan.

Se vierte todo esto en la cazuela con los trozos de pollo y 1½ tazas de caldo en que se ha cocido el pollo, por cada taza de arroz. Se le añade el arroz cuando esté hirviendo lo anterior.

Se majan en el mortero: el azafrán, perejil, cuatro dientes de ajo y una cucharadita de sal, incorporándolo a lo demás. La paella se cocina a fuego vivo durante los primeros 5 minutos y después lentamente moviéndola para que no se pegue. Cuando el arroz se ha secado, se tapa bien y se mete al horno moderado durante $1/4$ de hora. Se adorna con tiritas de pimientos morrones y ruedecitas de limón colocadas en los bordes de la paellera. También unos camarones dispuestos artísticamente y se lleva a la mesa en la misma paellera.

RECETA No. 6

ARROZ CON POLLO CUBANO

(8 porciones)

Se hace un caldo con lo siguiente: una zanahoria, un puerro, un nabo, cuatro tomates, dos ruedas de cebolla, dos ruedas de pimientos, una cucharadita de sal, $1/8$ de cucharadita de pimienta, una ramita de perejil, una hoja de laurel y tres tazas de agua.

Ingredientes para el arroz:

2	tazas de arroz
1	pollo de 4 libras
1	ramita de orégano tostado
4	dientes de ajo
1	cebolla molida
1	pimiento morrón molido
1	taza de vino seco
1	lata de guisantes o arvejas
1	lata de pimientos morrones
1	lata de espárragos
$1/2$	lata de pasta de tomate
$1^{1}/_{2}$	cucharadas de sal
10	cucharadas de aceite de olivas preferencialmente.

Se corta el pollo en pedazos y se utiliza el caparazón con los menudos y demás ingredientes para hacer el caldo, dejando reducir el agua a dos tazas. En el aceite se sofríe el pollo hasta que esté dorado, se separa y se sofríen la cebolla, los pimientos y los ajos. Después se añaden el puré de tomate, el orégano, vino seco, el líquido de los guisantes y de los pimientos morrones, y las dos tazas de caldo. En lugar del vino se puede hacer con cerveza.

Se añade el pollo y cuando empieza a hervir se echa el arroz, se tapa y se pone en el horno a 300°F durante 40 minutos. Entonces se apaga el horno y se deja 20 minutos más.

Adórnese con los pimientos morrones y los guisantes.

RECETA No. 7

ARROZ HINDU (PILAF MOGUL)

2	tazas de arroz
1	taza de cebolla picada
$1/2$	taza de aceite de maíz
3	tazas de agua caliente o caldo
$1/4$	de cucharadita de pimienta picante
$1/4$	de cucharadita de tomillo
1	taza de almendras tostadas en tiritas
$1/2$	taza de pasas blancas remojadas en vino Jerez unos 10 hilos de azafrán (o achiote) desleído en manteca sal al gusto.

Se lava el arroz y se seca con un paño. En una sartén se fríen ligeramente la cebolla y se le agrega el arroz, se deja dorar un poco revolviendo con frecuencia. Se le añade el agua y los condimentos. Tápese y déjese cocer a fuego lento de 15 a 20 minutos, o hasta que el arroz esté cocido. Al servir, agréguensele las almendras y las pasas, y un poco de mantequilla, se revuelve todo bien. Se obtienen seis porciones. Este arroz se acompaña con el Curry de vegetales, receta No. 10 del capítulo siguiente.

RECETA No. 8

ARROZ CON CERVEZA

1	libra de costillas largas de cerdo
2	libras de arroz
4	onzas de jamón
1	latica de aceite
1	frasco de alcaparras
4	onzas de zanahorias
1	litro de agua
1	pollo
1	libra de papas
1	frasco de aceitunas (pequeño)
1	pote de petit pois (arvejas)
$1/2$	libra de cebolla
$1/2$	libra de tomates
2	botellas de cerveza blanca.

Se pica el pollo y las costillas se parten en dos. Se condimentan con pimienta, comino, ajo, vinagre, sal y perejil picado; déjelo así 3 horas antes de cocinarlo. En una olla póngase el aceite, tomate, cebolla bien picada, fríase y cuando la cebolla esté cocida, agréguense las carnes, el jamón, el agua, las zanahorias en rebanadas no muy delgadas, se deja hervir hasta que la zanahoria esté blanda. Luego la papa en trozos grandes y 10 minutos después se agrega el arroz, cerveza y sal al gusto.

ARROZ CHINO O ARROZ FRITO

2	libras de arroz
1	pollo crudo en pedacitos
1/2	taza de jamón cortado en tiritas delgadas
2	cubitos de caldo (si se quiere)
1	taza de cebolla blanca picada
1	taza de cebolla de hoja picada
1/2	taza de perejil picadito (o cilantro)
	salsa soya, sal, pimienta.

El arroz se cocina solo en agua de sal, sin grasa, que quede el grano suelto. El pollo se sofríe en aceite de maíz sin dejarlo dorar, se le agrega el jamón, cebolla y la cebolla de hoja, se deja cocinar un momento, moviendo constantemente los cubitos, sin desleír, el perejil y por último el arroz, revolviendo mucho. Aparte se hace una tortilla bien delgadita con tres huevos, se corta una parte en trocitos que se revuelven con lo anterior y la otra parte se corta en tiritas para adornar el arroz, y con pedacitos de perejil. Puede agregársele a este plato también, camarones cocidos, arvejas, hongos, etc. Se sazona con la salsa soya y ajinomoto.

ARROZ CON POLLO A LA CHORRERA

1	pollo de tres libras
2/3	de taza de aceite de olivas
1/2	libra de cebolla
1	ramita de perejil
1	chile grande
2	cucharadas de sal
1/2	cucharadita de azafrán
1/4	de cucharadita de pimienta
1	libra de arroz
2	dientes de ajo
12	tomates chicos
4	tazas de caldo de pollo
1	taza de vino blanco
1	lata de petit pois
1	lata de pimientos morrones
1	lata de espárragos.

Corte el pollo en octavos. Lávelo con limón. Se adoba con sal, pimienta, orégano, comino, ajo y se deja lo menos una hora, luego se fríe. Aparte se hace un sofrito con la cebolla, perejil, ají y tomate. Se pasa el pollo a ese sofrito, se le agrega el caldo y se deja que hierva unos 5 minutos. Se le agrega el arroz lavado y el vino blanco. Se cocina aproximadamente 20 minutos a fuego lento.

Nota: lo típico de este arroz es que se ponga en olla de barro durante 30 minutos en el horno a 350 °F, tapado para que no se seque mucho. Se adorna con los petit pois, pimientos y espárragos. Da cuatro porciones grandes.

ARROZ PILAF

1/2	taza de mantequilla
1	diente de ajo majado
1	taza de almendras peladas
4	tazas de tomates duros partidos
2	cucharadas de azúcar
1/2	cucharadita de salsa de soya
1/8	de cucharadita de clavos
1/8	de cucharadita de pimienta de olor
2	cucharadas de perejil picado
3	cebollas picadas
2	tazas de arroz
4	tazas de caldo
1/4	de taza de zanahorias o pasitas
1 1/2	cucharaditas de sal.

Derrita la mantequilla, añada la cebolla, ajo y cocine hasta que esté transparente. Añada almendras y arroz, cocínelos por 5 minutos hasta que esté suave. Añada el caldo, tomates, zanahoria y sabores, excepto el perejil. Cocínelos lentamente hasta que el líquido se absorba, aproximadamente 20 minutos. Añada el perejil y déjelo en lugar caliente cerca de 15 minutos.

CONGRI

1/2	libra de fríjoles rojos
5	tazas de agua
1	ají pimiento
1/2	libra de masa de cerdo
1/2	libra de cebolla
4	cucharadas de grasa de cerdo
3	dientes de ajo
1	ají pimiento
4	cucharaditas de sal
1/4	de cucharadita de orégano
1	hoja de laurel
1	libra de arroz
2	onzas de tocineta.

Lave los fríjoles y remójelos en el agua con el ají desde la víspera. Cocínelos en la misma agua del remojo hasta que se ablanden. Cuele los fríjoles y separe tres tazas del agua en que se cocinaron. Corte el cerdo en trocitos y sofríalo hasta que suelte la grasa. Si es necesario, se le añaden dos cucharadas de aceite hasta obtener cuatro cucharadas de grasa. Sofría en ella la cebolla, ajo y ají picaditos. Añada los fríjoles, las tres tazas del agua que se reservaron, laurel, sal y orégano. Cuando empiece a hervir añada el arroz lavado y frito ligeramente en la mitad de la tocineta. Déjelo a fuego lento tapado hasta que se ablande. Al momento de servirlo añádale el resto de la tocineta y la grasa que suelte al freírse.

RECETA No. 13

MOROS Y CRISTIANOS

Hágalo como la receta anterior, usando fríjoles negros. Use empella de chicharrones de cerdo en lugar de tocineta.

RECETA No. 14

ASOPAO PORTORRIQUEÑO

(Para 6 personas)

1	pollo de 3 libras
4	onzas de jamón
1	taza de arroz
1/2	libra de cebolla picada
1	cabeza de ajo picado
1	ají pimiento picado
4	tazas de caldo
1/2	libra de tomates picados
1/4	de taza de aceite de olivas
1	cucharada de pasta de tomate o jugo sal, pimienta, orégano y cilantro.

Se condimenta el pollo con sal y pimienta, se sofríe en el aceite, se le agrega el jamón, ajo y cebolla. Después se le añade el pimiento, orégano, cilantro (si se quiere), los tomates, y la pasta de tomate disuelta en un poquito de agua, dejándolo cocinar un rato. Se agrega el caldo y cuando esté hirviendo se le añade el arroz y una cucharada de alcaparras, aceitunas y una taza de petit pois. Este arroz debe quedar bien asopao como su nombre lo indica. Se adorna con pimientos morrones y espárragos.

RECETA No. 15

ARROZ VERDE

(Para 6 personas)

1	libra de arroz
4	tazas de consomé de pollo (puede hacerse con pastillas)
4	cucharadas de apio finamente picado
5	cucharadas de perejil finamente picado
6	cucharadas de cebollín finamente picado
1	cucharadita de hojas de cilantro finamente picado (opcional)
5	cucharadas de mantequilla sal y pimienta negra recién molida.

De preferencia en un caldero de hierro poner el consomé, y cuando esté hirviendo añadir el arroz, previamente lavado, así como dos cucharadas de mantequilla, y sal al gusto, sin olvidar que las pastillas llevan sal. Dejar reducir el líquido, tapar y proseguir el cocimiento a fuego bajo durante 10 minutos. Añadir los vegetales y mezclar bien el arroz con un tenedor. Tapar y seguir el cocimiento durante 15 minutos más. Incorporar el resto de la mantequilla y poner la pimienta. Comprobar si el grano está tierno; en caso contrario, cocinar un poco más.

CAPITULO VI

Platos varios

Platos varios

BERENJENAS DUQUESAS

(Para 6 personas)

3	berenjenas
2	cucharadas de mantequilla
4	onzas de jamón
4	onzas de harina
1	huevo
1	cucharada de pasta de tomate
1	cebolla grande
1	lata de champiñones
½	libra de papas
½	taza de vino blanco.

Se pelan las berenjenas, se cortan por la mitad a lo largo y se les saca el centro, dándoles forma de barquitos, se sazonan con sal, se enharinan y se fríen, colocándolas en un refractario. Se pone la mantequilla en una cacerola con un chorrito de aceite y se cocina la cebolla hasta que esté vidriosa. Cuando empiece a tomar color se le añade el tomate, el jamón picado y los hongos cortados en lonjitas finas, y a continuación el vino. Se condimenta con sal y pimienta y se deja cocinar unos 15 minutos. Cuando estén en su punto se rellenan las berenjenas, se espolvorean con pan rallado y pedacitos de mantequilla y se meten al horno para dorar. Se cuecen las papas, se escurren, se pasan por tamiz o se machacan para hacer un puré y se le pone una yema y un poco de mantequilla, se meten en la manga del decorador para hacerle figuras alrededor.

ESPINACAS CON HUEVOS

(Para 6 personas)

2	tazas de puré de espinacas
1	taza de salsa blanca espesa (ver salsas)
6	huevos escalfados
	sal al gusto
	queso parmesano rallado.

Las espinacas se lavan bien, se les quitan las venas y los tallos, se cocinan en agua hirviendo por 3 minutos, se sacan del agua y se escurren bien colocándoles un peso encima. Se ponen en la licuadora para hacer el puré. La salsa blanca se mezcla con las espinacas y se cocinan por 10 minutos. Se vierten en la bandeja espolvoreándolas con el queso y se colocan los huevos encima.

COLIFLOR AL GRATIN

Se cocina la coliflor en agua de sal y un poquito de leche, cuando esté blanda se pone en un colador. Se parte en ramitas, las que se colocan sobre una buena salsa blanca, a la cual se le agregan dos cucharadas de queso rallado. Cúbrase la coliflor con la salsa, queso y trocitos de mantequilla, se mete al horno durante 20 minutos hasta que dore. Debe servirse bien caliente.

SOUFFLE DE ESPINACAS

(Para 6 personas)

3   cucharadas de mantequilla
4   cucharadas de harina
1½   tazas de leche caliente
1½   ó 2 tazas de puré de espinacas
6   yemas y 8 claras de huevo
        una pizca de nuez moscada
        sal y pimienta al gusto
        queso parmesano rallado.

Caliente el horno a 375 °F. Ponga la mantequilla a derretir, agregue la harina y muévala con cuchara de palo, añada poco a poco la leche y sazónela, moviendo constantemente hasta que cuaje, agregue las yemas, el puré de espinacas. Bata las claras a la nieve y mézclelas en movimiento envolvente con lo anterior. Viértalo en un molde engrasado y cocínelo por 25 minutos. Sírvalo caliente, sin desmoldar.

POLENTA CON SALCHICHAS

Ingredientes para la masa:
2   tazas de harina de maíz de grano grueso
1   litro de agua o caldo
1½   cucharaditas de sal

Salsa:
½   libra de salchichas
2   cucharadas de aceite de olivas
1   cucharada de mantequilla
2   cebollas bien picadas
1   diente de ajo bien machacado
1   libra de tomates frescos
1   lata de pasta de tomate
½   cucharadita de orégano
        queso parmesano rallado
        sal y pimienta al gusto.

Se pone a calentar el agua, cuando esté a punto de hervir, se echa la harina de maíz poco a poco, moviéndola para que no se formen bolas. Se deja cocinar hasta que forme una masa dura, se sazona. Se retira del fuego y se extiende en una tabla; cuando esté fría se corta de dos centímetros de espesor. Se prepara aparte la salsa siguiente: se sofríen las salchichas en la mantequilla bien caliente, se sacan, se les quita la piel y se cortan en trocitos. En la mantequilla que queda se sofríen la cebolla, el ajo, los tomates picados y se echa la pasta de tomate, disuelta en un poco de agua y el orégano. Se deja a fuego lento por una hora; una vez lista la salsa se le agrega la sal y pimien-

ta al gusto. Se prepara un refractario untado de mantequilla, se ponen los trozos de polenta con trocitos de mantequilla, se le agregan las salchichas, la salsa y queso parmesano rallado. Formar capas intercalándolas, terminando con queso parmesano rallado. Se mete al horno por media hora a 375 °F. También puede hacerse con hígados de pollo.

BERENJENAS A LA PARMESANA

(Para 6 personas)

6   berenjenas medianas
2   cucharadas de mantequilla
1   taza de salsa de tomate
2   cebollas
8   tomates partidos en pedazos
        desprovistos de piel y semilla
2   dientes de ajo
1   taza de aceite
1   quesito para partirlo en lonjas finas
½   taza de queso parmesano.

Se parten las berenjenas en rebanadas delgadas y se ponen en agua de sal un rato, se escurren y se fríen en abundante aceite.

Salsa: en la mantequilla fría la cebolla, cuando esté transparente agregue los tomates y el ajo, cocínelos por media hora, debe salir aproximadamente una taza.

Se coloca una capa de berenjena en un refractario, un poco de salsa, las ruedas de queso, un poco de queso parmesano y así sucesivamente hasta terminar con salsa y queso. Se llevan al horno de 350 °F hasta que doren.

ANILLOS DE CEBOLLA

3   cebollas blancas cortadas
        en rebanadas delgadas
1½   tazas de leche
2   tazas de harina
2   cucharaditas de sal
4   cucharaditas de polvo de hornear
4   cucharadas de azúcar.

Al cortar la cebolla deben salir enteros los anillos. Sepárelos y póngalos en la leche por 3 horas. Cierna la harina con la sal, el polvo de hornear y el azúcar. Agregue lentamente 1⅓ tazas de leche, bata esto muy bien y sumerja los anillos en esta mezcla, fríalos en abundante aceite caliente, escúrralos en papel.

TOSTADAS CON HONGOS

¹/₂	libra de hongos frescos
1	cucharada de mantequilla
1	cucharada de harina
1	taza de crema
10	ó 12 tostadas.

Lave bien los hongos y luego déjelos secar escurriéndolos. Póngalos en una sartén con la mantequilla, sal y pimienta al gusto. Riéguele la harina por encima y muévalos bien, agregue lentamente la crema, muévalo muy bien, tape la sartén y déjelo hervir por 5 minutos. Sírvalos en las tostadas.

ARVEJAS ESTILO FRANCES

(Para 6 personas)

2	libras de arvejas
3	ó 4 hojas de lechugas picadas
1	zanahoria en ruedecitas
1	papa entera
2	cebollas picadas
4	onzas de mantequilla
1	taza de agua
	perejil, sal, azúcar, pimienta picante.

Se pone a cocinar por ¹/₂ hora en olla de presión, todo junto, con dos onzas de mantequilla, al bajarlo se le añade el resto.

CURRY CON VEGETALES
(Plato hindú)

2	libras de verduras surtidas crudas.
¹/₄	de taza de aceite
¹/₂	taza de cebolla picada
2	cucharadas de coco rallado
1	diente de ajo majado
1¹/₂	cucharadas de polvo de Curry
1	cucharadita de sal
¹/₂	cucharadita de monosolium glutomato (Acc'ent)
3	tomates pelados y picados
2	tazas de agua
1	cucharadita de jengibre molido.

Puede usarse toda clase de vegetales como: col, acelgas, zanahorias, nabo, papas, calabaza, etcétera. Los vegetales deben ser lavados, pelados y partidos en trocitos medianos. En el aceite caliente se hace un sofrito de la cebolla, el coco y ajo, hasta que la cebolla quede transparente. Se le agrega el polvo de Curry, la sal, el Acc'ent y los tomates y se cuecen a fuego lento por unos tres minutos. Se agregan los vegetales crudos, junto con el agua y el jengibre y se revuelve todo bien. Se tapa la sartén y se deja cocer a fuego lento revolviendo de vez en cuando hasta que las verduras estén cocidas, aproximadamente una hora. Si se necesita se le agrega un poco de agua o caldo. Se sirve sobre el "Pilaf Mogul" (*véase* receta No. 7 capítulo de arroces en la Cocina Internacional).

MACARRONES CON SARDINAS AL HORNO

(Para 4 a 6 personas)

1	libra de macarrones
4	onzas de mantequilla
1	lata grande de sardinas en tomates
	queso parmesano rallado

Se sancochan los macarrones con un poquito de sal, se escurren y se mezclan con la mantequilla y un poco de queso. Las sardinas se majan un poco, se revuelven con su salsa. En un pírex se pone una capa de macarrones, una de sardinas y así sucesivamente hasta terminar con macarrones y queso. Se mete al horno hasta que dore.

TALLARINES CON ATUN

(Para 4 a 6 personas)

1	libra de tallarines al huevo
2	latas pequeñas de atún en aceite
4	dientes de ajos
2	cucharadas de pasta de tomate
2	cucharadas de aceite
	una pizca de orégano, sal y pimienta al gusto.

Se majan los ajos y se ponen a sofreír en el aceite, apenas empiece a colorear sacarlo y agregar el atún desmenuzado. Dejarlo en el fuego unos minutos para que tome gusto, agregarle la pasta de tomate diluida en un poquito de agua caliente y la pimienta. Con una cuchara de madera aplastar el atún para que se amalgame con la salsa de tomate. Dejar cocinar a fuego moderado unos minutos y cuando esté cocido, esparcirle un poquito de orégano. Aparte se cocinan los tallarines en agua de sal, se cuelan, se ponen en la bandeja y encima se les vierte la salsa.

FRIJOLES

(Para 10 personas)

3	libras de fríjoles rojos
2	potes de pasta de tomate
1/2	libra de tocineta
1 1/2	libras de mantequilla
4	cebollas grandes ralladas
	azúcar, sal y picante al gusto.

Los fríjoles se ponen a cocinar en agua suficiente. Cuando estén casi cocidos, se le deslíe la pasta de tomate. La tocineta se parte en trocitos y se fríe en un poquito de mantequilla, se le añade a lo anterior con la grasa que suelte. La cebolla se fríe en otro poco de mantequilla, y se le agrega junto con el azúcar, la sal, picante y el resto de mantequilla. Se deja hervir un ratico hasta que tenga buen gusto.

CHOW MEIN

(Para 15 personas)

1	pollo
1	libra de rábano blanco
4	onzas de tocineta
1	libra de ajíes pimientos verdes y rojos
12	ajíes chiquitos
1	libra de zanahoria
1	mazo de cebollín
1/2	libra de masa de cerdo
4	onzas de jamón
4	onzas de cebolla cabezona
1	libra de repollo
1	mata de apio
	perejil picadito
	salsa soya.

Guise el pollo y el cerdo con tomates, cebolla, sal, pimienta y un poquito de agua. Cocínelo el menor tiempo posible para que no se desbarate. Cuando estén fritos córtelos en pedazos. La tocineta y el jamón se parten también. Se pone al fuego la tocineta y cuando comience a freír se le agrega el cerdo y el pollo, por último el jamón y la cebolla cabezona, hasta que dore un poco y no quede seco. Las verduras se cortan en tiritas bien delgadas con el rallito y se dejan en agua hasta el momento de usarlas para que se conserven frescas. Con el jugo donde se cocinó el pollo se hace la salsa, agregándole una cucharada de harina, una cucharada de pasta de tomate, tres cucharadas de salsa inglesa, una cucharada de azúcar y sal al gusto. Cuando esté la salsa se echan las carnes y se deja un rato para que coja gusto. Por último se le agregan las verduras en este orden: zanahoria, repollo, rábano, apio, de último los ajíes, el cebollín y perejil. Tápelo para cocinarlo a fuego lento, teniendo cuidado de que las verduras no se cocinen demasiado. Debe quedar jugoso. Se hacen tiritas de papas bien finas y se fríen. Se sirve con arroz blanco adornándolo con las papitas.

ENSALADA DE REPOLLO CRUDO

(Para 4 personas)

3	tazas de repollo cortado en tiritas finas
1/2	taza de zanahorias crudas en tiritas

Se ponen a enfriar en la nevera y después se mezclan con la siguiente salsa:

1/4	de taza de azúcar
1/4	de taza de vinagre
1	huevo
1	cucharada de harina.

Se mezcla todo en la licuadora y después se pone al fuego para que cuaje dejándole una consistencia de mayonesa. Se mezcla con lo anterior y se deja en la nevera hasta el momento de servir.

SOUFFLE DE ESPARRAGOS Y QUESO

3	tazas de leche
3	huevos sin batir
3	cucharadas de mantequilla derretida
1/2	taza de queso rallado
3	tazas de miga de pan
2	cucharadas de salsa de tomate
	sal y pimienta.

Se remoja la miga de pan en la leche, se le añaden los huevos, la mantequilla, el queso, la salsa, sal y pimienta. Se adorna un molde para baño de María con puntas de espárragos decorándolo artísticamente, se llena con el batido y después se le introducen los espárragos restantes. Se coloca el molde dentro de una olla de agua hirviendo y se deja en el horno hasta que al meter la punta de un cuchillo salga limpio. Se deja reposar un poco para sacarlo del molde, se acompaña con salsa blanca preparada con el jugo de los espárragos.

RECETA No. 17

GUISO DE JAMON

1/2   libra de jamón ahumado
1/4   de taza de azúcar morena
1   cucharada de cebolla picadita
1/8   de cucharadita de pimienta de olor
1/8   de cucharadita de clavos de especia
1/2   cucharadita de polvo de ají picante
1   taza de jugo de tomate
1   hoja de laurel
1   cucharada de mostaza
1   cucharada de pimiento verde picadito
1/4   de taza de jugo de limón o vinagre
       unos granos de pimienta de Cayena.

Pique el jamón en cuadritos de una pulgada. En recipiente aparte mezcle los demás ingredientes. Cubra el jamón con esta salsa, cocínelo lentamente en la hornilla con poco fuego o en el horno a baja temperatura (300°F) por una hora. Se sirve con arroz blanco.

RECETA No. 18

REPOLLO MORADO

(Para 10 personas)

3   libras de repollo morado o blanco
4   cebollas grandes
1/2   libra de mantequilla
1/2   taza de vinagre
1/2   taza de azúcar
       sal y pimienta al gusto.

Se pica el repollo bien fino y se remoja en agua fría. Se escurre en un colador. Aparte se derrite la mitad de la mantequilla y se fríe la cebolla en ruedas o trocitos. Se le añade el repollo, el azúcar y el vinagre. Se deja cocinar, tapado, hasta que ablande. Antes de servirlo se le agrega el resto de la mantequilla.

RECETA No. 19

CANELONES

Pasta:
1   libra de harina
1   cucharada de mantequilla
2   huevos
1/2   taza de agua fría
       un poquito de sal

Se hace una pasta suave que se divide en cuatro para trabajarla con más facilidad. Se extiende con el bolillo hasta que quede bastante delgada, se corta en pedazos de diez centímetros de largo por ocho de ancho, aproximadamente. Se van sancochando por espacio de diez minutos, en agua de sal con un poquito de aceite con el objeto de que no se peguen, procurando no echar demasiados pedazos a la vez.

Picado:

2   libras de masa de cerdo
4   onzas de cebolla
1/2   libra de tomate
1   cucharada de mantequilla
4   a 6 hojas de espinacas o acelgas
       un poco de pan mojado en leche.

Se muele el cerdo con los condimentos, se sazona con sal, vinagre y pimienta picante, se le añade la mantequilla, una taza de agua y se cocina teniendo cuidado de moverlo con frecuencia hasta que esté seco, pero jugoso.

Se procede a hacer los canelones, poniendo un poco de picado en cada pedazo de pasta y enrollándolo.

Salsa:

2   potes de pasta de tomate
3   tazas de caldo
2   cucharadas de mantequilla
1   hoja de laurel, sal, pimienta de olor
       y un tantico de azúcar
       queso parmesano.

Pongase al fuego y cocinese por 1/2 hora hasta que espese un poco.

Preparación del plato:
En una vasija refractaria untada de mantequilla, se pone un poquito de salsa, en seguida una capa de los rollitos, otra capa de salsa, queso encima y así sucesivamente hasta acabar con la salsa, queso y poquitos de mantequilla. Se mete al horno a 350°F durante 1/2 hora.

RECETA No. 20

SOUFFLE DE ZANAHORIA

(Para 4 personas)

5   zanahorias
1   taza de leche
1   taza de pan rallado
3   huevos batidos
4   cucharadas de queso rallado
2   cucharadas de mantequilla derretida
2   cucharaditas de azúcar
1   cucharadita de sal.

Se cocinan las zanahorias, se ciernen o se rallan y se mezclan con el pan rallado remojado en la leche, se le agregan la mantequilla, los huevos, el queso, el azúcar y la sal, se vierte en un molde engrasado y se pone al horno moderado hasta que esté cocido.

SOUFFLE DE MAIZ

12   mazorcas ralladas
1   taza de salsa blanca
6   huevos
1   cucharada de cebolla picada
1   cucharada llena de mantequilla.

En una sartén poner la mantequilla, cocinar en ella la cebolla, agregarle el maíz, conservarlo a fuego lento por un rato, retirarlo después y dejar enfriar un poco; añadirle la salsa blanca y las yemas, condimentar bien con sal, pimienta, nuez moscada y agregarle por último las claras batidas a la nieve. Colocar la preparación en un molde enmantecado y cocinar en horno de temperatura moderada durante 40 ó 50 minutos. Servirlo caliente.

QUICHE LORRAINE

$^{1}/_{2}$ libra de harina
4   onzas de mantequilla muy fría
      cortada en cuadritos
2   yemas de huevos
1   ó 2 cucharadas de agua fría.

Se mezcla la harina con la mantequilla, se agregan las yemas y el agua suficiente para que la masa ligue. Se amasa brevemente sobre una tabla enharinada y se mete a la nevera por $^{1}/_{2}$ hora. Se extiende la masa sobre el plato de pastel y se pone de nuevo a enfriar 15 minutos. Se rellena y se asa.

Relleno:
2   tazas de crema
5   huevos
$^{1}/_{2}$ libra de queso gruyère en lasquitas
4   onzas de jamón en tiritas
4   onzas de tocineta en trocitos
$^{1}/_{2}$ cucharadita de sal, pimienta
      y nuez moscada.

Se cortan las tiritas de tocineta en mitades y se tuestan en el asador, séquelas con papel absorbente. Corte tiras de queso del mismo tamaño de la tocineta. Coloque intercalados en la pasta, el queso, el jamón y la tocineta. Bata los huevos y mézclelos con los demás ingredientes, cuélelos sobre la tocineta, queso y jamón. Cocínelo en el horno de 375 °F por 25 minutos aproximadamente, o hasta que esté cuajado y un poco dorado. Sírvase caliente o frío.

MOLDE DE ESPARRAGOS Y POLLO

3   cucharadas de mantequilla
3   cucharadas de harina
1   taza de leche
1   taza de puntas de espárragos partidas
      y el agua de los espárragos
4   huevos
$^{1}/_{2}$ cucharadita de sal
$^{1}/_{8}$ de cucharadita de pimienta
1   taza de pollo cocido, cortado.

Cocine la mantequilla y la harina agregándoles poco a poco la leche, pimienta y sal. Cuando principie a hervir agregue el pollo cocido, cortado finamente, las puntas de espárragos y los huevos batidos. Vierta esta mezcla en un molde untado de mantequilla, el cual se ha recubierto con puntas de espárragos artísticamente colocados. Cocine todo al baño de María en el horno, muy bajo (300 °F) por 30 ó 40 minutos hasta que la parte del centro esté firme. Déjelo enfriar por algunos minutos y desmóldelo. Se sirve con salsa de mantequilla derretida.

LASAGNA

(Para 12 personas)

$^{1}/_{2}$ libra de jamón
$^{1}/_{2}$ libra de tocineta
4   paquetes de pasta de lasagna
4   potes de pasta de tomate
5   tazas de leche
4   cucharadas de harina
1   cucharada grande de mantequilla
      queso parmesano rallado (4 bolsitas).

Se fríe la tocineta y en la grasa que deja se fríe el jamón cortado finamente. La tocineta después de frita se parte en pedacitos. Se le añade la pasta de tomate, cuatro laticas de agua y una taza de leche, un poco de sal y pimienta. Esto se deja hervir por 20 minutos.

Aparte se hace una salsa blanca con la mantequilla y la harina y el resto de la leche, debe quedar más bien floja. La pasta se cocina en agua bien caliente con aceite, hoja por hoja, para que no se peguen. Se lava en agua fría y se seca. Para armar el plato se pone una capa de pasta, salsa de tomate, salsa blanca, queso y así sucesivamente hasta terminar con salsa de tomate y queso. Se mete un momento al horno caliente hasta que dore.

RECETA No. 25

ESPAGUETIS A LA BOLOGNESA

Salsa:

2	libras de carne magra
1	libra de cebolla
1/2	libra de zanahorias
4	onzas de mantequilla o aceite
2	potes de pasta de tomate
1	lata de sopas de tomate
4 1/2	tazas de agua
	salsa inglesa, orégano, laurel, tomillo, cilantro, romero, ajos sal al gusto.

Se mecha la carne con las hierbas, se parte en trozos grandes, se fríe en la grasa. Se le agrega la cebolla bien picada o rallada, las zanahorias en trocitos, el agua, el tomate y se deja a fuego lento hasta que ablande. Se le pone el laurel y demás especias. Debe dejarse cocinar por 3 horas, queda espesa y de color oscuro.

Se sancochan 1 1/2 libras de espaguetis con sal y un poquito de aceite de olivas para que no se peguen. Se dejan 10 ó 20 minutos, según el gusto. Se sacan, se escurren, se les agrega mantequilla y un poco de queso parmesano rallado, encima se les vierte la salsa, o puede también pasarse a la mesa por separado.

RECETA No. 26

FRIJOLES NEGROS A LA CUBANA

(Para 10 personas)

1	libra de fríjoles negros
9	tazas de agua
1	ají pimiento entero
1/2	taza de aceite de olivas
2	cebollas grandes picadas
6	dientes de ajo
1	ají pimiento picado
3	cucharaditas de sal aproximadamente
1/2	cucharadita de pimienta
1/4	de cucharadita de orégano en polvo
1	hoja de laurel
2	cucharadas de azúcar
2	cucharadas de vino blanco seco
2	cucharadas de vinagre.

Lave bien los fríjoles y póngalos a remojar con el pimiento entero en la cantidad de agua arriba anotada. Déjelos hasta el día siguiente.

En esta misma agua póngalos a cocinar con el pimiento hasta que se ablanden, aproximadamente una hora.

En una sartén eche el aceite y sofría la cebolla picada, el ají y los ajos machacados. Saque una ta-

za de fríjoles y macháquelos. Mézclelos con el sofrito y vierta todo a los fríjoles, agréguele los demás ingredientes y déjelos al fuego más o menos una hora, hasta que sequen. De último, antes de servir, agréguele dos cucharadas de aceite de olivas.

RECETA No. 27

FRIJOLES BLANCOS CON CERDO

1	libra de fríjoles
4	onzas de cerdo un poco gordo
3	cebollas
3/4	de lata de pasta de tomate sal y un pedacito de panela.

Se hace un guiso con el cerdo partido en pedacitos, la cebolla y el tomate. Los fríjoles se cocinan en suficiente agua y antes de que ablanden completamente se les agrega el guiso, la sal y la panela. Se deja al fuego hasta que estén completamente blandos.

Se vierten en un refractario y se dejan poco más o menos 20 minutos en el horno.

RECETA No. 28

ENSALADA AMERICANA

(Para 20 personas)

6	libras de papas
1	piña al natural (o un pote de piñas en ruedas)
2	libras de manzanas
1/2	libra de tallos de apio
1	lata mediana de leche condensada
1 1/2	tazas de aceite de olivas
4	cucharadas de vinagre
3	cucharadas de mostaza
4	huevos sal al gusto.

Se parten las papas en cuadritos y se sancochan en agua de sal (10 minutos aproximadamente) echándolas cuando el agua esté hirviendo. El apio, piña y manzanas se parten también en pedacitos. En un tazón grande se incorpora el aceite y la leche, batiendo rápido, en seguida se le pone el vinagre y la sal, mostaza, se sigue batiendo y de último se le agregan los huevos batidos separadamente. Esto queda duro como una mayonesa y un poquito dulce. Se mezcla todo, y se adorna con lechugas. Esta ensalada acompaña muy bien el pavo o el pernil de cerdo.

GARBANZOS

Los garbanzos se ponen en agua con un poquito de bicarbonato desde temprano. Si se desea se pelan, se lavan bien y se ponen a cocinar con suficiente agua, pues no se le puede volver a echar después.

Aparte se fríen en aceite unos dientes de ajo bien majados y una cebolla grande finamente picada, sin dejarla tomar color. Cuando los garbanzos estén blandos se mezclan con esto echándole de la misma agua en que se cocinaron. De antemano se pone a remojar en agua un pedazo de pan de sal, se exprime, se le quita la corteza y se maja bien con un poquito de pimienta picante.

Con esto se espesan los garbanzos. Se sazona con sal y al bajarlos una pizca de vinagre.

SOUFFLE DE QUESO

(Para 4 ó 6 personas)

1	taza de queso rallado
1	cucharada de mantequilla
3	claras de huevo
3	yemas de huevo
3/4	de pocillo de leche
1	onza de harina
	pimienta y sal al gusto.

Se derrite la onza de mantequilla en una sartén, se añaden la harina y la leche y se hierve, después, fuera del fuego, se agregan las yemas, se bate todo bien, en seguida el queso, la sal y la pimienta. Se baten las claras a punto de nieve y se juntan con los otros ingredientes. Se echa en el molde ya untado con mantequilla derretida y se mete al horno caliente de 20 a 25 minutos. Los primeros 10 minutos a 325 °F y después a 450 °F.

COLIFLOR REBOZADA

Se cocina la coliflor en agua de sal, poniéndole un poco de pan para quitarle el olor. Debe tenerse cuidado de que no se cocine demasiado. Se pasa por huevo batido, después por polvo de pan y se fríe en mantequilla bien caliente.

CHAMPIÑONES SALTEADOS A LA ESPAÑOLA

1	libra de champiñones
	zumo de limón, mantequilla, perejil, ajo, sal y aceite de olivas.

Después de lavados con agua y zumo de limón, se escurren y se cuecen los champiñones con sal en aceite de olivas y un poco de mantequilla. Se escurren y se pasan por una sartén con media taza de aceite bien caliente. Se mueven mientras se fríen y se les añade el perejil, el ajo y la pimienta picante. Se sirven calientes escurriendo bien la grasa sobrante.

TAMAL EN CAZUELA

(Para 8 personas)

2	libras de masa de cerdo
4	tazas de maíz tierno molido
6	tazas de agua
1/2	taza de aceite
1/2	taza de vino blanco seco
6	dientes de ajo
3	cebollas grandes
3/4	de taza de salsa de tomate
2	ajíes pimientos
1/2	cucharadita de pimienta
2	cucharadas de sal aproximadamente.

Parta la carne en pedacitos y adóbela con limón y ajo, añádale aceite suficiente. Sofríala con la cebolla, ajíes, tomate y vino. Mezcle el maíz con el agua, cuélelo y agréguelo a la carne con el sofrito, se cocina alrededor de una hora moviéndolo de vez en cuando para que no se pegue.

PAPAS NAPOLITANAS

(Para 10 personas)

2	libras de papas
1	libra de tomates
6	onzas de mantequilla
	queso parmesano o cualquier otro sal al gusto.

Cocínense las papas peladas con sal, májelas y mézclelas con la mitad de la mantequilla. Haga unas bolas iguales para colocarlas en un refractario. Prepare una salsa con los tomates friéndolos en la mantequilla restante, viértala sobre las bolas que deben estar cubiertas con el queso rallado. Se doran en el horno y se sirven calientes.

SALSA PARA MACARRONES

2	libras de carne en trozos grandes
2	libras de cerdo
5	potes de pasta de tomate
½	libra de cebolla
4	dientes de ajo
1	ramo de apio
2	libras de zanahorias
4	cebollas de hoja
	perejil, sal y pimienta.

Se fríe la carne en mantequilla sin ningún condimento hasta que esté bien dorada. El cerdo se muele con la cebolla, apio, cebolla de hoja, perejil y ajo y se fríe con la carne. La zanahoria se parte en cuadritos y se sofríe. Cuando todo esté sofrito, se le agrega la pasta de tomate disuelta en seis tazas de agua. Se tapa y se deja cocinar por espacio de 3 horas a fuego lento.

MOLDE DE CERDO Y VERDURAS

Se pone a guisar lo siguiente:

1	libra de cerdo en pedazos
2	zanahorias
2	onzas de repollo
1	rama de apio
2	tomates
2	cebollas
4	onzas de habichuelas
	sal y pimienta.

Cuando esté cocido se muele todo y se revuelve con cuatro yemas de huevo, una cucharadita de mantequilla, una cucharada de salsa de tomate, una cucharada de alcaparras majadas, un pote de sopa de verduras, pan mojado en leche, cuatro claras a la nieve.

Se engrasa un molde con bastante mantequilla y aceite de olivas. Se vierte allí la mezcla y se mete al horno de 350°F al baño de María, una hora. Cuando se enfríe se desmolda y se sirve con una salsa blanca, agregándole una yema de huevo, mostaza, salsa de tomate y dos o tres cucharadas de vinagre, moviendo mucho para que no se corte.

AJIES

6	ajíes
½	taza de leche
1	yema de huevo
½	cucharadita de azúcar
1	taza de maíz verde cocido
¼	de taza de migas de pan
½	cucharadita de sal
1	cucharada de mantequilla
	un poquito de pimienta.

Se revuelve todo bien, se rellenan los ajíes y se meten al horno salpicándolos con mantequilla. A la tartera se le pone un poquito de agua.

REMOLACHA CON CREMA

2½	tazas de remolachas hervidas y cortadas en trocitos
¼	de taza de azúcar
1	cucharada de maizena
1	cucharada de mantequilla
¼	de taza de agua
¼	de taza de vinagre
	sal y pimienta al gusto.

Se mezclan el azúcar y la maizena, añadiendo poco a poco el agua y el vinagre. Hiérvase por 5 minutos y una vez escurridas las remolachas se calientan en dicha salsa, agregándole la mantequilla y pimienta al gusto.

PUDIN DE TOMATE

2	libras de tomate
4	onzas de cebolla partida en pedacitos pequeños
3	huevos, sal al gusto
2	onzas de mantequilla o aceite.

En la mantequilla se fríe la cebolla, cuando esté cocida se le echa el tomate finamente picado desprovisto de la piel y semillas, la sal, y se cocina un rato. Se deja enfriar y se le agregan los huevos batidos, se coloca en un molde engrasado al baño de María. Se sirve caliente rodeado de pollo en salsa.

OMELETTE

4   ó 5 huevos
2   cucharadas de mantequilla
1   cucharada de leche por cada huevo

Se baten los huevos con su punto de sal, pero solo para juntar debidamente las yemas con las claras y la leche, nunca debe dejarse espumosa. La mantequilla se pone en la sartén dejándola calentar sin quemar, se echan los huevos y se va volteando a medida que se cocina. Puede agregarsele a los huevos batidos Petit pois, jamón o puntas de espárragos.

GUISO DE MAIZ TIERNO

(Para 8 personas)

½   taza de salsa de tomate
1   taza de papas partidas en cuadritos
1   taza de auyama partida en cuadritos
½   libra de cerdo
½   libra de jamón
4   mazorcas de maíz tierno desgranado
2   cebollas
1   chorizo
2   cucharadas de vino blanco seco
1   ají pimiento
2   tazas de agua
3   dientes de ajo
1   cucharadita de vinagre
1   cucharadita de sal.

Se cortan el jamón y el cerdo en pedacitos y se sofríen en el aceite con la cebolla, ajíes y ajos picaditos. Se añade la salsa de tomate, chorizos, agua, papas y pimientos. Cuando las papas comiencen a ablandar, se añade auyama y maíz, se deja a fuego lento durante ½ hora.

HUEVOS A LA MALAGUEÑA

Se untan de mantequilla varios moldecitos hondos (individuales) y se coloca una tajadita de jamón al fondo y rodeando las paredes; encima medio tomate descorazonado, un polvito de sal y pimienta, arriba un huevo y un copete de mantequilla. Se colocan en horno suave hasta que doren y al llevarlos a la mesa se les pone un co-

llar de petit pois y se acompañan con unas tostadas francesas hechas así: un huevo batido con una taza de leche y una cucharada de azúcar; en esto se mojan las ruedas de pan y se fríen en mantequilla, por fuera quedan doradas y por dentro blandas.

SOUFFLE DE ZANAHORIA Y LANGOSTINOS

(Para 12 personas)

9   zanahorias grandes
2   libras de langostinos
4   onzas de mantequilla
1   frasquito de alcaparras
1   polvito de nuez moscada,
         pimienta y comino
2   panes pequeños
6   huevos
2   cucharadas de crema
1   frasco chico de aceitunas
         sal al gusto.

Se hace un guiso con tres tomates grandes, dos cebollas y un poquito de manteca o aceite. Las zanahorias se rallan y el pan se remoja con la leche para que se deshaga; luego se mezclan todos los ingredientes menos los langostinos y las aceitunas. Se va colocando por capas en el molde intercalando la mezcla con los langostinos. Se mete al horno y para saber si está cocido se introduce un cuchillo que debe salir limpio.

Al servirlo se adorna con las aceitunas y con las puntas de espárragos si se desea.

PUDIN DE VERDURAS

10   onzas de zanahoria
10   onzas de repollo
10   onzas de guisantes
10   onzas de habichuelas
10   onzas de cebolla
12   huevos
½   libra de mantequilla
4   onzas de queso rallado.

Se cocinan por separado las verduras con un poquito de sal. Se escurren y se pican. Los huevos se baten solo para juntar la clara y la yema y se mezclan con la mantequilla y el queso. Se sazona con pimienta picante y sal de apio. Se engrasa un molde y se cocina en baño de María en el horno de 350°F por ½ hora. Se sirve con salsa blanca o de tomate.

Si se hace en moldes individuales, salen 16.

FLAN DE ESPARRAGOS

1	lata de puntas de espárragos
6	yemas de huevo batidas
4	panes pequeños
1	taza de leche
1	pedazo de mantequilla del tamaño de un huevo
4	cucharadas de harina de trigo
½	frasco de alcaparras sal y pimienta.

Se pone a mojar el pan en la leche y se deshace, se le echan las yemas y las puntas de espárragos sin el agua (ésta se deja para hacer la salsa), la mantequilla, las alcaparras y por último, la harina. Se sazona con sal y pimienta. Se mezcla todo bien, se echa en un molde untado de mantequilla y se mete al horno durante 2 horas.

Se baña con la siguiente salsa:

Dos yemas de huevo, dos cucharadas de mantequilla, dos cucharadas de harina. Se baten las yemas, se agrega el agua de los espárragos y la harina mezclada con la mantequilla derretida. Se mezcla bien, se pone a espesar y se le echa encima al flan.

PATE DE HIGADO DE CERDO

1	libra de hígado
1	libra de tocino fresco
1	huevo tela de vientre nuez moscada, pimienta de olor y picante, clavos en polvo.

Desprovisto el hígado y el tocino de películas, corteza y nervios, se pican de tal modo que al mezclarlos con el huevo batido resulten casi un puré; las especias se reducen a polvo empleando media pizca de nuez moscada, media de pimienta de olor y dos clavos. Con ellas y con sal se emulsiona, digámoslo así, el picadillo. En un molde se coloca la tela de vientre bien adaptada y en ella la mezcla preparada que se cubre con lo

sobrante de dicha tela; se cocina en baño de María al fuego, o en el horno de 300°F, si se quiere más rápido.

HUEVOS ESPAÑOLES

Se untan en mantequilla unos moldecitos y se les rocía un poco de queso. Luego se echan los huevos y se riegan con una salsa hecha de la siguiente forma: una taza de caldo, el jugo de tres tomates, una cucharadita de salsa de tomates, una cucharadita de salsa inglesa, encima de dicha salsa se agrega más queso y se mete al horno.

ESPAGUETIS CON MANTEQUILLA

Se pone agua al fuego con un poco de sal y aceite, cuando hierva se le agregan los espaguetis. Se cocinan, cuidando de que no se pasen. Se escurren en un colador y se les agrega bastante mantequilla derretida y queso parmesano rallado. Esto sirve para acompañar cualquier plato con salsa.

PUERROS AL HORNO

(Para 8 personas)

1	libra de puerros
¾	de barrita de mantequilla
½	cucharadita de sal
½	taza de queso parmesano rallado
½	taza de pan rallado.

Se cuecen los puerros en agua suficiente con un poco de sal, procurando que queden duros, se les escurre el agua y se ponen en un refractario, se cubren con la mantequilla derretida, pimienta, pan rallado y queso parmesano. Se meten al horno a gratinar hasta que estén dorados, se sirven calientes. Se pueden hacer con apio.

TORTA PASCUALINA DE MAIZ

1 cajita de crema batida
1 lata de crema de maíz
4 onzas de jamón en trocitos
2 cebollas grandes picadas
y fritas en mantequilla
1 taza de queso parmesano rallado
5 huevos batidos.

Se mezcla todo y se vierte sobre una pasta para pasteles. Se mete al horno de 350°F hasta que esté cocida.

APIO CON JAMON AL HORNO

Se cortan tronquitos de apio y se ponen a cocinar en agua de sal, o caldo, sin dejarlos ablandar demasiado. Se prepara una salsa blanca (Capítulo de salsas), se colocan en capas en un pírex, alternándolos con rebanadas de jamón y espolvoreándolos con queso parmesano rallado, hasta terminar con salsa y queso. Se pone al horno alto, hasta que dore.

GNOCCHI

1¼ libras de papas
4 cucharadas rasas de mantequilla
¾ de taza de harina
1 huevo entero
2 yemas
sal, pimienta y nuez moscada.

Se pelan las papas y se ponen a cocinar en agua de sal. Cuando estén blandas, se pasan calientes por el prensa-papas, se añade la harina cernida, la mantequilla derretida, el huevo y las yemas crudas, se hacen unas croquetas, se aplastan con la mano y con un tenedor se les hace un dibujo enrejado. Se echan en agua hirviendo con sal y se sacan a los 3 minutos aproximadamente. Se escurren y se colocan en un paño extendido. Se ponen en una bandeja refractaria y se les riega por encima doce cucharadas de mantequilla derretida y queso parmesano rallado, se meten al horno para que doren.

También puede hacerse con salsa de tomate o salsa bechamel y queso parmesano rallado.

ESPAGUETIS CON HONGOS

¾ de libra de espaguetis
o macarrones sancochados
4 tazas de caldo
1 cajita de hongos frescos
4 onzas de mantequilla
5 cucharadas de perejil picado
6 cucharadas de harina
6 dientes de ajo machacados
1 taza de queso parmesano rallado
sal, pimienta picante

Se derrite la mantequilla y se agregan los hongos partidos, el perejil y se deja cocinar hasta que suelten su agua.

El caldo se pone a hervir con el ajo hasta que éste se cocine, se cuela y se agrega a la mezcla de los hongos. Se disuelve la harina en un poco de agua fría o caldo y se añade a lo anterior, se cocina hasta que espese. Los espaguetis se mezclan con el queso, dejando un poco para encima, se junta con la salsa y se coloca en un refractario espolvoreándole por encima el queso restante. Se mete al horno de 400°F hasta que dore un poco.

SOUFFLE DE ALCACHOFAS

12 alcachofas grandes
½ litro de leche
2 cucharadas de salsa blanca espesa
4 yemas y 1 huevo entero
6 corazones de alcachofas cocidos
sal y pimienta.

Las alcachofas se parten por la mitad a lo largo, se les quita las hojas más duras y se cocinan un rato en agua, se escurren y se pasan por mantequilla a fuego vivo, sazonándolas con sal y pimienta, se mojan con la leche y la salsa blanca. Se cocinan a fuego lento hasta que se haya convertido en un puré que se pasa por un cedazo, se agregan las yemas y el huevo batiendo todo cuidadosamente. Se engrasa un molde con mantequilla y se decora el fondo y los lados con los redondeles de alcachofas. Se vierte la mezcla y se cocina a baño María a 375°F hasta que haya adquirido tal consistencia, que al introducir un palillo éste salga limpio. Se baña con una salsa bechamel.

TORTILLA DE CAFE

6	huevos bien batidos
1/2	libra de carne o ave previamente cocida
4	onzas de jamón entreverado de tocino
1	papa
1	berenjena
1	cebolla frita
	miga de pan mojada en café muy fuerte.

Se baten los huevos y se mezclan con los demás ingredientes, y de último la miga de pan completamente deshecha. Se mezcla bien y se hace una tortilla a la francesa, pero más compacta.

HUEVOS EN GELATINA

Se pone un fondo de gelatina simple, hecha con caldo (3 milímetros) en un molde y se hiela. Cuando esté helada se saca y se le coloca la gelatina alrededor del molde, regresándolo a la nevera. Cuando esté cuajada se le pone una rueda de jamón por cada huevo, encima una rueda de tomate y a continuación un huevo sancochado duro. Se rellena el espacio vacío con pedacitos de jamón y huevo muy picaditos, vertiéndole por encima la gelatina restante para cubrirla con 1 cm aproximadamente. Se vuelve a la nevera y se desmolda metiendo el molde un momento en agua caliente. Se decora el plato con verduras frescas.

TORTILLA DE BERENJENAS

| 1 | libra de berenjenas |
| 4 | huevos. |

Se cortan las berenjenas en rodajas y se fríen, peladas o no, según el gusto. Se baten los huevos con sal y se hace la tortilla dejándola cocinar de un lado y volteándola en la siguiente forma: se pone encima de la sartén un plato y se le da la vuelta, dejando entonces resbalar (no voltear) la tortilla de nuevo en la sartén para que se cocine del otro lado. Esta operación se repite, como en la tortilla de patatas, tres o cuatro veces, arreglándola con una cuchara para darle buena forma.

TORTILLA DE ATUN

Se fríe un poquito de cebolla y se toma una lata de atún que se habrá destrozado con el tenedor. Se tienen batidos cuatro huevos y se hace una tortilla con esta preparación.

ESPAGUETIS A LA NAPOLITANA

(Para 6 personas)

3/4	de taza de aceite de olivas
3	cucharadas de ajo picadito
	o 30 dientes enteros
30	tomates manzanos bien maduros
	albahaca, orégano, sal, azúcar
	y pimienta picante.

Se pasan los tomates un momento por agua hirviendo para pelarlos. El aceite se pone al fuego con los ajos sin dejarlos dorar. Se le agrega, con mucho cuidado, el jugo del tomate exprimiéndolo directamente en el aceite, después se le añade los tomates partidos y se deja cocinar un rato a fuego lento agregándole la albahaca, orégano, sal, azúcar y pimienta, dejándolo cocinar hasta que forme una pasta. Esta salsa se sirve con los espaguetis cocidos en agua de sal.

JAMON CRUDO CURADO

Este es el jamón curado salado, que viene ahumado, pero tiene que cocinarse. Se prepara de la siguiente manera: si está muy salado remójelo en agua 24 horas, después cámbiele el agua y cocínelo en agua fresca a fuego lento, sin que hierva a borbotones, aproximadamente 25 ó 30 minutos por libra hasta que el hueso esté flojo. Cuando esté listo se quita el jamón del agua y con un cuchillo afilado sáquele el pellejo, colóquelo en una tartera y haga unos cortes cuadrados en la grasa. Entierre unos clavos en el centro de cada cuadrito. Untelo de azúcar o panela rallada y hornéelo por 15 minutos hasta que dore por encima. Hay otros jamones dulces y ahumados, a estos no hay que ponerlos en agua, simplemente se les quita la envoltura, se meten al horno en una tartera a 325°F aproximadamente 1/2 hora por libra. Finalmente se glasea con azúcar, panela o jugo de piña.

PASTELITOS DE CARNE

1	libra de harina
10	onzas de mantequilla
2	cucharadas de agua tibia
	sal.

Amásese la harina con la mantequilla y vaya poniéndole el agua poco a poco hasta que truene la masa o se desprenda de la mesa. En seguida se le dan tres golpes duros sobre la tabla de amasar y se deja reposar ¹/₄ de hora. Tómense pedazos de la masa y extiéndase cada porción con el bolillo, dejando la masa lo más delgada posible, con un molde redondo o con un vaso se van cortando ruedecitas, se rellenan y se tapan. (El relleno puede ser de sal o de dulce). Se asan en horno de 350°F. Esta misma masa sirve para pasteles grandes (o pie) duplicando las cantidades para un molde mediano.

LASAGNA (Otra)

Pasta:

1	libra de harina
5	huevos
	un poco de agua helada
	sal.

Se mezclan la harina y los huevos con la sal y el agua, hasta formar una masa firme (bien seca). Se golpea duro hasta que suavice la masa y quede bien lisa. Se extiende con el rodillo, lo más delgada posible y se parte en tiras de 0,10 cm de ancho por 0,30 cm de largo y se colocan sobre una mesa espolvoreada de harina, dejándolas un rato hasta que sequen.

Para cocinarlas se ponen en agua hirviendo, con un poco de sal y aceite, para que no se peguen. Se dejan aproximadamente 5 minutos.

Salsa:

³/₄	de libra de carne de cerdo molida
¹/₄	de libra de carne de res molida
1	zanahoria
4	cebollas
1	lata de extracto de tomate
¹/₄	de taza de aceite, sal, pimienta, ajo y perejil
3	tazas de salsa blanca mantequilla queso parmesano rallado.

Se pican la zanahoria, cebollas, ajo, perejil y se ponen a freír en el aceite, cuando doren un poco

se agregan las carnes y se dejan dorar un rato. Se le añade el extracto de tomate y dos laticas iguales de agua, se deja hervir, se pone a fuego lento tapado y se cocina por 2 horas (esta salsa queda mejor cocinándola el día anterior).

Se arma de la siguiente manera: en una bandeja que pueda ir al horno, se unta de mantequilla, se coloca primero una capa de pasta, luego una de salsa de carne, salsa blanca y por último queso rallado, y así sucesivamente hasta terminar con el queso rallado. Se pone al horno por unos minutos hasta que dore, se sirve bien caliente.

MACARRONES A LA REINA

1	libra de macarrones o tallarines
1	pollo grande
¹/₂	libra de cerdo
¹/₂	libra de jamón
1	frasco de aceitunas rellenas
1	frasco de alcaparras
1	frasco de salsa de tomate chico
¹/₂	libra de queso parmesano
¹/₂	libra de mantequilla
1¹/₂	libras de papas
1	cucharada de salsa Perrins
2	paquetes de pasitas
4	tomates, 6 cebollas, 1 pote de pasta de tomate
1	ajo, 3 pimientos, 3 huevos duros cocidos.

Se adoban el cerdo y el pollo, se sofríen un poco en manteca y se ponen a cocinar con sal, pimienta y el pote de pasta de tomate para que quede un buen guiso. Cuando esté blando se retira del fuego. Los macarrones o tallarines se cocinan en agua hirviendo con un poquito de sal hasta que estén blandos, no demasiado cocidos. El pollo se corta en pedazos apartando los huesos, también el cerdo y el jamón, y se mezclan con el jugo donde se cocinaron. De antemano se hace un guiso con cuatro cebollas cortaditas, tres pimientos, un ajo machacado y frito en un poco de mantequilla. A este guiso se le pone una cucharada de salsa negra. Se deja cocinar y se revuelve con el picado de las carnes. Allí mismo se le agrega medio frasco de alcaparras, un paquetico de pasas y cuatro cucharadas de mantequilla. Se vuelve a poner al fuego un momento.

Manera de servirlo:

Se escoge una bandeja grande redonda, se unta de mantequilla y se espolvorea con el parmesano rallado. Se coloca una capa de macarrones, encima se salpica de salsa de tomate, después las carnes picadas, de nuevo una capa de macarrones, queso, salsa de tomate, torrejas de huevo duro y con las papas se hace un puré para decorarlo con boquilla. Se adorna con aceitunas, pasas, alcaparras. El resto de la mantequilla se le coloca en pedacitos por encima y media hora antes de servir se mete al horno a 350°F para que esté bien caliente.

RECETA No. 64

FONDUE

(Para 4 personas)

350	gramos de queso gruyère
350	gramos de queso ementhal
1	cucharada de maizena
3/4	de taza de vino blanco seco
1	cucharadita de jugo de limón
1	vasito pequeño de kirsh
1	diente de ajo
	pimienta y nuez moscada al gusto.

Frote el ajo a la cacerola de fondue, añada el vino y caliéntelo, agregue poco a poco los quesos rallados y revuelva siempre en forma de 8 con un tenedor que se le ha pinchado una cebolla. Cuando los quesos estén derretidos añada el kirsh, limón, pimienta y nuez moscada.

Si la fondue se corta, arréglela echándole dos cucharadas de bicarbonato.

RECETA No. 65

PAPAS A LA IMPORTANCIA

(Para 4 personas)

1	libra de papas
2	huevos batidos
1	taza de aceite
3	cebollas picadas
4	dientes de ajo picados
1/2	taza de harina
1	hoja de laurel
3	ramas de perejil picado
2	tazas de caldo o agua
	sal.

Se pelan las papas y se cortan en rebanadas gruesas, se untan en harina y huevo batido (clara y yema juntas). Se fríen en el aceite hasta que doren, se sacan y se ponen en una fuente. Al aceite donde se frieron se le agrega la cebolla picada con el laurel, cuando comience a dorar se le añade una cucharada de harina. El ajo se maja

con el perejil. Se le añade a lo anterior con las papas, colocándolas bien para que no se partan y el caldo para cubrirlas. Se dejan cocinar a fuego lento hasta que ablanden. Deben quedar jugosas.

RECETA No. 66

PAPAS MUSELINA

2	libras de papa
1½	tazas de leche
2	cucharadas de mantequilla
1	litro de agua para cocinar las papas
1	cucharada de sal.

Hiérvanse las papas con la sal, y en cuanto estén cocidas, escúrranse y pásense por el prensa-puré. Póngase el puré en la cazuela con la mantequilla y séquese unos minutos a la lumbre; a continuación añádase la leche hirviendo, trabajando bien el puré con una espátula y poniendo poca leche cada vez. Cuando esté bien ablandado siga batiéndose con el batidor. Entonces se vuelve ligero, blanquecino, espumoso, y merece el nombre de "Papas muselina".

RECETA No. 67

TORTILLA DE PATATAS A LA ESPAÑOLA

4	huevos
2	libras de papas o patatas
1	cebolla grande
3/4	taza de aceite de olivas
	sal al gusto.

Se parten las papas en rebanadas del grueso de una moneda. En el aceite se fríe la cebolla picada con las papas. Cuando estén tiernas y jugosas se sacan de la sartén y se echan en la vasija donde previamente se han batido los huevos con la sal. En una sartén del tamaño de un plato de postre, se vierte el aceite y se deja calentar, a esto se le añaden los huevos y las papas. Con la paleta se mueve un poco para desprender los bordes dejándola cuajar un poco. Sobre una tapa o un plato se vuelca la tortilla dejándola resbalar suavemente de nuevo a la sartén. Esta operación se repite un par de veces y al mismo tiempo se va arreglando con la paleta para darle bonita forma en los bordes. Esta queda del tamaño de la sartén y de una consistencia dura y puede comerse fría. En España acostumbran llevarla como merienda en los paseos al campo.

PAPAS DUQUESA

2	libras de papa
2¹/₂	cucharadas de mantequilla
4	yemas de huevo
¹/₂	cucharadita de pimienta
	sal y nuez moscada al gusto.

Procédase como para el puré muselina, pero cuando se haya secado no se ponga leche, auméntese un poco la cantidad de mantequilla y, fuera de la lumbre, añádanse yemas de huevo y sazónese con sal, pimienta y nuez moscada. El puré debe formar entonces una masa a la que pueda dársele forma con la mano. Se hacen torticas redondas y ovaladas, que se enharinan y se fríen en mantequilla. También pueden cocinarse en el horno después de haberlas dorado con yema de huevo, como si se tratara de pasteles.

PAPAS A LA FRANCESA

Las papas se parten en palitos y se fríen en manteca poco caliente. Se sacan, y cuando se vayan a servir se vuelven a freír en manteca bien caliente, rociándolas, mientras se fríen, con un poco de sal.

PUDIN DE JAMON Y QUESO

3	tazas de leche
1	molde de pan sin corteza
5	huevos
1	cajita de queso fundido
12	onzas de queso Roquefort
1	libra de mantequilla sin sal
12	onzas de lonjas de jamón.

El pan se remoja con la leche, se agregan los huevos batidos. Aparte se mezclan los quesos y la mantequilla hasta que se incorporen bien. Se prepara un molde largo untado en mantequilla y cubierto con las lonjas de jamón en el fondo y los lados. Se vierte parte de la masa de pan y huevos, después la mitad de la mezcla del queso, una capa de lonjas de jamón, otra de queso y se termina con pan. Se mete al horno a 350 °F hasta que cuaje. Se desmolda cuando enfríe.

POTAJE DE GARBANZOS

(Para 6 personas)

1	libra de garbanzos
1	cabeza de ajo
2	cebollas
1	libra de costillas de cerdo ahumadas
2	hojas de laurel
6	tomates picados
6	granos de pimientas de olor
4	clavos de olor
1	rama de perejil
	un hueso de jamón serrano (opcional)
	aceite de oliva
	sal y pimienta.

Ponga la víspera los garbanzos en agua. El día siguiente, cocínelos en una olla con agua que los cubra, junto con la cabeza de ajo, el hueso de jamón, los clavos, las pimientas de olor, el perejil y sal hasta que estén tiernos. Fría en aceite la cebolla y el tomate, agregue las costillas y cocine hasta que ablanden. Aparte, moje una rebanadita de pan en vinagre y fríala en aceite, sáquela y mójela en el mortero con unos granos de comino, un diente de ajo, pimienta picante y unos granos de garbanzos. Agregue a los garbanzos y las costillitas. Si durante la cocción está muy seco, puede añadir un poco de agua hirviendo.

MOUSSAKA

(Para 10 personas)

8	berenjenas medianas cortadas en ruedas de un centímetro de grueso
3	papas en ruedas
¹/₂	libra de carne molida
3	cebollas grandes picadas
3	dientes de ajo picados
5	tomates partidos, sin piel
2	cucharadas de salsa negra
¹/₂	taza de aceite de oliva
3	cucharadas de mantequilla
	sal y pimienta.

Ponga las berenjenas cortadas en agua de sal para quitarles el amargo, séquelas y échelas a sofreír en el aceite en porciones pequeñas hasta que doren un poco. Colóquelas a escurrir sobre papel absorbente.

Fría la mantequilla, ajo, cebolla y tomates, cocine a fuego lento por media hora tapado.

Agregue la carne y continúe la cocción cuidando de que no se seque. Añada sal, pimienta, salsa negra y perejil picado.

Salsa blanca:

4	cucharadas de mantequilla
4	cucharadas de harina
4	tazas de leche
$^1/_4$	de cucharadita de nuez moscada
	sal y pimienta.

Derrita la mantequilla, agregue la harina y añada poco a poco la leche caliente moviendo fuertemente con cuchara de madera hasta que endurezca. Sazone con la nuez moscada, sal y pimienta.

Engrase con mantequilla y espolvoree con pan rallado un refractario rectangular grande de 6 a 8 centímetros de alto. Coloque una capa de papas crudas en el fondo del molde. Ponga encima una capa de carne, otra de berenjenas y termine con una de salsa blanca y queso parmesano rallado. Introduzca en el horno a 350 °F ó 400 °F hasta que dore la superficie.

RECETA No. 73

PAPAS A LA MAÎTRE D'HÔTEL

Se parten las papas en cuadritos y se sancochan con un poquito de sal durante 10 minutos para que no se ablanden demasiado. Deben echarse cuando el agua esté hirviendo. La cebolla se parte en pedacitos y se fríe con poca manteca hasta que comience a ponerse transparente; entonces se echan las papas para sofreírlas, hasta que queden un poco doradas.

CAPITULO VII

Salsas

Salsas

SALSA DE LIMON

1   taza de caldo
2   yemas batidas
1   cucharada de mantequilla
1   cucharadita de azúcar
1   cucharadita de maizena
     pimienta, sal, perejil picado
     el jugo de un limón.

Se pone al fuego el caldo al baño de María con las yemas, sal, azúcar, pimienta y perejil. Cuando esté muy caliente se le agrega la maizena disuelta en un poco de leche. Cuando ésta cocine, se le añade la mantequilla y se retira del fuego y por último se le agrega el jugo de limón. Esta salsa es para acompañar soufflés de pescado, rollo de mariscos o pescados.

SALSA VERDE

Para hacer esta salsa se machaca mucho perejil, según la cantidad que se desee, migas de pan mojado en vinagre, limón, y medio diente de ajo. Se deslíe todo en el agua en que se cocine el pescado, se cuela y vierte sobre éste, poniéndolo todo al horno unos 10 minutos.

SALSA AGRIDULCE

1   pote de jugo de piña y piña en pedacitos
$^{1}/_{2}$ taza de vinagre
$^{1}/_{2}$ taza de azúcar morena
2   cucharadas de maizena
2   cucharadas de salsa soya
     el jugo de 1 limón.

Se junta todo y se hierve dejándolo a fuego lento. Sirve para acompañar bolitas de carne, camarones o pescado.

SALSA MUSELINA

3   cucharadas de mantequilla
3   cucharadas de harina
1   taza de caldo de pollo
$^{1}/_{2}$ cucharada de jugo de limón
$^{1}/_{2}$ taza de crema de leche
$^{1}/_{4}$ de cucharadita de sal
2   yemas de huevo
     un poco de pimienta.

Derretir la mantequilla, añadir la harina y revolver bien. Agregar gradualmente el caldo y la crema revolviendo constantemente hasta que llegue a punto de hervor. Se añade sal y pimienta. A último momento se le agregan las yemas ligeramente batidas y el jugo de limón.

SALSA DE TOMATE

¹/₂ pote de pasta de tomate
³/₄ de taza de agua
1   cucharada de mantequilla
     sal y azúcar.

Se deslíe la pasta, se pone al fuego a hervir y se le añaden los demás ingredientes. Sirve para acompañar soufflés de pescado o carne, bolas de pescado, etc.

SALSA TARTARA

Es una mayonesa condimentada con mostaza, pepinillos, huevos duros y perejil, todo picadito muy menudo. Si queda muy dura se puede poner un poco de agua hirviendo.

SALSA ROSADA

Se mezcla un poco de mayonesa con salsa de tomate, sal y pimienta y un poco de brandy.

Esta acompaña muy bien con lechugas y con camarones cocidos.

SALSA PARA CARNES ASADAS (BARBACOA)

(Para 6 personas)

¹/₂ taza de aceite
³/₄ de taza de salsa de tomate (de frasco)
³/₄ de taza de cebolla bien picadita o rallada
³/₄ de taza de agua
¹/₃ de taza de jugo de limón
3   cucharadas de azúcar
3   cucharadas de salsa Perrins
2   cucharadas de mostaza
2   cucharaditas de sal
¹/₂ cucharadita de pimienta picante.

Cocínese la cebolla en el aceite hasta que esté blanda. Se agregan los demás ingredientes y se

cocina por 15 minutos a fuego muy lento. Con esta salsa se baña la carne, o los pollos mientras se asan, y el resto se lleva a la mesa en una salsera.

SALSA BARBACOA PARA POLLOS

¹/₂ taza de aceite de maíz
¹/₄ de taza de agua
1¹/₂ cucharaditas de tobasco
³/₄ de taza de vinagre o limón
1¹/₂ cucharadas de sal
3   cucharadas de azúcar.

Ponga el aceite, vinagre o limón, agua, sal, azúcar y tobasco en una cacerola. Mezcle y caliente hasta el punto de hervir. Manténgala caliente. Suficiente para dos o tres pollos.

SALSA DE MANTEQUILLA QUEMADA

Se derrite la mantequilla en la sartén hasta que comience a oscurecer, sin dejarla quemar, en este momento se le agrega una cucharadita de vinagre, teniendo cuidado, porque al echarla salta y puede quemar. Se sirve con huevos fritos, restos de cerdo, pescados, langostas, carnes, sesos guisados, etc.

SALSA AGRIDULCE (Otra)

2   pimientos verdes
1   pimiento rojo
3   cucharadas de maizena
1   cucharada de mostaza
1   cucharada de salsa inglesa
1   taza de azúcar
1   pote de piña en ruedas
     ají picante, salsa soya.

Mezcle la maizena en el vinagre y cocínelo con azúcar, hasta que esté transparente. Añada tobasco, salsa inglesa, mostaza y pimientos cortados en tiritas. Agregue los pedazos de piña y el jugo. Cocínelo por 20 minutos. Sirve para cualquier carne o pescado.

ALIOLI

Esta salsa antigua española nos ha llegado de los antepasados nuestros que la introdujeron en la comida criolla.

Se machacan diez dientes de ajo en el mortero hasta que quede una pasta fina, se le añade poco a poco una taza de aceite de olivas, moviendo constantemente hasta que se incorpore. Se sazona y puede agregársele una yema de huevo.

SALSA BEARNESA

3	cucharadas de vinagre
1	cebolla blanca
2	dientes de ajo
1	cucharadita de estragón fresco picadito
2	cucharadas de agua
½	libra de mantequilla
4	yemás
	sal y pimienta.

Se pone al fuego el vinagre, con la cebolla, el ajo, sal, pimienta y estragón. Cuando el vinagre se haya reducido a la mitad, se retira del fuego, se cuela y cuando enfríe se le añaden las yemas un poco batidas y se pone al fuego en baño María, que el agua no esté muy caliente, se mueve hasta que espese un poco y se va agregando la mantequilla en pedacitos hasta que endurezca como una mayonesa. Se retira del fuego y se saca del agua caliente en seguida. Si se corta se le puede mezclar con un hielo. Para que esté más suave se le pueden agregar dos claras batidas a la nieve. Esta salsa acompaña muy bien las carnes. Se sirve caliente.

SALSA SUPREMA

6	yemas de huevo
2	onzas de Jerez (una copa)
4	onzas de mantequilla
5	cucharadas de harina
3	tazas de caldo de pechuga
½	taza de crema.

Se mezclan todos los ingredientes excepto la crema poniéndolos al fuego, moviéndolos constantemente, se les pone sal y pimienta y por último se le agregan la crema de leche y el Jerez.

CAPITULO VIII

Panes y panecitos

Panes y panecitos

PANECITOS DE CANELA

3	tazas de harina
2	cucharadas de azúcar
1	cucharadita de sal
6	cucharaditas de polvo de hornear
6	cucharadas de pasas
2	cucharadas de mantequilla o manteca
1	huevo
2	cucharaditas de canela
$^2/_3$	de taza de agua
$^1/_2$	taza de azúcar morena.

Ciérnanse dos cucharadas de azúcar con la harina, la sal y el polvo de hornear. Amásese ligeramente con la mantequilla, añadiendo después lentamente el huevo batido, mezclado con un poco de agua. Extiéndase la masa sobre una tabla enharinada, pasando el rodillo hasta darle un grueso de medio centímetro. Untese con mantequilla blanda y rocíese abundantemente con azúcar morena, canela y pasas. Enróllese la masa en forma de barquillo. Separadamente mézclense seis cucharadas de mantequilla con seis cucharadas de azúcar morena. Extiéndase esta mezcla en el fondo y por las paredes de una cacerola, molde o marmita pequeña. Córtese la masa en pedazos de 4 cm. Colóquese en la cacerola con los bordes cortados hacia arriba. Déjese reposar por 15 minutos y luego cuézase en horno bien caliente por 25 minutos. Los panecitos o bollos deben sacarse del molde volviendo éste al revés.

PAN DE DATILES Y NUECES

8	onzas de dátiles picados
1	taza de agua hirviendo
$1^1/_2$	tazas de harina
1	taza de nueces picadas
$^1/_2$	cucharadita de bicarbonato
1	taza de azúcar
1	cucharadita de vainilla
1	huevo bien batido.

Se disuelve el bicarbonato en el agua caliente y se vierte sobre los dátiles. Se deja reposar 15 minutos. Se ciernen los ingredientes secos y se le mezcla bien a lo anterior. Se añaden los demás ingredientes. Se mezcla bien y se hornea en un molde engrasado.

Cubierto:

$^1/_2$	libra de dátiles
$^1/_4$	de taza de azúcar
$^1/_3$	de taza de agua
$^1/_2$	taza de nueces.

Se derrite al fuego y se pone por encima con las nueces.

PANECITOS

2   cucharadas de levadura
2   cucharadas de azúcar
2   huevos batidos
1   taza de leche
4   tazas de harina
1   cucharadita de sal
$\frac{1}{4}$ de taza de agua tibia
$\frac{1}{4}$ de taza de manteca vegetal
$\frac{1}{3}$ de taza de azúcar.

Se echa la levadura en el agua tibia con dos cucharadas de azúcar y se deja disolver. Luego se mezcla la leche, manteca, azúcar, los huevos batidos, sal y poco a poco la harina. Se amasa con la levadura y se hacen los panecillos, dejándose crecer un buen rato. Se meten al horno en 350°F por 15 minutos.

PANECITOS (Otra)

2   tazas de harina
4   cucharaditas de polvo de hornear
4   cucharadas de manteca o mantequilla
$\frac{1}{2}$ cucharadita de sal
$\frac{3}{4}$ de taza de leche, o mitad de leche
    y mitad de agua.

Ciérnase la harina junto con el polvo de hornear y la sal. Agréguese la manteca y mézclese bien con un tenedor. Añádase lentamente el líquido para hacer una masa suave, extiéndase en una tabla enharinada para darle un grueso de $1\frac{1}{2}$ cm. Córtense los panecitos en forma redonda con un cortapastas enharinado. Póngase en una tártara engrasada y cocínese en horno caliente por 15 minutos.

PAN DE MOLDE

2   libras de harina
3   cucharadas de azúcar
1   cucharadita de sal
1   paquete de levadura
1   huevo
2   cucharadas de manteca vegetal
$1\frac{1}{2}$ tazas de leche o más si es necesario.

Se mezcla el polvo de levadura con dos cucharadas de azúcar, se le va agregando un poco de harina y la leche hasta que tenga consistencia de

miel. Se deja reposar $\frac{1}{2}$ hora en un lugar caliente y sin tocarlo; cuando ha crecido se le pone el huevo, otra cucharada de azúcar, la sal y la manteca derretida, por último el resto de harina, se amasa hasta que suavice, se hace una bola grande y se deja reposar hasta que levante el doble, cuando tenga el tamaño necesario se parte en dos, se estira y enrolla metiéndolo en los moldes ya engrasados, se deja hasta que crezca nuevamente y se rebose el molde. Se cocina a 325°F por $\frac{1}{2}$ hora.

PANECITOS AMERICANOS

2   tazas de leche
2   cucharadas de sal
$\frac{1}{4}$ de taza de azúcar
2   huevos batidos (se puede hacer sin huevo)
$\frac{1}{3}$ de taza de mantequilla
2   pastillas de levadura
6   tazas de harina cernida.

A la leche tibia hervida se le agregan la sal, el azúcar y la mantequilla. Se baten bien y se les agrega tres tazas de harina poco a poco, batiendo siempre las pastillas de levadura desleída en agua medio tibia, luego los huevos batidos y por último las otras tres tazas de harina. Se saca a la tabla y se amasa muy bien hasta que la masa esté muy suave. Se pone la masa en una vasija engrasada a subir al sol o al calor por 2 ó 3 horas, teniendo cuidado de taparle con un paño. Se vuelve a amasar y se forman los panecitos que se untan por encima con mantequilla derretida y se ponen en una lata engrasada. Se dejan subir de 1 a 2 horas y se asan en horno muy caliente (400-425°F) de 15 a 20 minutos.

Más o menos salen tres docenas de panecitos.

PANCAKES

1   taza de leche
3   cucharadas de mantequilla derretida
2   huevos
$\frac{1}{4}$ de cucharadita de sal
1   taza de harina
3   cucharaditas de Royal.

Se baten las yemas muy bien, se les agrega la mantequilla, la leche, la harina cernida con el Royal y la sal, de último las claras bien batidas.

Se pone una sartén al fuego untada con un poquito de manteca, cuando esté bien caliente se le echa un cucharoncito de la masa; cuando esté cuajado, se le da vuelta con una espátula para dorarlo del otro lado. Se retiran del fuego.

Se les pone mantequilla por encima y se sirven con miel.

PANES DE LECHE CORTADA

1	taza de leche cortada (agria)
1	cucharada de azúcar
1	cucharadita de sal
$^1/_4$	de cucharadita de bicarbonato
3	cucharadas de manteca vegetal sólida
1	sobre de levadura
$2^1/_2$	tazas de harina.

Unanse la leche, el azúcar, la sal, el bicarbonato y la manteca. Pónganse a derretir en el fuego. Se deja enfriar y cuando tenga la temperatura natural se le agrega la levadura. La harina se divide en dos partes, una se agrega toda junta y la otra poco a poco, cuando esté bien mezclada se pone en una tabla y se amasa un poco. Se tapa con un paño y se deja 10 minutos reposando. Se hacen las bolitas, se colocan en una tártara y se dejan reposar una hora. Se cocinan en horno de 400°F hasta que doren.

PAN DE PAPAS

1	sobre de levadura seca
$1^1/_2$	tazas de agua tibia
	o el agua donde se cocinaron las papas
$^2/_3$	de taza de azúcar
$1^1/_2$	cucharaditas de sal
2	huevos
$^2/_3$	de taza de manteca sólida
1	taza de puré de papas tibio
7	u 8 tazas de harina cernida.

Espolvoree la levadura en el agua tibia o de las papas, déjela hasta que salgan burbujas arriba. Añada azúcar, sal y mezcle todo, adicione los huevos y la manteca y mézclelos en el puré y la harina. Bata hasta que esté suave. Póngalo en la nevera. Engrase la parte de arriba de la masa y cúbrala con un papel encerado y encima un lienzo húmedo. Conserve la tela húmeda 2 horas antes de cocinarlos. Deles la forma que desee. Cúbralos y déjelos que levanten hasta que esté ligero. Echelo en los moldes, cocínelo a 400°F por 12 ó 15 minutos.

PAN DE MAIZ

$1^1/_2$	tazas de harina de maíz
$^1/_2$	taza de harina
1	cucharadita de sal
1	cucharadita de soda
1	cucharadita de Royal
3	cucharadas de aceite de cocina o tocineta.

Mezcle todo con suficiente leche. Caliente una sartén de ocho pulgadas con dos cucharadas de grasa. Cocine en horno de 400°F por 25 minutos o hasta que doren.

PAN DE JENGIBRE

2	huevos
$^3/_4$	de taza de azúcar morena
$^3/_4$	de taza de melaza
$^3/_4$	de taza de mantequilla derretida
$2^1/_4$	tazas de harina
$2^1/_4$	cucharaditas de polvo de hornear
$^3/_4$	de cucharadita de bicarbonato de soda
2	cucharaditas de jengibre
$1^1/_2$	cucharaditas de canela
$^1/_2$	cucharadita de clavos en polvo
$^1/_2$	cucharadita de nuez moscada
1	taza de agua hirviendo.

Añádanse los huevos batidos al azúcar, a la melaza y mantequilla derretida. Agréguese la harina cernida con todos los ingredientes secos y por útimo el agua caliente. Cuézase en moldes individuales engrasados o en un molde grande engrasado. Póngase al horno a 450°F por 40 minutos. Sírvase caliente o frío. Se puede acompañar también con puré de manzanas o crema batida.

PANECITOS (Otra)

1	sobre de levadura
1	taza de agua fría
$^1/_4$	de taza de azúcar
2	cucharadas de manteca
$^1/_2$	cucharadita de sal
1	huevo bien batido
4	tazas de harina.

Se derrite la levadura con el agua, el azúcar y la sal. Se añade el huevo y parte de la harina mezclándola bien. Se agrega la manteca y el resto de la harina. Se deja levantar hasta que doble el volumen. Se mezcla de nuevo para que baje, se tapa bien con papel encerado y se mete en la nevera. Como 1½ horas antes de necesitar los panes se saca la cantidad que se requiere, se forman los panecitos, se dejan levantar y se hornean por 20 minutos.

CAPITULO IX

Ensaladas

Ensaladas

SALSA PARA ENSALADAS

1   cucharada de aceite de olivas
2   huevos crudos
1   lata de leche condensada
1   cucharada de vinagre
1   cucharada de mostaza
    sal al gusto.

Se bate todo hasta formar una crema.

ENSALADA DE LEGUMBRES

(Para 50 personas)

3   libras de papas
5   libras de zanahoria
2   potes de habichuelas
3   potes de macedonia de frutas
2   potes de petit pois
1   piña
3   frascos de mayonesa chicos
2   ramas de apio.

Las papas se parten en cuadritos y se echan en el agua de sal hirviendo, aproximadamente 10 minutos, se sacan y se procede lo mismo con las zanahorias, dejándolas hasta que ablanden. Se junta todo bien partido, se mezcla con la mayonesa y se adorna con lechugas y tomates en forma de flores.

ENSALADA DE PERAS

(Para 8 personas)

1   lata grande de peras en su jugo
1   taza de queso rallado
$^1/_2$ taza de frutas cristalizadas picadas
    lechugas
    mayonesa.

Sepárense las peras del jugo y se ponen dos medias de ellas sobre unas hojas de lechugas para cada porción; se llenan las cavidades con salsa mayonesa, sobre ésta, rocíese el queso y los pedacitos de frutas cristalizadas.

ENSALADA DE MANZANA Y PUNTAS DE ESPARRAGOS

2   libras de manzanas
1   pote de espárragos
2   onzas de lechugas y aceitunas
    salsa mayonesa

Se parten las manzanas y se echan en agua de sal, se escurren y se les agregan los espárragos y la salsa mayonesa. Se adorna con las lechugas y aceitunas.

ENSALADA DE POLLO

(Para 35 personas)

4	pollos grandes
6	manzanas partidas en cuadritos
8	libras de papas
2	potes grandes de petit pois
3	libras de lechugas
2	potes de piñas en ruedas
1	pote de crema de leche
1½	libras de apio en trocitos
1	taza de aceite de olivas
10	cucharadas de vinagre
1	frasco grande de mayonesa
	(o preparada en casa)
5	cucharadas de mostaza
1	cucharadita de pimienta
½	cucharada de salsa Maggy
1	cucharada de salsa negra
	pepinillos en vinagre
	salsa del pollo y un poco de jugo de piña.

Se sofríen los pollos en un poco de aceite, se les añade una libra de cebolla picada, un pote de pasta de tomate, una copita de vino, una cucharada de salsa negra y una hoja de laurel. Se dejan cocinar sin que se desbaraten. Cuando estén fríos se pican y se juntan con los demás ingredientes en la siguiente forma: se cocinan las papas peladas y partidas en dados en suficiente agua con sal, echándolas cuando ésta hierva y dejarlas aproximadamente 10 minutos. Al sacarlas se bañan con una vinagreta. La mayonesa se mezcla con todos los ingredientes líquidos. La piña y los pepinillos se pican, se junta todo mezclando con cuidado para que no se desbaraten las papas. El petit pois se pone de último o por encima como adorno con hojas de lechuga alrededor de la bandeja.

ENSALADA DE PAPAS

(Para 50 personas)

12	libras de papas
2	docenas de huevos cocidos
1	latica de aceite mediana
2	libras de cebollas
	vinagre al gusto
	perejil suficiente picado,
	azúcar, sal y pimienta.

La cebolla se pica bien menudita y se pone en vinagre para que pierda un poco el sabor fuerte. Las papas se parten en cuadritos y se echan en el

agua hirviendo aproximadamente 10 minutos, se sacan y se preparan con los demás ingredientes. Se adereza con una vinagreta y con mayonesa.

ENSALADA DE PAVO

(Para 18 personas)

Después de asado, se cortan con tijeras la carne, el pellejo y el gordo y se muelen. Se rocían con aceite y vinagre agregándoles bastante cantidad de cebolla rallada y se deja un buen rato en esta marinada. Se hace una salsa, bien batida, con un frasco de mayonesa y tres latas de crema para mezclarla con el pavo, pedacitos de apio, aceitunas rellenas y hongos. La salsa debe dividirse para que con la otra mitad se cubra al servirlo rodeado de hojas de lechugas.

ENSALADA HELADA

(Para 10 personas)

1½	tazas de cada una de las siguientes verduras cortadas en pedacitos y cocidas aparte: zanahoria, arvejas, remolacha, habichuelas
6	onzas de mantequilla
3	cucharadas colmadas de harina
2½	tazas de leche
5	cucharadas de vinagre fino
2	tomates grandes maduros
	pimienta picante molida
	nuez moscada y sal
	crema de leche.

Se hace una salsa blanca así: se derrite la mantequilla, se le agrega la harina mezclando bien hasta que quede bien disuelta, se le va agregando poco a poco la leche dejándola hervir, moviéndola hasta que quede como un engrudo, sazonándola con el vinagre, pimienta, nuez moscada y sal.

Las verduras se separan en distintos platos y a cada uno se le pone una cucharada de crema y una de salsa blanca ligándolas bien.

En un molde untado de mantequilla se arreglan en el fondo unas ruedas de tomate, luego se continúa por capas intercalando los colores de las verduras. Se deja en la nevera para que endurezca, se desmolda y se arregla con lechugas.

Pernil de cerdo

página 82

Bagre a la Criolla

página 58

Crêpes de mariscos

página 232

Lasagna

página 288

Postre de café

página 155

Cocteles

páginas 29-31

Langostinos del Pacífico

página 201

Arroz con chipi-chipi

página 100

ENSALADA HELADA DE QUESO Y PICANTE

(Para 8 personas)

2	cucharadas de gelatina simple granulada
¹/₂	taza de agua
1	taza de queso rallado
2	pimientos picados
¹/₄	de taza de nueces picadas
¹/₂	taza de aceitunas picadas
1	taza de crema batida
	con ¹/₂ cucharada de gelatina
	disuelta en 2 cucharaditas de agua
1	cucharadita de salsa inglesa
¹/₄	de cucharadita de mostaza
¹/₂	cucharadita de sal
	un poquito de pimienta.

Remojar la gelatina en el agua fría por cinco minutos y disolverla al baño de María. Mezclar el queso, pimientos, nueces y aceitunas, sazonar e incorporar la gelatina disuelta; echar la crema batida bien helada, enmoldar y congelar. Se sirve sobre hojas de lechuga con salsa mayonesa, o también sobre ruedas de piña.

ENSALADA PRIMAVERA

(Para 12 personas)

¹/₂	libra de zanahoria
¹/₂	libra de repollo de la parte más blanda
1	libra de lechuga
¹/₂	libra de coliflor
1	tarro de petit pois
1	tarro de duraznos
2	onzas de almendras tostadas
	mayonesa bien aliñada.

Para armar el plato de la ensalada se pica en tiritas el repollo y la parte de afuera de la lechuga.

La coliflor y la zanahoria se cocinan por separado con sal, luego se escurren y se ponen un rato en vinagre reservándolos para el adorno, cortando la zanahoria en tiritas finitas como fideos y la coliflor en ramitas pequeñas.

Al repollo y la lechuga se les añade el petit pois y se pone un poco de esto en el centro del plato de manera que quede más alta que a los lados, poniéndole encima el corazón de la lechuga bien arreglado.

El plato se adorna alrededor con hojas de lechuga. Todo esto se mezcla con la mayonesa. Cuando ya se tiene así se adorna con los duraznos, las zanahorias, las almendras partidas y se arreglan los ramitos de coliflor.

ENSALADA DE FRUTAS

(Para 25 personas)

2	latas grandes de coctel de frutas
12	naranjas en gajitos sin el hollejo
12	toronjas en gajos sin el hollejo
8	manzanas en pedacitos
5	tazas de crema de leche.

Escurrir bien todas las frutas por separado. Batir la crema con un poco de azúcar (preferible en polvo) y mezclarlas al momento de servir. Se adorna con lechugas, uvas, o como se quiera.

ENSALADA AGRIDULCE DE REPOLLO

6	tazas de repollo crudo cortado finamente a lo largo
2	pimientos verdes en tiritas
1	pimiento rojo en tiritas
2	cebollas blancas cortadas en anillos
¹/₂	taza de azúcar.

En un recipiente que no sea de metal, se coloca una capa de repollo, una de cebolla y otra de pimientos, se rocía con un poco de azúcar y así sucesivamente se continúa hasta terminar con todo el azucar. la siguiente mezcla se vierte caliente sobre el repollo:

1	taza de vinagre
³/₄	de taza de aceite de maíz
1	cucharada de azúcar
1	cucharada de sal.

Se pone todo junto al fuego hasta el punto de hervir y se echa enseguida sobre las capas de repollo, cebolla y pimientos, se deja por espacio de un dia completo en la nevera para que se macere. S e sirve frio y se conserva por varios dias. Acompaña muy bien cualquier carne o pescado.

ENSALADA DE FRIJOLES

1	pote de habichuelas verdes
1	pote de habichuelas amarillas
1	pote de fríjoles rojos
$^1/_2$	taza de pimientos verdes cortados en pedacitos
$^3/_4$	de taza de azúcar
$^2/_3$	de taza de vinagre
$^1/_3$	de taza de aceite
1	cucharadita de sal
1	cucharadita de pimienta.

Se mezclan todos los ingredientes, se tapa y se deja en la nevera hasta el día siguiente. Se sirve frío.

ENSALADA DE LECHUGAS CON SALSA ROQUEFORT

2	libras de lechugas
1	taza de aceite de oliva
1	cucharadita de azúcar
1	cucharadita de sal
2	cucharaditas de paprika
4	cucharadas de jugo de limón o vinagre
3	onzas de queso Roquefort
$^1/_2$	cebolla picadita.

Se echan todos los ingredientes, excepto la lechuga, en la licuadora; cuando estén bien mezclados se vierten sobre las lechugas.

ENSALADA DE HINOJO AL AGUACATE

(Para 10 porciones)

3	tallos de hinojos frescos
2	aguacates
3	tomates bien rojos
1	limón
$^1/_2$	cucharadita de mostaza
$^1/_2$	taza de aceite
1	cebolla pequeña
3	ramas de perejil
	sal y pimienta.

Lavar el hinojo y cortarlo en rodajas finas. Limpiar los aguacates y partirlos en cubos. Limpiar los tomates (quitar la piel y semillas) y dividirlos en cubos. Picar muy fino la cebolla y el perejil.

Guardar todo en la nevera hasta antes de servir, cuando entonces se mezclan todos los ingredientes. Servir sobre hojas de lechuga bien limpias.

CAPITULO X

Pasticas, muffins y repollitas

Pasticas, muffins y repollitas

PASTELITOS DELICADOS

1	libra de harina
1	cucharadita de crémor tártaro
1	cucharadita de azúcar
1/2	libra de mantequilla
1	cucharadita de bicarbonato
	sal al gusto.

Se pone la harina sobre la mesa, se le hace un hueco en el centro y allí se echan los ingredientes. Se mezcla todo poniéndole un poco de agua para acabar de mojar la masa. Se amasa como la pasta de hojaldre, lo menos posible, y se le dan unas vueltas. Se extiende la masa, se cortan redondeles, se les pone un poco de guiso de pollo aliñado, se forman las empanadas, se les unta huevo batido por encima y se meten al horno.

PASTA CLARA ELENA

1	libra de harina
10	onzas de mantequilla
4	cucharadas de agua tibia
1/8	de cucharadita de sal.

Estas cantidades son suficientes para un plato mediano si se va a hacer con tapa de pasta completa o para un plato grande si se hace enrejada.

Se pone la harina en la mesa y encima se echa la mantequilla bien helada, se amasa un poco hasta que se incorpore todo, se le agrega poco a poco el agua tibia procurando amasarla lo menos posible para que no se encauche. Se hace una bola y se tira con fuerza tres veces sobre la mesa, dejándole reposar por 15 minutos. Se coloca la mitad en un papel manteca y se extiende con el bolillo hasta darle el tamaño de un plato, se pone el relleno de sal o de dulce, se extiende la otra mitad de la masa y se coloca la tapa.

Se bate una yema con un poquito de mantequilla derretida y se barniza. Se asa en horno de 350 °F por 1 hora.

DEDITOS DE QUESO

14	cucharadas de queso
5	huevos
1/2	taza de leche
4	cucharadas de harina
1	cucharada de mantequilla
	un poquito de sal.

Se revuelve todo, se vacía en tártara engrasada y después de asada se corta en cuadritos (son muy buenos para picadas).

MUFFINS DE HARINA DE MAIZ

1	taza de harina de trigo
1	taza de harina de maíz
3	cucharaditas de polvo de hornear
4	cucharadas de azúcar
$^1\!/_2$	cucharadita de sal
2	huevos
$^1\!/_2$	taza de mantequilla derretida
$^2\!/_3$	de taza de leche.

Se mide la harina de trigo, ya cernida se mezcla con la harina de maíz, el polvo de hornear y la sal, se vuelve a cernir. Se baten primero las claras, se añaden las yemas y se baten bien; a esto se le agrega el azúcar, mantequilla y leche y se vierte rápidamente sobre los ingredientes secos, mezclando lo más ligero que se pueda. Se asa en moldecitos durante 20 minutos en horno de 400°F. Salen 16.

MUFFINS

$^1\!/_4$	de taza de mantequilla
1	huevo
$^1\!/_2$	cucharadita de sal
1	taza de leche
$^1\!/_4$	de taza de azúcar
5	cucharaditas de polvo de hornear
2	tazas de harina.

Se crema la mantequilla y se añade el azúcar poco a poco, luego el huevo sin batir mezclando bien; en seguida los ingredientes secos alternando con la leche y una vez incorporado se asan en moldecitos engrasados. Horno caliente (435°F) por 20 minutos.

De esta cantidad·salen 16 pequeños.

MUFFINS (Otro)

2	huevos
2	tazas de leche
$^1\!/_2$	cucharadita de sal
2	cucharadas de mantequilla
2	tazas de harina
2	cucharaditas de polvo de hornear
1	cucharadita de azúcar.

Se ponen en una vasija la harina, la levadura, sal, azúcar y mantequilla derretida, se agregan los huevos bien batidos (juntos claras y yemas) y con una cuchara se revuelve incorporándole la leche poco a poco. La pasta debe quedar blanda y se echa en moldecitos engrasados, metiéndolas en el horno caliente hasta que doren. De esta cantidad salen 14.

MUFFINS DE QUESO

1	libra de harina de trigo
$^1\!/_2$	libra de queso rallado
4	cucharaditas de levadura
2	tazas de leche
$^1\!/_2$	libra de mantequilla
6	cucharadas de crema
2	cucharaditas de sal
6	huevos.

Se derrite la mantequilla; se mezclan la harina, la levadura y la sal y se le agrega la crema, leche, queso, yemas batidas y las claras batidas a la nieve. Luego se vacían en moldecitos engrasados y se meten al horno; cuando estén dorados se sacan y se voltean para que se doren en el fondo. De estas proporciones salen 40. Deben servirse siempre calientes.

CONCHAS (Pastas)

2	tazas de harina
$^1\!/_2$	cucharadita de sal
2	cucharaditas de polvo de hornear
2	cucharadas grandes de manteca sólida
	agua bien helada.

Se derrite la mantequilla; se mezclan los ingredientes secos con la punta de los dedos. Se añade muy despacio la cantidad de agua suficiente para hacer una masa espesa. Se dispone en una tabla enharinada, se amasa bien y se le pasa el rodillo hasta que quede bien delgada. Se corta en círculos, se les da la forma sobre el molde y se cuecen boca abajo en el horno caliente hasta que estén bien dorados, se dejan enfriar un poco; se extraen con cuidado de los moldes y se meten de nuevo al horno dentro de las conchas donde se dejan cocer 5 minutos con la otra parte hacia arriba.

REPOLLITAS

(Salen 40)

1½	tazas de agua
½	libra de harina
4	onzas de mantequilla
8	huevos
	sal y azúcar.

El agua se hierve con la mantequilla, sal y azúcar y se le añade la harina poco a poco, moviendo hasta que despegue; después se deja reposar para agregarle los huevos uno a uno, batiendo un rato; luego se hacen montoncitos con una cuchara pequeña y se meten al horno bien caliente. Cuando estén doradas se sacan, se dejan enfriar un poco y se rellenan con crema, jalea o lo que se desee de dulce o de sal.

PASTA DE LECHE CALIENTE

4	tazas de harina
1	cucharadita de sal
½	taza de leche hirviendo
1	cucharada de manteca dura
1	cucharada de polvo de hornear
1	cucharadita llena de azúcar
1	taza de mantequilla.

Cierna los ingredientes secos en una tabla enharinada y haga un volcán con ellos, en el medio ponga la mantequilla y la manteca; sobre esto vacíe la leche hirviendo ayudándose a recoger cuando ruede con una cuchara. Amase todo bien. Estire la masa para preparar el pastel. Se asa a 400°F aproximadamente ¼ de hora si es pasta sola y ½ hora si es rellena.

GALLETAS DE QUESO

2	tazas de harina
½	cucharadita de sal
4	cucharaditas de polvo de hornear
½	taza de queso rallado
3	cucharadas de mantequilla
2⅔	tazas de leche.

Ciérnase la harina con el polvo de hornear y la sal y mézclese bien con el queso rallado; añádase la mantequilla y córtese con dos cuchillos del mismo tamaño dentro de la harina; agréguese la leche poco a poco para formar una pasta suave.

Se extiende en una tabla enharinada y se le pasa el bolillo hasta dejarla delgada. Se corta con un cortador de galleticas en forma de corazón, tréboles, espadas y diamantes, colocándolas en una tártara engrasada. Se cuecen en horno a temperatura de 425°F por 13 ó 15 minutos. El horno debe estar ya caliente al meterlas.

PASTA PARA PASTELES

1	libra de harina
2	huevos
1	cucharada de manteca sólida
3	cucharaditas de polvo de hornear
½	cucharadita de sal o de azúcar, según el relleno o el gusto de la persona.

Se amasa todo dejando la masa en reposo una hora. Luego se extiende rápidamente a fin de evitar que se ponga tiesa, sobre un papel, para pasarla al plato. Se rellena con dulce o con pollo, como se desee. Si se hacen chiquitos, de dos cantidades salen 60. Se asa al horno.

PASTEL DE DATILES

1	libra de dátiles
1	libra de mantequilla
2	paquetes de sémola de trigo (200 gramos)
2	cucharadas de azúcar
1	litro de leche
1	cucharada de canela
1	cucharada de sal
1	huevo
200	gramos de miel de abejas.

La leche, el azúcar y la sal se ponen a hervir; cuando suelte el hervor se le mezcla la sémola poco a poco y se deja cocer 20 minutos revolviéndola siempre. Se retira del fuego y se agrega el huevo batido. Sobre una plancha untada de mantequilla, se extiende esta mezcla con las manos engrasadas. Se deja reposar y se cortan dos redondeles poco más o menos de un centímetro de grueso. Aparte se hace un puré con los dátiles, se les agrega la mantequilla derretida, se les riega canela por encima y se coloca este puré sobre una de las pastas, se cubre con la otra, se les riega la miel de abejas por encima, unos trocitos de mantequilla y se pone al horno por 15 minutos. Se acompaña con crema de vainilla.

Pueden sustituirse los dátiles por platanitos pasos.

RECETA No. 14

PASTA DE PASTELITOS

1   taza de harina
1   taza de natas
       sal.

Se amasa y se deja reposar; se hacen los pastelitos y se meten al horno a 350°F y se rellenan de cerdo o de queso.

RECETA No. 15

PASTEL DE CEBOLLA ALEMAN

2   libras de cebolla blanca en ruedas
3   huevos batidos
4   onzas de mantequilla
       sal y pimienta al gusto
1   taza de crema.

Se sofríe la cebolla en la mantequilla hasta que esté transparente sin dejarla dorar. Se le añaden los demás ingredientes y se vierten sobre una pasta cruda para pastel, tamaño grande. Se asa en el horno de 350°F hasta que cuaje.

RECETA No. 16

GALLETAS CON CHOCOLATE

1   taza de manteca vegetal Crisco
$^{3}/_{4}$ de taza de azúcar morena
2   huevos
$^{3}/_{4}$ de taza de azúcar
$2^{1}/_{4}$ tazas de harina cernida
$^{1}/_{2}$ cucharadita de bicarbonato de soda
1   cucharadita de sal
1   cucharadita de vainilla
1   taza de nueces picadas
1   libra de chocolaticos miniatura
          (chocolate chips).

Se mezcla todo y se va poniendo en una tártara con una cucharita dándole forma de bolitas. Se mete al horno de 400°F de 7 a 10 minutos.

CAPITULO XI

Postres, cremas, pasteles, helados, bizcochos y decorados

Postres, cremas, pasteles, helados, bizcochos y decorados

PUDIN DE CAFE Y ESPECIAS

1	taza de café tinto fuerte
4	huevos
1	taza de harina
1	taza de miel de caña
1	taza de mantequilla
1	taza de azúcar
1	taza de pasas sin semilla
1	taza de frutas cristalizadas
$^1/_4$	de nuez moscada rallada
$^1/_2$	cucharadita de canela en polvo
$^1/_2$	cucharadita de clavos de especia molidos
$^1/_2$	cucharadita de bicarbonato de soda disuelto en agua caliente.

Creme la mantequilla. Agregue el azúcar y bata muy bien. Incorpore las yemas. Continúe batiendo. Agregue la miel teniendo cuidado de que todo quede muy bien mezclado.

Las pasas y frutas se revuelven con la mitad de la harina y se incorporan poco a poco. Luego se echa el resto de la harina, batiendo vigorosamente. Vierta el café sin dejar de batir. Incorpore el bicarbonato disuelto, después las especias mezcladas y por último las claras batidas a la nieve.

Cuando esté suficientemente batido divida en dos moldes recubiertos de papel engrasado y ponga en un horno moderado por cuarenta minutos o una hora.

PUDIN DE NARANJA

$2^1/_2$	tazas de harina
2	tazas de azúcar
1	taza de jugo de naranja
1	taza de mantequilla
4	cucharaditas de Royal
$^1/_2$	cucharadita de sal
1	cucharada de cáscara de naranja rallada
4	huevos.

Se bate la mantequilla con el azúcar hasta formar una crema, se le agregan las yemas batidas, la harina cernida con el Royal, alternando con el jugo de naranja y de último las claras batidas a la nieve y la cáscara de naranja. Se vierte en tres moldes iguales untados previamente en mantequilla, se ponen al horno por $^1/_2$ hora aproximadamente en 350°F. Se desmoldan y entre las dos capas se pone el siguiente relleno:

5	cucharadas de harina
1	taza de azúcar
$^1/_2$	taza de jugo de naranja
2	cucharaditas de jugo de limón
1	huevo batido
2	cucharadas de mantequilla rallado de cáscara de una naranja.

Combine los ingredientes dados y cocínelos en baño de María durante 10 minutos. El cubierto puede ser merengue con unas gotas de jugo de limón.

BIZCOCHO O ROLLO

4	huevos
1	taza de azúcar
5	cucharadas de agua
1	taza de harina
2	cucharadas de mantequilla derretida
1	cucharadita de Royal
1/4	de cucharadita de sal
1	cucharadita de vainilla
1	taza de mermelada para rellenar el rollo.

Bata los huevos ligeramente. Agregue el azúcar poco a poco, después el agua y siga batiendo bien. La harina, el Royal y la sal se ciernen y se le agrega a lo anterior. Añada la mantequilla derretida y bátase ligero hasta que esté todo mezclado, agregue la vainilla y viértalo en un molde para rollo engrasado y forrado de papel parafinado. Póngalo al horno por 15 minutos a 375°F. Cuando esté listo se voltea en una servilleta húmeda espolvoreada con azúcar pulverizada, córtele los bordes y enróllelo en la servilleta, desenvuélvalo, espárzale la mermelada, enróllelo de nuevo y déjelo cubierto con la servilleta hasta que enfríe.

Nota: esta misma receta sirve para bizcochos usando los moldes para ello.

BIZCOCHO NEGRO

12	huevos
1/2	libra de citrón finamente cortado
1/2	libra de higos pasos, cortados
1	libra de azúcar parda
1	libra de harina
1	libra de mantequilla
2	libras de ciruelas pasas
2	libras de pasas sin semillas
1	libra de almendras peladas y picadas
1	cucharadita de clavos de especia
1	cucharada de jugo de limón
1	taza de jalea de frutas
1	cucharadita de esencia de canela
1	cucharadita de nuez moscada.

Tenga las frutas listas. Creme la mantequilla y el azúcar. Agregue las yemas bien batidas. Incorpore la mitad de la harina y las frutas en la harina restante. Agréguese la jalea y, en caso de no tenerse, se puede usar una taza de miel de caña. Mézclese todo bien y échesele el jugo de limón. Las claras de huevo se ponen de último. Divida la pasta en dos moldes recubiertos de papel en-

grasado. Se mete al horno a 300°F. Se prueba su cocimiento introduciendo un palito hasta el fondo, cuando salga limpio se saca del horno.

ROLLO DE NARANJAS

6	huevos
1	taza de jugo de naranja
8	cucharadas de azúcar
	cáscara rallada de 2 naranjas.

Se baten los huevos juntos, se les añade el azúcar y el jugo de naranja y la ralladura. Se pone en una tártara con papel parafinado. Se le unta mantequilla al papel y se vierte la mezcla. Métase al horno de 350°F por 1/2 hora, se humedece una servilleta y se espolvorea de azúcar, se desmolda caliente enrollándolo en seguida con ayuda de la servilleta.

PUDIN AMARILLO ESPONJOSO

1 1/4	tazas de harina cernida
1/4	de cucharadita de polvo de hornear
6	huevos
1/4	de cucharadita de sal
1 1/2	tazas de azúcar
1/3	de taza de jugo de naranja, frío
3/4	de cucharadita de crémor tártaro
1	cucharadita de vainilla.

Poner el horno a 325°F. Use molde grande redondo. Separe las claras y póngalas en un recipiente grande en la batidora, las yemas en otro más pequeño. Bata las claras hasta que levanten un poco, añada el crémor tártaro cuando haga picos, continúe batiendo 3 minutos. Añada media taza de azúcar gradualmente, continúe batiendo hasta que esté suave como un merengue. Apártelo. Bata las yemas hasta que levanten (2 minutos), eche el jugo de naranja y bata 1 minuto más. Agregue el resto del azúcar poco a poco, sal, vainilla y continúe batiendo hasta que esté suave y ligero. Quítelo del batidor y mézclelo envolviendo suavemente la harina hasta que se incorpore bien. Después se le agregan las claras. Se pone en un molde sin engrasar y cocínelo por 1 1/4 horas. Enfríelo y voltéelo. Se cubre con chocolate o piña.

RECETA No. 7

CANASTICAS DE MANZANAS

4   tazas de manzanas finamente cortadas
2   huevos
1   taza de leche
1/2   taza de azúcar
1/4   de taza de mantequilla, jugo de limón,
       canela y nuez moscada.

Se cortan las manzanas en lonjas, se agregan los demás ingredientes (los huevos se baten), se mezcla muy bien todo. La pasta para las canasticas se hace con la receta siguiente: "Pasta para pasteles y pastelitos" recubriendo interiormente unos moldecitos, procurando que la pasta quede bastante delgada. De la mezcla de manzana se van llenando los moldecitos que se asan a horno en 375 °F hasta que las manzanas estén blandas.

RECETA No. 8

PASTA PARA PASTELES Y PASTELITOS

2   tazas de harina
1   cucharadita de sal
6   cucharadas de leche
1/2   taza de mantequilla.

Ciérnase la harina, luego mídase. Vuélvase a cernir cuando se le haya agregado la sal. Trabájese con la mantequilla hasta que presente una superficie seca y rugosa. Agréguese la leche mezclando con tenedor. Algunas harinas absorben mayor cantidad de líquido que otras. Ponga únicamente la cantidad de leche necesaria para hacer una pasta suave que permita enrollarse.

RECETA No. 9

PASTEL DE LIMON (Plato grande)

Pasta:

2 1/4   tazas de harina
1   taza colmada de mantequilla
       un poquito de sal.

Se cierne la harina con sal. Se mezclan la harina y la mantequilla con un tenedor hasta que se ha-

ga migajón. Se humedece con agua helada y se coloca en el plato, éste se unta de mantequilla y se espolvorea con harina. Se pincha con un tenedor y se mete al horno a 300 °F. Se deja enfriar para rellenarlo.

Relleno:

2 3/4   tazas de azúcar
1   taza de maizena
4   tazas de agua
4   yemas de huevo bien batidas
4   cucharadas de mantequilla
6   cucharadas de jugo de limón
       ralladura de 3 limones.

El agua se pone al fuego; cuando esté hirviendo se le agrega el azúcar, mezclado con la maizena. Las yemas se baten muy bien con la mantequilla y se le añaden a la mezcla anterior. Se cocina hasta que esté espeso, moviendo mucho para que no se haga pelota. Por último el rallado de los limones y el jugo.

Merengue:

Se baten las claras a la nieve y se les pone seis cucharadas de azúcar y unas gotas de limón; cuando esté bien mezclado se le añaden otras seis cucharadas de azúcar, se pone sobre el pastel y se mete nuevamente al horno a 375 °F hasta que dore.

RECETA No. 10

ESPONJADO DE FRESA O FRAMBUESA

6   claras de huevo
3   cucharadas de gelatina de fresa o frambuesa
1   lata de coctel de frutas
3   tazas de azúcar
1 1/2   tazas de agua
1 1/2   tazas de jugo de las frutas.

Se pone a calentar el jugo de las frutas y en él se disuelve la gelatina. Hiérvanse el azúcar y el agua juntas hasta tomar punto de hilo. Bátanse las claras a punto de nieve y poco a poco incorpórense batiendo el almíbar. Agréguese la mezcla de gelatina poco a poco y sígase batiendo hasta que quede espesa como crema batida. Si se quiere más rápido, se pone el recipiente dentro de otro con hielo picado. Se mete en molde engrasado en la nevera por varias horas, se saca del molde y se baña con una crema inglesa, poniéndole a ésta las frutas.

TORREJAS

¹/₂	taza de azúcar
8	huevos
4	tazas de leche
1	libra de pan corriente
2	cucharaditas de vainilla
1	libra de manteca o aceite
4	cucharadas de vino seco y canela en polvo.

Se parte el pan en rebanadas no muy gruesas y se remoja en la siguiente crema: se baten cinco yemas incorporándoles poco a poco la leche, azúcar, vainilla, canela y vino. Se moja el pan con esta mezcla. Aparte se baten los tres huevos restantes y las claras de los cinco primeros y en esto se envuelve cada torreja de pan y se fríen en aceite bien caliente hasta que doren por los dos lados. Se dejan enfriar y se sirven con un almíbar de medio punto hecho con dos tazas de azúcar y una taza de agua.

CUBIERTO SIETE MINUTOS

1¹/₂	tazas de azúcar
5	cucharadas de agua
2	claras de huevo
	vainilla.

Se pone en una olla en baño de María al fuego, moviendo con el batidor eléctrico, durante 7 minutos. Se deja enfriar el pudín y se cubre.

CUADRITOS DE FRUTAS CON CUBIERTO DE CAFE

Creme tres cuartos de taza de azúcar blanca y lo mismo de azúcar parda, con dos huevos.

Agregue media cucharadita de bicarbonato de soda disuelto en media taza de café tinto cargado y caliente. Incorpore batiendo dos tazas de harina fina, la cual se ha cernido varias veces con media cucharadita de clavos de especia molidos y lo mismo de allspice.

Agregue luego tres cuartos de taza de nueces picadas, media taza de pasas y media de dátiles picados. Extienda esta pasta de media pulgada de espesor en un molde bien engrasado y cocínela en un horno caliente (400°F) por ¹/₂ hora. Cuando esté fría y dura se corta en cuadritos, a los que se les pone por encima un cubierto de café.

MORENITAS

1	taza de azúcar
2	huevos
2	pastillas de chocolate amargo
1	taza de nueces picadas
¹/₃	de taza de mantequilla
¹/₂	cucharadita de sal
¹/₂	taza de harina.

Creme la mantequilla y el azúcar, agregue los huevos bien batidos al chocolate derretido, harina, sal y nueces. Cocine en horno bajo (300°F) puesto en un molde de siete pulgadas. Toman 20 minutos aproximadamente. Corte en cuadritos pequeños.

Las morenitas son deliciosas para acompañar el té; así como para servirlas con ponche de frutas.

BARRITAS DE MIEL Y PASAS

¹/₄	de taza de mantequilla
¹/₂	taza de azúcar
¹/₂	taza de miel de caña
¹/₄	de cucharadita de sal
¹/₄	de cucharadita de bicarbonato de soda
¹/₂	taza de leche
1¹/₂	cucharaditas de polvo de levadura
1	huevo
2	tazas de harina
1	taza de nueces cortadas
1	taza de pasas sin semillas, cortadas.

Cremar bien la mantequilla y el azúcar. Agréguese el huevo batido. Mezclar bien, incorporar la miel. Ciérnase la harina con los ingredientes secos. La leche se va agregando para formar una pasta, luego las nueces y las pasas de último. Extiéndase en una capa delgada en una lata. Horno moderado (350°F) por 15 ó 20 minutos. Córtese en barras de tres pulgadas de largo por una y media de ancho, antes de sacar de la lata. Cantidades para cuatro docenas.

LECHE MERENGADA

(Para 10 personas)

6	onzas de azúcar
6	tazas de leche
4	claras de huevo
1	limón
1	trozo de canela en rama
2	libras de hielo
2	libras de sal en granos
2	cucharadas de canela en polvo.

Se ponen en una cacerola al fuego la leche, el azúcar, la corteza de limón y la canela en rama y cuando empieza a hervir se retira del fuego. Se deja enfriar, se pasa por un colador, se vierte en una heladera rodeada con hielo y sal y se trabaja hasta que esté helada. Se le incorporan las claras de huevo batidas a punto de nieve, y se mezcla bien.

Se sirve en copas, espolvoreándolas con la canela en polvo.

HELADO DE MELON

1	libra de azúcar
1	melón grande y maduro
4	claras de huevo.

Se pone el azúcar en una cacerola con una botella de agua al fuego, y cuando dé un hervor se le quita la espuma y se cuela por un lienzo húmedo. El melón se pela y se pasa por la licuadora, se pone inmediatamente en el jarabe de azúcar, caliente, se tapa y se deja 2 horas, hasta que se enfríe. Se coloca después en la nevera, agregándole cuatro claras de huevo batidas a punto de merengue. Se pone en la máquina de helados hasta que esté bien duro.

HELADO DE NARANJA

12	naranjas
1	limón
1	libra de azúcar
6	tazas de agua.

Se ralla la cáscara de tres naranjas y se revuelve con el azúcar para que se macere, dejándola así por una hora, al cabo de la cual se le pone el agua y se deja hervir durante 5 minutos.

Se retira del fuego y se cuela, añadiéndole entonces el jugo de las doce naranjas y el limón, se revuelve y se pone a helar. Es exquisito para los días calurosos.

HELADO DE TUTTI FRUTI

$1\frac{1}{2}$	tazas de azúcar
10	yemas de huevos
1	cucharadita de vainilla
6	onzas de frutas confitadas
6	tazas de leche
2	copitas de kirsh o marrasquino.

Se pone a cocinar la leche; cuando ha hervido se le añade el azúcar, las yemas se baten y se agregan a la leche poco a poco, batiendo constantemente con una cuchara de madera para evitar que se corten. Cuando esté espesa se retira del fuego, se cuela y cuando se vaya a helar se le agregan las frutas picadas que se habrán puesto a macerar durante 2 horas en el vino.

BIZCOCHO CON FRESAS

1	taza de azúcar
4	cucharadas de manteca o mantequilla
1	huevo
3	tazas de harina
3	cucharadas de polvo de hornear
$\frac{1}{8}$	de cucharadita de sal
1	taza de leche
1	cucharadita de vainilla
1	taza de crema de leche espesa
4	tazas de fresas frescas.

Se ablandan la mantequilla y el azúcar, añádanse el huevo batido, parte de la harina, polvo de hornear y sal, que se habrán cernido juntamente de antemano. Luego se adiciona un poco de leche, se mezcla bien y se añade el resto de la harina, por último la leche y la vainilla. Se cocina en tártara de bizcocho en horno de 350°F por 20 ó 30 minutos. Cuando se enfríe la masa, se separan las capas hendiéndolo y entre ellas se esparcen fresas majadas, un poco con azúcar, y la crema batida. La parte de arriba se cubre con fresas y crema batida.

HELADO DE ALBARICOQUES

1   lata de albaricoques
2   cucharadas de jugo de limón
³/₄ de taza de jugo de naranja
2   tazas de crema helada
¹/₂ taza de azúcar
1   tris de sal.

Escurra la lata de albaricoques y cierna las frutas por un cedazo fino. Al jugo agréguele el limón, un poquito de sal, el azúcar, el jugo de naranja, el cernido de albaricoques y las dos tazas de crema helada, la cual se ha batido con dos cucharadas de azúcar pulverizada. (Si se quiere más dulce puede agregársele más azúcar, según el gusto). Hiélese lentamente.

CUBIERTO DE CHOCOLATE

6   cucharadas de cocoa
6   cucharadas de mantequilla
3   tazas de azúcar en polvo
6   cucharadas de leche caliente
1   cucharadita de vainilla

Mezcle la cocoa y la leche, añada la mantequilla y la vainilla, bata hasta que suavice. Agregue azúcar gradualmente hasta que esté consistente y suave para extenderlo.

BUDIN DE ARROZ

¹/₂ libra de arroz
1   litro de leche
6   onzas de azúcar
2   huevos enteros
3   yemas de huevo
1   cucharadita de vainilla
     ralladura de limón
     unas frutas cristalizadas
     crema batida para decorarlo.

Poner en remojo el arroz con la leche durante una hora. Cocinar a fuego lento hasta que esté bien blando, pasarlo por un colador. Agregarle el azúcar, las frutas en pedacitos, los huevos, las yemas, vainilla y ralladura. Se revuelve todo bien, se coloca en un molde enmantecado y es-

polvoreado de azúcar. Se cocina al baño de María, durante 1¹/₄ horas en horno de 375°F. Se adorna con la crema batida.

CAKE DE PIÑA

1   lata de piña en ruedas
2   huevos
2   tazas de harina
2   tazas de azúcar
3   cucharaditas de polvo de hornear
1   cucharadita de vainilla
1   taza de agua y un poquito de sal
¹/₄ de taza de mantequilla.

Se bate la mantequilla hasta que esté espumosa, se agrega una taza de azúcar, se baten aparte las claras y las yemas, se cierne la harina, el polvo de hornear y la sal, y se va uniendo todo. Luego se va agregando el agua, después la vainilla y por último las claras batidas. Se pone a cocinar el jugo de la piña con una taza de azúcar y dos cucharadas de mantequilla hasta formar un jarabe espeso. Se unta el molde de mantequilla, se colocan las ruedas de piña en el fondo y a los lados del molde; encima se vierte el almíbar, luego la masa del pudín y se mete al horno a 350°F de ³/₄ a 1 hora. Cuando ya está se adorna con cerezas en el centro de cada rueda de piña.

POSTRE DE CAFE O CHOCOLATE

6   onzas de mantequilla
4   cucharadas de azúcar en polvo
3   yemas de huevo
7   pastillas de chocolate
      (o una tacita de café tinto)
1   taza de leche (si es con chocolate)
4   onzas de almendras
1¹/₂ paquetes de galletas sin crema.

Se baten la mantequilla y el azúcar hasta que formen una crema, se le agregan las yemas una a una. El chocolate se derrite en media taza de leche, cuando se disuelva bien se saca una tacita de esto para agregarlo a la crema de mantequilla. Al chocolate restante se le añade el resto de la leche para que no quede tan espeso y se puedan mojar en él las galletas. Cuando se hace con café se prepara un café con leche y en él se humedecen las galletas. El tinto se le añade a la crema de mantequilla. Las galletas remojadas se van colocando en un plato, luego la crema, las almendras tostadas y molidas, y así sucesivamente hasta terminar con cremas y almendras. Se pone en la nevera por varias horas, hasta que endurezca; no debe dejarse fuera porque se derrite en los climas calientes.

RECETA No. 26

CRÊPES SUZETTE

(Para 6 personas)

¹/₂   taza de harina
1   taza de leche hervida
2   huevos ligeramente batidos
2   cucharadas de mantequilla derretida
2   cucharadas rasas de azúcar
1   cucharada de coñac o brandy
     (ron añejo o kirsh)
     un tris de sal
     unas gotas de esencia de vainilla.

En un tazón poner la leche y mezclarla bien con el resto de los ingredientes, hasta que quede una pasta ligera. Pasarla por un colador y dejarla en la nevera una hora. Retirarla unos 15 ó 20 minutos antes de utilizarla y si está muy espesa agregarle más leche para hacerla fácil de regarse en la sartén.

Derretir media cucharadita de mantequilla en una pequeña sartén, pero sin que quede exceso en el fondo. Verter 1¹/₂ cucharas de la masa en el centro cuando esté caliente la sartén, no arrebatada, dándole al mismo tiempo un movimiento circular con el fin de que la pasta se extienda por toda la superficie. Cuando esté ligeramente dorada por una parte darle vuelta. Con la pasta indicada se obtendrán unas 12 crêpes u hojuelas. Se colocan en una fuente de metal y se conservan en un lugar caliente, por ejemplo, sobre una ollita con agua que hierva lentamente, hasta el momento de servirlas.

Salsa:

2   cucharadas de mantequilla
2   cucharadas de azúcar
1   cucharadita de jugo de limón
1   taza de jugo de mandarina (o de naranja)
2   cucharadas de Grand Marnier
     la corteza de ¹/₂ limón.

En una sartén adecuada poner la mantequilla y cuando derrita añadir la corteza del limón, así como el azúcar. Formar una pasta sin que se queme. Incorporar el jugo de limón, mezclar bien, y el jugo de mandarina. Dejar que hierva hasta que se consuma un poco el líquido o se forme como una salsa con cuerpo. Colocar una a

una las crêpes, empaparlas bien y doblarlas en cuatro, sin retirarlas. Cuando se haya terminado la operación, enriquecerlas con el Grand Marnier. Dejarlas en el fuego 2-3 minutos. Calentar por separado el coñac o brandy, regarlo por encima de las crêpes y flambearlo. Servir caliente.

Este es el método más usual, pues en realidad las Crêpes Suzette no se flambean, ni se hacen con una salsa como la indicada arriba. Apenas se forma una pasta con la mantequilla y los cítricos, se untan y doblan y se sirven calientes.

RECETA No. 27

CRÊPES RELLENOS

¹/₂   libra de harina
7   cucharadas de azúcar
3   huevos
1   copita de Cointreau o Curazao
2   tazas de leche
1   onza de mantequilla derretida
1   cucharadita de sal.

Se pone la harina en una vasija, formando un círculo, en el centro de éste se le echan los huevos y el azúcar, se mueve con el batidor recogiendo poco a poco la harina; una vez que vaya espesando se incorpora la leche templada hasta mezclar todo. Se pasa por un colador fino, se agregan la mantequilla derretida, la sal y el licor; se mezclan bien y se deja reposar ¹/₂ hora. Se unta de grasa una sartén mediana, se pone a calentar previamente y cuando esté listo se echa la masa por cucharadas, cuando cuaje a los lados se le da la vuelta dejándolo cocinar un momento del otro lado. Se saca y se rellena con crema pastelera.

RECETA No. 28

CREMA DE NARANJA

5   cucharadas de harina
1   taza de azúcar
2   cucharadas de jugo de **limón**
¹/₂   taza de jugo de naranja
1   huevo batido
2   cucharadas de mantequilla
     la corteza rallada de una naranja.

Se mezclan los ingredientes en el orden dado y se cocinan al baño de María por 10 minutos, moviendo constantemente. Se enfría. Sirve para bizcochos, pudines, etc.

CREMA PASTELERA

2	huevos
3	yemas
½	libra de azúcar en polvo
4	tazas de leche
	la piel de un limón.

Combinar bien todos los ingredientes y llevarlos a fuego lento sin dejar de revolver con batidor de alambre hasta que esté espeso. Retirar del fuego y dejar que enfríe. Agregarle media cucharada de esencia de vainilla o un poco más, según el gusto.

CREMA PASTELERA
AL CHOCOLATE

Preparar una crema pastelera como la receta anterior agregándole tres o más pastillas de chocolate rallado

SALSA DE CHOCOLATE
CALIENTE (Para helados)

2	onzas de chocolate amargo
1	taza de miel oscura de maíz
1	cucharadita de vainilla
1	cucharada de mantequilla.

El chocolate y la miel se cocinan a baño de María por 25 minutos, revolviéndolo constantemente, se baja del fuego y se añade la vainilla y la mantequilla, así caliente se vierte sobre el helado de vainilla.

PASTEL CHIFFON
DE CHOCOLATE (Molde mediano)

Pasta:

1½	tazas de galletas macarenas desmenuzadas
⅓	de taza de azúcar
½	taza de mantequilla.

Se revuelve todo bien y se coloca en un plato, se deja en la nevera por varias horas o toda la noche.

Crema:

Se disuelve una cucharada de gelatina simple con un cuarto de taza de agua fría. En una taza de agua hirviendo se disuelven seis cucharadas rasas de cocoa. Se revuelve bien hasta que quede suave, se le agrega la gelatina, media taza de azúcar, un cuarto de cucharadita de sal, una cucharadita de vainilla y cuatro yemas batidas ligeramente. Se mezcla y se deja endurecer un poco, luego se le agregan las claras batidas a la nieve con media taza de azúcar. Se le pone esta crema a la pasta y se deja endurecer en la nevera por varias horas. Se cubre con coco rallado, sin la conchita negra y dejándolo secar al sol.

MARSHMALLOWS

3	cucharadas de gelatina simple
1¼	tazas de agua fría
2	tazas de azúcar
1	cucharadita de vainilla
¼	de cucharadita de sal.

La gelatina se echa en media taza de agua fría. Se ponen tres cuartas partes de agua y el azúcar para hacer el almíbar que haga hilos y entonces se le agrega a la gelatina y se deja enfriar. Se le echa la sal y la vainilla, se bate hasta que esté blanco y espeso. Se vierte en un molde espolvoreado de azúcar en polvo, el molde debe tener una pulgada de alto. Se pone en la nevera hasta que esté frío. Se voltea en una tabla y se corta en pedacitos espolvoreándolos con azúcar en polvo.

PUDIN DE LIMON

1¼	tazas de azúcar
½	taza de harina
½	cucharadita de polvo de hornear
¼	de cucharadita de sal
3	huevos
2	cucharadas de corteza de limón rallada
¼	de taza de jugo de limón
2	cucharadas de mantequilla derretida
1½	tazas de leche.

Se mezclan los ingredientes secos (harina, azúcar sólo una taza, conservando un cuarto para las claras batidas), polvo de hornear, sal y se ciernen. En otra vasija se baten muy bien las yemas con la mantequilla y el jugo de limón, cuando estén muy bien batidas se les va agregando la leche y la harina hasta terminar. Por último, se baten las claras a la nieve con el cuarto de taza de azúcar y este merengue se le incorpora muy bien a la mezcla anterior junto con la corteza de limón. En un molde que pueda llevarse al horno y al baño de María se deja por 45 minutos a temperatura de 350 °F. Puede cubrirse con crema de leche batida o merengue.

RECETA No. 35

SALSA DE CARAMELO Y ALMENDRAS

2	tazas de azúcar
1/4	de taza de crema
1	taza de agua hirviendo
1/2	taza de almendras tostadas y partidas
1/2	cucharadita de vainilla.

Mezcle azúcar y agua. Cocínelo en una sartén moviendo de vez en cuando hasta que se evapore el agua y el jarabe esté color dorado. Quítelo del fuego, añada la crema y la vainilla. Enfríelo y añada las almendras. Sírvalo con helados o pudines.

RECETA No. 36

POSTRE DE MARSHMALLOWS

3	tazas de azúcar
2	tazas de agua
2	cucharadas de gelatina simple
1	cucharadita de vainilla
1	cucharadita de sal.

Se pone a hervir una taza de agua con el azúcar y se deja hasta que coja punto de hebra; aparte se tiene preparada la otra taza de agua con la gelatina disuelta. Se le pone la vainilla, la sal, se revuelve nuevamente y se le agrega a esto el almíbar poco a poco. Se mete en la batidora 20 minutos y si se hace a mano se bate una hora. Se vacía en un molde enmantequillado y se deja en la nevera.

Crema:

5	pastillas de chocolate de vainilla
5	cucharadas de azúcar
3	cucharadas de harina
1 3/4	tazas de agua
1	cucharadita de mantequilla
1	cucharadita de vainilla.

Se pone el chocolate al fuego con el agua hasta que se disuelva. Aparte se cierne la harina y se mezcla con el azúcar. Cuando hierva el chocolate se baja y se va agregando a la mezcla poco a poco; se le añade la mantequilla y la vainilla, poniéndolo nuevamente al fuego.

Merengue:

3	claras de huevo
1 3/4	tazas de azúcar
6	cucharadas de jugo de naranja corteza de limón rallada.

Se hace un almíbar con el azúcar y el jugo de naranja; se baten las claras a punto de nieve y se le añade el almíbar. Cuando esté firme se desmolda el marshmallows, se le riega la crema y se adorna con el merengue.

RECETA No. 37

ROLLO DE CHOCOLATE

3/4	de taza de harina
1/2	cucharadita de polvo de hornear
1/4	de cucharadita de sal
3/4	de taza de azúcar
4	claras de huevo
4	yemas de huevo
1	cucharadita de vainilla
2	cucharadas de cocoa
4	cucharadas de agua.

Se baten las claras, se les agrega el azúcar lentamente, luego las yemas, la vainilla. Se mezcla bien y se le incorpora poco a poco la harina que se debe cernir de antemano con el polvo de hornear y la sal. Cuando esté bien mezclado se le agrega el chocolate disuelto en el agua. Se pone al horno calentado previamente en un molde rectangular de 8 x 12 pulgadas, colocándole en el fondo un papel engrasado. Temperatura 400 °F por 15 minutos. Tan pronto como se saque del horno se voltea sobre una servilleta húmeda espolvoreada de azúcar pulverizada, se le quita el papel, se le cortan los bordes y se enrolla en la servilleta por un momento. Luego se desenvuelve, se le agrega el relleno y se vuelve a enrollar con mucho cuidado.

Relleno para el rollo:

1	clara de huevo
1	taza de azúcar
1/3	de taza de agua
1/8	de cucharadita de crémor tártaro
1/2	cucharadita de jugo de limón
1/2	cucharadita de vainilla.

Se pone a hervir el agua con el azúcar y el crémor tártaro, sin moverla mientras esté en el fuego. Cuando tenga punto de bola suave se vierte poco a poco sobre las claras batidas a punto de merengue, batiendo constantemente, agréguese la vainilla y por último las gotas de limón. Si no ha adquirido la consistencia suficiente para esparcirlo sobre el rollo, déjelo reposar un rato para que endurezca un poco.

RECETA No. 38

BORRACHO DE COCO

$\frac{1}{2}$ libra de harina
8   huevos
2   cucharaditas de vainilla
$\frac{1}{2}$ libra de azúcar
1   cucharadita de polvo de hornear
        nuez moscada y canela.

Batir las claras a punto de merengue, agregar las yemas y continuar batiendo un rato con el azúcar, agregar las especias y vainilla, por último la harina cernida con el polvo de hornear y ponerlo al horno de 350 °F en un molde untado de mantequilla.

Crema de coco para el borracho:

2   cocos
10   yemas de huevo
1   copa de vino
$1\frac{1}{2}$ libras de azúcar
$1\frac{1}{2}$ tazas de leche
1   cucharada de mantequilla
        un poquito de canela.

Se parte el coco y se recoge el agua. A la pulpa se le quita la conchita negra. Se ralla y se exprime con su agua y la leche. El azúcar se pone al fuego con una taza de agua y se deja al fuego hasta que tenga punto de almíbar. Cuando esté se saca una taza y a ésta se le agrega el vino y con ella se humedecen los bizcochos. Al almíbar restante se le agrega la leche del coco mezclada con las yemas batidas, canela y la mantequilla. Se cocina hasta que suelte el hervor. El postre se arma intercalando los bizcochos con la crema, se adorna con coco rallado, pasas o ciruelas pasas en pedacitos, se vierte por encima la crema restante.

RECETA No. 39

PUDIN A LA REINA

$\frac{1}{2}$ libra de harina
10   huevos
1   cucharadita de polvo de hornear
1   cucharada de brandy
4   onzas de pasas
4   onzas de nueces picadas
1   libra de mantequilla
1   libra de azúcar
1   taza de leche
1   cucharada de vainilla
4   onzas de ciruelas pasas picadas.

Se bate la mantequilla hasta que esté cremosa, se le agrega el azúcar poco a poco, los huevos, la

harina cernida con el polvo de hornear intercalándola con la leche, y de último las pasas, ciruelas pasas, nueces, todas enharinadas. Se asa y frío se parte por la mitad y se le pone el siguiente relleno:

2   claras
$\frac{1}{2}$ libra de azúcar
$\frac{1}{2}$ vaso de agua
$\frac{1}{2}$ coco rallado sin la conchita negra
        y puesto a secar.

Se baten las claras a la nieve para hacer un merengue con almíbar a punto de caramelo con el azúcar y el agua, al cual se le agrega el coco rallado. Se cubre el pudín inmediatamente y se adorna con nueces y pasas.

RECETA No. 40

HELADO DE CHOCOLATE

4   tazas de leche
6   huevos
2   tazas de azúcar
4   pastillas de chocolate
1   cucharadita de vainilla
2   cucharadas de harina
$1\frac{1}{2}$ tazas de crema.

Mézclese leche, azúcar, harina y chocolate rallado, se cocina por 15 minutos al baño de María sin dejarlo de mover. Añádanse los huevos ligeramente batidos. Se enfría, se añade la crema y se hace el helado.

RECETA No. 41

ROLLO CON RELLENO DE CHOCOLATE

Pasta:
6   huevos
6   cucharadas de harina
6   cucharadas de azúcar
1   cucharadita de polvo de hornear
1   cucharadita de vainilla.

Se baten las claras a punto de nieve, se les agrega el azúcar poco a poco, luego las yemas, la harina cernida con el polvo de hornear y la vainilla. Se vierte la masa en una tártara especial para rollos previamente untada en mantequilla y cubierta de papel encerado. Se mete al horno de 400 °F por 20 minutos aproximadamente. No debe tostar porque es difícil para enrollarlo. Se procede como la receta N° 37 de este capítulo.

Relleno de chocolate:

1¹/₂ tazas de leche
4   pastillas o cucharadas de chocolate amargo
1   taza de azúcar
4   cucharadas de harina
1   cucharada de mantequilla
4   yemas
1   cucharadita de vainilla.

Mézclese el chocolate, azúcar y harina en la leche. Pásese por un colador antes de ponerse al fuego, póngase a hervir hasta que espese; cuando se baje del fuego se le agregan las yemas, la mantequilla y la cucharadita de vainilla. Si se quiere puede arreglarse en la bandeja con crema inglesa (*véase* capítulo XI, postres de comida cartagenera), alrededor copos de merengues y se espolvorean con unas nueces picadas.

RECETA No. 42

CAKE DE NARANJA

8   onzas de mantequilla
3   cucharaditas de polvo de hornear
8   onzas de azúcar
1   taza de leche
1   cucharadita de jugo de limón
4   yemas de huevo
4   claras batidas
10   onzas de harina
1   cucharada de jugo de naranja
      la corteza rallada de una naranja.

Se bate la mantequilla agregándole el azúcar poco a poco hasta formar una crema, después se le agregan las yemas sin dejar de batir; la leche lentamente, y por último la harina cernida con el polvo de hornear, el jugo de la fruta, etc. Vacíese en molde engrasado y espolvoreado con harina.

RECETA No. 43

FLAN DE LECHE

1   libra de azúcar
12   huevos (8 yemas y 4 enteros)
6   tazas de leche
1   copita de Jerez seco

Se baten bien los huevos y se les va añadiendo poco a poco el azúcar hasta que esté bien desleída; de la misma forma se le agrega la leche con un poquito de vainilla y también se le puede mezclar una cucharada de harina para que quede duro. Luego se vacía en un molde con azúcar quemada (cuatro o seis onzas en un poquito de agua). Se cocina al baño de María.

RECETA No. 44

CAKE DE MARSHMALLOWS Y COCO

¹/₂   taza de mantequilla
1   taza de azúcar
2   huevos
1   cucharadita de jugo de limón
1   cucharadita de vainilla
2   tazas de harina
      cernidas con un poquito de sal
3   cucharaditas de levadura
²/₃   de taza de leche.

Bátase la mantequilla, agréguele el azúcar poco a poco hasta que esté cremosa; se le agregan las yemas batidas, el jugo de limón y la vainilla. Se le añade la harina cernida con los otros ingredientes secos, intercalando con la leche y de último las claras batidas a punto de nieve. Se asa en tres latas engrasadas.

Relleno y cubierto:

1¹/₂ tazas de azúcar
¹/₂   taza de agua
6   marshmallows
2   claras bien batidas
1   coco rallado sin la conchita negra
2   cucharaditas de jugo de limón.

Hiérvase el agua con el azúcar hasta que tenga punto de hilo, añádale una parte de los marshmallows en pedacitos, sin moverse y se baja del fuego. Entonces se le agregan poco a poco las claras batidas hasta que quede suave y espesa, después el jugo de limón. Se le pone esto entre cada capa y se le añade bastante coco rallado y pedacitos de marsmallows. Se cubre la parte de arriba también del mismo modo y se adorna con pedacitos de marsmallows.

RECETA No. 45

DULCE DE FRESAS

3   tazas grandes de fresas
2   libras de azúcar.

Se pone a hacer el almíbar y cuando esté a punto flojo se le echan las fresas que deben estar escogidas, lavadas y escurridas de antemano. Al tiempo que se ponen las fresas en el almíbar se le añade una pizca de sal. Se dejan cubrir con el hervor y se bajan. No debe tocarse el dulce hasta que esté completamente frío porque se aclara.

SALPICON DE FRUTAS

(Para 30 personas)

1	piña grande
2	mameyes grandes
2	docenas de naranjas
2	tazas de cerezas
10	limones
1	melón grande
1	libra de manzanas
1	libra de pasas
1	libra de uvas
4	botellas de jugo de uvas
	azúcar al gusto.

Las frutas se parten en trocitos o bolitas. Se sirve helado.

PUDIN UNO DOS TRES CUATRO

1	taza de leche
1	taza de mantequilla
2	tazas de azúcar
3	tazas de harina
4	huevos
3	cucharaditas de polvo de hornear.

Batir la mantequilla hasta que esté cremosa. Agregue el azúcar, mezclar y batir bien. Los huevos batidos enteros se van echando en la mantequilla y azúcar, revolver bien. Agregue la harina cernida con el polvo de hornear, alternando con la leche. Agréguese la vainilla. Viértase en un molde grande bien engrasado y póngalo al horno de 350°F por 1¼ horas. Se desmolda cuando enfríe, se cubre con decorado blanco o de chocolate.

CARLOTA DE CAFE

½	libra de mantequilla
2	yemas de huevo
½	libra de azúcar en polvo
½	libra de café
3	tazas de crema inglesa (véase capítulo XI de postres en comida cartagenera)
1	tártara de bizcochos cortados en cuadritos.

Se bate la mantequilla hasta que quede como una crema, se le agregan una por una las yemas de huevo, mezclando bien después de cada adi-

ción, se le añade el azúcar por cucharadas. Con el café se hace una tintura fuerte para obtener una tacita de café tinto, se deja enfriar y se va echando, poco a poco, a la mezcla anterior. Si se bate a mano este proceso debe durar una hora desde que se comienza a batir la mantequilla. Con batidora eléctrica es más rápido. Se vierte en un molde húmedo colocando una capa de bizcochos y otra de la mezcla de mantequilla y así sucesivamente hasta terminar con bizcochos. Se mete en la nevera hasta que endurezca y se desmolde. Para sacarlo con facilidad se moja un paño con agua caliente, se exprime y se pone en un momento alrededor del molde. Se sirve con crema inglesa.

PUDIN DE ALMENDRAS

1½	libras de almendras
1	libra de azúcar
½	libra de mantequilla
12	huevos
4	onzas de frutas cristalizadas
3	tazas de crema inglesa
1	tarro de uvas en su jugo.

Se pelan las almendras pasándolas por agua caliente, se tuestan ligeramente y se muelen, que no queden tan finas. Se bate la mantequilla con el azúcar, se le agregan las almendras, las claras batidas y de último las yemas y las frutas cristalizadas en pedacitos. Se vierte en un molde engrasado y se mete al horno de 300°F por una hora aproximadamente. Cuando enfríe se desmolda y se cubre con la crema inglesa y las uvas en su jugo.

PUDIN MOKA

2½	tazas de azúcar
1	taza de mantequilla
5	huevos, separados
1	taza de leche cortada
3	tazas de harina
5	cucharadas de café fuerte (o nescafé)
4	cucharaditas de cocoa
1	cucharadita de bicarbonato de soda
2	cucharaditas de vainilla
	una pizca de sal.

Mezcle la mantequilla y el azúcar hasta que esté cremosa. Cierna los ingredientes secos. Bata las yemas y añádalas a la mezcla de mantequilla, agregue los ingredientes secos alternando con la leche y el café. Aparte bata las claras a la nieve y mézclelo con lo anterior en movimiento envolvente, agregue la vainilla y viértalo en un molde engrasado de 9 pulgadas y póngalo en el horno a 375 °F por 30 minutos. Se cubre con el siguiente decorado.

RECETA No. 51

DECORADO MOKA

1	taza de mantequilla
2	yemas
4	cucharaditas de cocoa
5	ó 6 cucharadas de café fuerte
1½	cucharadas de vainilla
1½	tazas de azúcar en polvo.

Cierna el azúcar. Bata la mantequilla, añada el azúcar y la cocoa, agregue las yemas y el café, bata hasta que esté bien mezclado, agregue la vainilla y más azúcar si es necesario. Sirve para decorar.

RECETA No. 52

FLAN DE CIRUELAS PASAS

1	libra de ciruelas pasas
5	claras
½	taza de azúcar
½	taza de agua
2	cucharaditas de maizena.

Las ciruelas se cocinan en el agua hasta que estén blandas, se les saca las semillas, se majan con un tenedor. Se le agrega la maizena disuelta en un poquito de agua. Se baten las claras a la nieve con una pizca de sal, se le añade el azúcar poco a poco y se mezcla con lo anterior. Se vierte en un molde engrasado y se mete al horno al baño de María a 300 °F por 2 horas aproximadamente. Se acompaña con crema inglesa.

RECETA No. 53

MANZANAS ACARAMELADAS

Pélense y límpiense seis manzanas de buen tamaño dividiéndolas en mitades; se colocan en una cacerola engrasada con media taza de pasas y 1¼ tazas de azúcar parda. Después se le agrega 1½ cucharadas de mantequilla, y media taza de agua. Cuézase a fuego lento o en horno suave

hasta que las manzanas estén tiernas y el azúcar tenga consistencia de caramelo. Pueden servirse frías o calientes con crema de leche.

RECETA No. 54

PASTEL DE PECAN SUREÑO

1	taza de azúcar
¾	de taza de miel de maíz
¼	de cucharadita de sal
½	cucharadita de vainilla
¼	de taza de mantequilla o margarina derretida
3	huevos ligeramente batidos
1½	tazas de pecan en mitades
	una pasta cruda de 9 pulgadas.

Mezcle azúcar, miel, sal y vainilla en la mantequilla. Bata los huevos y agréguelos a lo anterior. Coloque los pecans sobre la pasta y vierta encima la mezcla. Cocínelo en el horno a 350 °F por 40 minutos aproximadamente.

RECETA No. 55

COPAS DE CHOCOLATE

(Salen 12)

5	tazas de leche
1	taza de azúcar
1	cucharada de maizena
8	pastillas de chocolate
3	yemas de huevo.

El chocolate se pone al fuego con la leche, moviéndolo, cuando hierva se le agrega la maizena disuelta en un poquito de leche, sin dejar de mover, luego las yemas bien batidas; se dejan un momento y se retira del fuego. Caliente se vierte en las copas. Con las claras se hace un merengue para adornarlas.

RECETA No. 56

CUBIERTO DE DATILES

2	tazas de azúcar
½	taza de higos o dátiles finamente picados
2	claras de huevo
½	taza de pasas
¼	de taza de nueces finamente picadas.

Se pone al fuego el azúcar con media taza de agua hasta que tenga punto de almíbar. Se baten las claras a punto de nieve y se les agrega a éstas el almíbar lentamente, después se les añaden los demás ingredientes.

ACANELADOS

$^1/_2$ libra de harina
8   huevos
2   cucharaditas de vainilla
$^1/_2$ libra de azúcar
1   cucharadita de polvo de hornear
     canela y nuez moscada.

Batir las claras a punto de merengue, agregar las yemas y continuar batiendo un rato con el azúcar, agregar las especias y la vainilla, por último la harina cernida con el polvo de hornear y ponerlo en molde engrasado al horno. Se deja enfriar. Se parten los bizcochos y se untan en mantequilla, después se espolvorean en azúcar mezclada con canela en polvo y se meten al horno bajo.

PUDIN CLARA ELENA

1   taza de mantequilla
4   huevos
$2^1/_2$ cucharaditas de polvo de hornear
2   tazas de azúcar
$2^1/_2$ tazas de harina
1   taza de leche
1   cucharadita de vainilla.

Se bate bien la mantequilla con el azúcar hasta que quede como una crema, se le agregan poco a poco las yemas bien batidas, la harina cernida con el polvo de hornear, intercalando con la leche; después se echan las claras batidas a la nieve y la vainilla. Se incorpora todo rápidamente y se mete al horno de 350°F. Puede hacerse también en tres tártaras y así demora solo $^1/_2$ hora en cocinarse.

NATILLA DE COCO

3   cocos
1   paquete de maizena
3   tazas de leche
2   onzas de azúcar.

Se ralla el coco después de quitarle la conchita y se cuela con la leche, se le agrega la maizena y el azúcar y se cuaja sin dejar de revolver. Luego se mete la crema en la nevera. Se puede acompañar con almíbar de guayaba o de piña.

CUBIERTO DE MARSHMALLOWS PARA PUDINES

$2^1/_2$ tazas de azúcar
$^1/_4$ de cucharadita de sal
2   claras de huevo
8   marshmallows
$^1/_2$ taza de miel fina
$^1/_2$ taza de agua
1   cucharadita de vainilla.

Cocine el azúcar, miel, sal y agua juntos sin moverlos hasta que tengan hebra gruesa (250°F) o hasta que una pequeña cantidad echada en agua fría forme bola firme. Vierta el almíbar caliente poco a poco sobre las claras batidas a la nieve. Bata constantemente. Agregue la vainilla y continúe batiendo hasta que el cubierto esté frío y dé consistencia buena para esparcirlo en el pudín. Agregue los marshmallows cortados en octavos y cúbrase. (Para pudín de chocolate).

CUBIERTO DE CHOCOLATE DURO

4   pastillas de chocolate
4   onzas de azúcar
$^1/_2$ taza de leche
3   cucharadas de mantequilla
1   yema.

Se derrite el chocolate con la leche y el azúcar, cuando esté bien disuelto se le agrega la yema batida, se deja cocinar hasta que endurezca y por último se le añade la mantequilla.

NATILLA DE CAFE

(5 porciones)

3   onzas de azúcar
4   huevos
$^1/_2$ cucharadita de sal
2   tazas de leche
$^1/_2$ taza de café tinto o extracto.

Se baten los huevos y se les añade azúcar y sal. Se unen el café y la leche con el huevo. Engrase moldes de natilla y llénelos como hasta media pulgada de la orilla. Ponga los moldes dentro de una vasija de agua caliente y hornee a temperatura de 350°F de 20 a 25 minutos hasta que esté firme.

PUDIN DE ANGEL

1   taza de harina cernida
     con $^2/_3$ de taza de azúcar
1   taza de claras
1   cucharadita de vainilla
1   cucharadita de crémor tártaro
$^2/_3$ de taza de azúcar
$^1/_4$ de cucharadita de sal
$^1/_2$ cucharadita de extracto de almendras.

Ponga las claras a batir a media velocidad con la sal y el crémor hasta que comience a hacer picos. En la máxima velocidad agregue el azúcar en cuatro tandas, poco a poco, continúe batiendo y añada la mezcla de harina y azúcar en cuatro tandas, mezclándolo a mano en movimiento envolvente. Agregue esencias y viértalo en el molde engrasado. Aselo en horno a 375°F por 30 ó 35 minutos.

BIZCOCHO "TROPIC AROMA"

$1^1/_2$ tazas de mantequilla
$1^1/_4$ tazas de azúcar
2   huevos
$2^1/_2$ tazas de harina
4   cucharaditas de polvo de hornear
$^1/_4$ de cucharadita de sal
1   taza de leche o crema
1   cucharadita de nuez moscada
1   cucharadita de canela.

Se ablanda la mantequilla añadiendo el azúcar y los huevos batidos. Se mezcla bien y se agrega la mitad de la harina previamente cernida con el polvo de hornear, la sal y las especias. Viértase la leche y añádase luego la otra mitad de los ingredientes secos. Dos tercios de esta masa se cuecen en dos tártaras engrasadas. Al tercio restante se le añade una cucharada de cacao (seis gramos) previamente disuelta en una cucharada de agua hirviendo. Cuézanse las tres capas al horno bien caliente por espacio de 15 a 20 minutos. Usese la capa oscura como capa del centro. Espárzase luego la siguiente batida de cacao:

2   cucharadas de mantequilla (28 gramos)
2   tazas de azúcar en polvo (260 gramos)
1   cucharada de cacao (6 gramos)
1   cucharada de extracto de vainilla (5 gramos)
2   cucharadas de café fuerte (50 gramos).

Se ablanda la mantequilla agregándole lentamente el azúcar y el cacao. Se bate la mezcla hasta que esté bien ligera y vaporosa. Añádase la vainilla y luego el café, algunas gotas a la vez hasta obtener consistencia necesaria para esparcir.

CUBIERTO DE CHOCOLATE (Otro)

3   pastillas de chocolate amargo
3   tazas de azúcar
3   cucharadas de mantequilla
$1^1/_2$ tazas de leche
3   cucharadas de sirope de maíz
$1^1/_2$ cucharaditas de vainilla
     un punto de sal.

Se pone el chocolate con la leche a fuego suave hasta que se disuelva bien y quede fino. Añádase el azúcar, jarabe de maíz y sal; debe moverse hasta que hierva y después déjese solo para tomar punto de bola suave. Al retirarlo del fuego agréguese la mantequilla y la vainilla; se deja frescar batiendo hasta que pueda extenderse; si es necesario debe dejarse sobre agua caliente mientras se unta a fin de que no se endurezca.

TORTA MOKA

(8 porciones)

2   bizcochos esponjosos de 8 onzas cada uno
2   yemas de huevo
3   onzas de mantequilla
1   taza de café tinto
1   taza de azúcar pulverizada
2   onzas de almendras tostadas.

Use media onza de mantequilla para engrasar el molde. Bata el resto de la mantequilla, añádale el azúcar y las yemas, el café batiendo bien para que todo quede unido. Parta los bizcochos en rebanadas, póngalas en el fondo y en los lados del molde, vierta encima un poco de crema de café, repita la operación hasta que el molde esté bien colmado. Ponga sobre el bizcocho y dentro del molde una tapa más pequeña con algo pesado encima para prensar el contenido. Se deja en la nevera por varias horas, de un día para otro es mejor y queda más firme. Al otro día se saca del molde. Se le echan encima las almendras tostadas y picadas en pedacitos pequeños.

CUBIERTO DE COCO Y CHOCOLATE

1½   tazas de leche de coco
2   cucharaditas de polvo de chocolate
1   cucharadita de mantequilla
1   taza de azúcar
1   cucharadita de extracto de vainilla.

Se mezclan el azúcar y el cacao, después vainilla, se añaden la mantequilla derretida y la leche hasta que la mezcla esté lo suficientemente suave y luego se pone al fuego hasta que tome la consistencia de un jarabe en punto para hacer el cubierto. Se le esparce al pudín teniendo cuidado de que esté parejo.

PUDIN DE LECHE Y COCO

1   litro de leche
9   yemas y 1 clara
1   libra y 4 onzas de azúcar
1   coco rallado.

Con la leche y el azúcar se pone a hacer un dulce de leche dejándolo un poco flojo y se deja enfriar. Se baten las yemas y la clara y se unen los huevos con el dulce, se les agrega el coco rallado y se revuelve bien. Se cubre el molde con caramelo, se deja enfriar y se unta en mantequilla vaciando en él la mezcla asándola en baño de María, en el horno a 375°F, aproximadamente una hora.

BIZCOCHO DE MOSAICO

1   libra de mantequilla
2   tazas de azúcar
2   tazas de maizena
1   taza de harina de trigo
1½   cucharaditas de polvo de hornear
6   huevos grandes u 8 pequeños
1   copa de vino dulce
     o la esencia que se prefiera.

Se bate la mantequilla hasta que esté cremosa, después se va agregando el azúcar siempre batiendo (estos bizcochos quedan mejor batidos fuertemente con la mano), en seguida los huevos uno a uno, después las harinas bien cernidas con el polvo de hornear y por último el vino. Se divide en cuatro partes iguales, se tiñe de color rosado, verde, caramelo y el otro se deja sin color. Se ponen al horno en latas iguales, se parten con medida a lo largo en cuatro partes cada bizcocho. Se arman poniendo el primer tendido a lo largo de los cuatro colores, luego el segundo al través y así hasta terminar. Las tiras de bizcochos se pegan con bocadillo derretido o arequipe. Se debe procurar que quede bien parejo en los lados. Se le pone un peso encima por una hora y se acuña para que no se descubra. Se cubre con merengue hervido, y se le forman ramos con cerezas partidas.

MANZANAS

Se ponen a sancochar manzanas peladas, dejándoles el palito y poniéndole al agua un poquito de azúcar; ya cocidas se sacan y en la misma agua con más azúcar, se hace un almíbar grueso, en el que se vuelven a poner un ratico para coger gusto. Si se quiere se le echa a dicho almíbar un poquito de colorante vegetal. Al servirlas se adornan con hojitas de limón. Acompaña muy bien al pavo u otras carnes asadas.

ESCARCHADO DE FRESA O DE COROZO

1   libra de fresa
1   cucharada grande de gelatina granulada
3   cucharadas grandes de agua hirviendo
1   taza de azúcar
2   cucharadas grandes de agua fría
1   litro de crema.

Se lavan y se deshojan bien las fresas, se rocían con azúcar y se dejan reposar una hora, se machacan luego y se pasan por un tamiz fino, después se les agrega la gelatina, que se habrá remojado con el agua fría y disuelta en el agua hirviendo. Se coloca todo en una cazuela y se mete en un recipiente que contenga hielo moviéndola hasta que empiece a espesar, luego se reboza en crema batida. Se coloca en el molde, se tapa, se empaqueta en hielo y sal (una parte de sal por cada tres de hielo) y se deja reposar 4 horas. También puede hacerse en el congelador. En lugar de fresas pueden emplearse frambuesas, grosellas, melocotones, corozos, albaricoques o cualquier otra fruta. Cuando se hace con corozos puede sustituirse la crema por una gelatina de coco.

RECETA No. 72

TARTA MUSICAL

$\frac{1}{4}$	de taza de coco rallado
$\frac{1}{4}$	de libra de mantequilla
4	onzas de harina
1	libra de azúcar
1	taza de crema batida
4	yemas batidas
2	claras batidas a la nieve
$\frac{1}{2}$	cucharada de corteza de naranja raspada vainilla al gusto.

Se bate la mantequilla con el azúcar hasta que resulte una pasta espumosa y lisa, se le incorporan entonces los demás ingredientes.

Se cocina a horno lento en un molde más bien largo y poco alto untado de mantequilla. Cuando enfríe se desmolda y se cubre con merengue blanco. Se decora con grasa de chocolate haciéndole dos pentagramas con sus notas, uno más largo que el otro y un cordoncito de chocolate por el borde.

RECETA No. 73

HELADO DE COCO

(Para 12 personas)

3	tazas de leche
3	cocos grandes
9	yemas
1	cucharada de maizena
15	onzas de azúcar
	mantequilla.

Se rallan los cocos y se exprimen con su misma agua y un poco más de agua corriente hasta sacar dos botellas. Esta leche y la de vaca se ponen al fuego con el azúcar y cuando estén hirviendo se les agrega la maizena disuelta en un poco de agua. Aparte se baten las yemas y se les va echando por cucharadas un poco de leche caliente, moviendo fuertemente para que no se corte. Se vierte sobre la leche, dejándolo 1 minuto más hasta que comience a hervir. Se deja enfriar y se cuela antes de ponerlo en la máquina.

RECETA No. 74

CAPUCHINOS CUBANOS

20	yemas de huevos
4	cucharadas de azúcar
2	claras de huevo
8	cucharaditas de maizena.

Se hacen unos cucuruchos de papel en forma de barquillos y se colocan en los huecos del molde especial. A falta de éste puede adaptarse una lata rectangular de galletas, no muy alta, haciéndole los huecos para colocar los cucuruchos. Bata las yemas y después agregue las claras con el azúcar y siga batiendo hasta que esté espeso. Añádale poco a poco la maizena cernida envolviéndolo suavemente. Viértalo en una manga de decorar con la boquilla mediana y llene los cucuruchos hasta las $\frac{2}{3}$ partes. Hornéelos 15 minutos o hasta que estén dorados. Para que no se quemen las puntas, ponga debajo una tártara con agua. Después de horneado quíteles el papel y báñelo con el almíbar siguiente:

6	tazas de azúcar
1	raja de canela
3	tazas de agua
2	cucharaditas de vainilla
2	limones.

Ponga al fuego el azúcar con el agua, el jugo del limón y la cáscara en trocitos. Déjelo hervir durante 3 minutos, añada la vainilla. Déjelo refrescar antes de bañar los capuchinos. Salen 40.

RECETA No. 75

PASTEL DE MANZANA (Pasta del pastel de limón)

Relleno:

6	manzanas
$\frac{1}{2}$	libra de azúcar
3	huevos
	corteza rallada de 1 limón,
	crema de leche fresca.

Las manzanas se parten en cuatro, quitándoles el corazón, y las semillas. Se colocan crudas sobre la pasta también cruda. Se hace una mezcla con los demás ingredientes menos las claras que se baten aparte con azúcar, se colocan por copos encima y se meten al horno de 300°F hasta que esté cocido.

BARRAS DE DATILES

2	huevos
3/4	de taza de harina
1	taza de dátiles picados
1	cucharadita de polvo de hornear
1	taza de azúcar parda (se puede reemplazar con panela rallada)
1/2	cucharadita de sal
1	taza de coco pelado y rallado
1/2	taza de nueces picadas.

Mézclese la harina, polvo de hornear y sal, añadiéndole las nueces, el coco y los dátiles. Los huevos se baten a la nieve y se les agrega gradualmente el azúcar o panela, se incorpora todo bien y se vacía en tártaras engrasadas a un espesor de media pulgada, se mete al horno moderado por 30 ó 40 minutos. Debe retirarse de las tártaras todavía caliente y cortar las barras de cuatro pulgadas de ancho por una de largo.

CUADRITOS DE NUECES Y CHOCOLATE

(Salen 20)

1	taza de mantequilla
2	tazas de azúcar
1/2	taza de chocolate amargo en polvo
1 1/3	tazas de harina
1	cucharadita de polvo de hornear
1/2	cucharadita de sal
4	huevos
4	onzas de nueces
	vainilla al gusto.

Se derrite la mantequilla y el chocolate al baño de María. Se baten los huevos y se les agrega el azúcar y la harina, cernida con el polvo de hornear y la sal. A esto se le añade la mezcla del chocolate y las nueces. Se vierte en una tártara engrasada de 3 cm de alto de 25 x 25. Se mete en el horno de 300 °F por una hora. Cuando enfríe se cortan en cuadritos.

Cubierto:

1/2	taza de mantequilla
2	cucharadas de chocolate amargo en polvo
1	yema
	azúcar pulverizada en polvo.

Se mezcla todo y se guarda en la nevera hasta que tenga consistencia para esparcirlo.

HELADO DE CREMA DE CAFE

(Para 10 personas)

1	litro de leche
4	yemas de huevo
1	taza de café tinto
1 1/2	tazas de azúcar
1/2	cucharadita de sal.

Bata bien las yemas y añádales la sal y el azúcar. Caliente la leche y únala al huevo y azúcar. Cocínese en baño de María hasta que esté un poco espeso. Retírese del fuego, cuando esté frío se cuela y se le añade el café. Se cuaja en una heladera usando siete partes de hielo y una de sal.

BIZCOCHO NEGRO (Otro)

1	libra de mantequilla
1	libra de harina
1	libra de pasitas
9	huevos
1	paquete de dátiles
1	cucharadita de jengibre
1	cucharadita de clavitos de olor
2	cucharaditas de sal
1	taza de jugo de uvas
1	libra de azúcar
3	libras de pasas
1	taza de miel
1	tarrito de cerezas Marrasquino
1	taza de jalea de uvas
2	cucharaditas de canela
1	cucharadita de nuez moscada
1	cucharadita de soda disuelta en una cucharada de agua tibia.

Bátanse la mantequilla y el azúcar, agréguense los huevos bien batidos, la miel, sal y todas las especias bien pulverizadas con la mitad de la harina cernida; la otra mitad de esta se revuelve con las frutas, las cuales habrán sido empapadas en el jugo de uvas y se van agregando a la primera mezcla batiendo con fuerza hasta que todo esté perfectamente unido. La soda se le echa de último y luego se mete al horno a temperatura media durante hora y media, cuidando de tener dentro del horno una vasija con agua mientras se asa el pudín. Cuando esté asado se deja enfriar dentro del molde invertido encima de una parrilla forrada de papel parafinado; ya frío se envuelve en una tela humedecida con jugo de uvas y se guarda tapado en una lata. El molde en que se va a asar debe forrarse con papel grueso untado con mantequilla. Horno de 350°F, una hora aproximadamente.

GATEAU MOKA

½	taza de azúcar
1	taza de mantequilla
1	taza de leche
1	cucharadita de vainilla
2	tazas de harina de trigo
3	cucharaditas de polvo de hornear
½	cucharadita de sal
4	huevos.

Se crema la mantequilla con el azúcar, se le agregan las yemas mezcladas con la leche, luego la mitad de la harina cernida, las claras batidas a la nieve y por último la otra harina con el polvo de hornear, la sal y la vainilla.

Se echa en dos moldes bajos engrasados y enharinados. Horno caliente y dejarlos enfriar antes de desmoldarlos.

Crema de Moka para cubrirlos y rellenarlos:

4	onzas de mantequilla
4	onzas de azúcar en polvo
1	cucharadita de vainilla
	buena tintura de café.

Mézclese bien la mantequilla con el azúcar hasta que esté lisa y blanca; se le añade entonces poco a poco la tintura de café hasta que adquiera un bonito color crema. De último la vainilla.

Se rellena con un poco de esta crema entre los dos moldes, se cubre con el resto y se esparce con una espátula húmeda.

PIONONO

12	huevos
½	libra de azúcar
12	onzas de harina
1	cucharadita de polvo de hornear.

Se baten las claras a la nieve, se agregan las yemas una a una y luego los demás ingredientes y se coloca en una tártara bien engrasada. Se mete al horno de 375°F y al sacarlo se enrolla todavía caliente colocándolo en una servilleta húmeda. Luego se desenvuelve, se le unta la crema que se desee y se vuelve a enrollar.

PUDIN NEGRO DE CHOCOLATE

2	tazas de harina
1	taza de mantequilla
¾	de taza de azúcar parda bien apretada
4	pastillas de chocolate
3	huevos
1	cucharadita de bicarbonato (soda)
½	cucharadita de sal
⅔	de taza de agua fría.

A falta de azúcar parda puede usarse panela seca rallada.

Ciérnase la harina, mídase, agréguense la soda y la sal y ciérnase nuevamente tres veces.

Mézclese el azúcar con la mantequilla y bátase. Añádanse los huevos bien batidos, luego el chocolate y se incorpora todo hasta que quede liso, se le echa la harina alternando con el agua poco a poco. Cuando esté todo unido se echa en tres tártaras engrasadas y se ponen al horno de 350°F por 20 minutos. Se desmoldan ya frías y se colocan en el plato intercalando con la siguiente crema:

4	claras sin batir
10	cucharadas de agua caliente
3	tazas de azúcar
3	cucharadas de jarabe de maíz.

Las claras, agua, azúcar y el jarabe se colocan en un recipiente al baño de María, revolviendo constantemente hasta que estén bien mezclados, cerca de 5 minutos. Se retira del fuego, se saca del agua caliente batiéndolo 3 minutos más. Se pone sobre agua helada sin dejarlo de batir durante tres minutos. Con esto se pegan las capas y se cubre el pudín.

CUBIERTO DE CHOCOLATE

6	pastillas de chocolate
2	yemas
2	cucharadas rasas de maizena
1½	tazas de leche
1	cucharadita de mantequilla
	vainilla al gusto.

Se disuelve el chocolate con la leche poniéndolo al fuego. Se baja y se deja enfriar un poco, para mezclarle los demás ingredientes. Se cuela y se vuelve a poner al fuego moviendo constantemente hasta que cuaje. La mantequilla se le pone después que se haya bajado.

Con las dos claras que quedan se puede hacer un merengue para adornar el pudín.

PUDIN DE CIRUELAS PASAS

1	libra de ciruelas pasas
1½	tazas de mantequilla
2½	tazas de azúcar
3	tazas de harina
1	taza de leche
¼	de cucharadita de sal
4	cucharaditas de polvo de hornear
1	cucharadita de vainilla
4	huevos
1	limón rallado.

Las ciruelas pasas se ponen al fuego en tres cuartos de agua hasta que ablanden, se les saca las semillas y en esa agua se hace un almíbar con tres cuartos de taza de azúcar, la mitad se vierte en el pudín, el resto para cubrirlo. La mantequilla se bate con el azúcar, se agregan los huevos enteros, la mitad de las ciruelas pasas. Después la harina cernida con la sal y el polvo de hornear, intercalando con la leche, el resto de la jalea, el limón y la vainilla. Se vierte en un molde engrasado. Se asa a horno de 350°F por una hora. Se cubre con las ciruelas humedecidas un poco en la jalea y después se vierte ésta por encima.

½	libra de azúcar
½	tacita de crema
1	copita de vino
2	tazas de leche
4	yemas.

Se hace un almíbar delgado, luego se le añade la leche, la crema y las yemas batidas, de último el vino, hasta que quede espeso y de color amarillo.

PUDIN DE ZANAHORIAS

3	tazas de harina
2	cucharaditas de bicarbonato
4	huevos
2	cucharaditas de canela
1	cucharadita de sal
2	tazas de zanahoria rallada
1	taza de nueces o pasas
2	cucharaditas de polvo de hornear
1½	tazas de azúcar
1¼	tazas de aceite mazola.

Se cierne la harina con el bicarbonato, polvo de hornear y sal. Aparte se ponen el aceite y el azúcar mezclándolos bien después de cada adición. Se agregan los huevos uno a uno, las nueces, pasas y de último la harina, alternando con la zanahoria. Se vierte en un molde engrasado a 350°F por una hora aproximadamente.

NARANJAS MOLDEADAS

12	naranjas
6	onzas de azúcar
1	papaya dura pero madura
3	onzas de colapiscis.

Se les corta a las naranjas la tapita de arriba y se les saca con cuidado la carne. Por otra parte se ralla la papaya, se le agrega el jugo de una naranja y el azúcar, se revuelve bien y se deja reposar por 10 minutos, después de los cuales se le saca el exceso de líquido. Se le agrega la colapiscis disuelta en media tacita de agua hirviendo y se revuelve todo. Con esto se rellenan las coquitas de naranja, se les pone la tapita, se adornan con un palito con hojas y flores de azahar. Deben meterse en la nevera.

BIZCOCHO DE ESPECIAS

½	libra de harina de trigo
4	onzas de mantequilla
5	huevos bien batidos
4	onzas de manteca
½	libra de panela rallada
4	onzas de pasas
1	cucharada surtida de nuez moscada, clavos, jengibre y pimienta picante, todo bien molido
1	cucharadita de polvo de hornear corteza de limón rallada.

A la harina se le incorpora el polvo de hornear. Mézclese muy bien la mantequilla con la panela, agréguense los huevos, luego los demás ingredientes y por último las frutas confitadas envueltas en harina y un poco de ron o brandy. Las frutas que mejor le quedan son brevas y papaya calada. Horno de 350°F.

CIRUELAS RELLENAS

Se parten las ciruelas pasas por un lado a lo largo y se les saca la semilla.

Se ralla un coco, sin la conchita negra, se reserva un poquito para adornar; con el otro se hace un dulce corriente y antes de bajarlo se le agregan dos yemas batidas en una taza de leche dejándolo hasta que tenga punto. Se rellenan las ciruelas con este dulce, se hace un almíbar grueso, se cubren con él y se espolvorean con coco.

RECETA No. 89

COPAS DE BIZCOCHO Y CREMA DE CHOCOLATE

1	libra de chocolate de vainilla
6	tazas de leche
1	taza de azúcar.

Se disuelve todo bien y se deja hervir hasta que cuaje.

Bizcocho:

6	onzas de harina
$^1/_2$	libra de azúcar
6	yemas
1	cucharadita de polvo de hornear
	vainilla y nuez moscada al gusto.

Se revuelve todo sin batir demasiado y se asa en tártara forrada en papel, en horno de 350 °F.

Se arreglan las copas poniendo un pedacito de bizcocho, luego un poco de crema y un copete de merengue que se hace con las seis claras y dos cucharadas de azúcar por cada clara.

RECETA No. 90

PUDIN NEGRO DE CHOCOLATE (Otro)

12	onzas de mantequilla
3	tazas de harina
$2^1/_2$	tazas de azúcar
1	taza de cocoa
4	huevos
$1^1/_3$	tazas de leche
$2^1/_2$	cucharaditas de bicarbonato
$1^1/_2$	cucharaditas de polvo de hornear
$1^1/_2$	cucharaditas de sal
1	cucharadita de vainilla.

Bata la mantequilla en la batidora por 2 minutos hasta que esté cremosa. Cierna juntos los ingredientes secos. Agréguelos a la mantequilla alternándolos con la mitad de la leche y de último el resto de la leche con los huevos, batiendo de nuevo por 2 minutos más. Añada la vainilla. Se vierte en un molde engrasado y se cocina en horno a 350 °F, por una hora aproximadamente.

RECETA No. 91

PASTEL DE COCO

Se hace con la pasta Clara Elena.

Se les quita la conchita negra a dos cocos, se rallan y se pesan. Se recoge el agua y se pone al fuego con la misma cantidad de azúcar que pesen los cocos. Cuando tenga punto de almíbar se le agregan las ciruelas pasas en pedacitos o pasas, hasta que hierva un momento, después el coco y se deja cocinar unos minutos, por último se le agrega una yema de huevo mezclada con una copita de vino dulce, se revuelve bien y se baja apenas comience a hervir. Se rellena el pastel y se ponen las tiritas de pasta para hacer el enrejado. Se asa a horno de 375 °F por $^3/_4$ de hora.

RECETA No. 92

ESPONJADO DE PIÑA

4	tazas de jugo de piña
3	cucharadas de gelatina sin sabor
$1^1/_2$	tazas de azúcar
4	claras de huevo.

El jugo de piña y una taza de azúcar se ponen al fuego hasta que espese bastante y se reduzca. La gelatina se disuelve en agua fría. Cuando el jarabe de la piña esté frío se mezcla con la gelatina. Aparte se baten las claras a punto de nieve, agregándoles poco a poco el resto del azúcar. Se mezclan éstos con lo anterior en movimiento envolvente. Se vierte sobre un molde engrasado y se deja en la nevera hasta que cuaje. Se desmolda frío. Esto se puede hacer con cualquier otra fruta.

Luego se adorna con crema inglesa, para lo cual se aprovechan las yemas.

Puede hacerse también con naranja y en este caso se necesitan 12.

RECETA No. 93

PUDIN DE CIRUELAS PASAS (Otro)

3	tazas de harina
1	taza de leche
4	huevos
$1^1/_2$	tazas de azúcar
$^1/_2$	taza de mantequilla
4	cucharaditas de levadura
2	onzas de pasas de Corinto
	corteza de limón, nuez moscada
	jalea de ciruelas pasas.

Se baten la mantequilla, el azúcar y las yemas, se agregan las claras bien batidas, luego la harina cernida con la levadura, leche, pasas, etcétera, y por último la jalea.

Esta jalea se hace con media libra de ciruelas pasas y seis onzas de azúcar.

Se mete al horno a 300°F en un molde bien engrasado.

PUDIN SANTORTE

1	taza de mantequilla
3	tazas de azúcar
6	huevos
1	taza de crema agria
3	tazas de harina
$^1/_4$	de cucharadita de Royal
$1^1/_2$	cucharaditas de vainilla
	azúcar en polvo.

Se bate la mantequilla y el azúcar. Se agregan los huevos uno por uno y se bate bien. Se le agrega la crema. La harina se cierne con el Royal y se le agrega poco a poco. Por último se añade la vainilla. Se vierte en un molde de hueco en el centro, previamente engrasado y se pone al horno a 350°F por una hora y 25 minutos. Se saca del molde volteándolo en una parrilla por 24 horas antes de cortarlo. Se espolvorea con el azúcar en polvo.

PUDIN DE CREMA CON FRUTAS

1	taza de mantequilla
1	taza de higos en pedacitos
$2^1/_2$	tazas de frutas cristalizadas
$1^1/_2$	tazas de azúcar parda
1	cucharadita de clavitos molidos
2	cucharaditas de canela en polvo
3	tazas de harina
1	taza de pasas
1	taza de jugo de uvas
1	cucharadita de polvo de hornear
2	cucharaditas de sal
8	huevos.

Se baten el azúcar y las yemas por 2 minutos; luego se les agrega la harina, dos tazas cernidas con el polvo de hornear, las especias, etc., alternando con el jugo de uvas, las frutas cristalizadas, higos, pasas y algunas nueces picadas; esto último revuelto de antemano con la otra taza de harina; en seguida la mantequilla y las claras batidas a la nieve. Todo se echa en un molde engrasado y se hornea a fuego lento a 300°F. Se acompaña con crema inglesa.

SOPA BORRACHA PANAMEÑA

$1^1/_2$	tazas de vino Jerez
1	bizcocho de 6 huevos
$^1/_2$	libra de pasas
1	yema
$^1/_4$	de botella de ron o brandy
$^1/_2$	libra de ciruelas pasas
3	libras de azúcar
4	tazas de agua
	unas cuantas grageas para adornar.

Se pone a hervir el agua con el azúcar, whisky, pasas, ciruelas pasas. Cuando haya hervido se le pone el Jerez. Los pedazos de bizcocho se van colocando en una espumadera para que no se rompan al sumergirlos en el almíbar; se bate un poco la yema y se le agrega. Se arreglan los bizcochos en un plato y se le riega por encima adornándolos con las grageas.

BESOS DE COCO

$^1/_2$	taza de azúcar
1	cucharada de harina
$^1/_4$	de taza de cerezas cristalizadas
$^1/_4$	de taza de leche
$1^1/_2$	tazas de coco rallado sin la conchita
$^1/_4$	de taza de pasas
$^1/_4$	de cucharadita de sal
$^1/_2$	cucharadita de vainilla.

Mézclense todos los ingredientes sólidos agregándoles la leche y la vainilla. Se pone por cucharaditas en una tartera recubierta de papel engrasado. Se asa en horno moderado (350°F) hasta que doren, lo que toma aproximadamente 3 minutos; quítense de la lata todavía caliente y enmóldense en la forma que se desee.

POSTRE DE BIZCOCHOS CON CREMA DE COCO

Se humedecen unos bizcochos con leche azucarada y se colocan en un plato o molde engrasado, se hienden y se les unta jalea de guayabas o albaricoques. Se baña con la siguiente salsa:

2	cocos rallados sin la conchita negra
1½	tazas de leche
1	taza de azúcar
2	yemas de huevo batidas
2	cucharadas de maizena
2	cucharadas de mantequilla
	polvo de canela.

Al coco rallado se le agrega la leche caliente, y se va exprimiendo poco a poco hasta que salga todo el jugo y se cuela. A esto se le agrega el azúcar, yemas, la maizena disuelta en un poco de leche, la mantequilla y canela, se cocina hasta que esté espeso. Con las claras se hace un merengue y se adorna formando copos. Se espolvorea con almendras tostadas. Este postre es mejor helado.

RECETA No. 99

HELADO DE ALMENDRAS

(12 porciones)

7½	tazas de leche
8	yemas de huevo
1¼	libras de azúcar
2	libras de almendras.

La leche se pone al fuego hasta que hierva. Aparte se baten las yemas hasta que estén bien espesas y se le va incorporando el azúcar. Se agregan poco a poco, a la leche, moviendo mucho, se baja del fuego y se le añaden las almendras tostadas y molidas finamente. Se vierte la mezcla cuando se enfríe en la vasija para hacer el helado. Se rodea la máquina de hielo picado, aproximadamente 25 libras, y de sal gruesa (8 a 10 libras), se le da vuelta lentamente por espacio de 20 minutos y 10 minutos a mayor velocidad.

RECETA No. 100

POSTRE CARAQUEÑO

3	tazas de leche
1	coco
6	onzas de azúcar
2	yemas de huevo
1	cucharada de harina de trigo
	bizcochuelos.

Se ralla el coco, se mezcla con la leche y se pone al fuego; cuando hierva se retira, se exprime con un paño y al líquido que se obtenga se le agrega el azúcar. Las yemas se baten, se les echa la harina y poco a poco se le mezcla la leche endulzada, se revuelve todo y se pone al fuego suave. Antes de que hierva se retira. Aparte se hace almíbar con media libra de azúcar y canela, se deja enfriar para agregarle una copita de vino. En una fuente se echa la mitad de la crema, encima una capa de bizcochos mojados en el almíbar con vino y esto se cubre con el resto de la crema. Se adorna con coco rallado y pasas.

RECETA No. 101

POSTRE DE BIZCOCHOS CON MANZANAS

Se cocinan unas manzanas en ruedas, con azúcar, mantequilla y canela, si se quiere (no deben cocinarse mucho). En un pírex engrasado se coloca una tanda de bizcochos humedecidos con vino dulce, encima las manzanas, otra capa de bizcochos y se cubren con una crema inglesa. Con las claras de los huevos se hace un merengue y con ellas se adorna el postre. Se mete al horno de 450°F un momento hasta que dore ligeramente. Adórnese con cerezas cristalizadas.

RECETA No. 102

PUDIN SORPRESA

1	taza de mantequilla
1	cucharadita de bicarbonato
1	taza de sopa de tomates
1	cucharadita de canela
1	cucharadita de nuez moscada
1	taza de azúcar
2	cucharaditas de polvo de hornear
2	tazas de harina
1	taza de pasas
1	taza de nueces picadas.

Mezcle la mantequilla con el azúcar, disuelva el bicarbonato en la sopa y añádalo a lo anterior; cierna la harina y el polvo de hornear, canela, nuez moscada. Agréguelo a la primera mezcla; aparte remoje las pasas por ½ hora y añádalas a las nueces, viértalo en un molde untado de mantequilla y cocínelo al horno de 350°F por una hora. Cuando se enfríe cúbralo con la siguiente crema:

Mezcle seis onzas de queso crema y tres tazas de azúcar pulverizada y dos cucharaditas de vainilla. Extiéndala sobre el pudín.

BIZCOCHO DE NATAS

2   tazas de natas duras
2   tazas de azúcar
2¼   tazas de harina
4   huevos
2   cucharaditas de Royal
      ralladura de 1 limón o de naranja.

Se bate la nata con el azúcar (en clima frío se hace sobre una vasija de agua caliente) se agregan los huevos uno a uno, la harina cernida con el Royal y la ralladura de limón. Se vierte en un molde engrasado previamente y enharinado. Se calienta anticipadamente en 400°F, después de unos minutos se baja a 350°F, por una hora aproximadamente.

CUBIERTO DE CHOCOLATE

5   cucharadas de cocoa en polvo
8   cucharadas de azúcar
4   cucharadas de harina
1   cucharada de mantequilla
¼   de cucharadita de sal
1   taza de agua
      vainilla al gusto.

Se revuelve todo y se pone al fuego hasta que cuaje; al final se le agrega la mantequilla.

BIZCOCHUELO DE MAIZENA

4   huevos
4   onzas de azúcar
1   cucharadita de Royal
1   paquete de maizena (tamaño corriente)
      ralladura de 1 limón.

Se baten en la batidora, por más de ½ hora, los huevos con el azúcar. (De esta batida depende el bizcochuelo). Se le agrega la maizena y el Royal cernidos. Por último la ralladura del limón. Se pone un molde rectangular enmantequillado. Horno de 325°F por ½ hora.

BIZCOCHO CON CUBIERTA DE CHOCOLATE Y COCO

1½   tazas de mantequilla
1¼   tazas de azúcar
2   huevos
2½   tazas de harina
4   cucharaditas de Royal
¼   de cucharadita de sal
1   taza de leche o crema
1   cucharadita de nuez moscada
1   cucharadita de canela.

Se ablanda la mantequilla añadiéndole azúcar y huevos batidos. Mézclese bien agregándole la mitad de la harina previamente cernida con el Royal, sal y especias. Viértase la leche poco a poco y luego el resto de la harina para llevarlo al horno de 375°F en un molde engrasado.

Cubierto:

1½   tazas de leche de coco
3   cucharaditas de cocoa
1   cucharada de mantequilla
1   taza de azúcar
1   cucharadita de vainilla
      (que debe ponérsele cuando ya esté).

Se lleva al fuego hasta que tome consistencia de jarabe, moviéndolo constantemente hasta que coja punto para esparcirlo.

PUDIN DE CHOCOLATE

3½   tazas de harina
6   cucharaditas de polvo de hornear
1   libra de chocolate
1   libra de mantequilla
2½   tazas de azúcar
⅛   de cucharadita de sal
8   huevos
2½   tazas de leche.

Se bate la mantequilla con el azúcar hasta que esté mezclada, se añaden los huevos enteros, uno a uno, se pone al fuego el chocolate con una taza de leche; cuando esté derretido y frío se agrega a lo anterior. Se cierne la harina con el polvo de hornear y la sal, se añade a la mezcla alternando con la leche. Se vierte en un molde engrasado y se pone al horno de 350°F por una hora. Se cubre con chocolate o con merengue.

PUDIN NEGRO ESTILO AMERICANO

4	onzas de cerezas cristalizadas rojas
4	onzas de cerezas cristalizadas verdes
1	libra de dátiles picados
1	libra de piña cristalizada picada
3	tazas de pecans o nueces
1	taza de harina
1	cucharadita de bicarbonato de soda
1	cucharadita de polvo de hornear
1/2	cucharadita de sal
1	taza de azúcar
4	huevos batidos
1	cucharadita de vainilla
1	cucharadita de ron o brandy.

Se mezclan las frutas, las nueces y la harina con el azúcar, bicarbonato, polvo de hornear y la sal. Se añaden los huevos, la vainilla y el ron. Se vierte en dos moldes bien engrasados y forrados en papel encerado. Se meten al horno de 325°F por una hora.

PASTEL DE AÑO NUEVO
(Wasilópitta griego)

7	huevos
125	gramos de mantequilla
250	gramos de azúcar
100	gramos de almendras peladas y ralladas
3	cucharadas de ron
1	punta de cuchillo de canela
200	gramos de harina
50	gramos de almidón
2	cucharaditas rasas de levadura azúcar en polvo.

Para el molde:
mantequilla o margarina y harina.

Untar con mantequilla o margarina un molde de pastelería y espolvorear con harina. Precalentar el horno a 180°C. Separar las claras de las yemas de los huevos. Batir la mantequilla con el azúcar hasta formar espuma y añadir poco a poco y una a una las yemas de los huevos. Finalmente se añaden las almendras ralladas, el ron y la canela. Batir las claras hasta obtener chantilly. Colar la harina con el almidón y la levadura encima de la pasta y mezclar bien. Después se añade la chantilly.

Colocar la pasta en el molde y aplanar la superficie. Dejar cocer en el segundo estante del horno (parte de abajo) durante 50 minutos. Al cabo de 30 minutos mirar si la superficie se oscurece demasiado rápido y colocar en caso necesario un trozo de papel de aluminio. Al finalizar el tiempo de horneado comprobar si está ya listo con un cuchillo. Dejar enfriar el pastel en su molde durante unos minutos, volcarlo sobre una fuente de pastelería y espolvorear con azúcar en polvo.

PUDIN CABINET

(Para 8 personas)

7	piezas de pan semidulce
1/2	libra de frutas cristalizadas en trozos pequeños
6	yemas de huevos
6	cucharadas de azúcar
1	copa de ron
1	cucharadita de vainilla
2	tazas de leche.

Se unta un molde rectangular de mantequilla y se rocía con harina. Los panes se cortan en rebanadas bien finas, se coloca una capa de panes en el fondo del molde, otra de frutas, otra de crema. Se repite la operación hasta llenar el molde, terminar con crema. Se pone al horno a 300°F por una hora aproximadamente, cuando esté cocido se saca del molde.

Crema: se baten las yemas con las cucharadas de azúcar y el licor, se va incorporando la leche bien caliente y se pone al fuego moviendo sin cesar y teniendo cuidado de retirar cuando comience a hervir (porque se corta). Se deja enfriar en la nevera, se desmolda y se cubre con el resto de la crema.

FLAN DE PIÑA

2	piñas
1	libra de azúcar
12	huevos
2	cucharaditas de harina.

Se pone al fuego el azúcar con el jugo de las piñas hasta que haga un jarabe espeso, se le agrega la harina disuelta en agua y se hierve revolviendo constantemente, se baja y se deja enfriar, se añaden los huevos batidos y se vierte en un molde acaramelado. Se mete al horno a 375°F al baño de María por una hora aproximadamente.

PUDIN DE GOMAS DE NARANJA

1	taza de mantequilla
4	huevos
4	tazas de harina
1	libra de dátiles
2	cucharaditas de bicarbonato
2	tazas de nueces
2	tazas de azucar
4	cucharadas de polvo de hornear
1¹/₂	tazas de leche cortada
1	cucharadita de sal
1	libra de gomas de naranja.

Bata la mantequilla y adicione poco a poco el azúcar hasta que esté bien mezclado. Añada los huevos y una taza de leche cortada. Agregue el bicarbonato al resto de la leche y vierta esto al batido. Cierna la harina con la sal. Júntela con los dátiles, goma y nueces. Mezcle todo con las manos.

Viértalo en un molde largo engrasado y enharinado. Cocínelo en el horno a 275 °F por 3 ó 3¹/₂ horas.

Cubierto:

1	taza de jugo de naranja
1	taza de azúcar parda.

Póngalo al fuego y viértalo sobre el pudín, todavía caliente.

PUDIN DE MANZANAS

3	tazas de manzanas partidas (4 ó 5 manzanas)
3	tazas de harina
2	tazas de azucar
4	huevos
3	barras de mantequilla o 1¹/₂ tazas de aceite
1	taza de pasas
1	taza de nueces picadas
1	cucharadita de bicarbonato
1	cucharadita de sal
2	cucharaditas de canela molida
1	cucharadita de vainilla el jugo de ¹/₂ limón.

Bata la mantequilla o el aceite con el azúcar, añada los huevos uno a uno batiendo bien después de cada adición, agregue las manzanas mezcladas con el jugo de limón, nueces y pasas. Cierna los ingredientes secos y agregue a lo anterior. Vierta en un molde engrasado y

enharinado, métalo al horno apagado y colóquelo en la parrilla de abajo, ponga la temperatura a 350 °F por 1¹/₂ horas.

BIZCOCHO SUAVE

4	claras
4	yemas
4	cucharadas de harina
4	cucharadas de polvo de hornear
¹/₄	de cucharadita de sal vainilla al gusto.

Se baten las claras a la nieve y se agregan las yemas. Bata bien. Añada poco a poco el azúcar cernido, luego cierna la harina con el polvo de hornear y la sal; agregue rápidamente envolviéndola en la mezcla. Adicione vainilla y póngalo en molde engrasado, forrado en papel de manteca y enharinado. Aselo a 400 °F por 15 minutos aproximadamente. Este biscocho es delicioso con mermelada, crema inglesa o crema de limón.

POSTRE DE CUATRO LECHES

Bizcocho

5	huevos
1	taza de azucar
1¹/₂	tazas de harina
1¹/₂	cucharaditas de Royal
1	cucharadita de sal
³/₄	de taza de leche caliente.

Bata las claras a la nieve, agregue ³/₄ de taza de azúcar; el resto del azúcar se añade a las yemas. Mezcle el merengue con las yemas batidas suavemente. Apague la batidora, agregue la harina de un solo golpe, leche y vainilla. Prenda la batidora al mínimo y mezcle.

Vierta en molde enmantequillado y coloque en el horno a 350 °F por 25 minutos.

Cuando esté listo se corta en cuadros y, caliente todavía, se baña con las leches.

Mezcle en la licuadora:

2	tazas de crema de leche
1¹/₂	latas de leche condensada
1	lata de leche evaporada
1	taza de leche de vaca.

Merengue:

3   claras de huevos
³/₄ de taza de azucar
¹/₃ de taza de agua.

A punto de hilo al almibar.

RECETA No. 116

TORTA DE AVELLANAS Y CHOCOLATE

1   libra de avellanas sin cáscara
12 claras de huevos
¹/₄ cucharadita de cremor tártaro
1   libra de azúcar
2   cucharadas de pan seco molido, colado finamente
1   cucharadita de polvo de hornear
    mantequilla y harina para engrasar y enharinar los moldes.

Precaliente el horno a 300 °F. Ralle las avellanas con su piel pero sin cáscara. Engrase y enharine muy bien unas tártaras de horno para hacer 5 galletas o redondeles de 20 x 25 centímetros.

En una batidora eléctrica ponga a batir las claras con el cremor tártaro; cuando endurezcan, baje la velocidad y siga batiendo por diez minutos, agregue las avellanas y llene los moldes con el batido o viértalo en las tártaras para formar 5 capas de 3 a 5 centímetros de espesor. Póngalos al horno y cocínelos por 30 minutos. Retírelos y desmóldelos enseguida cuidadndo de no romperlos.

Relleno y cubierto:

1²/₃ de taza o 150 gramos de chocolate semidulce en trocitos
3   cucharadas de leche
1¹/₃ tazas o 400 gramos de mantequilla
1   taza o 250 gramos de azucar pulverizada
12 yemas de huevos.

Cocine la leche con el chocolate por 5 minutos hasta formar una crema suave y déjela enfriar.

Ponga la mantequilla en la batidora eléctrica y agregue una a una las yemas; batir 5 minutos más, añada la crema de chocolate y bata para mezclar bien. Arme la torta intercalando las capas y el relleno hasta cubrirlo todo. Llévelo a la nevera para que endurezca, preferiblemente hasta el otro día.

RECETA No. 117

POSTRE MERCEDES

1   taza de leche
3   huevos
7   cucharadas de azúcar
1   cucharadita de vainilla.

Se mezcla todo como para flan y se vierte en un molde acaramelado. Encima se agrega la receta siguiente:

Se baten dos huevos con tres cucharadas de azúcar y tres cucharadas de harina. Se mete al horno de 350 °F al baño María por una hora aproximadamente. Cuando esté listo se desmolda. Puede agregársele nueces, pasas o café al flan.

Información complementaria

Términos sinónimos

Como en toda América Latina y en Colombia hay variaciones en los nombres de los mismos productos, ponemos a continuación una lista de términos sinónimos para facilitar la interpretación de las recetas.

Achiote: Bijol - Anato
Auyama: Ahuyama - Calabaza de dulce - Zapallo
Alcachofa: Alcauciles
Ají: Chile - Pimiento
Aguacate: Avocado - Palta - Guacamole
Albaricoque: Damasco - Chabacano
Batata: Boniato - Camote
Brócoli: Bróculi - Brécol
Cacahuete: Maní
Candia: Bamia - Chimbombo - Okra
Calabaza: Zapallo
Cebolla de hoja: Cebollín - Junca
Cebolla de verdeo: Chalote - Ascalonias - Cebollino
Col de Bruselas: Bretone - Repollitas de Bruselas
Col: Repollo
Col crespa: (parecida al apio)
Fríjol: Fríjoles - Judías - Porotos - Caraotas - Habichuelas - Menestra
Grasa vegetal: Mantequilla vegetal
Guisantes: Chícharos - Arvejas
Habichuelas verdes: Judías - Ejote
Maíz tierno: Elote - Choclo - Mazorca
Maretira: Tusa
Pavo: Pisco - Guajolote - Bimbo
Papas: Patatas
Piña: Ananás
Plátano hartón o grande: Bananos - Platanitos
Rábano: Rabanillo
Requesón: Queso blanco - Quesillo - Ricota
Patilla: Sandía
Papaya: Fruta bomba
Tomate: Jitomate
Tusa: Hojas de maíz

Tabla de sustituciones

Temperatura del horno

Designación de temperatura	Centígrados	Fahrenheit
Bajo	120-175	250-350
Moderado	175-200	350-400
Caliente o rápido	200-230	400-450
Bien caliente	230-285	450-550

Nombre de las carnes de res en las distintas regiones de Colombia

Lomo fino: Solomito - Lomo biche - Lomito

Lomo barcino: Solomo redondo (la parte angosta) - Lomo

Lomo redondo

Coete: Tableada - Jarrete - Murillo

Punta de Nalga: Punta de anca - Pulpa - Punta gorda

Centro de cadera: Punta de cadera

Lomo de pellejo: Lomo ancho - Solomo redondo(la parte ancha) - Chatas - Lomo redondo - Agujas chatas - Ampolleta

Palomilla: Solomo extranjero - Tetafula

Masa de frente: Posta - Atravesado - Centro de cadera

Masa de chocozuela: Huevo de aldana - Carabela - Huevo de pierna

Sobrebarriga: Falda - Tapa de costilla

Espaldilla: Huevo de solomo

Bollito: Muchacho - Capón - Boliche

Punta de palomilla: Entretaba - Punta de mico

Carne de pecho: Entrepecho

Hueso de cadera: Hueso de capón - Hueso poroso

Tocino de cerdo: Garra

Mondongo: Callos - Tripas

Términos culinarios

acaramelar	Bañar un molde o vasija con una preparación a base de azúcar, derretida en un poco de agua, para la elaboración de algunos postres.
aderezar	Darle preparación a un manjar. Aliñar. Marinar. Guisar. Se emplea también al condimentar la comida para que durante un tiempo tome sabor.
ágape	Convite de los primitivos cristianos, por lo que este término se emplea ahora como sinónimo de banquete.
ahogar	Estofar o rehogar.
alcuacil	Alcachofa.
alubia	Fríjol, poroto, judía.
apelotarse	Expresión usada cuando se forman grumos en las salsas.
aplanar	Dar golpes con un aplanador especial a la carne, a fin de romper sus fibras para ablandarla y extenderla, como cuando se hacen milanesas.
armar	Preparar un ave para asar, atando o cosiendo sus miembros con un cordel o hilo fuerte, a fin de que no se deforme durante la cocción.
aromatizar	Dar o comunicar aroma, con ingredientes más bien fuertes, para caldos y salsas.
aspic	Fiambre hecho a base de filetes de carne de ave, caza o pescado, cubiertos con gelatina transparente y cuajados en moldes especiales.
avocado	Aguacate, palta.
bacon	Tocino o panceta ahumados.
bañar	Cubrir con gelatina un cuerpo. También cuando se lustran con un pincel, mojado en huevo batido, pastas, pasteles, etc. Poner por encima, así mismo, a un preparado,

baño María
o
baño de María
Modo especial de cocción para los preparados que no deben hervir en recipientes puestos directamente sobre el fuego. La operación se hace introduciendo la vasija con la preparación en otro recipiente mayor, el cual contiene agua caliente. Se emplea especialmente para cocer flanes, patés o para ligar algunas salsas.

bardas de tocino
Lonchas de tocino graso, cortadas muy finas, de diferentes tamaños, según el uso. Se aplican para asar las pechugas de aves, las carnes magras, etc.

batir a punto de nieve
Batir las claras de huevo hasta que levanten y tomen consistencia.

bisque
Sopa preparada con un puré de cangrejos y las muelas de los mismos. O con langostas o langostinos.

blanquear
Poner a cocer en agua hirviendo, durante más o menos tiempo, pescados, carnes, vegetales, con el fin de quitarles acidez y el color debido a la sangre, por ejemplo, la ternera cuando se emplea en recetas especiales.

caldo corto
Caldo compuesto de agua con vegetales, aromáticos, vino –vinagre a veces–, para la cocción de carnes y pescados.

clarificar
Dar limpieza a un jugo, un caldo o una gelatina, espumándolo, filtrándolo o con la adición de claras de huevo batidas. O con las mismas cáscaras.

concentrar
Reducir un líquido, un jugo o un puré, por evaporación.

cortado-a
Se dice que una salsa se corta cuando se separan sus componentes. También se dice cuando un consomé, caldo o jugo han fermentado.

cubrir
Verter sobre una preparación salsa o crema, de modo que quede cubierta.

decantar
Dejar un líquido en reposo –caldo, jugo, etc.– para trasegarlo a otro recipiente sin que pasen los posos.

desengrasar
Quitar la grasa de la superficie de un jugo, caldo o salsa, después o durante la cocción.

dorar
Dar a los alimentos un bonito color amarillo tostado. Puede hacerse en sartén, la placa, al fuego o en el horno.

empanar
Pasar una vianda, antes de freírla o cocerla, por huevo batido y pan rallado. Muchas veces en harina, huevo y pan rallado.

emparrillar
Asar las carnes, pescados, hortalizas, etc., sobre parrillas puestas al fuego.

enharinar
Pasar por harina un alimento para freírlo o rehogarlo.

enriquecer
Acentuar el sabor de un jugo, salsa o consomé, aumentando la cantidad de carne o añadiendo jugos concentrados o reduciendo la propia salsa.

escaldar
Sumergir unos instantes en agua hirviendo determinadas viandas para ablandarlas o pelarlas con mayor facilidad.

espolvorear
Cubrir ligeramente, o en parte, con queso rallado, harina, perejil, migas de pan o azúcar, un preparado.

fabada
Guiso de fríjoles blancos, preferentemente grandes, con tocino, morcillas y chorizo tipo español, este último ligeramente ahumado. Es original de Asturias, España.

farsa
Ingredientes diversos, picados y mezclados para relleno, a base de verduras, ternera, cerdo o jamón, etc.

fiambre
Viandas asadas o cocidas que se dejan enfriar antes de comerse, pero denomina también a casi todos los platos fríos.

filete	Trozo de carne o pescado, cortado en lonjas más bien delgadas. También se emplea para determinar la parte muy fina situada en la región lumbar de los animales. En Colombia más concretamente el lomo fino.
finas hierbas	Conjunto de tomillo, laurel, perejil, estragón, etc.
fondo	Caldo sustancioso que sirve para cocer viandas y que suele utilizarse para mejorar las salsas.
	Los principales son: caldo de huesos y carne; el blanco, con recortes de ternera, menudencias de pollo y caparazón de aves, añadiéndole vegetales. Y el fondo de pescado o fumet, con la cabeza y los huesos del pescado, así como vegetales.
fricasé	Término español derivado del francés *fricassée*. Antiguamente esta palabra se usaba para denominar ciertos guisos, con salsa blanca, así como oscura.
frutos de mar	Término tomado del francés *fruit de mer* y cada día más usado en la gastronomía. Designa a los crustáceos y mariscos que se sirven por lo general crudos: ostras, mejillones, almejas, etc.
	Sin embargo, estos frutos de mar pueden servirse también cocidos y guisados de diversas maneras.
fumet	Palabra francesa para denominar los líquidos (agua o vino), más o menos concentrados, en los que se han cocido pescados, hongos, trufas, etc.
galantina	Preparación que se elabora con aves domésticas (pollo, pavo, pato) o de caza (faisán, perdiz, por ejemplo).
	Las carnes deshuesadas se ponen a adobar y luego se enrollan en la piel, que debe conservarse entera.
gastronomía	Este término es más bien nuevo dentro de la milenaria historia de la cocina, pues apareció en Francia a principios del siglo XIX y desde entonces se le han buscado diferentes definiciones, pero en todo caso relacionadas con los placeres de la buena cocina en su aspecto de la degustación. El vocablo está formado con dos palabras griegas: *gaster*, vientre, y *nomos*, es decir, ley. Ha sido, además, fuente de otros términos conexos como *gastrónia*, es decir, experto en la buena mesa. Autores hay que al tratar el tema culinario hablan de la *gastrosofía*, que no sería tan solo la ciencia de la cocina, sino también el arte de poder y saber apreciar una buena comida, para llegar a la conclusión de que la cocina es un arte y la gastronomía representa el buen gusto.
gamba	Crustáceo marino de tamaño más bien pequeño, llamado también camarón y gámbaro, este último especialmente en España.
gigot	Vocablo francés con el que se nombra la pierna de cordero o la de carnero.
gigote	Guisado de carne picada rehogada con manteca o aceite; también cualquier comida triturada.
glasa	Fondo reducido y concentrado, con aspecto de jarabe. Se emplea para dar más sabor y untuosidad a la salsa.
glasear	Intrínsecamente quiere decir refrigerar una sustancia para que tome estado sólido. Tal una crema o un jarabe de frutas. Pero también se emplea al dar tersura y brillantez a la superficie de algún manjar o preparación coquinaria.
gnocchi	Preparación italiana que se presenta como entrada caliente o entremés, a base de harina, papas, huevo, etc.
	Se forman pequeñas bolas con la masa y se cocinan en agua hirviendo, dándole sabor luego con salsa de tomate, de anchovas o jamón.

goulash	Esencialmente es un guiso húngaro de carne de res, ternera o cordero, a base de bastante cebolla, paprika y crema. El éxito de este plato depende de la buena calidad de la paprika. E inclusive se prepara una sopa inspirada en este suculento guiso.
gratinar	Lograr una costra dorada en algunos platos, casi siempre con queso rallado o migas de pan, en el horno, a temperatura más bien alta.
grumo	Bolas que se forman en las sopas, purés o salsas que no han sido revueltos bien.
guagua	Es una palabra bastante curiosa, pues tiene diferentes significados en los países hispanoamericanos y de las Antillas. Dícese de lo que se obtiene de balde o a precio muy rebajado. En Santo Domingo y en Cuba, se llama guagua a los buses. Y en la lengua andaquí, tribu colombiana, significa niño o niña, lo mismo que en el Ecuador. Pero en Antioquia, Caldas, Huila y Tolima se aplica a una clase de mamífero, de carne muy apreciada.
guascas	Tiene igualmente varias significaciones, pero para lo que interesa sobre términos culinarios o de gastronomía, debemos emplearla como un vegetal que se utiliza en algunos platos nacionales, especialmente en el ajiaco bogotano. Otros la llaman *hierba pajarito*.
guisado	Por lo general la carne cortada en trozos, rehogada con ajo, cebolla, tomates y algo de harina, a la cual se le puede agregar especias aromáticas y vino.
hartón	Plátano grande o de mayores dimensiones.
hayaca o hallaca	Tamal, que decimos en el interior de Colombia. Capa delgada de harina de maíz rellena con carne de pollo cortado menudamente, así como de cerdo, aceitunas, huevos duros y otros condimentos. Envueltos en hojas de plátano o de bijao se cocinan lo mismo que los tamales en agua hirviendo, algo de sal y vinagre.
hierbas finas o finas hierbas	Mazo de hierbas (perejil, laurel, tomillo, estragón, etc.) que se agrega a los guisos o picadas finamente sirve para sazonar las ensaladas o mantequillas aromatizadas.
hogao	En Antioquia y Caldas guiso a base de tomate, ajo y otros vegetales. Es lo que en Cuba y otras islas del Caribe llaman sofrito, derivado sin duda de la cocina española.
hojaldre	Pasta de harina muy laboriosa, preparada con mantequilla o margarina especial, con la que se hacen pasteles y el *vol-au-vent*. Una vez cocida en el horno presenta varias capas.
juliana	(del francés *julienne*). Verduras cortadas en tiras muy finas, especialmente para sopas o consomés.
lacón	En algunas regiones de España, brazuelo del cerdo, casi siempre curado con nitro.
ligar	Mezclar cierta porción de líquido con la cocción de otro para armonizar un sabor.
ligazón	Jugo ligado con mantequilla, huevo y harina.
macedonia	Las macedonias se suelen hacer con frutas bien maduras, cortadas en finas láminas o dados y maceradas en un jarabe espeso y perfumado con diversos licores. Por extensión se aplica a las verduras cortadas en cuadritos pequeños y combinados después de cocinadas. Para acompañar platos de carne o aves.
macerar	Poner ciertos alimentos en líquidos (vinos, licores) y sustancias aromáticas. Las frutas, por ejemplo. O carnes.
magro	Flaco y con poca o ninguna grasa. Carne de cerdo en trozos cortada cerca al lomo.
maître d'hôtel	La persona que en un restaurante u hotel dirige el servicio de comedor y tiene bajo su mando a un grupo importante de camareros y ayudantes.

majarete   Manjar dulce preparado del jugo del maíz verde, combinado con azúcar y leche. En Venezuela se denomina así una especie de mazamorra, que también se le conoce con el nombre de *manjarete*.

manga   Bolsa de tela a la que se le coloca unas boquillas, orladas o dentadas, para adornar con crema, mayonesa o puré, diversos platos, especialmente dulces, platos fríos o los que van al horno para dorarse.

marinar   Poner a carnes o pescados vinos y especias para darles sabores antes de cocinarlos.

mechar   Introducir tocinos a las carnes.

meunière   Alimentos, especialmente pescados, envueltos en harina, fritos en mantequilla y rociados con el fondo de cocción desglasados con el jugo de limón.

mirepoix   Del francés y cuyo nombre designa al conjunto de vegetales y finas hierbas rehogadas en manteca, mantequilla o aceite. Se cortan en dados medianos y a veces llevan recortes de tocineta. Se emplea para aumentar el sabor de ciertos guisos.

napar   Cubrir bien un preparado con salsa, crema, etc.

pepitoria   Guiso de ave, a cuya salsa se le da consistencia con yema de huevo e inclusive con almendras trituradas.

perfumar   Ponerle a algunos platos para elevar sus sabores esencias y aromas, tal vinos, etc.

quenelle   Se hacen casi siempre de pescado, cuya carne se muele muy finamente y trabaja con huevos, crema fresca, sal y pimienta. Bien fría se moldean por medio de dos cucharadas soperas y se cuecen suavemente por espacio de unos 10 minutos en un fumet de pescado. Las quenelles se acompañan con salsa al gusto. De vino blanco, de champiñones, por ejemplo.

rebozar   Pasar por harina, huevo batido y pan rallado un alimento.

rehogar   Someter ciertos alimentos a cocimiento lento en una olla bien tapada, sin agua, para que absorba los condimentos y la grasa con que se les acompañó.

salpicón   Comida a base de carnes picadas y aderezadas con especias, vegetales menudos, aceite, vinagre, sal y pimienta. También se hace con frutas y vinos.

trabazón   Consistencia que se da a un líquido o masa para proporcionarle densidad.

velouté   Salsa base que se hace con mantequilla o materia grasa, harina y jugo de limón. Y según el plato sirve para ligarla con fondo de ternera, de ave o pescado.

ventrecha   Parte ventral de los peces, sacada de una sola pieza.

Empanada con huevo

Instrucciones para hacer empanada con huevo

1. Se toma una porción de la masa y se hace primero una bola.

2. Esta bola se aplana con una tabla o con los dedos y se forma la empanada.

3. Se echa la empanada sin rellenar en el aceite muy caliente.

4. La empanada se esponja y sube a la superficie.

5. Se le abre una pequeña abertura a la empanada ya frita.

6. Por la abertura se introduce el picado, el huevo crudo y la sal.

7. Se echa de nuevo la empanada en el aceite, bajándole la temperatura, sólo para que el huevo se cocine.

8. La empanada ya lista se pone en un colador grande sobre papel absorbente. Se sirve en bandeja o sobre tortas pequeñas de casabe .

Modo de usar la colapiscis

Se ablanda en agua fría por 20 minutos, se bota el agua, se escurren y después se le agregan dos cucharadas de agua hirviendo.

1 tableta de chocolate amargo se reemplaza con 3 cucharadas de cocoa.

1 cucharada de maizena se reemplaza por 2 cucharadas de harina.

1 cucharadita de Royal equivale a $^1/_4$ de cucharadita de bicarbonato, más $^1/_2$ cucharadita de crémor tártaro.

1 taza de leche fresca corresponde a $^1/_2$ taza de leche evaporada, más $^1/_2$ taza de agua.

1 taza de leche cortada se reemplaza con 1 taza de leche fresca, agregándole a ésta 1 cucharada de vinagre o limón.

1 taza de tomates de lata se reemplaza, más o menos, por 1 taza y $^1/_3$ de tomates frescos, cortados y cocidos lentamente por 10 minutos.

1 cucharadita de canela o nuez moscada en polvo, corresponde a $^3/_4$ ó 1 cucharadita de extracto de canela o nuez moscada.

Crema agria: se le agregan unas gotas de vinagre o limón a la crema fresca y se deja al calor hasta el otro día.

Cómo hacer el titoté

1. Poner en un caldero la primera leche del coco, la cual se saca como se explica más adelante.

2. Dejar que hierva.

3. Con un palote revolver un poco y proseguir el cocimiento.

4. Finalmente esa leche se convierte en aceite transparente y en el fondo aparece la parte oscura que se desprende con el palote o cuchara de madera y es lo que forma el titoté.

Medidas básicas

Nota: cuando en este manual se dice "taza" se refiere a las tazas de medida.

1 kilo = 1.000 gramos
1 kilo = 2 libras de 500 gramos
1 libra = 16 onzas = 500 gramos
1 onza = 31,25 gramos
4 tazas de harina fina de pastelería = 1 libra
2 tazas de azúcar granulada = 1 libra
$2^1/_2$ tazas de azúcar morena = 1 libra
2 tazas de mantequilla = 1 libra
$4^1/_2$ tazas de cacao = 1 libra
1 taza - 16 cucharadas = 1 libra = 240 gramos
$^2/_3$ de taza de pasas o dátiles = 1 libra
$^2/_3$ de taza de higos picados = 1 libra
$3^1/_2$ tazas de nueces picadas = 1 libra
1 cucharada de harina = 10 gramos
1 cucharada colmada = 25 gramos
4 cucharadas colmadas = $^1/_4$ de taza
16 cucharadas = 1 taza
1 cucharadita = 5 gramos
1 cucharadita colmada = 8 gramos
3 cucharaditas = 1 cucharada
1 cucharada de arroz = 1 onza
4 cucharadas de harina = 1 onza
1 cucharada de mantequilla = 1 onza
4 cucharadas de chocolate
    amargo = 112 gramos = 4 onzas
9 claras de huevo = 1 taza
5 huevos enteros = 1 taza
1 libra de pan tostado y molido = 4
    tazas = 500 gramos
$^1/_2$ libra de queso rallado = 2 tazas

Cómo separar la cola de la langosta para empleársele en algunos platos

1. Una vez que la langosta esté cocida en agua caliente, hasta que tome color rojo, retirarla. Extenderla sobre la mesa y desprenderle la cabeza con cuidado.

2. Separar los corales si los trae y reservarlos si han de aprovecharse. Desechar toda la parte negruzca.

3. Con una tijera adecuada o cuchillo bien afilado, cortar por las partes laterales la cáscara blanda, o sea la de abajo de la langosta.

4. Doblar al mismo tiempo hacia abajo la cáscara gruesa para quebrarla.

5. Introducir el dedo índice en la carne, de abajo hacia arriba y levantarla con cuidado hasta que salga entera.

6. Si en el resto de las cáscaras o patas aparece carne, sacarla con un tenedor, quebrando para el caso esas cáscaras.

Tabla de sustituciones

1 cucharada grande de gelatina sin sabor es igual a 3 hojas de colapiscis.

Indicaciones generales para congelar comidas cocidas

Sopas

Para congelarlas hágalas con la menos cantidad posible de líquido. Si son cremas, no le ponga la leche, ni pasas. Al cocinarlas, se dejan enfriar y se ponen en una vasija recta para poder desmoldarlas fácilmente. Congélelas. Para servirlas: póngalas dentro de una vasija con agua caliente y saque el bloque entero, caliéntelo a fuego lento. Agréguele el líquido necesario y si va a usar papas, cocínelas en este líquido.

Pollos fritos

No los dore completamente, enfríelos. Envuélvalos o póngalos en bolsas plásticas. Para servirlos desenvuélvalos y colóquelos en cualquier vasija para el horno y cocínelos destapados por 30 ó 40 minutos a 350°F.

Platos con salsa blanca

Hágalos como de costumbre, pero omita cualquier receta que lleve rebanadas de huevo cocido. Enfríelos y empáquelos en vasijas para congelador. Descongélelos completamente y caliéntelos al baño María.

Jamón al horno

Déjelo en pedazos grandes si es posible. Envuélvalo en papel de aluminio o encerado, si el jamón va a ser cocido en el horno. Congélelo. Para servirlo: descongélelo en la nevera por 5 horas para cada libra. Uselo como desee. También puede calentarlo sin descongelar, colocando pequeños pedazos en papel de aluminio y poniéndolos en el horno a 350°F de 30 minutos a una hora.

Macarrones con queso al horno

Hágalos como de costumbre; póngalos en una cacerola, pero sin hornearlos. Enfríelos, tápelos y congélelos.

Para servirlos descongélelos cerca de 8 horas en la nevera, luego hornéelos como de costumbre. Añada un poco de leche al cocinarlos si los macarrones se secan mucho.

Bolas de carne molida

Hágalas como de costumbre y enfríelas. Disponga la carne con la salsa en una olla del tamaño corriente y tápela con papel de aluminio. Congélelas. Para servirlas: coloque la olla en agua caliente hasta que se descongelen, vierta la mezcla en una cacerola, tápela y caliéntela lentamente por 25 minutos.

Carne en rebanadas

Empáquela cocida o cruda, en papel de aluminio o en olla con tapa. También puede guardar cada rebanada por separado con su salsa, en papel de aluminio y después enrollarla. Congélelas.

Para servir: descongélelas en la nevera aproximadamente durante 8 horas. Si han sido empacadas en el papel de aluminio por separado, déjelas en su envoltura y caliéntelas al horno de 400°F por 40 minutos.

Arroz cocido

Empáquelo apretado en una vasija plástica o en un refractario engrasado, con su tapa.

Para servirlo: descongélelo durante varias horas a la temperatura del cuarto, luego calién-

telo al baño María, o sin descongelar. Cuando se ha empacado en refractario, puede ponerlo al horno a 350°F.

Carne asada: de res, cordero o cerdo

Colóquela ya sea en pedazos pequeños, grandes o en rebanadas, en una vasija plástica. Empáquelas apretadas. Póngales encima la salsa o caldo correspondiente para conservarles el sabor. Si los pedazos son muy grandes envuélvalos por separado en papel de aluminio o bolsas plásticas. Congélelos.

Para servir: descongélelos en la nevera de 4 a 8 horas. Puede servirlos calientes o fríos. Si son pedazos pequeños guardados con su salsa, pueden calentarse a 350°F sin descongelarlos previamente.

Salsas: (espagueti, barbecue)

Sepárelas en dos o tres vasijas. Empáquelas, congélelas y caliéntelas como las sopas.

Costillas de cerdo, cordero, etcétera

Hágalas como de costumbre, cocinándolas solamente hasta que ablanden. Enfríelas y empáquelas en una vasija llana como para hornear. Tápelas y congélelas.

Para servir: se descongelan en la nevera por 8 horas, después se calientan. O puede ponerlas sin descongelar al horno a 350°F por una hora o más (el tiempo depende de la cantidad).

Postre Alaska

Hágalo como de costumbre, el mismo día que lo vaya a utilizar, pero déjelo sin dorar y no lo envuelva, colóquelo en una tártara plana y póngalo a nivel.

Para servirlo hornéelo a la temperatura que indique la receta, sin descongelarlo. Sírvalo inmediatamente.

Proceso de limpieza de los calamares

1. Se desprenden los tentáculos de la cabeza.

2. Se introduce el dedo índice dentro de la bolsa y se da un pequeño tirón.

3. Se saca la pluma que tiene apariencia de un plástico transparente y que se encuentra en la bolsa. Se le da un pellizco a la piel oscura que cubre la bolsa.

4. Se arranca totalmente la piel hasta dejarla completamente blanca.

5. Se voltea la bolsa y se lava bajo el chorro del

Proceso de limpieza de los calamares

Arroz con coco

agua introduciendo el dedo índice desde la punta cerrada hasta el final para darle la vuelta y sacar las arenillas que tiene dentro. Vuelva a ponerlo al derecho.

6. Se separa la cabeza de los tentáculos.

7. Se oprimen los tentáculos para extraerle una bolita blanca que se tira.

8. En la parte de la cabeza hay una bolsita oscura (como una tripa) que se desprende con cuidado para no romperla. Es la bolsa de la tinta que se reserva entera para algunos platos que la requieran.

Procedimiento para extraer la leche del coco

1. En la cocina cartagenera se usa el coco llamado "pipote" y el seco. El pipote se utiliza preferencialmente en dulcería, y el seco en comidas de sal y de dulce.

2. La leche del coco se extrae del seco y se procede de la siguiente forma: al partirlo debe recogerse el agua. Para separar la pulpa se introduce la punta de un cuchillo entre éste y la cáscara.

3. En algunos platos de dulcería hay que quitarle la conchita negra del coco.

4. Para rallarlo hay que tener cuidado de hacerlo en forma contraria a la hebra, es decir, tomando el pedazo de coco y poniéndolo atravesado, pues de otra manera no se puede sacar la leche. Solamente cuando se va a usar para adorno se ralla en forma contraria a las indicaciones anteriores.

5. Ralle el coco, viértale su propia agua y una taza de agua corriente (en clima frío debe ser caliente). Estruje con la mano y exprima por puñados sobre un colador. Esta es la primera leche que debe ser espesa.

6. Siga agregando agua en poca cantidad, repitiendo esta operación hasta obtener la cantidad necesaria. Puede hacerse en la licuadora poniendo pedacitos de coco y agregando poco a poco el agua, luego colocándolo para extraerle la leche.

Procedimiento para extraer la leche del coco

Importancia en el arreglo de la mesa

El más exquisito refinamiento de una casa es el servicio de la mesa, tanto, que se ha calificado como un verdadero arte, donde se revelan la educación y el buen gusto del ama de casa.

Es en la mesa donde la mujer demuestra verdaderamente su feminidad. Ya sea en la escogencia del mantel, vajilla y cristales adecuados para la ocasión o en la confección de los platos y buena presentación de ellos.

Al igual que el arte de vestir o de decorar la casa, el arte de presentar la mesa debe constituir para la mujer refinada una preocupación constante, casi un deber. Al buen gusto y discreción del arreglo de mesa se acompaña la exquisitez de los manjares.

Los manteles

La mantelería tiene que escogerse con sumo cuidado. Para una comida de etiqueta debe usarse invariablemente el blanco, no importa que los bordados sean sencillos si el material es de buena calidad. Se acostumbra colocar debajo del mantel un lienzo para proteger la mesa del calor de los platos y evitar el ruido. En las partes donde tiene encajes y calados, se le pone un mantel de color pálido entre uno y otro, para que éstos se destaquen más.

Los norteamericanos han prescindido del mantel utilizando los individuales, que son pañitos de encaje o tela lisa, con algunos bordados o aplicaciones, colocando sobre cada uno de ellos los platos y cubiertos del comensal. Esto se puede utilizar entre nosotros para las comidas íntimas o familiares.

Antiguamente las servilletas eran muy grandes; ahora son más pequeñas. Antes también se doblaban de diferentes figuras, ahora sólo en cuadro y se colocan a la izquierda del plato o encima de estos (según la *Enciclopedia del Hogar* de Argos y el *Arte culinario francés* de Pellaprat).

Los cubiertos

Los comensales deben sentarse cómodamente, con una distancia de 50 ó 60 centímetros entre uno y otro. Enfrente de cada comensal se pondrá un plato debajo, que en algunos casos es de plata, y el de arriba, de porcelana, que se

cambiará una vez se haya usado. La sopa, consomé, etcétera, están siempre servidos, ya sea en el primer plato o en su taza correspondiente cuando los invitados se sientan a la mesa.

Las ostras, mariscos, entremeses y el melón se sirven antes de la sopa.

Los cubiertos son múltiples, para tormento de muchos, poco observadores. Hay dos clases de servicios: A la francesa, que se presenta y cambia cada juego de cubiertos al tiempo que se retira el plato correspondiente. A la inglesa, que es el más usado y práctico, donde todos los cubiertos están previamente colocados en la mesa. Ambas reglas son correctas, pero la última simplifica más el servicio.

Izquierda	Centro	Derecha
Tenedor de pescado	*Servicio de entradas*	*Cuchara de sopa*
Tenedor de carne	*Cucharita de café*	*Pala de pescado*
Tenedor de fruta	*Cuchara de postre*	*Cuchillo de carne*
	Tenedor postre	*Cuchillo fruta*

Cada cubierto se retira con el plato cuando se ha usado. Los cubiertos de servir se colocan en las bandejas correspondientes.

En una gran comida, los cubiertos de plata y cristal son los adornos más preciosos y exquisitos de la mesa bien arreglada.

Si no se va a servir vino en la mesa, el vaso de agua se coloca enfrente de la punta del cuchillo. Si se sirve vino, el vaso de agua se coloca delante del plato de servir, y la copa de vino que se ha de usar primero, se pone enseguida de éste, enfrente de los cuchillos, y los otros se disponen en círculo, en el orden en que se van a tomar.

El detalle principal son las flores, nunca deben ser tan altas que impidan la vista de los comensales sentados enfrente. Puede utilizarse también cualquier figura de porcelana como centro de mesa, con unas cuantas flores.

El anfitrión y los convidados

El éxito de una comida o de una fiesta pequeña depende mucho de la escogencia de las personas. Siempre deben buscarse amigos de los invitados de honor, para hacer más grata la atención y más amena la charla. Cuando es una fiesta muy grande, no importa, porque cada uno busca su grupo y hacen su pequeña reunión.

El arreglo de la mesa

El dueño de casa y la señora deben sentarse frente a frente en el centro de la mesa. El lugar de la invitada de honor es a la derecha del dueño de casa, y el del invitado, a la derecha del ama de casa. Siempre se tratará de intercalar a las señoras y a los caballeros.

La primera en sentarse y desplegar la servilleta es la dueña de casa, y el último es el dueño de casa.

La primera en levantarse es la señora de la casa.

Si la comida es de gran etiqueta y servida por meseros, éstos vestirán de frac negro, chaleco blanco y guantes blancos, o smoking (tropical en climas cálidos) con corbatín negro. Las meseras deberán vestir de negro, delantal blanco de organdí o encaje, guantes blancos y cofia.

Los meseros empiezan a servir por la dama sentada a la derecha del dueño de casa, o por la señora de la casa.

Las bandejas de comida las presentarán por la izquierda. El mesero o mesera sostendrá las bandejas en la palma de la mano izquierda, bajando el brazo por detrás de la espalda del comensal, a una distancia discreta de su propio cuerpo y a la altura conveniente, para que el comensal se sirva de ellas sin esfuerzo.

El agua debe estar servida al momento de pasar a la mesa. Los vinos, agua y licores se sirven por la derecha. El plato vacío se retira por la derecha y el nuevo se coloca por la izquierda.

Cuando un comensal ha terminado, el mesero le ofrecerá nuevamente, y si se repite de un plato, la dueña de casa tiene que servirse también, aunque no lo desee, solamente por acompañarlo para que aquél no se sienta desairado comiendo solo, cuando ya los otros terminaron.

El camarero debe estar listo para llenar la copa de vino y de agua a medida que se van vaciando. También debe estar pendiente de ofrecer la bandeja o cestillo del pan al invitado que no lo tenga.

Los platos se colocan y se retiran de uno en uno, sin poner uno encima del otro.

Cómo hacer jarabe

Caliente agua con el azúcar en las porciones siguientes (enfríese bien antes de guardarse en el congelador):

Jarabe suave: 2 tazas de azúcar para 1 litro de agua.

Jarabe mediano: 3 tazas de azúcar para 1 litro de agua.

Jarabe espeso: $4^3/_4$ tazas de azúcar para 1 litro de agua.

Jarabe bien espeso: 7 tazas de azúcar para 1 litro de agua.

Indicaciones sobre la forma de acompañar los platos costeños

Sancocho corriente, con arroz blanco guisado y casabe.

Sancocho de gallina, con arroz con menudillo.

Sancocho de sábalo, con arroz con coco.

Viuda de carne salada, con mañungado de ají.

Pasteles de arroz, con casabe, platanito y huevo frito.

Viuda de bocachico, con arroz con coco.

Arroz con plátano, con carne salada deshilachada.

Higadete, con arroz guisado y huevo frito.

Arroz con camarones o mojarras, con tortilla de maduro y tajadas de plátano verde.

Boronía, con arroz con coco y carne asada.

Ajiaco de carne salada, con arroz con coco.

Mote de fríjoles, con chicharrón y arroz blanco.

Pescado frito, con bollo limpio.

Carne salada asada, con arroz con coco, fríjoles y panes rellenos.

Pavo asado, con arroz con coco y pasas.

Pernil de cerdo al horno, con arroz con coco y pasas y ensalada de papas.

Arroz con camarones secos, con carne salada con tomate y tajadas de plátano maduro o tortilla de plátano.

Conejo guisado con coco, con arroz con coco y fríjoles.

Utensilios de la cocina cartagenera

Rallador de lata, morteros para machacar el ajo, así como otras especias; palote, molinillo y cuchara de madera; achotera y calabazo para hacer el suero.

Paella a la valenciana

página 276

Pescado a la vasca

página 236

Chocolate de harina, con porciones de queso criollo y casabe.

Para evitar que las frutas se ennegrezcan

Por cada litro de jarabe o una taza de azúcar, añada $^1/_2$ cucharadita de ácido ascórbico. Esto ayuda a conservar el sabor.

Manzanas

Pélelas, quíteles el corazón y córtelas en rebanadas. Si van a usarse enteras agréguese el jarabe mediano. Si van a usarse para concinarlas añada $^1/_2$ taza de azúcar para 4 tazas de manzanas. Agregue ácido ascórbico.

Toronjas y naranjas

Pélelas, quíteles las semillas y separe los gajos. Cuele el jugo, empáquelas cubriéndolas con el jarabe espeso y el jugo, más o menos una parte de jugo por tres de jarabe; añada el ácido ascórbico.

Melones

Sáqueles las semillas, pélelos, pártalos en rebanadas, cuadritos o bolitas, y añada el jarabe suave.

Piñas

Pélelas, quíteles el corazón y los puntos negros. Pártalas en rebanadas o cuadritos, y empáquelas con jarabe suave.

Fresas

Lávelas, quíteles los tallitos y hojas. Pártalas si son grandes, añada $^3/_4$ de taza de azúcar por 4 tazas de fresas. (Se puede aumentar el azúcar si no son muy dulces, o pueden cubrirse con jarabe espeso o mediano).

Manera de congelar las frutas

Congele solamente las que están bien maduras, y que no estén estropeadas. Puede empacarlas en azúcar bien seca o en jarabe, en cualquier vasija para líquidos. Deje una pulgada sin llenar para que haya expansión porque puede estallar la tapa.

Manera de congelar las frutas

Se descongelan en su misma vasija, poniéndolas en la nevera o dejándolas fuera a la temperatura del cuarto, o debajo de la llave del agua hasta que se separen pero que todavía estén bien frías. Sírvalas enseguida.

Cómo empacar las frutas en azúcar

Mezcle el azúcar y las frutas suavemente.

Manera de congelar las verduras

Puntos generales

Congélelas bien frescas, deseche las estropeadas. Antes de congelarlas hay que calentarlas en agua hirviendo, y después enfriarlas rápidamente.

Para calentarlas ponga a hervir 4 litros o más de agua en una olla manteniéndola hirviendo todo el tiempo. Añada los vegetales (1 libra de vegetales por 4 litros de agua), tápelos y marque el tiempo que corresponda para cada verdura.

Para enfriarlas métalas en agua helada hasta que estén frías. Escúrralas bien, empáquelas en cualquier vasija apropiada y congélelas.

Brócoli

Use sólo las cabezas bien duras y frescas. Lávelas y límpielas. Córtelas a lo largo, caliéntelas según las instrucciones anteriores por 3 minutos, enfríelas.

Repollitas de Bruselas

Límpielas y lávelas bien, caliéntelas por 3 ó 5 minutos, siguiendo las instrucciones anteriores. Enfríelas.

Mazorcas de maíz enteras

Escoja las tiernas, lávelas y quíteles la cáscara; si son pequeñas caliéntelas (según instrucciones anteriores) por 7 minutos, si son medianas por 9 minutos, y si son grandes por 11 minutos. Enfríelas, empáquelas en cartón o envuélvalas individualmente en papel de aluminio.

Maíz desgranado

Escoja las mazorcas tiernas. Caliéntelas (según instrucciones anteriores), enfríelas, escúrralas y desgránelas cortándolas, evitando que se corten las mazorcas.

Habichuelas

Lávelas y quíteles las puntas. Córtelas a lo largo o en pedacitos de 2 pulgadas, caliéntelas (según instrucciones anteriores) 3 minutos; enfríelas.

Gelatina de mango verde

página 186

Zaragozas blancas

Quíteles las cáscaras y use solamente las tiernas. Caliéntelas de 2 a 4 minutos (según instrucciones anteriores).

Pimientos

Lávelos, quíteles los tallos y las semillas. Córtense por la mitad o en rebanadas. Si es por la mitad se calientan 3 minutos, si son en ruedas o tiritas por 2 minutos. Enfríelos. Si los va a usar para rellenar, congélelos enteros sin calentar.

Yuca

Pélela y caliéntela por 2 minutos, enfríela y congélela; envuélvala en papel de aluminio o en bolsas plásticas.

Hongos

Escójalos según tamaño, lávelos, quíteles las puntas. Pártalos en rebanadas si son grandes, déjelos en 2 tazas con agua con 1 cucharadita de jugo de limón por 5 minutos, entonces caliéntelos por 3 minutos (según instrucciones anteriores) si son partidos, y enteros por 5 minutos. Enfríelos.

Arvejas (petit pois)

Desgránelas, y use sólo las tiernas. Caliéntelas 1½ minutos. Enfríelas.

Espinacas

Lávelas, quíteles los tallos duros y hojas viejas, caliéntelas de 1½ a 2 minutos (según instrucciones anteriores). Enfríelas. Si desea pueden partirse en pedacitos.

Manera de cocinar los vegetales congelados

No descongele ninguna verdura, exceptuando el maíz que se congeló en su mazorca. Ponga la verdura congelada en una pequeña cantidad de agua de sal, cocínese tapada hasta que esté tierna. Recuerde que las verduras congeladas se cocinan en menos tiempo que las frescas.

Manera de congelar las carnes

Puntos importantes

1. Empáquelas en cantidades suficientes para la familia.

2. Envuélvalas herméticamente con materiales adecuados para ello, tales como bolsas plásticas, papel manteca o de aluminio.

3. Póngale una etiqueta con fecha, clase de carne, peso o número de porciones. Descongélela completamente antes de cocinarla. Para 1 libra de carne se necesitan de 5 a 6 horas para descongelarse completamente, o 2 a 3 horas en la temperatura del ambiente, o 1 a 1½ enfrente de un abanico eléctrico. Si la carne es descongelada a la temperatura del cuarto, cocínela tan pronto esté descongelada, aun estando fría.

Nota: puede usarse el abanico eléctrico para descongelar más rápido la nevera o el congelador cuando va a lavarlos.

Postas

Quíteles el exceso de gordo. Si es una pierna de cerdo o cordero, tenga cuidado de que el hueso no rompa la bolsa o papel donde están envueltos.

Bistés y chuletas

Empáquelos siempre como usted acostumbra y en la cantidad que va a necesitar para cada comida. Si va a colocar uno sobre otro, sepárelos con un pedazo de papel de aluminio o encerado, así se separan más fácilmente al descongelarse. Si se cocinan sin descongelarse previamente, cocínelos el doble de tiempo que usted acostumbra. Puede ir probando haciendo pequeños cortes con un cuchillo cerca del hueso para saber cuándo está listo.

Carne molida o en pedazos pequeños para guisar

Use solamente la que está fresca. Empaque la carne molida en un solo bloque, o en pequeñas cantidades en forma de hamburguesas, usando la envoltura que se desee, separándolas cada una con un pedazo de papel encerado o de aluminio. Las carnes en pedazos para guisar, empáquelas en cantidad según las vaya a necesitar. Descongélelas y cocínelas como de costumbre. Si las hamburguesas se van a cocinar en el horno pueden meterse congeladas, sazonándolas por encima mientras se están cocinando.

Pollos

Guárdelos enteros o partidos, según vaya a necesitarlos, empáquelos bien. Si son partidos, separe las piezas con papel de aluminio o encerado. Envuelva separando los menudillos. Si el pollo es para guisar no es necesario descongelarlo previamente, póngalo congelado a cocinar.

Manera de congelar los pescados y mariscos

Envuélvalos limpios en papel encerado o de aluminio, ya sean enteros, filetes o según las porciones que se van a utilizar. Después colóquelos en bolsas plásticas o cajitas de cartón.

Ostras y almejas

Empáquelas lavadas y sin las conchas, póngalas en cajitas plásticas, cúbralas con una solución de agua de sal en la proporción de una cucharada de sal para una taza de agua, o sustitúyala con su propio jugo...

Deje una pulgada de espacio sin llenar para que tenga expansión. Esta forma de congelarlas evita que las ostras se endurezcan y se vuelvan amargas.

Camarones

Empáquelos cocidos o crudos, pelados o con cáscaras, métalos en cajitas plásticas o especiales para congeladores.

Cangrejos y langostas

Sancóchelos como tenga costumbre y después déjelos enfriar. Quite la carne de las cáscaras, empáquelos herméticamente en las cajitas especiales para congeladores o en vasijas plásticas.

Manera de usar
los pescados y mariscos congelados

Descongélelos dejándolos en su misma envoltura, o en su cajita. Uselos lo más pronto posible, cocínelos como desee.

Manera de congelar huevos

Guarde la cantidad que va a usar, ya sean enteros; o yemas y claras separadas, según los vaya a necesitar, en cualquier vasija para congelador. Pueden durar hasta seis meses.

Huevos enteros

Rómpalos dentro de una taza de medida. Si los huevos van a usarse para postres, bizcochos, etcétera, agréguele una cucharada de azúcar por una taza de huevos. Para otras clases de platos, añádase una cucharadita de sal para una taza de huevos, mézclelos sin batir.

Yemas

Congélelas como los huevos enteros, añadiéndoles dos cucharadas de azúcar o una cucharadita de sal para una taza de yemas.

Claras

Congélelas sin agregarles sal, ni azúcar.

Manera de usar
los huevos congelados

Descongélelos dejándolos en su misma vasija en la nevera, úselos rápidamente.

Los sustitutos para huevos frescos en las recetas son los siguientes:

$2\frac{1}{2}$ cucharadas de huevos enteros equivalen a un huevo fresco.

Una cucharada de yemas equivale a una yema fresca.

$1\frac{1}{2}$ cucharadas de claras equivale a una clara fresca.

Manera de congelar
algunos productos lácteos

Mantequilla

Se guarda con su misma envoltura. Para conservarla más de un mes póngale encima de esa, un papel encerado o de aluminio.

Queso

Son difíciles de congelar porque pierden su sabor, sólo el Camambert se puede conservar. Se debe usar lo más pronto posible después de estar congelado.

Crema espesa

Esta es la mejor clase de crema para congelar. Congélela en su cartón original o bátala y congélela en una vasija plástica; puede guardarla también por cucharadas, en un papel de aluminio, batida de antemano. Congélela y después envuélvala; se conserva hasta un mes.

Manera de usar la crema congelada

Descongélela en su misma vasija hasta que pueda sacarse por cucharadas. Desenvuelva las que ha puesto por cucharadas en el papel de aluminio y póngalas sobre el postre. Déjela descongelando de 5 a 20 minutos antes de servir.

Helados

Congélelos en su caja de cartón original. Si usted ha usado el helado y quiere guardarlo, coloque un papel encerado encima del helado y tápelo. Puede conservarse hasta un mes.

Manera de congelar panes

Clases de panes que pueden congelarse

Galletas, muffins, pan de frutas, panecillos dulces y de sal, repollitas, waffles, panes blancos y negros, etc. Los panes que vienen cortados en su papel celofán, congélelos en su envoltura original y duran máximo 2 semanas. Si no están envueltos, métalos en una bolsa o en papel encerado o de aluminio. Duran hasta 3 meses.

Pan hecho en casa

Hágalo como acostumbre, déjelo enfriar, colóquelo en una bolsa o en papel encerado o de aluminio para meterlo al congelador. Ponga el coffee cake o panecillos en papel de aluminio y métalos en cajitas de cartón, después envuélvalos nuevamente con papel encerado.

Cómo usar los panes congelados

Descongélelos en su envoltura a la temperatura del cuarto de 1 a 3 horas. El pan para ser tostado se puede tostar sin descongelar.

Panecillos, galletas y coffee cakes

Colóquelos descongelados en una tártara de aluminio, caliente el horno a 400°F de 10 a 15 minutos, descongélelos envueltos a la temperatura del cuarto durante 30 a 35 minutos, sírvalos después.

Manera de congelar pasteles (pies)

Use cualquier clase de plato, ya sea de aluminio, vidrio o de cartón especial para pasteles (pies).

Chiffon pie

Para congelarlo, hágalo como de costumbre, déjelo enfriar, no le ponga la crema batida encima o el "chantilly", métalo en el congelador hasta que se congele, entonces guárdelo en las bolsas plásticas o envuélvalos en papel de aluminio.

Cómo usar los congelados

Desenvuelva el papel congelado y colóquelo en la nevera de 1 a 1½ horas, después póngale la crema batida. Los pasteles de cremas o "custard pie" no se congelan bien.

Pasteles de frutas

Para congelarlos se hacen como de costumbre. Algunos pasteles de frutas jugosas necesitan espesarse un poco más de lo corriente, usando ¼ de taza de harina por cada pastel, esto es suficiente para espesar la fruta más jugosa. Métalo en el horno, déjelo enfriar y póngalo en el congelador hasta que se congele. También puede congelarse crudo, si es así, no puye la tapa de pasta, ni le haga cortes. Póngalo crudo o cocido en bolsas plásticas, o envuélvalo en papel encerado o aluminio.

Nota: si el pastel parece demasiado flojo para manejarlo, congélelo primero sin envolverlo, y cuando esté duro, lo envuelve. Para más protección cúbralo con un plato de cartón antes de envolverlo.

Cómo usar los pasteles congelados

Si el pastel está crudo, desenvuélvalo congelado, hágale los puyazos o los cortes en la tapa de la pasta, póngalo al horno a 425°F por 40 a 60 minutos.

Si el pastel está cocido, desenvuélvalo congelado, póngalo al horno de 375°F durante 30 a 50 minutos, o hasta que haga burbujas.

Pastel de limón

Para congelarlo cocínelo como de costumbre, omitiendo el merengue de arriba. Envuélvalo como los chiffon pie. Congélelo.

Para usar los pasteles de limón

Desenvuélvalo y extienda el merengue en el pastel todavía congelado. Cocínelo a 350°F de 20 a 25 minutos, déjelo reposar una hora antes de servirlo.

Pastel de auyama (o pumpkin pie)

Para congelarlo, hágalo y cocínelo como de costumbre, enfríelo, después envuélvalo como los chiffon pie, o guarde el relleno sin cocinar en una vasija herméticamente cerrada.

Para usarlo descongele el pastel cocido, desenvuélvalo y déjelo a la temperatura del cuarto de 1 a 2 horas.

Para usar el relleno crudo, descongélelo y viértalo en la pasta cruda, cocínelo como de costumbre.

Conchas o cajeticas de pasta

Congele las conchas cocidas o crudas, antes de envolverlas hasta que estén duras. Después colóquelas en las bolsas plásticas, en papel de aluminio o encerado. Cuando se congelan sin cocinar pueden ponerse entre una y otra, papel encerado, machucado para protegerlas.

Cómo usar las conchas de pasta congeladas

Si la pasta es cruda desenvuélvala, cocínela al horno a 450 °F por 5 minutos, píquela, cocínela cerca de 5 minutos más. Si la pasta es cocida, desenvuélvala, caliéntela en el horno de 375 °F por 10 minutos.

Masas para pasteles (pie)

Para congelarlas, haga la receta que usted acostumbre, enróllela separándola entre uno y otro pedazo con dos pasteles encerados. Después métala en las bolsas plásticas, o en el papel de aluminio. Para usarla: descongélela a la temperatura del cuarto y úsela, como de costumbre.

Manera de congelar pudines, bizcochos (ponqué, cake)

Diferentes clases que pueden congelarse: pudín de ángel, pudín de esponja, pudín de mantequilla, pudín de libra, de frutas. Se pueden usar cocidos en moldes de capas, individuales o en un molde grande.

Pudines sin cubrir

Hágalos y cocínelos como acostumbre, después enfríelos. Envuélvalos en papel encerado o de aluminio; para mayor protección colóquelos además en cajas de cartón.

Pudines cubiertos

Hágalo y cocínelo como acostumbre, coloque el bizcocho en un cartón que ha sido cubierto con un papel de aluminio. Congélelo hasta que el cubierto del bizcocho esté seco, entonces envuélvalo. Los cubiertos con mantequilla congelan muy bien.

Cómo usar los pudines congelados

Desenvuelva los pudines o bizcochos cubiertos. Los que no están cubiertos se colocan sobre una parrilla para bizcochos, dejándolos en su misma envoltura a la temperatura del cuarto. Los individuales se descongelan en 30 minutos, los de capas en una hora, otros en 2 ó 3 horas.

Cómo congelar las distintas clases de galletas

Se pueden congelar bien las galletas que sean cortadas por molde; las que se hacen por cucharadas; las que se pasan por un prensador para darles las formas; las galletas heladas o "refrigerador cookie", y las que se hace la masa en forma de rollo y luego se cortan.

Puede congelarse la masa cruda metiéndola en bolsas plásticas, y al sacarla se le da la forma según la receta, ya sean cortadas o enrolladas. Las que son hechas por cucharadas se deben guardar en cajitas plásticas; y para usarla después, debe dejarse descongelar hasta que la masa esté suave como para echarla por cucharadas en la tártara.

Cómo congelar galletas cocidas

Hágalas y hornéelas como de costumbre, después córtelas si es necesario y déjelas enfriar bien. Colóquelas en un cartón, papel de aluminio o encerado, luego métalas en bolsas plásticas, o empáquelas con cuidado en cualquier caja plástica o de cartón. Use una cajeta fuerte para las galletas frágiles, ya sea plástica o de lata. Acolchone bien las galletas con papel encerado o de aluminio machucado para que no se rompan.

Cómo usar las galletas congeladas

Descongele la masa en la nevera por una hora o hasta que la corte fácilmente. Después cocínela como de costumbre.

Descongele cualquier otra clase de masa de galletas hasta que pueda ser fácilmente manejable déles la forma y cocínelas según la receta.

Las galletas congeladas ya cocidas, se desenvuelven y se dejan 15 minutos a la temperatura del cuarto.

Cómo congelar las comidas cocidas

1. La comida que se tiene que calentar antes de servirse, no debe cocinarse completamente si la va a congelar. Déjela a medio cocer.

2. Para congelar las salsas, deben batirse bastante hasta que estén bien suaves y unidas, para impedir que al congelarse se separen.

3. Enfríe lo más rápidamente posible la comida caliente antes de empacarla y meterla al congelador. Esto se puede hacer metiendo la olla o el recipiente dentro de una vasija con agua fría, o en la nevera.

Cómo se empacan

Si la comida cocida se tiene que asar o recalentar en el horno antes de servirla, empáquela en un plato para pastel, pírex, sartén o papel encerado, de aluminio o en cajas para congelador. Luego la comida puede ir directamente del congelador al horno. Si la vasija no tiene tapa, póngale papel de aluminio para cubrirla.

Cuando la comida que se va a congelar necesita ser recalentada al fuego, empáquela en una vasija de lados rectos, que pueda desmoldarse fácilmente al ponerla dentro de otra con agua caliente, hasta que se desprenda fácilmente. Si es de cartón o papel, puede romperse éste y dejar que se descongele el contenido para calentarlo después.

Manera de usar las comidas cocidas y congeladas

La comida cocida y congelada está muy expuesta a dañarse, por lo tanto, la manera de descongelarla es importante: si antes de servirse, la comida va a ser calentada al fuego o al horno, colóquela en el horno o al fuego sin descongelar. Excepto carne en pedazos grandes, o cantidades grandes de comida en una sola vasija ya que es muy difícil que llegue a descongelarse y calentarse el centro, de manera que debe dejarse descongelar completamente.

Cuando la comida no necesita ser calentada al servirla, debe dejarse descongelar dentro de la nevera o a la temperatura del ambiente, si es así debe ponerse después en la nevera para que se conserve fría al llevarla a la mesa.

Vinos

Una de las cosas que más preocupa a las personas a quienes les gusta el vino y tienen que servirlo por primera vez, es la forma como debe hacerse. En realidad son pocas las reglas que se

deben seguir y hoy día se han simplificado mucho.

Para servir el vino es mejor una copa ancha, que una larga y fina, porque la evaporación producida por una mayor superficie realza su bouquet y su sabor. La copa debe llenarse apenas algo más arriba de la mitad para obtener una mayor concentración del bouquet.

Cuando vaya a usar vino en un día especial es mejor comprarlo con algunos días de anticipación y dejarlo en un lugar fresco, porque los vinos se afectan con los viajes, aunque sean cortos, y un breve reposo les devuelve su calidad.

Es conveniente para los vinos tintos descorchar las botellas una hora antes de servirlos para dejarlos *respirar*, pues esto los hace mejores; los vinos viejos o añejos deben dejarse reposar para que se asienten las heces y al servirlos debe hacerse lentamente y detenerse al notar que éstas comienzan a salir.

No deben servirse vinos con las comidas muy condimentadas: encurtidos, vinagre, bowl, tabasco, pimienta, curry, porque son incompatibles con el vino.

Las bebidas o cocteles que contienen azúcar o los jugos de frutas, no deben servirse antes de las comidas con vino porque adormecen el paladar; para estas ocasiones son mejores los vinos ligeros, como el Oporto, Jerez o Vermouth secos, ojalá blancos, como el Rhin, Chablis, Jerez, etc.

Los mariscos y pescados se acompañan con vinos blancos, que deben estar fríos.

Para mantener fríos los vinos o la champaña mientras se sirve la comida, debe ponerse la botella en un balde, preferible de plata, con hielo picado, y al sacarla para servir, se le envuelve una servilleta, para que el mesero la pueda coger sin peligro a que se le resbale.

Los vinos tintos como el Borgoña, Rioja, etc., se sirven con las carnes y a la temperatura del ambiente.

La champaña bien fría acompaña también los pollos y otras aves de corral.

Con las carnes de caza un buen Borgoña.

El rosado puede usarse como vino único, que acompaña carnes y pescados.

Con la fruta y el postre, los vinos generosos, como el Málaga, Tokay, etc.

El queso se sirve con tinto, como Rioja y Chantal.

Los licores o pousse-café se sirven después del café y generalmente fuera del comedor.

Buffet

El buffet es una costumbre muy generalizada actualmente, que ha cogido mucho auge entre nosotros por la simplificación en el servicio de la mesa. Para esta clase de comidas se escoge un mantel de acuerdo con el número y calidad de invitados. El centro de mesa puede tener las flores un poco más altas que para el servicio de la mesa.

Los cubiertos y vajilla que se han de usar, pueden colocarse en una mesa auxiliar, o en la misma mesa del buffet, si hay espacio suficiente para distribuirlos en ella.

En los buffets siempre hay que poner, por lo menos: un plato de pescado o mariscos, uno de carnes y otro de aves, con sus correspondientes acompañamientos, ya sean ensaladas de verduras, de frutas, papas, vegetales, tortas o arroces. Además, varias clases de postres.

Esto se puede reducir de acuerdo con la cantidad de invitados y con la calidad de la atención que se quiera hacer.

Cuando se brinda consomé puede servirse en sus tazas y los meseros repartirlo a los invitados, un rato antes de pasar éstos al buffet.

"La buena cocina (como dice J. Berjane) es como el amor, necesita tacto y variedad".

Algunas reglas de educación en la mesa

1. Lo primordial para poder seguir las reglas de buena educación en la mesa, es saber sentarse debidamente. Pues de este punto depende que los movimientos se hagan con soltura y elegancia. Hay que sentarse, ni muy separado, ni muy cerca de la mesa, y perfectamente de frente.

2. Los brazos deben mantenerse cerca de los costados, lo más posible que se pueda, sin estar tampoco rígidos, como si estuvieran enyesados, deben estar pegados aun cortando los alimentos más duros, pero que tengan soltura de movimientos.

3. La servilleta debe mantenerse sobre las rodillas. Es incorrecto colocarla colgando del cuello o de los botones del vestido. El babero se le permite sólo a los niños hasta los siete años.

4. Jamás deben ponerse los codos sobre la mesa, ni recostar el brazo en el borde para alcanzar el bocado, pues la mano debe buscar la boca y la cabeza debe quedar erguida.

5. El plato debe ponerse cerca del borde de la mesa, a fin de llegar con una pequeña inclinación hasta el tenedor o la cuchara.

6. Los cubiertos deben cogerse, ni muy bajos que se apoyen los dedos sobre el filo del cuchillo, ni muy altos, y sin afectación.

7. Cuando se sirve cualquier líquido en una taza con asa, debe tomarse directamente de ésta, la cuchara solo se usará para probar y revolver. Esta deberá reposar en el plato que lleva debajo, y por ningún motivo se dejará dentro de la taza.

8. Al terminar de tomar la sopa debe dejarse la cuchara dentro del plato, con el mango colocado a la derecha de éste.

9. Al servirnos de un plato debemos calcular, poco más o menos lo que podamos comer, con el fin de no dejar, y nunca debemos hacerlo exageradamente, pues es preferible repetir.

10. La comida deberá cortarse y colocarse sobre el tenedor, evitando cantidades excesivas, cortando cada vez solo un pequeño trozo de carne para llevarlo a la boca, pues no se deben prender dos bocados de comida a la vez. Como tampoco tomar el contenido de una cuchara con dos sorbos. La ensalada se partirá con el borde del tenedor. Solamente se utilizará el cuchillo si los corazones de lechugas han sido servidos enteros. El cuchillo no deberá llevarse jamás a la boca. Esto es señal de pésima educación.

11. Cuando se bebe algo, no se debe dejar encorvado en alto el dedo pequeño de la mano, ni tampoco enjugarse los labios con una delicadeza afectada, pues en la mesa todos estos gestos fingidos revelan una mala educación. Por lo tanto, hay que enseñar a comer bien a los niños desde pequeños, y hacerlo siempre, aun cuando se esté solo, para no llegar a perder las buenas costumbres y la naturalidad.

12. Al comer debemos procurar no hacer ningún ruido con la boca, y al tomar los líquidos, no sorber.

13. Cuando se conversa en la mesa no lo hagamos con la boca llena, ni vayamos a cometer el error de accionar con el tenedor o el cuchillo en la mano.

14. Al servir agua, vino o cualquier otro líquido se debe procurar no llenar demasiado el vaso o taza, con el fin de no derramarlo; al

tomar, tener cuidado de limpiarse la boca con la servilleta antes de beber y no hacerlo tampoco con la boca llena. Si no se desea tomar vino, se rechazará antes de servirlo con un gesto de educación, en ningún caso se debe dar la vuelta a la copa.

15. Cuando nos inviten a comer debemos aceptar los platos que se nos ofrezcan, sin manifestar desagrado, aunque no sean de nuestro completo gusto.

16. Al asistir a una fiesta donde presenten un buffet, no debemos abalanzarnos sobre la mesa, sino ir esperando el turno, si es posible hasta formar fila, ni servirnos de todos los platos hasta llenar el nuestro de manera exagerada. El buffet es para escoger entre los manjares los que más nos agraden, pues no es obligación probar de todos, y sí, falta de educación, salir con el plato demasiado lleno

17. Para comer el pan se van partiendo trozos pequeños. No deben mojarse los pedazos de pan en la sopa, café, etc. Esto es verdaderamente incorrecto. En algunos países, como en Francia, se permite recoger con trozos de pan los restos de salsa que quedan en el plato, pero utilizando para ello el tenedor, en ningún caso los dedos.

18. Cuando se encuentre en la comida una espina, algún huesecillo o munición en los animales de caza, si salen limpios, sin trozos de alimentos, pueden sacarse de la boca con los dedos, con toda naturalidad. Esta es una excepción a la siguiente regla: lo que se lleva a la boca con el tenedor, se sacará con el tenedor; en cambio, la semilla de la naranja y de las aceitunas se sacarán con los dedos. No se debe utilizar la servilleta para estos casos, pues son contratiempos que se deben sortear con la mayor desenvoltura.

19. No debemos utilizar nuestro propio tenedor o cuchara para servirnos de las bandejas, ni en los buffets debemos probar directamente de los platos.

20. Las salsas deben servirse con la cuchara de la salsera. Si son espesas se pondrán en un lado del plato, y si son líquidas como para carnes, deberán verterse sobre la carne.

21. Al terminar de comer debemos poner los cubiertos juntos sobre el plato y esperar que este sea retirado, nunca apartarlo nosotros mismos hacia delante o a un lado.

22. Jamás deben emplearse palillos o escarbadientes en la mesa, este objeto es para usarlo en lugar aparte. Al terminar la comida debemos esperar que el dueño de casa dé la señal de levantarse para que lo hagan los demás.

En el salón

Uno de los elementos indispensables para el éxito de una fiesta, es el de la cordialidad y la armonía que deben reinar entre los concurrentes. Es necesario, por tanto, que al invitar a unos amigos nos preocupemos de preparar las cosas de tal forma que entre los invitados no haya antagonismos, que vendrían a hacer inoperante toda nuestra voluntad de llevar a cabo una reunión agradable.

Las presentaciones

El saber hacer las presentaciones representa una sólida base para establecer la familiaridad entre los distintos individuos. Hay que recordar que: se presenta la persona menos importante a la más importante. Un hombre a una mujer. Una persona joven a una mayor. Si dos personas son de la misma importancia, se presenta aquella con la que se tiene más confianza a la que se tiene menos. Si se tiene que presentar a alguien a un grupo de personas se dirá: la señorita Martínez, la señora García, el señor Pérez. Si se presenta a un grupo una mujer, la fórmula correcta será: permítanme que les presente a la señorita Menéndez ... la señora Vásquez, el señor Lleras.

Hasta aquí las reglas fundamentales, pero un ama de casa perfecta, siempre encontrará la palabra o la alusión precisa, al presentar dos personas, para que estas puedan iniciar una conversación.

En un salón en donde los dueños de casa hayan elegido sus invitados, semejantes en gustos y costumbres, la conversación nace espontánea y se desenvuelve de un modo familiar y brillante. Sin embargo, si la conversación decae, es la dueña de casa la que debe volver a iniciarla, recurriendo a su *savoir-faire* y apelando a cualquier tema general o acontecimiento de actualidad.

Conviene, en cambio, evitar ciertos temas, como los de política o religión, cuando no se conozcan a fondo los invitados. Llevados de la vehemencia, se pueden hacer afirmaciones que hieran la susceptibilidad o pongan en situación embarazosa a alguien; en estos casos, la dueña de casa, hábilmente, debe hacer que la conversación vuelva a un terreno libre de obstáculos. Hay otro tipo de conversaciones que conviene desterrar de nuestros salones: los chismes son el más vulgar tema de conversación y la dueña de la casa procurará, por todos los medios, que sus amigos, por lo menos en sus salones, no los cuenten.

Sucede con frecuencia que en las reuniones hay alguien que quiere centrar en sí o monopolizar la conversación. El protagonista cuenta anécdotas y episodios de su vida más o menos interesantes hasta que cansa. Una vez más la dueña de casa debe esperar la primera pausa para cambiar de tema; cualquier tema general podrá salvar perfectamente la situación en estos casos.

Sugerencias para la cocina en horno microondas

Como es costumbre, en cada edición del libro efectuamos adiciones y actualizaciones.

En los últimos años los hornos microondas son de uso cada vez más corriente en los hogares; por ello, a continuación daremos algunas indicaciones generales para facilitar su manejo.

Utensilios que pueden usarse

Plástico, pírex, papel absorbente, papel encerado, cristal y loza que no tengan dibujos en oro o plata.

Utensilios que no deben usarse

Plata, aluminio, papel de aluminio, cerámica o vajillas con bordes dorados o plateados (estos pueden romper el horno).

Generalidades con las que pueden adaptarse las recetas propias al horno de microondas

Los líquidos deben reducirse a una cuarta parte. El polvo de hornear se debe reducir a una tercera parte. Para calcular aproximadamente el tiempo de cocción en el microondas, se debe dividir el tiempo de la receta normal por cuatro, o sea que si el plato toma una hora en horno común el microondas demora un cuarto de hora.

Si aumenta la cantidad de alimentos, se incrementará el tiempo de cocción; por ejemplo, una papa demora cinco minutos, por cada papa extra se añadirá un minuto más.

Los alimentos se deben colocar en forma de círculo, porque las microondas cocinan de afuera hacia adentro.

Por eso siempre la parte de afuera y los bordes se cocinarán más rápido.

Los alimentos se deben sacar un poco antes de que estén en su punto de cocción, porque las microondas siguen cocinando fuera del horno.

Descongele las comidas sólidas hasta que en el centro del alimento quede una porción de hielo, si demora un poco comienza el proceso de cocimiento.

Los alimentos se cocinan más rápido si se tapan, pero hay que tener cuidado con el vapor al destaparlo.

En el microondas no es necesario rebullir como en el horno corriente, deben cambiarse de posición las vasijas para que no se cocine más de un lado.

Cuando cocine el lomo y la punta sea muy delgada, voltéela hacia abajo para que no se recocine.

La carne puede meterse congelada a cocinar en temperatura de *high* y dejarla cocinar hasta el punto deseado.

El roast beef queda así muy bueno.

Consejos útiles

Para facilitar la labor y asegurar el éxito en la cocina, daremos a continuación una serie de recomendaciones útiles que deben tenerse en cuenta:

1. Es indispensable en la cocina una tabla para picar, que no esté barnizada ni tenga grietas.

2. Un buen cuchillo es el amigo fiel en toda cocina.

3. Las cucharas de madera son esenciales para mover, las de metal pueden producir ciertas reacciones con algunos alimentos.

4. Cuando se va a freír o saltear algo, conviene calentar primero la sartén y luego añadirle la mantequilla y el aceite, porque así no pegarán la carne ni los huevos.

5. Cuando vaya a empanar carnes siga este método: use la mano izquierda para mojarla en el huevo y la derecha para revolcarla en el pan rallado. En esa forma no se le pringarán los dedos.

6. Para conservar fresca y sin olor la carne cruda, antes de meterla en la nevera frótela con aceite o báñela con su propia grasa derretida, o bien en mantequilla fundida. No la envuelva.

7. El pescado crudo se conserva fresco y no da olor si se enjuaga con agua y jugo de limón, se seca perfectamente, se envuelve y se guarda en la nevera.

8. Antes de cocinar la carne, déjela fuera de la nevera hasta que esté a la temperatura ambiente. Pero este consejo no vale para la carne congelada, que puede cocinarse apenas comience a escurrir sus jugos. Si se deja fuera mucho tiempo perderá demasiado jugo.

9. No pinche la carne que esté dorando, porque escaparán sus jugos. En vez de tenedor use unas tenazas. Tampoco deje que se junten los trozos, pues no quedarán salteados, sino estofados. Es preferible cocinar pocas piezas cada vez. Las carnes rojas deben cocinarse a fuego vivo, sin cubrir el recipiente; las aves a fuego lento, cubiertas o descubiertas. Nunca trinche la carne ni las aves inmediatamente después de sacarlas del horno, ya se trate de un asado, de un pavo o de un pollo. Déjelas enfriar 20 minutos, así podrá rebanarlas o trincharlas con más facilidad.

10. El blanqueado ayuda a conservar el color, la consistencia y el sabor de hortalizas y verduras. Ya rebanados, ponga los trozos en una cacerola y cúbralos con agua fría, cuézalos a fuego lento hasta que suelte el hervor; tire después esta agua y cocine las verduras en la forma que desee.

11. Para evitar que los pepinos sepan amargo, corte ambos extremos y frote con ellos la superficie restante; si quiere realzar su sabor rebánelos con anticipación, rocíelos con un poco de sal y métalos en la nevera.

12. La mejor forma de picar una cebolla es la siguiente: córtela por la mitad, ponga la superficie plana contra la tabla de picar y con el cuchillo corte rebanadas delgadas, luego dé vueltas a las rebanadas manteniéndolas unidas y píquelas finamente. Este método ayuda a conservar el gusto de la cebolla. Para que no le lloren los ojos rocíe con jugo de limón la superficie plana, una vez que haya partido en dos la cebolla.

13. Jamás utilice un cuchillo al cortar las hortalizas para la ensalada, esto las estropea y les da un sabor amargo. Pártalas cuidadosamente con los dedos en porciones que se puedan comer de un bocado.

14. ¿Cuál es el secreto de una ensalada fresca? Consiste en secar perfectamente las hojas una por una, que no quede nada de agua; si están mojadas las hortalizas no quedan brillantes, ni se cubren bien con el aliño. Pueden conservarse en la nevera desde la víspera, lavadas, secas y partidas, envueltas en un liencillo o toallas de papel y metidas dentro de un recipiente, así se ahorrará trabajo de última hora y las hortalizas tendrán menos humedad.

15. Si no quiere que la leche forme nata, hiérvala a fuego lento, moviéndola constantemente con una cuchara de madera.

16. Para que no se baje la crema al batirla, agítela con un batidor de alambre en un recipiente (que no sea de aluminio) colocado en otro con hielo.

17. Si ralla el queso parmesano en casa obtendrá un producto mejor que el que venden ya rallado. Para conservar su frescura bañe el trozo en cognac y envuélvalo en un plástico y papel de aluminio. No es necesario refrigerarlo. El queso suizo se conserva también con este método, pero hay que refrigerarlo.

18. Cuando utilice huevos crudos para preparar algún plato logrará mejores resultados si antes los refrigera. Se desprende mejor, y las salsas mayonesa y holandesa se espesan más pronto.

19. Las claras estarán bien batidas cuando queden adheridas al recipiente al volverlo boca abajo. El volumen mayor que tengan las claras es particularmente importante para los soufflés, ya que las claras son las que dan cuerpo a estos manjares.

20. Escalfe los huevos en agua sazonada con vinagre perfumado con su hierba favorita, el estragón en particular, le da un sabor delicadísimo.

21. Cuando emplee el ajo nunca lo cocine solo, ni a fuego vivo; píquelo sobre un poco de sal, pues en esa forma los pedacitos no se

pegarán al cuchillo ni a la tabla de picar. Aplástelo después con la punta del cuchillo. No use exprimidor porque así se pierde lo mejor del diente. Para quitar el olor de los dedos cuando se ha manejado ajo, fróctelos con un tomate maduro; si el olor es muy fuerte frote los dedos con posos de café.

22. Para que la mezcla de la salsa resulte más tersa, retire la sartén o cacerola del fuego antes de agregar la harina a la mantequilla derretida. Si a cualquier base para salsas se le va a agregar un líquido, conviene sacarla del fuego para revolverla perfectamente.

23. Cuando mezcle una salsa caliente con una fría, añada la primera a la segunda a razón de dos cucharadas por vez, para que la salsa fría se entibie lentamente y no se corte.

24. Para revolver salsas se recomienda la técnica siguiente: usar una espátula de madera o un batidor de alambre y raspar el fondo de la cacerola a medida que se revuelve la mezcla.

25. Para añadir una crema agria a una mezcla caliente tome un poco con la espátula de goma, incorpórela con movimientos rápidos, mantenga la salsa caliente, pero sin llegar a hervir. Repita la operación hasta haber incorporado toda la crema.

26. El secreto de una buena salsa es cocinarla a fuego lento, jamás a fuego vivo.

27. Para corregir una salsa cortada: si se trata de una salsa holandesa o de chocolate, incorpórele más o menos una cucharada de agua fría, batiendo. Para la mayonesa hay que usar agua caliente.

28. Para modificar una salsa caliente demasiado ligera, mezcle una cucharada de harina (o maizena) con una cucharada de mantequilla blanca. Incorpórela a la salsa caliente, que se habrá retirado del fuego hasta que quede homogénea. Vuélvala al fuego y déjela hervir muy suavemente hasta que se cueza la harina.

Reglas para el uso del congelador

No deje la comida que va a congelar mucho tiempo fuera de la nevera, y congélela lo más pronto posible.

Congele los alimentos en pequeñas cantidades, envuélvalos en papel encerado, de aluminio, o en bolsas plásticas.

Las frutas, vegetales, sopas, jugos, pueden guardarse en cajitas o en tarros plásticos bien cerrados, no llenándolos hasta el borde. Los frascos de cristal para que no se rompan, deben llenarse solo hasta la mitad. Rotule los paquetes clasificando el contenido y la fecha en que se guardan en el congelador, para saber el tiempo que debe durar cada alimento.

Tiempo de duración de los alimentos en el congelador

Esto depende de la calidad de alimentos, la temperatura del congelador y la manera de empacarlos.

Carne, cordero, ternera	*1 año*	*Máximo*
Carne molida	*2 a 3 meses*	*Máximo*
Frutas, vegetales	*1 año*	*Máximo*
Cerdo fresco, aves, pescados	*4 a 6 meses*	*Máximo*
Jamón	*1 mes*	*Máximo*
Comidas cocidas y horneadas	*1 a 3 meses*	*Máximo*
Salchichas	*1 mes*	*Máximo*
Sandwiches	*2 semanas*	*Máximo*
Helados	*1 mes*	*Máximo*

El guardar mucho tiempo los alimentos es la causa de la pérdida del sabor. Use diariamente el congelador y así cuando los consuma estarán tan frescos como cuando los congeló. No los congele de nuevo una vez que se han descongelado. Pueden dañarse y usted los guardaría sin darse cuenta. También esto hace perder el sabor y la calidad. Cuando la comida está descongelada póngala en la nevera y úsela rápidamente.

La comida, excepto los mariscos, pueden volverse a congelar, siempre y cuando estos tengan pedacitos de hielo. Recuérdelo por si su congelador ha sido desconectado o ha faltado la energía.

Excepción a esta regla: puede descongelar la comida cruda si la saca del congelador, la cocina y la guarda otra vez. Por ejemplo: sacar del congelador un pavo, lo asa en el horno, y lo que queda después que lo coman, congelarlo nuevamente.

Tabla básica de cocción

Clase de alimento	Cantidad	Tiempo	Indicadores en	Explicaciones adicionales
HUEVOS PERICOS	Unidad	1 min. y 20 seg.	40" en High rebullir 40" en High	a) *Tibios: Sacar de la cáscara a una coca refractaria, cubrirla con plástico y dejarla por 40 seg. en Roast y en reposo 1 min. antes de servir.* b) *Pericos: por cada huevo añadir 1 cucharada de leche, 1 pizca de sal y 1 cucharadita de mantequilla. Nota: los huevos no se cocinan con cáscara porque se estallan.*
SANDWICH DE QUESO	Unidad	1¹/₂ min.	Roast	a) *Con relleno cocinado en Reheat.* b) *Gruesos como de hamburguesas, perros calientes se deben envolver antes en una servilleta, que queden flojos.*
PAN Calentar	Unidad	15 seg.	Reheat	
HOJALDRE Tostado sin dulce	Unidad	3 min.	High	
PAPAS	Unidad	4¹/₂ min.	High 1 min. por papa extra	*Cuando son con cáscara se deben picar con un tenedor.*
SOPAS Sin arroz o pasta	De sobre	15 min.	High	a) *Con vegetales crudos, o comida de mar en High* b) *Con carne cruda de res o pollo en High, hasta que comience a hervir, luego reducirlo a Simmer hasta el punto deseado.*
Con arroz o pasta	De sobre	16 min.	8' en high 8' en Defrost	
CALDOS		10 min.	Roast	
VEGETALES Remolacha, habichuelas, arvejas.	1 libra	15 min.	High	
Coliflor, zanahorias, apio.	Medianos	12 min.	High	
Repollitos Espinacas	1 libra	7 min.	High	*VERDURAS; Tiempo promedio de cocción, 6 a 7 minutos por 1 libra. Añada ¹/₄ de taza de agua al cocinar las frescas.*
Alcachofas	Unidad	6 min.	High	
Mazorca	Unidad	5 min.	High	

Horno microondas
Tabla básica de descongelación

Clase de alimento	Cantidad	Tiempo	Indicadores en	Explicaciones adicionales
CARNE DE RES	1 libra	9 min.	Roast	*Los líquidos hasta que quede un pedazo de hielo en el centro.*
CARNE MOLIDA EN CUBOS O TAJADAS	1 libra	7 a 8 min	Róast	*Comida sólida retirarla cuando el centro esté aún helado.*
TERNERA	1 libra	12 a 15 min	Defrost	*Iguales minutos por libra para la carne de cerdo.*
POLLO	3 libras	14 a 16 min	Defrost 10' en reposo	
PAVO	4 a 6 kilos	30 min	Roast. Darle vuelta cada 10 minutos	
COMIDA DE MAR	1 libra	10 a 12 min.	Defrost	

Tabla básica de cocción
para el horno microondas

Clase de alimento	Cantidad	Tiempo	Indicadores en	Explicaciones adicionales
CARNE DURA	1 libra	12 min.	6' en High. 6' en Simmer	*Carne bien cocida: 10 a 12 min. por 1 libra*
CARNE TIERNA	1 libra	10 min.	5' en High. 5' en Roast	*Carne media: 8 min. por 1 libra* *Carne a medio cocer: 7 min. por 1 libra*
CHULETA	3 onzas	4 min.	En High 1' por chuleta adicional	*Nota: la parte gorda de la carne se debe colocar siempre hacia abajo por la primera mitad del tiempo.*
TERNERA	1 libra	20 min.	Simmer	*Si el trozo de carne es muy grande, usar Roast. Iguales min. para la de cerdo.*
HIGADO	1 libra	14 min.	Simmer	
LENGUA	1 libra	18 min.	Simmer	
TOCINETA	tajadita	1½ min.	4' en High. 4' en Roast	*Se pueden poner a cocinar sobre servilletas o toallas de papel, para que éstas absorban la grasa.*
PAVO	1 libra	8 min.	High	
MARISCOS Y PESCADOS	1 libra	7 min.	High. Roast	*Mariscos pelados o no, el mismo tiempo de cocción.*
CERDO	1 libra	8 a 10 min.	Roast	*Bien asado.*
POLLOS Y AVES	1 libra	7 min.	High. Simmer	

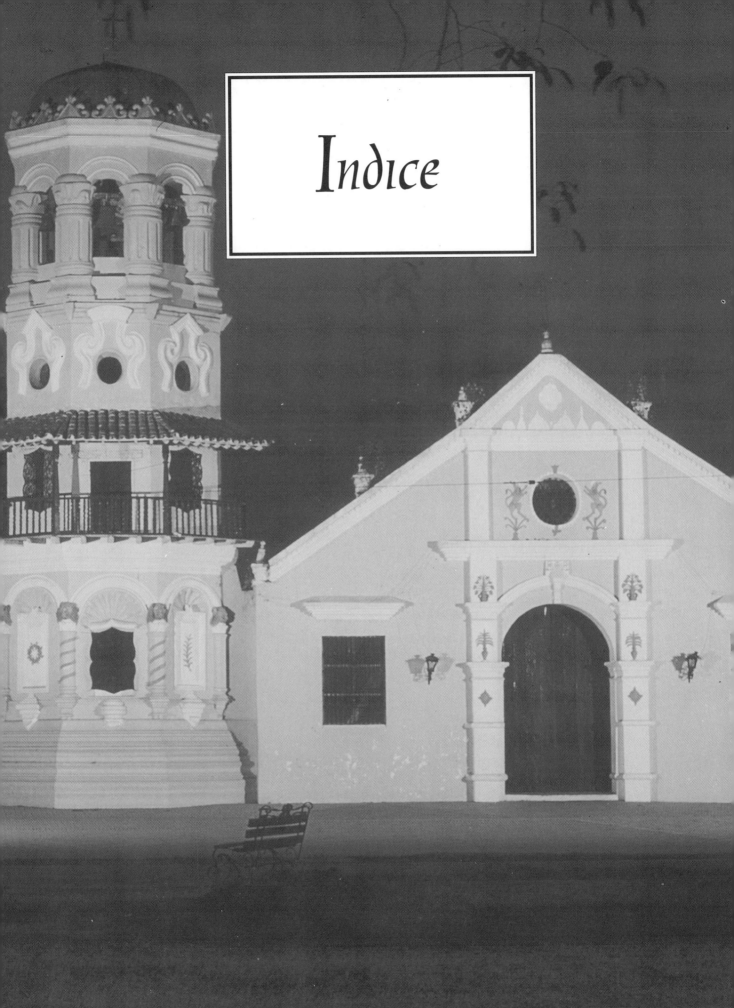

Indice

Contenido

COMIDA CARTAGENERA

CAPITULO I

Cocteles

COCTEL DE UVAS	29
COCTEL RON SOUR	29
RON COLLINS	29
COCTEL AGUA DE COCO CON GINEBRA	
(COCO-LOCO)	29
COCTEL TUMBAMUERTO	30
COCTEL MANHATTAN	31
CUBA LIBRE	31
COCTEL O SORBETE DE FRUTAS	30
GIN TONIC	30
CLUB NAVAL	30
COCTEL DE COCO OSTERIZADO	30
ROMAN BOWL	30
SANGRIA	30

Refrescos o chichas

HORCHATA DE ALMENDRAS	31
CHICHA DE MAIZ AGRIA	31
RESBALADERA	31
COCTEL COLA DE MONO	31
REFRESCO DE COROZO	32
HORCHATA DE COCO	32
REFRESCO DE CEREZAS	32
CHICHA DE MAIZ	32
REFRESCO DE TAMARINDO	32
CHICHA DE ARROZ	32
MATRIMONIO	33
REFRESCO DE PAPAYA	33
REFRESCO DE MARACUYA	33
HORCHATA DE AJONJOLI	33
REFRESCO DE ZAPOTE	33

CHICHA DE MAMON	33
REFRESCO DE GUAYABA	33
LECHE CON KOLA ROMAN	33
REFRESCO DE CASCARA DE PIÑA Y ARROZ	34
REFRESCO DE PATILLA	34
REFRESCO DE MANGO	34
REFRESCO DE MELON	34
REFRESCO DE ANON	34
REFRESCO DE GUANABANA	34
REFRESCO DE UVITAS DE PLAYA	35
REFRESCO DE MARAÑON	35
MAMEY CON VINO O RON	35

CAPITULO II

Sopas

CALDO BASICO	39
COCIDO CARTAGENERO	39
SOPA DE CREMA DE MAIZ	39
VIUDA DE BOCACHICO	40
SOPA DE CANDIA CON MOJARRAS	40
SANCOCHO DE BOCACHICO	40
SOPA DE BOFE O GUISO	40
SANCOCHO DE SABALO	41
SELELE CON CANGREJOS	41
SANCOCHO DE GALLINA CARTAGENERO	41
SOPA DE CANDIA CON CERDO	41
SOPA DE OSTIONES	42
SELELE O SOPA DE FRIJOLITOS VERDES	42
SOPA DE GARBANZOS	42
SOPA DE CREMA DE COCO	42
SOPA DE MAIZ TIERNO	42
SOPA DE ZARAGOZAS BLANCAS CON ÑAME	42
SOPA DE ÑAME EN TROCITOS	43

SOPA DE ÑAME CON APIO 43
SOPA DE CREMA DE AUYAMA O DE ÑAME 43
SOPA DE CREMA DE YUCA 43
SOPA DE YUCA EN TROCITOS 43
SOPA DE TORTUGA 43
SOPA DE MONDONGO 44
SOPA DE LENTEJAS 44
SOPA DE POLLO CASERA 44
SOPA DE FRIJOLES ROJOS CON
   CHICHARRONES 44
SOPA DE LENGUA 45
HIGADETE 45
SOPA DE RABO O COLA DE BUEY 45
MOTE DE GUANDU CON LECHE DE COCO 45
SOPA DE CODILLO 46
MOTE DE CANDIA CON MOJARRAS 46
MOTE DE GUANDU 46
SOPA DE SESOS 46
SOPA DE BUÑUELOS DE HARINA 47
SOPA DE ARROZ 47
SOPA DE BOLLITOS 47
SOPA DE PLATANO VERDE 47
SOPA DE TOMATE 47
SOPA DE AJIES RELLENOS 47
SOPA DE VERDURAS 48
CONSOME ESPECIAL 48
SOPA DE ALBONDIGAS 48
SANCOCHITO DE CAMARONES 48

CAPITULO III

Pescados y mariscos

CONSEJOS PARA LOS PESCADOS 51
CONSEJOS PARA LOS MARISCOS 51
MODO DE COCINAR LA LANGOSTA 51
OSTRAS AL NATURAL 52
COCTEL DE OSTIONES 52
GRAN COCTEL DE OSTIONES 52
OSTIONES RELLENOS 52
MUELAS DE CANGREJO AL NATURAL 52
CUAJADO DE CAMARONES 52
CREMA DE CARNE DE CANGREJO 53
CAMARONES EN APUROS 53
LANGOSTA O CAMARONES CON COCO
   Y CURRY 53
AGUACATES RELLENOS CON CAMARONES 53
APERITIVO DE CANGREJO 53
HUEVAS DE SABALO FRITAS 53
LANGOSTA A LA CARTAGENERA 54
BOLLOS DE HUEVAS DE SABALO 54
BUÑUELOS DE HUEVAS DE SABALO 54
CARACOLES GUISADOS CON COCO 54
POSTAS DE LEBRANCHE 54
LEBRANCHE FRITO CON SALSA DE VINO
   TINTO 55
LEBRANCHE EN ESCABECHE 55
PESCADO CON POLVO DE PAN 55

PESCADO AL HORNO 55
PESCADO CON POLVO DE PAN Y QUESO 56
SOBREUSA DE PESCADO 56
MOLDE DE PESCADO AL HORNO 56
PESCADO CON SALSA ROMAN 56
BOLAS DE PESCADO 56
CEBICHE CON LECHE DE COCO 57
FLAN DE PESCADO 57
BOLAS DE SARDINAS 57
CANAPES DE PESCADO A LA DIABLA 57
SABALO GUISADO CON COCO 57
BAGRE A LA CRIOLLA 58
BAGRE CON TOMATE 58
BAGRE CON HUEVO 58
BOCACHICO SALADO O CABRITO 58
PESCADO AL HORNO 58
HICOTEA GUISADA 59
BISTE DE TORTUGA 59
ENSALADA DE CARACOLES 59
CAMARONES EN TOMATE 59
CANGREJAS AL GRATIN 59
COCTEL ESPECIAL DE CAMARONES 60
CONCHAS DE MARISCOS O PESCADO 60
CREMA DE LANGOSTA O CAMARONES 60

CAPITULO IV

Huevos

HUEVOS EN CALDO 63
HUEVOS DUROS 63
HUEVOS CON SALSA NEGRA 63
HUEVOS FRITOS 63
HUEVOS PERICOS CON CEBOLLA Y TOMATE 64
HUEVOS ESCALFADOS (FRITOS EN AGUA) 64
HUEVOS CON PURE DE PAPAS 64
HUEVOS EN RUEDAS DE PAN 64
HUEVOS RELLENOS 64
HUEVOS CON PURE DE PAPAS (OTRA) 64
HUEVOS COPETONES 65
HUEVOS RUSOS 65
HUEVOS ESPARRAGADOS 65
HUEVOS A LA LIBERALA 65
REVOLTILLO DE PAPAS 65
HUEVOS EN CACEROLA 66
REVOLTILLO DE CHORIZOS 66
HUEVOS FRITOS CON JAMON 66
TORTA DE HUEVOS 66
REVOLTILLO DE HICOTEA 66
REVOLTILLO DE CAMARONES 66
REVOLTILLO DE CANGREJOS 67

Butifarras y chorizos

CHORIZOS 67
BUTIFARRAS 67
BUTIFARRAS (OTRA) 67
SALCHICHAS CRIOLLAS 68

MORCILLAS   68
HUEVOS RELLENOS DE CAMARON   69
MOLDECITOS DE HUEVO   69

CAPITULO V

Carnes

CARNE SALADA ASADA   71
CARNE SALADA CON COCO   72
BISTE CASERO   72
CARNE SALADA CON TOMATE   72
CARNE SALADA CON PLATANO MADURO   72
BISTE   72
BISTE BLANCO   73
CARNE RIPIADA CON HUEVO   73
BISTE MOLIDO   73
CARNE GUISADA   73
CARNE RIPIADA FRITA O ASADA   73
POSTA DE CARNE MECHADA   74
CARNE EN POSTA   74
CARNE CON SALSA NEGRA   74
POSTA CON CEBOLLITAS   74
CARNE PUYADA   74
PUNTA DE NALGA (O DE ANCA)   75
POSTA NEGRA   75
POSTA NEGRA CON VINO   75
CARNE FRIA   75
CARNE "TIA CLARA"   75
LOMO FRITO   76
CARNE MORTADELA   76
CORAZON RELLENO   76
COSTILLAS DE CARNE GUISADAS   76
RAGOUT DE CARNE   77
BUÑUELOS DE SESOS   77
SESOS GUISADOS   77
SESOS GUISADOS   77
SESOS CUBIERTOS   77
SESOS CON MANTEQUILLA QUEMADA   77
MOLDE DE CARNE   77
MANERA DE HACER JAMON   78
CARNE MOLIDA   78
LENGUA RELLENA   78
LENGUA A LA CARTAGENERA   78
LENGUA MECHADA   79
LENGUA ALCAPARRADA   79
LENGUA CON LECHE DE COCO   79
ROLLITOS DE CARNE O CERDO   79
CARNE EN BOLAS   80
ROLLITOS DE CARNE   80
CARNE DE BOLLITO RELLENO   80
ROLLO DE CARNE MOLIDA   80
RIÑONES   81
RIÑONES EN CHUZOS   81
BISTE DE HIGADO   81
ÑEQUE O PACA   81
ARMADILLO GUISADO CON COCO   82
CONEJO AHUMADO CON COCO   82

GUARTINAJA RELLENA CON ARROZ
   CON COCO Y PASAS   82
PERNIL DE CERDO   82
COSTILLAS REDONDAS DE CERDO
   ENVUELTAS EN PAPEL   82
COSTILLAS DE CERDO FRITAS   83
COSTILLAS DE CERDO RELLENAS   83
CODILLOS GUISADOS   83
CODILLOS CUBIERTOS   83
CODILLOS CON TOMATE   83
PATITAS DE CERDO EN SALSA   84
CARNERO   84
ASADURA DE CERDO   84
CARNE DE CERDO CON GARBANZOS   84
MAIZ VERDE CON CERDO   85
CORAZON CON VINO TINTO   85
POSTA CON PANELA   85
PUNTA O LOMO DE PELLEJO AL HORNO   85
LENGUA EN SALSA   85
CONEJO CON VINO   86
CONEJO A LO CAZADOR   86

Aves

PATO AL VINO   86
PAVO RELLENO   87
PAVO RELLENO A LA CRIOLLA   87
POLLO CON COCO   88
POLLO GUISADO A LA CARTAGENERA   88
POLLO FRITO CON POLVO DE PAN   88
POLLO A LA ABUELA   88
POLLITO "TIA CLARA"   88
PICHONES RELLENOS CON ARROZ
   CON PASAS   89
GUARTINAJA GUISADA CON COCO   89
FRICASE DE GALLINA   89
GALLINA GUISADA CON PAPAS   89
GALLINA GUISADA CON COCO   89
CREMA DE GALLINA   90
GALLINA A LA CARTAGENERA   90

CAPITULO VI

Arroces

ARROZ CON COCO Y PASAS (FRITO O TITOTE)   93
ARROZ CON COCO CORRIENTE (HERVIDO)   94
ARROZ CON COCO FRITO (TITOTE)   94
ARROZ CON COCO Y PASAS (HERVIDO)   94
ARROZ CON COCO Y AUYAMA, YUCA O
   PLATANO   94
ARROZ CON COCO Y FRIJOLES   94
ARROZ CON COCO Y CAMARONES FRESCOS   95
ARROZ CON COCO Y MOJARRAS AHUMADAS   95
ARROZ CON COCO AGUADO   95
ARROZ CON COCO Y QUESO CRIOLLO   95
ARROZ CON COCO Y CARNE SALADA   95

ARROZ CON MUELAS DE CANGREJO 96
ARROZ CON COCO Y MAIZ VERDE 96
ARROZ BLANCO 96
ARROZ CON CANGREJOS Y PALIZA 96
QUESO RELLENO DE ARROZ CON PASAS 96
ARROZ GUISADO A LA CARTAGENERA 97
ARROZ CON CERDO 97
ARROZ CON MENUDILLO 97
ARROZ CON CHORIZOS 97
ARROZ CON ALMEJAS, SABALO Y OSTIONES 98
ARROZ CON MARISCOS 98
ARROZ CON CAMARONES SECOS 98
ARROZ CON ALMEJAS 98
PASTELES DE ARROZ 99
ARROZ CON CABITOS DE TABACO 99
ARROZ CON PATO 100
ARROZ CON COCO Y LENTEJAS 100
ARROZ CON PLATANO MADURO 100
ARROZ CON POLLO 100
ARROZ CON CHIPI-CHIPI 100
ARROZ CON PESCADITOS 101
TORTA DE PLATANO Y ARROZ 101
ARROZ CON NUECES Y CABELLO DE ANGEL 101

Ensaladas

ENSALADA "TIA CLARA" 102
ENSALADA DE TOMATES 102
ENSALADA DE AGUACATE 102
ENSALADA DE AUYAMA 102
ENSALADA DE LENTEJAS 102
ENSALADA VERDE 103
ENSALADA DE PAPAS 103
ENSALADA DE REPOLLO 103
ENSALADA DE PALMITO DULCE 103
PURE DE AUYAMA 103
MOTE DE PALMITO AMARGO 103

CAPITULO VII

Platos varios

CABEZA DE GATO 107
PLATANOS ASADOS CON KOLA ROMAN 107
PLATANOS ASADOS CON LECHE DE COCO 107
PLATANOS MADUROS ASADOS 107
TAJADAS DE PLATANO CON QUESO 108
PLATANITOS ASADOS 108
BORONIA O ALBORONIA 108
PURE DE ÑAME 108
YUCA O ÑAME GUISADO 108
PAPAS CUBIERTAS 108
MAIZ SANCOCHADO 109
MAIZ ASADO 109
PLATANO VERDE ASADO 109
MACARRONES CRIOLLOS 109
ÑAME RELLENO 109
MAJUANA O MAEJUANA 109

PAPAS RELLENAS CON CERDO 109
MOTE DE AUYAMA 110
ZARAGOZAS BLANCAS 110
MACARRONES CON POLLO 110
MACARRONES CON CERDO ·110
TOMATES RELLENOS CON CAMARONES 111
PURE DE PAPAS 111
REPOLLO RELLENO 111
BERENJENAS RELLENAS 111
AJIES RELLENOS 112
AJIACO DE CARNE SALADA 112
RAVIOLI 112
FIAMBRE 113
SALCHICHAS ATORMENTADAS 113
PAPAS CON PEREJIL 113
CROQUETAS DE PAPAS 113
LENTEJAS 113
CEBOLLAS RELLENAS 114
TOMATES RELLENOS CON CERDO 114

Fritos y fritangas

EMPANADAS CON HUEVO 114
EMPANADAS DE MASA DE MAIZ 114
EMPANADAS DE HARINA 115
EMPANADITAS DE HARINA 115
BUÑUELOS DE FRIJOL 115
BUÑUELOS PICAROS 115
BUÑUELOS DE ARROZ 115
BUÑUELOS DE HARINA DE TRIGO 115
BUÑUELOS DE ÑAME 116
BUÑUELOS DE MAIZ VERDE 116
CARIMAÑOLAS 116
REPOLLITAS DE YUCA 116
AREPITAS DE YUCA 116
PALITOS DE YUCA FRITOS 116
AREPITAS DE DULCE 116
PANES RELLENOS 117
NIÑOS ENVUELTOS 117
HOJALDRES 117
PALITOS DE QUESO 117
DEDALES DE QUESO 117
COSTILLAS DE CERDO FRITAS
  (PARA PICADAS) 117
TAJADAS DE PLATANO MADURO 118
BOLITAS DE QUESO 118
BOLITAS DE QUESO (OTRA) 118
PALITOS DE QUESO (OTRA) 118
TAJADAS DE PLATANO VERDE 118
PATACONES 118
YUCA FRITA 118
CHICHARRONES 118

Bollos

BOLLOS DE MAZORCA 119
BOLLOS DE MAIZ SECO O BOLLO LIMPIO 119
BOLLOS DE MAIZ VERDE CON CERDO 119
BOLLO NEGRITO 119
BOLLO DE YUCA 120

BOLLITOS AL VAPOR 120
BOLLO DE PLATANO 120
BOLLO HARINADO 120
BOLLO DE COCO 120
BOLLOS CACHACOS 120
MASA GUISADA 120

CAPITULO VIII

Salsas

SALSA BECHAMEL 123
SALSA BLANCA DURA 123
SALSA MAYONESA 124
SALSA BLANCA 124
SALSA BLANCA (PARA SOUFFLES) 124
SALSA DE ALCAPARRAS 124
SALSA DE TOMATES NATURALES 124
SALSA DE TOMATES NATURALES (OTRA) 125
SALSA VINAGRETA 125

CAPITULO IX

Pasteles y pastelitos

PASTA DE CASTILLA 129
PASTEL DE PAN (SOUFFLE) 129
PASTEL DE YUCA 129
PASTELITOS DE LAS POLANCO 130
PASTEL DE ÑAME 130
PASTEL DE CARNE SALADA 130
PASTELITOS DE QUESO 130
PASTEL DE CASABE 131
TAMALES 131
TORTA DE PLATANITOS 131
PASTEL DE GALLINA Y PAPAS 131
PASTEL DE POLLO 132
EMPANADITAS DE HARINA 132

CAPITULO X

Tortas

CASABE 135
CASABES DE COCO 135
TORTA ÑOCLOS 136
TORTA DE PIÑA 136
TORTA DE QUESO 136
TORTA DE GUAYABA 136
TORTA DE PASAS 136
TORTA DE PAN 136
POSTRE DE LA BISABUELA 137
PUDIN DE MAIZ 137
TORTA DE PAN Y QUESO 137
TORTA DE ÑAME 137
TORTA DE ARROZ 137
ENYUCADO 138
TORTILLA DE PLATANO MADURO 138
TORTICAS DE VINO 138
TORTA DE SESOS 138
ENYUCADO (OTRO) 138
ASADO DE QUESO DORADO 139
TORTA SECA 139
TORTA DE PAPAS 139
TORTA DE MACARRONES 139
ESPONJADO DE MAIZ 139
TORTILLA DE PLATANO Y QUESO 140
CARISECA 140
CUAJADO DE VERDURAS 140

Mazamorras

ARROZ CON COCO Y CHOCOLATE 140
MAZAMORRA DE MAIZ SECO 140
ARROZ CON LECHE ESPECIAL 141
MAZAMORRA DE MAIZ VERDE 141
MAZAMORRA DE PLATANO 141
NATILLA 141
CHOCOLATE DE HARINA 141
PETO 142
BITIVITI 142
ARROZ CON LECHE 142

CAPITULO XI

Postres, pudines y pastelería

CASTER 147
PASTEL DE COCO 147
PASTEL DE COCO (OTRO) 147
PASTEL DE CREMA DE COCO
  (PLATO GRANDE) 148
PASTEL DE PASAS 148
PASTA ARENOSA 148
PUDIN DE MATRIMONIO 148
CASTER CORRIENTE 148
PUDIN NEGRO 149
PASTEL DE MANZANA 149
PUDIN NEGRO (OTRO) 149
POSTRE DE GALLETICAS 150
POSTRE INGLES 150
PUDIN DE LIBRA 150
PUDIN DE CAFE 150
PUDIN DE CHOCOLATE 150
PUDIN DE CARAMELO 151
FLANCITOS DE CHOCOLATE 151
POSTRE DE COCO CON CREMA
  DE CARAMELO 151
BESO DE NOVIA 151
FLAN DE COCO 152
FLAN DE LECHE 152
FLAN CLASICO 152
FLAN DE PIÑA 152

LECHE EN VINDE 152
CREMA PLANCHADA 152
NATILLA DE LECHE 153
BRAZO GITANO 153
POSTRE HELADO 153
CREMA ASADA 153
POSTRE MARIA 153
CREMA INGLESA 153
CREMA DE PIÑA 154
BIZCOCHO DE NOVIA 154
CASTER DE CHOCOLATE 154
COCADA AL HORNO 154
POSTRE DE COCO 154
POSTRE SUPREMO 154
CREMA DE COCO 155
POSTRE DE CAFE 155
POSTRE DE PIÑA 155
PIÑA NEVADA 155
POSTRE DE GUAYABA 155
COPOS DE NIEVE 155
DULCE DE CHOCOLATE 156
AGUAS DORMIDAS 156
PASTEL DE MAMEY 156
ISLA FLOTANTE 156
BIZCOCHO MEJIO 157
BIZCOCHO DE NARANJA 157
PASTEL DE MANGO 157

CAPITULO XII

Dulces

MELCOCHAS 161
CARAMELOS DE CACAO 162
ALFAJORES BLANCOS Y
   DE PANELA 162
TURRON DE MANI 162
COCADAS DE COCO 162
COCADAS DE CONCHITAS
   DE COCO 162
COCADAS DE MANI 162
COCADAS EN POLVO 162
COCADAS CON PANELA 163
MERENGUE DE COCO 163
COCADAS DE AJONJOLI 163
QUESILLO DE ALMENDRAS 163
QUESO DE COCO 163
QUESITO DE COCO 163
QUESO DE COCO (OTRO) 164
QUESO DE GUANABANA 164
QUESITOS DE CHOCOLATE 164
QUESO DE PIÑA 164
CANELAQUEQUE 164
TRES EN UNO 164
BOLAS DE COCO 165
CUBANITOS 165
CASTILLOS 165
REPUBLICANOS 165

MAZAPAN DE COCO 165
GUSTO DE NOCHE 165
YEMITAS DE COCO 166
DONCELLAS 166
TABLETAS 166
PASTA POLVOROSA 166
QUESILLO DE ALMENDRAS (OTRO) 166
AVIONES O AEROPLANOS 166
PANOCHAS 167
EMPANADITAS DE COCO 167
DIABOLINES 167
SUSPIROS O PANDEROS 167
CAJETILLAS PARA RELLENAR CON COCO
   O CREMA 167
MANTEQUILLADOS 167
PANDERITOS DE QUESO 168
PANDERITOS 168
DAMAS DE HONOR 168

Galletas

GALLETAS DE COCO 168
GALLETAS DE COCO (OTRA) 169
GALLETAS DE QUESO 169
GALLETAS DE LIMON 169
GALLETAS DE CHOCOLATE 169
GALLETAS AMERICANAS 169
GALLETAS DE JENGIBRE 169
SUSPIROS DE LOS ANGELES 170
GALLETICAS DE PARIS 170
GALLETAS DE CHOCOLATE Y CAFE 170
GALLETAS ESCOCESAS 170
GALLETAS BOGOTANAS 170
GALLETAS LIBERALES 170
GALLETAS MORONAS 171
GALLETAS RELLENAS 171
GALLETAS DE QUESO 171

Bizcochos

BIZCOCHO BASICO 171
BIZCOCHOS DE MANI 171
BIZCOCHO 171
BIZCOCHO DE ANGEL 172
BIZCOCHOS EN CAJETICAS 172
BIZCOCHO SANDOVAL 172
BIZCOCHO DE LIMON 172
PAN DE YUCA 172
PAN DE ESPECIAS 172
MOSTACHONES 173
POLVORONES 173
PRIMOS HERMANOS 173
BORRACHOS 173
SABOYANOS 173
PALANCINES 173
PIONONO 173
BIZCOCHOS TOSTADOS 173
ALMOJABANAS 174
BOCADO DE LA REINA 174
PAN DE YUCA (OTRO) 174

CAPITULO XIII

Dulces de almíbar, jaleas y conservas

CONSERVAS DE GUAYABA 177
CONSERVAS DE LECHE 177
CONSERVAS DE MAMEY 177
CONSERVAS DE ÑAME 177
CONSERVAS DE GUANABANA 178
CONSERVAS DE PIÑA 178
CONSERVAS DE PLATANO 178
CONSERVA O PASTA DE TAMARINDO 178
BOLAS DE TAMARINDO 178
JALEA DE TAMARINDO 178
CONSERVAS DE TOMATE 178
BOLLORIA 178
HUEVOS OBISPALES O CHIMBOS 179
DULCE DE LECHE 179
CABELLOS DE ANGEL 179
DULCE DE MARAÑON 179
DULCE DE COCO 179
CASPIROLETA 179
DULCE DE CEREZAS 180
DULCE DE GROSELLAS 180
DULCE DE PAPAYA VERDE CON PIÑA 180
DULCE DE PAPAYA VERDE 180
DULCE DE GUANABANA 180
DULCE DE PIÑA 180
DULCE DE ZAPOTE 180
DULCE DE MAMEY 180
DULCE DE PLATANO CON PIÑA 181
DULCE DE CASQUITOS
   DE NARANJA AGRIA 181
DULCE DE PLATANOS 181
DULCE DE TOMATE 181
DULCE DE MAMON 181
DULCE DE MELON 181
MERENGON 181
DULCE DE BIZCOCHOS 181
DULCE DE BERENJENAS 182
ANGELITOS 182
DULCE DE GUINDAS 182
DULCE DE ICACOS 182
DULCE DE HIGOS 182
DULCE DE CASQUITOS DE GUAYABA 182
DULCE DE PLATANITOS 182
PLATANO GUISADO 183
PLATANO GUISADO (OTRO) 183
PLATANO EN TENTACION 183
DULCE DE NARANJAS AGRIAS 183
DULCE DE CASQUITOS DE NARANJAS 183
DULCE DE QUESO 184
DULCE DE TAMARINDO VERDE 184
DULCE O ESPEJUELO DE MANGO VERDE 184
BIEN ME SABE 184

JALEA DE GUAYABA 184
DULCE O JALEA DE MANGO MADURO 184
JALEA DE COCO 185
JALEA DE PAPAYA MADURA 185
JALEA DE CEREZAS 185
JALEA DE PLATANOS 185
MERMELADA DE MAMEY 185
CABALLEROS POBRES 185
GELATINA DE COROZO 185
GELATINA DE LECHE DE COCO 186
DULCE DE ARROZ 186
ALEGRIAS DE BURRO 186
DULCE DE ÑAME 186
JALEA DE PIÑA 186
GELATINA DE MANGO 186

CAPITULO XIV

Helados

HELADO DE COCO 189
HELADO DE CREMA 189
HELADO DE CHOCOLATE 189
HELADO DE COCO CON CREMA 190
HELADO DE CHOCOLATE (OTRO) 190
HELADO DE CREMA DE COCO 190
HELADO DE CEREZAS MARRASCHINO 190
HELADO DE LIMON 190
HELADO DE NARANJA 190
HELADO DE CEREZAS CRIOLLAS 190
HELADO DE CIRUELAS PASAS 191
HELADO DE LECHE 191
HELADO DE PIÑA 191
HELADO DE ZAPOTE 191
ICE CREAM SODA DE KOLA ROMAN 191
HELADO DE LIMON CON CREMA
   DE LECHE 191
HELADO DE COROZO 191
HELADO DE MANGO 192
HELADO DE AGUA DE COCO 192
HELADO DE AGUA DE COCO (OTRO) 192

Decorados

DECORADO BLANCO 192
DECORADO DE COCO 192
DECORADO DE CHOCOLATE 192
DECORADO DE MANTEQUILLA 192
CUBIERTA DE CAFE 193
DECORADO DE NARANJA 193
COMO PREPARAR UN BUEN CAFE 193
MANERA DE HACER UN CHOCOLATE 193
PREPARACION DEL TE 193

COMIDA COLOMBIANA
por departamentos

Antioquia

BUÑUELOS ANTIOQUEÑOS   195
FRIJOLES ANTIOQUEÑOS (FONDA
   ANTIOQUEÑA)   195
AREPAS ANTIOQUEÑAS   195
MONDONGO ANTIOQUEÑO (FONDA
   ANTIOQUEÑA)   195
FRIJOLES ANTIOQUEÑOS CASEROS (EN OLLA DE
   PRESION)   196
EMPANADAS ANTIOQUEÑAS   196

Atlántico

ARROZ CON LISA   196

Boyacá

MAZAMORRA CHIQUITA   197
CUCHUCO DE TRIGO   197
SANCOCHO (SECO PARA EL ALMUERZO)   197
RUYAS DE MAIZ   197

Córdoba y Sucre

SOPA O MOTE DE ÑAME CON QUESO   198
MONGO SINUANO   198
ARROZ CON MOLONGOS   198
VIUDA DE CARNE SALADA   198
MAÑUNGADO DE AJI   199

Bogotá

PAPAS CHORREADAS   199
SOPA DE PAN EN CAZUELA   199
POSTRE DE NATAS   199
EMPANADAS BOGOTANAS   199
AJIACO DE POLLO BOGOTANO   200
AJI DE AGUACATE   200
SOBREBARRIGA BOGOTANA   200
ESPONJADO DE CURUBA   200

CUAJADA   201
MASATO DE AZUCAR   201

Cauca

LANGOSTINOS DEL PACIFICO   201
TAMALES DE PIPIAN   201
MASA DE MAIZ AÑEJO   201
RELLENO DE PIPIAN   202
PIPIAN   202
AJI DE MANI   202
EMPANADAS CAUCANAS   202

Santanderes

AREPA DE QUESO   203
CALDO O CHANGUA SANTANDEREANA   203
RUYAS SANTANDEREANAS   203
MUTE FACUNDA   203
MUTE DE MAIZ PELADO   204
CARNE ESTILO OCAÑERO   204
ARROZ CON PEPITORIA   204
COSTRON   204
AREPA   205
TAMALES O HAYACAS   205
CABRITO ASADO   205
TURMADA   205

Tolima

LECHONA TOLIMENSE   206

Mompox

COCIDO MOMPOSINO   207
AREPAS DE MAIZ HARINADO   207
DULCE DE LIMON   207

San Andrés y Providencia

RUNDOWN (RONDON)   208

COMIDA INTERNACIONAL

CAPITULO I

Entremeses, abrebocas, sandwiches y canapés

BOLITAS DE PESCADO   211

CANAPES DE AGUACATE Y QUESO   211
CREMA DE QUESO ROQUEFORT   211
PASTA DE QUESO Y CERVEZA   212
BOLITAS DE QUESO Y CURRY   212

BOLITAS DE POLLO Y CURRY 212
CHUZOS EN MINIATURA 212
BOLITAS DE QUESO ESTILO AMERICANO 212
ZANAHORIAS O PEPINOS CRUDOS 212
ENSALADA RUSA 212
CROQUETAS DE QUESO 213
ENTREMESES DE REMOLACHA 213
ENTREMESES DE HUEVO 213
ENSALADA DE TOMATES 213
SANDWICHES DE QUESO Y PEPINO 213
SANDWICHES DE HUEVO 213
PICADA MEXICANA DE QUESO 214
SANDWICHES DE POLLO 214
SANDWICHES DE ATUN 214
CROQUETAS FONDUE DE QUESO 214
SANDWICHES DE JAMON 214
CANAPES DE MAYONESA 214
SANDWICHES DE QUESO 215
SANDWICHES DE LENGUA 215
SANDWICHES DE JAMON Y QUESO 215
SANDWICHES DE PERNIL DE CERDO 215
CANAPES DE QUESO 215
SANDWICHES DE ALMENDRAS, NUECES O
  AVELLANAS 215
SALCHICHITAS ENVUELTAS 215
CANAPES DE PAVO 216
SANDWICHES DE VERDURAS 216
SANDWICHES DE JAMON FRITO 216
BOLITAS DE HUEVO Y JAMON 216
ENCURTIDOS DE CEBOLLAS 216

CAPITULO II

Sopas

SOPA MINESTRONE 219
SOPA DE CEBOLLA 219
SOPA DE CREMA DE CEBOLLA 220
SOPA DE BERROS 220
SOPA DE CEBOLLA EN CAZUELA 220
SOPA DE CEBOLLA A LA FRANCESA 220
SOPA DE CREMA DE TOMATES 220
SOPA DE QUESO 221
SOPA O CREMA DE ALCACHOFAS 221
SOPA DE FRIJOLES BLANCOS 221
SOPA DE AJO CON COSTRA 221
SOPA DE CREMA DE COLIFLOR O
  DUBARRY 221
CREMA DE APIO 222
SOPA DE LECHUGAS 222
SOPA JULIANA 222
GAZPACHO ANDALUZ Y SALMOREJO 222
SOPA DE ESPÁRRAGOS 222
SOPA O POTAJE SAINT GERMAN 223
GUMBO DE CAMARONES ESTILO
  NEW ORLEANS 223
CONSOME AL JEREZ 223
VICHYSSOISE 223

CAPITULO III

Pescados y mariscos

PESCADO EN CACEROLA 227
SEVICHE O CEBICHE PERUANO 227
PESCADO AL GRATIN 227
ROLLO DE LANGOSTA, CAMARONES O
  SALMON 228
CAMARONES REBOZADOS 228
SOUFFLE DE CAMARONES 228
PESCADO A LA DUGLERE 228
LANGOSTA A LA THERMIDOR 229
FLAN DE SALMON 229
LANGOSTA A LA NEWBURG 229
CALAMARES 229
PISTO MANCHEGO 230
LANGOSTA A LA AMERICANA 230
PESCADO A LA HOLANDESA 230
ESPONJADO DE BACALAO O DE BAGRE 230
CAMARONES EN GABARDINA 231
BULLABESA 231
ENSALADA DE LANGOSTAS O CAMARONES 231
SOPA DE ALMEJAS 231
MOLDE DE ESPINACAS CON CAMARONES 232
MOUSSE DE SALMON 232
CRÊPES DE MARISCOS 232
OSTRAS AL AJILLO 233
ZARZUELA O CAZUELA DE MARISCOS 233
ALMEJAS A LA MARINERA 233
ENSALADA DE ATUN 233
ATUN EN ESCABECHE 233
BACALAO A LA VIZCAINA 234
LANGOSTA A LA PARRILLA 234
LANGOSTA ENCHILADA 234
ENSALADA DE ATUN 234
CAMARONES MARINADOS EN CERVEZA 235
LANGOSTINOS A LA PORTEÑA 235
CAMARONES A LA BORDELESA 235
CALAMARES EN SU TINTA 235
PAN FRIO DE ATUN 236
PESCADO A LA VASCA 236
CALAMARES REBOZADOS 236
CALAMARES CON PAPAS 236
PESCADO MERCEDES 236
PESCADO DE VERANO 237
CALAMARES A LA ROMANA 237
ADOBO DE PESCADOS 237
CALAMARES RELLENOS 237
PESCADO A LA MARINERA 238
PESCADO AL CHAMPAÑA 238
TORTA DE OSTIONES 238
ESCABECHE DE PESCADO 238
PESCADO RELLENO 238
PUDIN DE SALMON 239
MOLDE DE PESCADO 239
SALMON O CAMARONES A LO DON
  CARLOS DE BORBON 239
POTAJE DE VIGILIA 239

CAPITULO IV

Carnes y aves

CARNE BULLI	243
LOMO DE CARNE EN CREMA	243
BISTE A LA PLANCHA	244
CARNE MARROQUI	244
HAMBURGUESAS	244
FILET MIGNON	244
LENGUA CON CIRUELAS PASAS	245
ROAST-BEEF	245
RABO A LA FINANCIERE	245
GOULASH	245
QUIBBE	246
CARNE SALCHICHON	246
CARNE EN MOLDE	246
CARNE A LA RAIMUNDA	246
PUDIN DE CARNE	247
STEACK EN SALSA DE VINO	247
RIÑONES AL VINO BLANCO	247
RIÑONES EXQUISITOS	247
RIÑONES CON VINO TINTO	248
CARNE A LA BORGOÑONA	248
MONDONGO A LA COLONA	248
CURRY CON CARNE	248
OSSOBUCO	249
CARNE CON MOSTAZA	249
CURRY LEGITIMO HINDU	249
ROLLO DE CARNE	249
POLLO AL HORNO CON JEREZ	250
GALLINA EN PEPITORIA	250
ENSALADA CHINA DE GALLINA	250
PATOS SALVAJES AL VINO	250
CROQUETAS DE GALLINA	251
POLLO A LA MARENGO	251
POLLO AL WHISKY	251
ROLLO DE POLLO	251
POLLO CON HONGOS	252
POLLO CON-ESPARRAGOS	252
POLLO ENVUELTO EN REPOLLO	252
POLLO A LA CHILINDRON	252
POLLO A LA KING	253
PATE DE POLLO CON PIMENTON	253
POLLO A LA VALENCIANA	253
MENUDILLOS DE POLLO O RIÑONES EN VINO	253
PATE DE CHAMPIÑONES	254
PATE DE HIGADO DE CERDO	254
JAMON A LA HUNGARA	254
JAMON AL HORNO	254
JAMON CON VINO OPORTO O MADERA	254
PERDICES CON REPOLLO	254
PERDICES A LA CRIOLLA	255
GUARTINAJA AL MURO ROJO	255
BARRAQUETES RAMON	255
CONEJO EN SALSA DE COÑAC	256
CONEJO A LA SARTEN	256
PALOMAS AL VINO	256
PICHONES CON NARANJAS DULCES	256
GUARTINAJA RELLENA CON HOJAS DE TAMARINDO	256
PATOS GUISADOS CON HONGOS	257
HAMBURGUESAS (OTRA)	257
COSTILLAS LARGAS DE CERDO CON AZUCAR	257
RABO ENCENDIDO	257
BARRAQUETES CON VINO TINTO	257
POLLO AL CURRY	258
LECHON CUBANO AL MOJO AGRIO	258
CODORNICES A LA CAZADORA	258
VENADO ASADO (BISTE Y CHULETAS)	258
PATAS A LA RIOJANA	259
GALLINA O PAVITA CON ALMENDRAS	259
LOMO DE CERDO EN LECHE	259
LOMO DE CERDO A LA NARANJA	259
ESCALOPINES DE TERNERA	259
RABO ALCAPARRADO	260
CARNE RELLENA	260
PUDINCITOS DE JAMON	260
HIGADO A LA ITALIANA	260
MEDALLONES ENRIQUE IV	261
MOLDES DE CARNE CON JAMON	261
LENGUA EN SALSA DE TOMATE	261
MOLDE DE CERDO	261
CARNE EN MOLDES	261
ROLLO DE HARINA Y CERDO	262
COCIDO O PUCHERO ESPAÑOL	262
GUISO DE CABEZA DE CERDO	262
CROQUETAS DE JAMON	263
TIMBAL DE MACARRONES	263
PASTEL ARENOSO DE POLLO (PLATO GRANDE)	263
CROQUETAS DE POLLO, PESCADO O JAMON	264
PUDIN DE GALLINA	264
MOLDE DE PAVO HELADO	264
PICADILLO (PLATO CUBANO)	264
RAGOUT DE GALLINA	265
ROSCA DE ARROZ CON RAGOUT DE POLLO	265
QUESO DE POLLO	265
POLLO IMPERIAL	265
CROQUETAS DE VOLATERIA	266
ROSCA DE POLLO	266
PUDINCITOS DE GALLINA	266
MACARRONES CON POLLO	266
CARNE ESTILO ALEMAN	267
POLLO A LA ITALIANA	267
MONDONGO CON VINO	267
PERNIL DE CERDO	267
PECHUGAS CON SALSA SUPREMA	268
PAVO TRUFADO	268
PAVO AMERICANO RELLENO	268
LOMO DE CERDO CON SAMFAINA	269
CONEJO CON VINO TINTO	269
AJI DE GALLINA (PERUANO)	270
FIAMBRE DE POLLO	271
POLLO MARROQUI	271
PASTEL DE HOJALDRE	271

CAPITULO V

Arroces

ARROZ SEPULTADO 275
ARROZ CON QUESO 275
ARROZ CON BERENJENAS 276
ARROZ CHINO 276
PAELLA A LA VALENCIANA 276
ARROZ CON POLLO CUBANO 277
ARROZ HINDU (PILAF MOGUL) 277
ARROZ CON CERVEZA 277
ARROZ CHINO O ARROZ FRITO 278
ARROZ CON POLLO A LA CHORRERA 278
ARROZ PILAF 278
CONGRI 278
MOROS Y CRISTIANOS 279
ASOPAO PORTORRIQUEÑO 279
ARROZ VERDE 279

CAPITULO VI

Platos varios

BERENJENAS DUQUESAS 283
ESPINACAS CON HUEVOS 283
COLIFLOR AL GRATIN 283
SOUFFLE DE ESPINACAS 284
POLENTA CON SALCHICHAS 284
BERENJENAS A LA PARMESANA 284
ANILLOS DE CEBOLLA 284
TOSTADAS CON HONGOS 285
ARVEJAS ESTILO FRANCES 285
CURRY CON VEGETALES (PLATO HINDU) 285
MACARRONES CON SARDINAS AL HORNO 285
TALLARINES CON ATUN 285
FRIJOLES 286
CHOW MEIN 286
ENSALADA DE REPOLLO CRUDO 286
SOUFFLE DE ESPARRAGOS Y QUESO 286
GUISO DE JAMON 287
REPOLLO MORADO 287
CANELONES 287
SOUFFLE DE ZANAHORIA 287
SOUFFLE DE MAIZ 288
QUICHE LORRAINE 288
MOLDE DE ESPARRAGOS Y POLLO 288
LASAGNA 288
ESPAGUETIS A LA BOLOGNESA 289
FRIJOLES NEGROS A LA CUBANA 289
FRIJOLES BLANCOS CON CERDO 289
ENSALADA AMERICANA 289
GARBANZOS 290
SOUFFLE DE QUESO 290
COLIFLOR REBOZADA 290
CHAMPIÑONES SALTEADOS A LA ESPAÑOLA 290
TAMAL EN CAZUELA 290

PAPAS NAPOLITANAS 290
SALSA PARA MACARRONES 291
MOLDES DE CERDO Y VERDURAS 291
AJIES 291
REMOLACHA CON CREMA 291
PUDIN DE TOMATE 291
OMELETTE 292
GUISO DE MAIZ TIERNO 292
HUEVOS A LA MALAGUEÑA 292
SOUFFLE DE ZANAHORIA Y LANGOSTINOS 292
PUDIN DE VERDURAS 292
FLAN DE ESPARRAGOS 293
PATE DE HIGADO DE CERDO 293
HUEVOS ESPAÑOLES 293
ESPAGUETIS CON MANTEQUILLA 293
PUERROS AL HORNO 293
TORTA PASCUALINA DE MAIZ 294
APIO CON JAMON AL HORNO 294
GNOCCHI 294
ESPAGUETIS CON HONGOS 294
SOUFFLE DE ALCACHOFAS 294
TORTILLA DE CAFE 295
HUEVOS EN GELATINA 295
TORTILLA DE BERENJENAS 295
TORTILLA DE ATUN 295
ESPAGUETIS A LA NAPOLITANA 295
JAMON CRUDO CURADO 295
PASTELITOS DE CARNE 296
LASAGNA (OTRA) 296
MACARRONES A LA REINA 296
FONDUE 297
PAPAS A LA IMPORTANCIA 297
PAPAS MUSELINA 297
TORTILLA DE PATATAS A LA ESPAÑOLA 297
PAPAS DUQUESA 298
PAPAS A LA MAÎTRE D´HÔTEL 298
PAPAS A LA FRANCESA 298
PUDIN DE JAMON Y QUESO 298
MOUSSAKA 298
POTAJE DE GARBANZOS 299

CAPITULO VII

Salsas

SALSA DE LIMON 303
SALSA VERDE 303
SALSA AGRIDULCE 303
SALSA MUSELINA 303
SALSA DE TOMATE 304
SALSA TARTARA 304
SALSA ROSADA 304
SALSA PARA CARNES ASADAS (BARBACOA) 304
SALSA BARBACOA PARA POLLOS 304
SALSA DE MANTEQUILLA QUEMADA 304
SALSA AGRIDULCE (OTRA) 304
ALIOLI 305

SALSA BEARNESA	305
SALSA SUPREMA	305

CAPITULO VIII

Panes y panecitos

PANECITOS DE CANELA	309
PAN DE DATILES Y NUECES	309
PANECITOS	310
PANECITOS	310
PAN DE MOLDE	310
PANECITOS AMERICANOS	310
PANCAKES	310
PANES DE LECHE CORTADA	311
PAN DE PAPAS	311
PAN DE MAIZ	311
PAN DE JENGIBRE	311
PANECITOS	311

CAPITULO IX

Ensaladas

SALSA PARA ENSALADAS	315
ENSALADA DE LEGUMBRES	315
ENSALADA DE PERAS	315
ENSALADA DE MANZANA Y PUNTAS DE ESPARRAGOS	315
ENSALADA DE POLLO	316
ENSALADA DE PAPAS	316
ENSALADA DE PAVO	316
ENSALADA HELADA	316
ENSALADA HELADA DE QUESO Y PICANTE	317
ENSALADA PRIMAVERA	317
ENSALADA DE FRUTAS	317
ENSALADA AGRIDULCE DE REPOLLO	317
ENSALADA DE FRIJOLES	318
ENSALADA DE LECHUGAS CON SALSA ROQUEFORT	318
ENSALADA DE HINOJO	318

CAPITULO X

Pastelitos, muffins y repollitas

PASTELITOS DELICADOS	321
PASTA CLARA ELENA	321
DEDITOS DE QUESO	321
MUFFINS DE HARINA DE MAIZ	322
MUFFINS	322
MUFFINS (OTRO)	322
MUFFINS DE QUESO	322
CONCHAS (PASTAS)	322
REPOLLITAS	323
PASTA DE LECHE CALIENTE	323

GALLETAS DE QUESO	323
PASTA PARA PASTELES	323
PASTEL DE DATILES	323
PASTA DE PASTELITOS	324
PASTEL DE CEBOLLA ALEMAN	324
GALLETAS CON CHOCOLATE	324

CAPITULO XI

Postres, cremas, pasteles, helados, bizcochos y decorados

PUDIN DE CAFE Y ESPECIAS	327
PUDIN DE NARANJA	327
BIZCOCHO O ROLLO	328
BIZCOCHO NEGRO	328
ROLLO DE NARANJAS	328
PUDIN AMARILLO ESPONJOSO	328
CANASTICAS DE MANZANAS	329
PASTA PARA PASTELES Y PASTELITOS	329
PASTEL DE LIMON	329
ESPONJADO DE FRESA O FRAMBUESA	329
TORREJAS	330
CUBIERTO SIETE MINUTOS	330
CUADRITOS DE FRUTAS CON CUBIERTO DE CAFE	330
MORENITAS	330
BARRITAS DE MIEL Y PASAS	330
LECHE MERENGADA	331
HELADO DE MELON	331
HELADO DE NARANJA	331
HELADO DE TUTTI FRUTI	331
BIZCOCHO CON FRESAS	331
HELADO DE ALBARICOQUES	332
CUBIERTO DE CHOCOLATE	332
BUDIN DE ARROZ	332
CAKE DE PIÑA	332
POSTRE DE CAFE O CHOCOLATE	332
CRÊPES SUZETTE	333
CRÊPES RELLENOS	333
CREMA DE NARANJA	333
CREMA PASTELERA	334
SALSA DE CHOCOLATE CALIENTE (PARA HELADOS)	334
PASTEL CHIFFON DE CHOCOLATE	334
MARSHMALLOWS	334
PUDIN DE LIMON	334
SALSA DE CARAMELO Y ALMENDRAS	335
POSTRE DE MARSHMALLOWS	335
ROLLO DE CHOCOLATE	335
BORRACHO DE COCO	336
PUDIN A LA REINA	336
HELADO DE CHOCOLATE	336
ROLLO CON RELLENO DE CHOCOLATE	336
CAKE DE NARANJA	337
FLAN DE LECHE	337
CAKE DE MARSHMALLOWS Y COCO	337
DULCE DE FRESAS	337

SALPICON DE FRUTAS	338
PUDIN UNO DOS TRES CUATRO	338
CARLOTA DE CAFE	338
PUDIN DE ALMENDRAS	338
PUDIN MOKA	338
DECORADO MOKA	339
FLAN DE CIRUELAS PASAS	339
MANZANAS ACARAMELADAS	339
PASTEL DE PECAN SUREÑO	339
COPAS DE CHOCOLATE	339
CUBIERTO DE DATILES	339
ACANELADOS	340
PUDIN CLARA ELENA	340
NATILLA DE COCO	340
CUBIERTO DE MARSHMALLOWS PARA PUDINES	340
CUBIERTO DE CHOCOLATE DURO	340
NATILLA DE CAFE	340
PUDIN DE ANGEL	341
BIZCOCHO "TROPIC AROMA"	341
CUBIERTO DE CHOCOLATE (OTRO)	341
TORTA MOKA	341
CUBIERTO DE COCO Y CHOCOLATE	342
PUDIN DE LECHE Y COCO	342
BIZCOCHO DE MOSAICO	342
MANZANAS	342
ESCARCHADO DE FRESA O DE COROZO	342
TARTA MUSICAL	343
HELADO DE COCO	343
CAPUCHINOS CUBANOS	343
PASTEL DE MANZANA	343
BARRAS DE DATILES	344
CUADRITOS DE NUECES Y CHOCOLATE	344
HELADO DE CREMA DE CAFE	344
BIZCOCHO NEGRO	344
GATEAU MOKA	345
PIONONO	345
PUDIN NEGRO DE CHOCOLATE	345
CUBIERTO DE CHOCOLATE	345
PUDIN DE CIRUELAS PASAS	346
PUDIN DE ZANAHORIAS	346
NARANJAS MOLDEADAS	346
BIZCOCHO DE ESPECIAS	346
CIRUELAS RELLENAS	346
COPAS DE BIZCOCHO Y CREMA DE CHOCOLATE	347
PUDIN NEGRO DE CHOCOLATE	347
PASTEL DE COCO	347
ESPONJADO DE PIÑA	347
PUDIN DE CIRUELAS PASAS	347
PUDIN SANTORTE	348
PUDIN DE CREMA CON FRUTAS	348
SOPA BORRACHA PANAMEÑA	348
BESOS DE COCO	348
POSTRE DE BIZCOCHOS CON CREMA DE COCO	348
HELADO DE ALMENDRAS	349
POSTRE CARAQUEÑO	349
POSTRE DE BIZCOCHOS CON MANZANAS	349
PUDIN SORPRESA	349
BIZCOCHO DE NATAS	350
CUBIERTO DE CHOCOLATE	350
BIZCOCHUELO DE MAIZENA	350
BIZCOCHO CON CUBIERTA DE CHOCOLATE Y COCO	350
PUDIN DE CHOCOLATE	350
PUDIN NEGRO ESTILO AMERICANO	351
PASTEL DE AÑO NUEVO	351
PUDIN CABINET	351
FLAN DE PIÑA	351
PUDIN DE GOMAS DE NARANJA	352
PUDIN DE MANZANAS	352
BIZCOCHO SUAVE	352
POSTRE DE CUATRO LECHES	352
TORTA DE AVELLANAS Y CHOCOLATE	353
POSTRE MERCEDES	353

INFORMACION COMPLEMENTARIA

TERMINOS SINONIMOS   355
TABLA DE SUSTITUCIONES   355
NOMBRE DE LAS CARNES DE RES EN LAS
   DISTINTAS REGIONES DE COLOMBIA   356
TERMINOS CULINARIOS   356
MODO DE USAR LA COLAPISCIS   362
COMO HACER EL TITOTE   362
INSTRUCCIONES PARA HACER AREPA DE
   HUEVO   362
MEDIDAS BASICAS   362
COMO SEPARAR LA COLA DE LA LANGOSTA
   PARA EMPLEARSELE EN ALGUNOS
   PLATOS   363
TABLA DE SUSTITUCIONES   363
INDICACIONES GENERALES PARA
   CONGELAR COMIDAS COCIDAS   363
PROCESO DE LIMPIEZA DE LOS
   CALAMARES   364
PROCEDIMIENTO PARA EXTRAER LA LECHE
   DEL COCO   366
IMPORTANCIA EN EL ARREGLO DE LA
   MESA   368
LOS MANTELES   368
LOS CUBIERTOS   368
EL ANFITRION Y LOS CONVIDADOS   368
COMO HACER JARABE   370
INDICACIONES SOBRE LA FORMA DE
   ACOMPAÑAR LOS PLATOS COSTEÑOS   370
PARA EVITAR QUE LAS FRUTAS SE
   ENNEGREZCAN   372
MANERA DE CONGELAR LAS FRUTAS   372
MANERA DE DESCONGELAR LAS FRUTAS   372
COMO EMPACAR LAS FRUTAS EN AZUCAR   372
MANERA DE CONGELAR LAS VERDURAS   372
MANERA DE COCINAR LOS VEGETALES
   CONGELADOS   376
MANERA DE CONGELAR LAS CARNES   376
MANERA DE CONGELAR LOS PESCADOS Y
   MARISCOS   376

MANERA DE USAR LOS PESCADOS Y
   MARISCOS CONGELADOS   377
MANERA DE CONGELAR HUEVOS   377
MANERA DE USAR LOS HUEVOS
   CONGELADOS   377
MANERA DE CONGELAR ALGUNOS
   PRODUCTOS LACTEOS   377
MANERA DE USAR LA CREMA CONGELADA   377
HELADOS   377
MANERA DE CONGELAR PANES   378
MANERA DE CONGELAR PASTELES (PIES)   378
COMO USAR LOS PASTELES CONGELADOS   378
CONCHAS O CAJETICAS DE PASTA   379
MANERA DE CONGELAR PUDINES,
   BIZCOCHOS (PONQUE, CAKE)   379
COMO USAR LOS PUDINES CONGELADOS   379
COMO CONGELAR LAS DISTINTAS CLASES
   DE GALLETAS   379
COMO USAR LAS GALLETAS CONGELADAS   379
COMO CONGELAR LAS COMIDAS COCIDAS   379
MANERA DE USAR LAS COMIDAS COCIDAS
   Y CONGELADAS   380
VINOS   380
BUFFET   381
ALGUNAS REGLAS DE EDUCACION EN
   LA MESA   381
EN EL SALON   382
LAS PRESENTACIONES   382
SUGERENCIAS PARA LA COCINA EN
   HORNO MICROONDAS   383
CONSEJOS UTILES   383
REGLAS PARA EL USO DEL CONGELADOR   385
TIEMPO DE DURACION DE LOS ALIMENTOS
   EN EL CONGELADOR   385
TABLA BASICA DE COCCION   386
HORNO MICROONDAS
   TABLA BASICA DE DESCONGELACION   387
TABLA BASICA DE COCCION PARA EL
   HORNO MICROONDAS   387

Indice alfabético general

A

ACANELADOS 340
ACHIOTE PROCEDIMIENTO PARA
   EXTRAER EL COLOR DEL 93
ADOBO DE PESCADO 237
AGUACATE AJI DE 200
AGUACATE ENSALADA DE 102
AGUACATE QUESO CANAPES DE 211
AGUACATES RELLENOS CON
   CAMARONES 53
AGUAS DORMIDAS 156
AUYAMA ENSALADA DE 102
AUYAMA MOTE DE 110
AUYAMA PURE DE 103
AUYAMA, YUCA O PLATANO
   ARROZ CON COCO 94
AUYAMA O ÑAME SOPA DE
   CREMA DE 43
AJI MAÑUNGADO DE 199
AJI DE AGUACATE 200
AJI DE GALLINA PERUANO 270
AJI DE MANI 202
AJIACO DE CARNE SALADA 112
AJIACO DE POLLO 200
AJIACO DE POLLO BOGOTANO 200
AJIES 291
AJIES RELLENOS 112
AJIES RELLENOS SOPA DE 47
AJO CON COSTRA SOPA DE 221
AJONJOLI COCADAS DE 163
AJONJOLI HORCHATA DE 33
ALBARICOQUES HELADO DE 332
ALBONDIGAS SOPA DE 48
ALCACHOFAS SOPA O CREMA DE 221
ALCACHOFAS SOUFFLE DE 294
ALCAPARRAS SALSA DE 124
ALEGRIAS DE BURRO 186
ALFAJORES BLANCOS DE PANELA 162
ALIOLI 305
ALMEJAS ARROZ CON 98
ALMEJAS, SABALO Y OSTIONES
   ARROZ CON 98
ALMEJAS SOPA DE 231
ALMEJAS A LA MARINERA 233
ALMENDRAS GALLINA O PA
   VITA CON 259
ALMENDRAS HELADO DE 349
ALMENDRAS HORCHATA DE 31
ALMENDRAS NUECES O
   AVELLANAS SANDWICHES DE 215

ALMENDRAS PUDIN DE 338
ALMENDRAS QUESILLO DE 163
ALMENDRAS QUESILLO DE 166
ALMENDRAS SALSA DE
   CARAMELO 335
ALMOJABANA 174
ANGELITO 182
ANILLOS DE CEBOLLA 284
ANON REFRESCO DE 34
APERITIVO DE CANGREJO 53
APIO CREMA DE 222
APIO SOPA DE ÑAME CON 43
APIO CON JAMON AL HORNO 294
AREPA DE QUESO 203
AREPA SANTANDEREANA 205
AREPAS ANTIOQUEÑAS 195
AREPAS DE MAIZ HARINADO 207
AREPITAS DE DULCE 116
AREPITAS DE YUCA 116
ARMADILLO GUISADO CON
   COCO 82
ARROZ BUDIN DE 332
ARROZ BUÑUELOS DE 115
ARROZ CHICHA DE 32
ARROZ DULCE DE 186
ARROZ PASTELES DE 99
ARROZ REFRESCO DE CASCARAS
   DE PIÑA Y 34
ARROZ SOPA DE 47
ARROZ TORTA DE 137
ARROZ TORTA DE PLATANOS 101
ARROZ BLANCO 96
ARROZ CHINO 276
ARROZ CHINO O ARROZ FRITO 278
ARROZ CON ALMEJA 98
ARROZ CON ALMEJAS, SABALO
   Y OSTIONES 98
ARROZ CON BERENJENA 276
ARROZ CON CABITOS DE TABACO 99
ARROZ CON CAMARONES SECO 98
ARROZ CON CANGREJOS PALIZA 96
ARROZ CON CERDO 97
ARROZ CON CERVEZA 277
ARROZ CON CHIPI-CHIPI 100
ARROZ CON CHORIZO 97
ARROZ CON COCO AGUADO 95
ARROZ CON COCO CORRIENTE
   (HERVIDO) 94
ARROZ CON COCO FRITO (TITOTE) 94
ARROZ CON COCO AUYAMA
   YUCA O PLATANO 94

ARROZ CON COCO Y CAMARONES
   FRESCOS 95
ARROZ CON COCO Y CARNE
   SALADA 95
ARROZ CON COCO CHOCOLATE 140
ARROZ CON COCO FRIJOLES 94
ARROZ CON COCO LENTEJAS 100
ARROZ CON COCO MAIZ VERDE 96
ARROZ CON COCO MOJARRAS
   AHUMADAS 95
ARROZ CON COCO PASAS
   GUARTINAJA RELLENA CON 82
ARROZ CON COCO PASAS
   (FRITO O TITOTE) 93
ARROZ CON COCO PASAS
   (HERVIDO) 94
ARROZ CON COCO QUESO
   CRIOLLO 95
ARROZ CON LECHE 142
ARROZ CON LECHE ESPECIAL 141
ARROZ CON LISA 196
ARROZ CON MARISCOS 98
ARROZ CON MENUDILLO 97
ARROZ CON MOLONGO 198
ARROZ CON MUELAS DE
   CANGREJO 96
ARROZ CON NUECES Y CABELLO
   DE ANGEL 101
ARROZ CON PASAS PICHONES
   RELLENOS CON 89
ARROZ CON PASAS QUESO
   RELLENO DE 96
ARROZ CON PATO 100
ARROZ CON PEPITORIA 204
ARROZ CON PESCADITO 101
ARROZ CON PLATANO MADURO 100
ARROZ CON POLLO 100
ARROZ CON POLLO A LA
   CHORRERA 278
ARROZ CON POLLO CUBANO 277
ARROZ CON QUESO 275
ARROZ CON RAGOUT DE POLLO
   ROSCA DE 265
ARROZ GUISADO A LA
   CARTAGENERA 97
ARROZ HINDU (PILAMOGUL) 277
ARROZ PILAF 278
ARROZ SEPULTADO 275
ARROZ VERDE 279
ARVEJAS ESTILO FRANCES 285
ASADO DE QUESO DORADO 139

ASADURA DE CERDO	84	BIZCOCHO MEJIO	157	BUÑUELOS DE SESO	77
ASOPAO PORTORRIQUEÑO	279	BIZCOCHO NEGRO	328	BUÑUELOS PICAROS	115
ATUN ENSALADA DE	233	BIZCOCHO NEGRO (OTRO)	344	BUTIFARRA	67
ATUN ENSALADA DE	234	BIZCOCHO O ROLLO	328		
ATUN PAN FRIO DE	236	BIZCOCHO SANDOVAL	172		
ATUN SANDWICHES DE	214	BIZCOCHO SUAVE	352	**C**	
ATUN TALLARINES CON	285	BIZCOCHO TROPIC AROMA	341		
ATUN TORTILLA DE	295	BIZCOCHOS DULCE DE	181	CABALLEROS POBRES	185
ATUN EN ESCABECHE	233	BIZCOCHOS DE MANI	171	CABELLOS DE ANGEL	179
AVELLANAS SANDWICHES DE		BIZCOCHOS EN CAJETICA	172	CABEZA DE GATO	107
ALMENDRAS NUECES O	215	BIZCOCHOS TOSTADOS	173	CABRITO BOCACHICO SALADO O	58
AVIONES O AEROPLANOS	166	BIZCOCHUELO DE MAIZENA	350	CABRITO ASADO	205
AZUCAR MASATO DE	201	BOCACHICO SANCOCHO DE	40	CACAO CARAMELOS DE	162
		BOCACHICO VIUDA DE	40	CAFE COMO PREPARARLO	193
B		BOCACHICO SALADO O CABRITO	58	CAFE CARLOTA DE	338
		BOCADO DE LA REINA	174	CAFE CUADRITOS DE FRUTAS	
BACALAO A LA VIZCAINA	234	BOFE O GUISO SOPA DE	40	CON CUBIERTO DE	330
BAGRE ESPONJADO DE		BOLAS DE COCO	165	CAFE CUBIERTA DE	193
BACALAO O	230	BOLAS DE PESCADO	56	CAFE GALLETAS DE CHOCOLATE	170
BAGRE A LA CRIOLLA	58	BOLAS DE SARDINA	57	CAFE HELADO DE CREMA DE	344
BAGRE CON HUEVO	58	BOLAS DE TAMARINDO	178	CAFE NATILLA DE	340
BAGRE CON TOMATE	58	BOLITAS DE HUEVO Y JAMON	216	CAFE POSTRE DE	155
BARRAQUETES CON VINO TINTO	257	BOLITAS DE PESCADO	211	CAFE PUDIN DE	150
BARRAQUETES RAMON	255	BOLITAS DE POLLO Y CURRY	212	CAFE TORTILLA DE	295
BARRAS DE DATILES	344	BOLITAS DE QUESO	118	CAFE O CHOCOLATE POSTRE DE	332
BARRITAS DE MIEL Y PASAS	330	BOLITAS DE QUESO ESTILO		CAFE ESPECIAS PUDIN DE	327
BERENJENAS ARROZ CON	276	AMERICANO	212	CAJETILLAS PARA RELLENAR	
BERENJENAS DULCE DE	182	BOLITAS DE QUESO Y CURRY	212	CON COCO O CREMA	167
BERENJENAS TORTILLA DE	295	BOLLITOS AL VAPOR	120	CAKE DE MARSHMALLOWS	
BERENJENAS A LA PARMESANA	284	BOLLO DE COCO	120	Y COCO	337
BERENJENAS DUQUESA	283	BOLLO DE PLATANO	120	CAKE DE NARANJA	337
BERENJENAS RELLENAS	111	BOLLO DE YUCA	120	CAKE DE PIÑA	332
BERROS SOPA DE	220	BOLLO HARINADO	120	CALAMARES	229
BESO DE NOVIA	151	BOLLO NEGRITO	119	CALAMARES A LA ROMANA	237
BESOS DE COCO	348	BOLLORIA	178	CALAMARES CON PAPA	236
BIEN ME SABE	184	BOLLOS CACHACOS	120	CALAMARES EN SU TINTA	235
BISTE	72	BOLLOS DE HUEVAS DE SABALO	54	CALAMARES REBOZADOS	236
BISTE A LA PLANCHA	244	BOLLOS DE MAIZ SECO O BOLLO		CALAMARES RELLENOS	237
BISTE BLANCO	73	LIMPIO	119	CALDO BASICO	39
BISTE CASERO	72	BOLLOS DE MAIZ VERDE CON		CALDO O CHANGUA	203
BISTE DE HIGADO	81	CERDO	119	CAMARON HUEVOS	
BISTE DE TORTUGA	59	BOLLOS DE MAZORCA	119	RELLENOS DE	68
BISTE MOLIDO	73	BORONIA O ALBORONIA	108	CAMARONES AGUACATES	
BITIVITI	142	BORRACHO DE COCO	336	RELLENOS CON	53
BIZCOCHO	171	BORRACHO	173	CAMARONES COCTEL	
BIZCOCHO BASICO	171	BRAZO GITANO	153	ESPECIAL DE	60
BIZCOCHO CON CUBIERTA DE		BUDIN DE ARROZ	332	CAMARONES CREMA DE	
CHOCOLATE Y COCO	350	BULLABESA	231	LANGOSTAS O	60
BIZCOCHO CON FRESA	331	BUÑUELOS	195	CAMARONES CUAJADO DE	52
BIZCOCHO DE ANGEL	172	BUÑUELOS DE ARROZ	115	CAMARONES ENSALADA DE	
BIZCOCHO DE ESPECIAS	346	BUÑUELOS DE FRIJOL	115	LANGOSTA O	231
BIZCOCHO DE LIMON	172	BUÑUELOS DE HARINA DE TRIGO	115	CAMARONES GUMBO DE	223
BIZCOCHO DE MOSAICO	342	BUÑUELOS DE HUEVAS DE		CAMARONES MOLDE DE	
BIZCOCHO DE NARANJA	157	SABALO	54	ESPINACAS CON	232
BIZCOCHO DE NATAS	350	BUÑUELOS DE MAIZ VERDE	116	CAMARONES REVOLTILLO DE	66
BIZCOCHO DE NOVIA	154	BUÑUELOS DE ÑAME	115	CAMARONES SANCOCHITO DE	48
				CAMARONES SOUFFLE DE	228

CAMARONES TOMATES	
RELLENOS CON	111
CAMARONES A LA BORDELESA	235
CAMARONES A LO DON CARLOS	
DE BORBON SALMON O	239
CAMARONES CON COCO Y CURRY	
LANGOSTA O	53
CAMARONES EN APUROS	53
CAMARONES EN GABARDINA	231
CAMARONES EN TOMATE	59
CAMARONES FRESCOS ARROZ	
CON COCO	95
CAMARONES MARINADOS EN	
CERVEZA	235
CAMARONES O SALMON, ROLLO	
DE LANGOSTA,	228
CAMARONES REBOZADOS	228
CAMARONES SECOS ARROZ CON	98
CANAPES DE AGUACATE	
Y QUESO	211
CANAPES DE MAYONESA	214
CANAPES DE PAVO	216
CANAPES DE PESCADO A LA	
DIABLA	57
CANAPES DE QUESO	215
CANASTICAS DE MANZANA	329
CANDIA CON MOJARRAS	
MOTE DE	46
CANDIA CON MOJARRAS SOPA DE	40
CANDIA CON CERDO SOPA DE	41
CANELA PANECITOS DE	309
CANELAQUEQUE	164
CANELONES	287
CANGREJAS AL GRATIN	59
CANGREJO APERITIVO DE	53
CANGREJO ARROZ CON	
MUELAS DE	96
CANGREJO CREMA DE CARNE DE	53
CANGREJO AL NATURAL	
MUELAS DE	52
CANGREJOS REVOLTILLO DE	67
CANGREJOS SELELE CON	41
CANGREJOS PALIZA ARROZ CON	96
CAPUCHINOS CUBANOS	343
CARACOLES ENSALADA DE	59
CARACOLES GUISADOS	
CON COCO	54
CARAMELO PUDIN DE	151
CARAMELO ALMENDRAS	
SALSA DE	335
CARAMELOS DE CACAO	162
CARIMAÑOLAS	116
CARISECA	140
CARLOTA DE CAFE	338
CARNE COMO SALARLA	71
CARNE CURRY CON	248

CARNE MOLDE DE	77
CARNE PASTELITOS DE	296
CARNE PUDIN DE	247
CARNE RAGOUT DE	77
CARNE ROLLITOS DE	80
CARNE ROLLO DE	249
CARNE A LA BORGOÑONA	248
CARNE A LA RAIMUNDA	246
CARNE BULLI	243
CARNE CON JAMON MOLDES DE	261
CARNE CON MOSTAZA	249
CARNE CON SALSA NEGRA	74
CARNE DE BOLLITO RELLENO	80
CARNE DE CERDO CON	
GARBANZOS	84
CARNE EN BOLA	80
CARNE EN MOLDE	246
CARNE EN MOLDE	261
CARNE EN POSTA	74
CARNE ESTILO ALEMAN	267
CARNE ESTILO OCAÑERO	204
CARNE FRIA	75
CARNE GUISADA	73
CARNE MARROQUI	244
CARNE MECHADA POSTA DE	74
CARNE MOLIDA	78
CARNE MOLIDA ROLLO DE	80
CARNE MORTADELA	76
CARNE O CERDO ROLLITOS DE	79
CARNE PUYADA	74
CARNE RELLENA	260
CARNE RIPIADA CON HUEVO	73
CARNE RIPIADA FRITA O ASADA	73
CARNE SALADA AJIACO DE	112
CARNE SALADA ARROZ	
CON COCO	95
CARNE SALADA PASTEL DE	130
CARNE SALADA VIUDA DE	198
CARNE SALADA ASADA	71
CARNE SALADA CON COCO	72
CARNE SALADA CON PLATANO	
MADURO	72
CARNE SALADA CON TOMATE	72
CARNE SALCHICHON	246
CARNE TIA CLARA	75
CARNERO	84
CASABE	135
CASABE PASTEL DE	131
CASABES DE COCO	135
CASPIROLETA	179
CASTER	147
CASTER CORRIENTE	148
CASTER DE CHOCOLATE	154
CASTILLO	165
CAUSAS DE FRACASO	146
CEBICHE CON LECHE DE COCO	57

CEBOLLA ANILLOS DE	284
CEBOLLA PASTEL DE	324
CEBOLLA SOPA A LA	
FRANCESA DE	220
CEBOLLA SOPA DE	219
CEBOLLA SOPA DE CREMA DE	220
CEBOLLA EN CAZUELA SOPA DE	220
CEBOLLA TOMATE HUEVOS	
PERICOS CON	64
CEBOLLAS ENCURTIDO DE	216
CEBOLLAS RELLENAS	114
CEBOLLITAS POSTA CON	74
CERDO ARROZ CON	97
CERDO ASADURA DE	84
CERDO BOLLOS DE MAIZ	
VERDE CON	119
CERDO COSTILLAS DE	117
CERDO COSTILLAS FRITAS DE	83
CERDO COSTILLAS LARGAS CON	
AZUCAR DE	257
CERDO COSTILLAS	
REDONDAS DE	82
CERDO COSTILLAS RELLENAS DE	83
CERDO FRIJOLES BLANCOS CON	289
CERDO GUISO DE CABEZA DE	262
CERDO MACARRONES CON	110
CERDO MAIZ VERDE CON	85
CERDO MOLDE DE	261
CERDO PAPAS RELLENAS CON	109
CERDO PATE DE HIGADO DE	254
CERDO PATE DE HIGADO DE	293
CERDO PERNIL DE	82
CERDO PERNIL DE	267
CERDO ROLLITOS DE CARNE O	79
CERDO ROLLO DE HARINA	262
CERDO SANDWICHES DE	
PERNIL DE	215
CERDO SOPA DE CANDIA CON	41
CERDO TOMATES RELLENOS CON	114
CERDO CON GARBANZOS	
CARNE DE	84
CERDO EN SALSA PATITAS DE	84
CERDO VERDURAS MOLDE DE	291
CEREZAS DULCE DE	180
CEREZAS JALEA DE	185
CEREZAS REFRESCO DE	32
CEREZAS CRIOLLAS HELADO DE	190
CEREZAS MARRASCHINO	
HELADO DE	190
CERVEZA ARROZ CON	277
CERVEZA CAMARONES	
MARINADOS EN	235
CERVEZA PASTA DE QUESO	212
CHAMPIÑONES PATE DE	254
CHAMPIÑONES SALTEADOS A	
LA ESPAÑOLA	290

CHICHA DE ARROZ	32	CIRUELAS PASAS PUDIN DE	346	COCO MOTE DE GUANDU	
CHICHA DE MAIZ	32	CIRUELAS PASAS PUDIN DE	347	CON LECHE DE	45
CHICHA DE MAIZ AGRIA	31	CIRUELAS RELLENAS	346	COCO NATILLA DE	340
CHICHA DE MAMON	33	COCADAS AL HORNO	154	COCO PASTEL DE	147
CHICHARRONES	118	COCADAS CON PANELA	163	COCO PASTEL DE	347
CHICHARRONES, SOPA DE		COCADAS DE AJONJOLI	163	COCO PASTEL DE CREMA DE	148
FRIJOLES ROJOS CON	44	COCADAS DE COCO	162	COCO PLATANOS ASADOS CON	
CHIPI-CHIPI ARROZ CON	100	COCADAS DE CONCHITAS		LECHE DE	107
CHOCOLATE ARROZ CON COCO Y	140	DE COCO	162	COCO POLLO CON	88
CHOCOLATE CASTER DE	154	COCADAS DE MANI	162	COCO POSTRE DE	154
CHOCOLATE COPAS DE	339	COCADAS EN POLVO	162	COCO POSTRE DE BIZCOCHOS	
CHOCOLATE COPAS DE		COCIDO	207	CON CREMA DE	348
BIZCOCHO CREMA DE	347	COCIDO CARTAGENERO	39	COCO PUDIN DE LECHE	342
CHOCOLATE CREMA		COCIDO O PUCHERO ESPAÑOL	262	COCO QUESITO DE	163
PASTELERA AL	334	COCO ARMADILLO GUISADO CON	82	COCO QUESO DE	163
CHOCOLATE CUADRITOS		COCO ARROZ AGUADO CON	95	COCO QUESO DE	164
DE NUECES	344	COCO ARROZ CORRIENTE CON	94	COCO SABALO GUISADO CON	57
CHOCOLATE CUBIERTO DE	332	COCO ARROZ FRITO CON	94	COCO SOPA DE CREMA DE	42
CHOCOLATE CUBIERTO DE	340	COCO BESOS DE	348	COCO YEMITAS DE	166
CHOCOLATE CUBIERTO DE	341	COCO BIZCOCHO CON CUBIERTA		COCO CON CREMA HELADO DE	190
CHOCOLATE CUBIERTO DE	345	DE CHOCOLATE	350	COCO CON CREMA DE	
CHOCOLATE CUBIERTO DE	350	COCO BOLAS DE	165	CARAMELO POSTRE DE	151
CHOCOLATE CUBIERTO DE COCO	342	COCO BOLLO DE	120	COCO CON GINEBRA COCTEL DE	
CHOCOLATE DECORADO DE	192	COCO BORRACHO DE	336	AGUA DE	29
CHOCOLATE DULCE DE	156	COCO CAKE DE		COCO O CREMA CAJETILLAS	
CHOCOLATE FLANCITOS DE	151	MARSHMALLOWS	337	PARA RELLENAR CON	167
CHOCOLATE GALLETAS CON	324	COCO CARACOLES		COCO AUYAMA YUCA O	
CHOCOLATE GALLETAS DE	169	GUISADOS CON	54	PLATANO ARROZ CON	94
CHOCOLATE HELADO DE	189	COCO CARNE SALADA CON	72	COCO CAMARONES FRESCOS	
CHOCOLATE HELADO DE	190	COCO CASABES DE	135	ARROZ CON	95
CHOCOLATE HELADO DE	336	COCO CEBICHE CON LECHE DE	57	COCO CARNE SALADA	
CHOCOLATE MANERA DE		COCO COCADAS DE	162	ARROZ CON	95
HACER UN	193	COCO COCADAS DE		COCO CHOCOLATE ARROZ CON	140
CHOCOLATE PASTEL CHIFFON DE	334	CONCHITAS DE	162	COCO CHOCOLATE CUBIERTO DE	342
CHOCOLATE POSTRE DE CAFE O	332	COCO COCTEL DE	30	COCO CURRY LANGOSTA O	
CHOCOLATE PUDIN DE	150	COCO CONEJO AHUMADO CON	82	CAMARONES CON	53
CHOCOLATE PUDIN DE	350	COCO CREMA DE	155	COCO FRIJOLES ARROZ CON	94
CHOCOLATE PUDIN NEGRO DE	345	COCO DECORADO DE	192	COCO LENTEJAS ARROZ CON	100
CHOCOLATE PUDIN NEGRO DE	347	COCO DULCE DE	179	COCO MAIZ VERDE ARROZ CON	96
CHOCOLATE QUESITOS DE	164	COCO EMPANADITAS DE	167	COCO MOJARRAS AHUMADAS	
CHOCOLATE ROLLO CON		COCO FLAN DE	152	ARROZ CON	95
RELLENO DE	336	COCO GALLETAS DE	168	COCO PASAS ARROZ FRITO CON	93
CHOCOLATE ROLLO DE	335	COCO GALLETAS DE	169	COCO PASAS ARROZ	
CHOCOLATE SALSA DE	334	COCO GALLINA GUISADA CON	89	HERVIDO CON	94
CHOCOLATE DE HARINA	141	COCO GELATINA DE LECHE DE	186	COCO Y PASAS GUARTINAJA	
CHOCOLATE CAFE GALLETAS DE	170	COCO GUARTINAJA		RELLENA CON ARROZ CON	82
CHOCOLATE Y COCO BIZCOCHO		GUISADA CON	89	COCO QUESO CRIOLLO	
CON CUBIERTA DE	350	COCO HELADO DE	189	ARROZ CON	95
CHORIZOS	67	COCO HELADO DE	343	COCTEL CLUB NAVAL	30
CHORIZOS ARROZ CON	97	COCO HELADO DE AGUA DE	192	COCTEL COLA DE MONO	31
CHORIZOS REVOLTILLO DE	66	COCO HELADO DE CREMA DE	190	COCTEL CUBA LIBRE	31
CHOW MEIN	286	COCO HORCHATA DE	32	COCTEL DE AGUA DE COCO CON	
CHUZOS EN MINIATURA	212	COCO JALEA DE	185	GINEBRA	29
CIRUELAS PASAS FLAN DE	339	COCO LENGUA CON LECHE DE	79	COCTEL DE COCO OSTERIZADO	30
CIRUELAS PASAS HELADO DE	191	COCO MAZAPAN DE	165	COCTEL DE OSTIONES	52
CIRUELAS PASAS LENGUA CON	245	COCO MERENGUE DE	163	COCTEL DE UVA	29

COCTEL ESPECIAL DE
   CAMARONES 60
COCTEL MANHATTAN 31
COCTEL O SORBETE DE FRUTA 30
COCTEL ROMAN BOWL 30
COCTEL RON COLLINS 29
COCTEL RON SOUR 29
COCTEL SANGRIA 30
COCTEL TUMBAMUERTO 30
CODILLO SOPA DE 46
CODILLOS CON TOMATE 83
CODILLOS CUBIERTOS 83
CODILLOS GUISADOS 83
CODORNICES A LA CAZADORA 258
COLIFLOR AL GRATIN 283
COLIFLOR O DUBARRY SOPA DE
   CREMA DE 221
COLIFLOR REBOZADA 290
COMO PREPARAR UN BUEN CAFE 193
COMO SALAR UNA CARNE 71
CONCHAS (PASTAS) 322
CONCHAS DE MARISCOS O
   PESCADO 60
CONEJO A LA SARTEN 256
CONEJO A LO CAZADOR 86
CONEJO AHUMADO CON COCO 82
CONEJO CON VINO 86
CONEJO CON VINO TINTO 269
CONEJO EN SALSA DE COÑAC 256
CONGRI 278
CONSEJOS PARA LAS SALSAS 123
CONSEJOS PARA LOS DULCES 161
CONSEJOS PARA LOS MARISCOS 51
CONSEJOS PARA LOS PESCADOS 51
CONSEJOS PARA PREPARAR
   ENSALADAS 101
CONSEJOS Y SUGERENCIAS 146
CONSERVA O PASTA DE
   TAMARINDO 178
CONSERVAS DE GUANABANA 178
CONSERVAS DE GUAYABA 177
CONSERVAS DE LECHE 177
CONSERVAS DE MAMEY 177
CONSERVAS DE ÑAME 177
CONSERVAS DE PIÑA 178
CONSERVAS DE PLATANO 178
CONSERVAS DE TOMATE 178
CONSOME AL JEREZ 223
CONSOME ESPECIAL 48
COÑAC CONEJO EN SALSA DE 256
COPAS DE BIZCOCHO CREMA DE
   CHOCOLATE 347
COPAS DE CHOCOLATE 339
COPOS DE NIEVE 155
CORAZON CON VINO TINTO 85
CORAZON RELLENO 76

COROZO ESCARCHADO DE
   FRESA O 342
COROZO GELATINA DE 185
COROZO HELADO DE 191
COROZO REFRESCO DE 32
COSTILLAS DE CARNE GUISADA 76
COSTILLAS DE CERDO FRITAS 83
COSTILLAS DE CERDO FRITAS
   (PARA PICADAS) 117
COSTILLAS DE CERDO RELLENAS 83
COSTILLAS LARGAS DE CERDO
   CON AZUCAR 257
COSTILLAS REDONDAS DE CERDO
   ENVUELTAS EN PAPEL 82
COSTRON 204
CREMA ASADA 153
CREMA DE APIO 222
CREMA DE CARNE DE CANGREJO 53
CREMA DE COCO 155
CREMA DE GALLINA 90
CREMA DE LANGOSTAS O
   CAMARONES 60
CREMA DE NARANJA 333
CREMA DE PIÑA 154
CREMA DE QUESO ROQUEFORT 211
CREMA INGLESA 153
CREMA PASTELERA 334
CREMA PASTELERA AL
   CHOCOLATE 334
CREMA PLANCHADA 152
CREPES DE MARISCOS 232
CREPES RELLENOS 333
CREPES SUZETTE 333
CROQUETAS DE GALLINA 251
CROQUETAS DE JAMON 263
CROQUETAS DE PAPA 113
CROQUETAS DE POLLO PESCADO
   O JAMON 264
CROQUETAS DE QUESO 213
CROQUETAS DE VOLATERIA 266
CROQUETAS FONDUE DE QUESO 214
CUADRITOS DE FRUTAS CON
   CUBIERTO DE CAFE 330
CUADRITOS DE NUECES Y
   CHOCOLATE 344
CUAJADA 201
CUAJADA CON MELADO 201
CUAJADO DE CAMARONES 52
CUAJADO DE VERDURAS 140
CUBANITO 165
CUBIERTA DE CAFE 193
CUBIERTO DE CHOCOLATE 332
CUBIERTO DE CHOCOLATE 345
CUBIERTO DE CHOCOLATE 350
CUBIERTO DE CHOCOLATE
   (OTRO) 341

CUBIERTO DE CHOCOLATE DURO 340
CUBIERTO DE COCO Y
   CHOCOLATE 342
CUBIERTO DE DATILES 339
CUBIERTO DE MARSHMALLOWS
   PARA PUDINES 340
CUBIERTO SIETE MINUTOS 330
CUCHUCO DE TRIGO 197
CURRY BOLITAS DE POLLO 212
CURRY BOLITAS DE QUESO 212
CURRY CON CARNE 248
CURRY CON VEGETALES 285
CURRY LEGITIMO HINDU 249
CURUBA ESPONJADO DE 200

D

DAMAS DE HONOR 168
DATILES BARRAS DE 344
DATILES CUBIERTO DE 339
DATILES PASTEL DE 323
DATILES Y NUECES PAN DE 309
DECORADO BLANCO 192
DECORADO DE COCO 192
DECORADO DE CHOCOLATE 192
DECORADO DE MANTEQUILLA 192
DECORADO DE NARANJA 193
DEDALES DE QUESO 117
DIABOLINES 167
DONCELLAS 166
DULCE DE ARROZ 186
DULCE DE BERENJENA 182
DULCE DE BIZCOCHO 181
DULCE DE CASQUITOS DE
   GUAYABA 182
DULCE DE CASQUITOS DE
   NARANJA 183
DULCE DE CASQUITOS DE
   NARANJA AGRIA 181
DULCE DE CEREZA 180
DULCE DE COCO 179
DULCE DE CHOCOLATE 156
DULCE DE GROSELLA 180
DULCE DE GUANABANA 180
DULCE DE GUINDA 182
DULCE DE HIGO 182
DULCE DE ICACO 182
DULCE DE LECHE 179
DULCE DE LIMON 207
DULCE DE MAMEY 180
DULCE DE MAMON 181
DULCE DE MARAÑON 179
DULCE DE MELON 181
DULCE DE NARANJAS AGRIAS 183
DULCE DE ÑAME 186
DULCE DE PAPAYA VERDE 180

DULCE DE PAPAYA VERDE
    CON PIÑA   180
DULCE DE PIÑA   180
DULCE DE PLATANITOS   182
DULCE DE PLATANO CON PIÑA   181
DULCE DE PLATANO   181
DULCE DE QUESO   184
DULCE DE TAMARINDO VERDE   184
DULCE DE TOMATE   181
DULCE DE ZAPOTE   180
DULCE O ESPEJUELO DE MANGO
    VERDE   184
DULCE O JALEA DE MANGO
    MADURO   184
DULCES CONSEJOS PARA LOS   161

E

EMPANADAS   196
EMPANADAS BOGOTANAS   199
EMPANADAS CAUCANAS   202
EMPANADAS CON HUEVO   114
EMPANADAS DE HARINA   115
EMPANADAS DE MASA DE MAIZ   114
EMPANADITAS DE COCO   167
EMPANADITAS DE HARINA   115
EMPANADITAS DE HARINA
    (OTRA)   132
ENCURTIDO DE CEBOLLAS   216
ENSALADA AGRIDULCE DE
    REPOLLO   317
ENSALADA AMERICANA   289
ENSALADA CHINA DE GALLINA   250
ENSALADA DE AGUACATE   102
ENSALADA DE AUYAMA   102
ENSALADA DE ATUN   233
ENSALADA DE ATUN   234
ENSALADA DE CARACOLES   59
ENSALADA DE FRIJOLES   318
ENSALADA DE FRUTAS   317
ENSALADA DE HINOJO   318
ENSALADA DE LANGOSTAS O
    CAMARONES   231
ENSALADA DE LECHUGAS CON
    SALSA ROQUEFORT   318
ENSALADA DE LEGUMBRES   315
ENSALADA DE LENTEJAS   102
ENSALADA DE MANZANA Y
    PUNTAS DE ESPARRAGOS   315
ENSALADA DE PALMITO DULCE   103
ENSALADA DE PAPA   103
ENSALADA DE PAPA   316
ENSALADA DE PAVO   316
ENSALADA DE PERA   315
ENSALADA DE POLLO   316
ENSALADA DE REPOLLO   103

ENSALADA DE REPOLLO CRUDO   286
ENSALADA DE TOMATE   102
ENSALADA DE TOMATE   213
ENSALADA HELADA DE QUESO
    PICANTE   317
ENSALADA HELADA   316
ENSALADA PRIMAVERA   317
ENSALADA RUSA   212
ENSALADA TIA CLARA   102
ENSALADA VERDE   103
ENSALADAS CONSEJOS PARA
    PREPARAR LAS   101
ENTREMESES DE HUEVO   213
ENTREMESES DE REMOLACHA   213
ENYUCADO   138
ESCABECHE DE PESCADO   238
ESCALOPINES DE TERNERA   259
ESCARCHADO DE FRESA O DE
    COROZO   342
ESPAGUETIS A LA BOLOGNESA   289
ESPAGUETIS A LA NAPOLITANA   295
ESPAGUETIS CON HONGOS   294
ESPAGUETIS CON MANTEQUILLA   293
ESPARRAGOS ENSALADA DE
    MANZANA Y PUNTAS DE   315
ESPARRAGOS FLAN DE   293
ESPARRAGOS POLLO CON   252
ESPARRAGOS SOPA DE   222
ESPARRAGOS Y POLLO
    MOLDE DE   288
ESPARRAGOS Y QUESO
    SOUFFLE DE   286
ESPINACAS SOUFFLE DE   284
ESPINACAS CON CAMARONES
    MOLDE DE   232
ESPINACAS CON HUEVOS   283
ESPONJADO DE BACALAO O DE
    BAGRE   230
ESPONJADO DE CURUBA   200
ESPONJADO DE FRESA O
    FRAMBUESA   329
ESPONJADO DE MAIZ   139
ESPONJADO DE PIÑA   347

F

FIAMBRE   113
FIAMBRE DE POLLO   271
FILET MIGNON   244
FLAN CLASICO   152
FLAN DE CIRUELAS PASAS   339
FLAN DE COCO   152
FLAN DE ESPARRAGOS   293
FLAN DE LECHE   152
FLAN DE LECHE   337
FLAN DE PESCADO   57

FLAN DE PIÑA   152
FLAN DE PIÑA   351
FLAN DE SALMON   229
FLANCITOS DE CHOCOLATE   151
FONDUE   297
FRAMBUESA ESPONJADO DE
    FRESA O   329
FRESA O COROZO
    ESCARCHADO DE   342
FRESA O FRAMBUESA
    ESPONJADO DE   329
FRESAS BIZCOCHO CON   331
FRICASE DE GALLINA   89
FRIJOL BUÑUELOS DE   115
FRIJOLES   286
FRIJOLES ARROZ CON COCO Y   94
FRIJOLES ENSALADA DE   318
FRIJOLES (FONDA ANTIOQUEÑA) 195
FRIJOLES BLANCOS SOPA DE   221
FRIJOLES CASEROS (EN OLLA DE
    PRESION)   196
FRIJOLES BLANCOS CON CERDO   289
FRIJOLES NEGROS A LA CUBANA 289
FRIJOLES ROJOS CON
    CHICHARRONES SOPA DE   44
FRIJOLITOS VERDES SELELE O
    SOPA DE   42

G

GALLETAS AMERICANAS   169
GALLETAS BOGOTANAS   170
GALLETAS CON CHOCOLATE   324
GALLETAS DE CHOCOLATE   169
GALLETAS DE CHOCOLATE
    Y CAFE   170
GALLETAS DE COCO   168
GALLETAS DE COCO (OTRA)   169
GALLETAS DE JENGIBRE   169
GALLETAS DE LIMON   169
GALLETAS DE QUESO   169
GALLETAS DE QUESO   171
GALLETAS DE QUESO   323
GALLETAS ESCOCESAS   170
GALLETAS LIBERALES   170
GALLETAS MORONAS   171
GALLETAS RELLENAS   171
GALLETICAS DE PARIS   170
GALLINA AJI PERUANO DE   270
GALLINA CREMA DE   90
GALLINA CROQUETAS DE   251
GALLINA ENSALADA
    CHINA DE   250
GALLINA FRICASE DE   89
GALLINA PUDIN DE   264
GALLINA PUDINCITOS DE   266

GALLINA RAGOUT DE 265
GALLINA SANCOCHO
    CARTAGENERO DE 41
GALLINA A LA CARTAGENERA 90
GALLINA EN PEPITORIA 250
GALLINA GUISADA CON COCO 89
GALLINA GUISADA CON PAPA 89
GALLINA O PAVITA CON
    ALMENDRAS 259
GALLINA Y PAPAS PASTEL DE 131
GARBANZOS 290
GARBANZOS CARNE DE
    CERDO CON 84
GARBANZOS POTAJE DE 299
GARBANZOS SOPA DE 42
GATEAU MOKA 345
GAZPACHO ANDALUZ
    SALMOREJO 222
GELATINA DE COROZO 185
GELATINA DE LECHE DE COCO 186
GELATINA DE MANGO 186
GIN TONIC 30
GINEBRA COCTEL DE AGUA DE
    COCO CON 29
GNOCCHI 294
GOULASH 245
GRAN COCTEL DE OSTIONES 52
GROSELLAS DULCE DE 180
GUANABANA CONSERVAS DE 178
GUANABANA DULCE DE 180
GUANABANA QUESO DE 164
GUANABANA REFRESCO DE 34
GUANDU MOTE DE 46
GUANDU CON LECHE DE COCO
    MOTE DE 45
GUARTINAJA AL MURO ROJO 255
GUARTINAJA GUISADA
    CON COCO 89
GUARTINAJA RELLENA CON
    ARROZ CON COCO PASAS 82
GUARTINAJA RELLENA CON
    HOJAS DE TAMARINDO 256
GUAYABA CONSERVAS DE 177
GUAYABA DULCE DE
    CASQUITOS DE 182
GUAYABA JALEA DE 184
GUAYABA POSTRE DE 155
GUAYABA REFRESCO DE 33
GUAYABA TORTA DE 136
GUINDAS DULCE DE 182
GUISO DE CABEZA DE CERDO 262
GUISO DE JAMON 287
GUISO DE MAIZ TIERNO 292
GUMBO DE CAMARONES ESTILO
    NEW ORLEANS 223
GUSTO DE NOCHE 165

H

HAMBURGUESAS 244
HAMBURGUESAS (OTRA) 257
HARINA BOLLO DE 120
HARINA CHOCOLATE DE 141
HARINA EMPANADAS DE 115
HARINA EMPANADITAS DE 115
HARINA EMPANADITAS DE 132
HARINA DE MAIZ MUFFINS DE 322
HARINA DE TRIGO BUÑUELOS DE 115
HARINA Y CERDO ROLLO DE 262
HELADO DE AGUA DE COCO 192
HELADO DE ALBARICOQUE 332
HELADO DE ALMENDRAS 349
HELADO DE CEREZAS CRIOLLAS 190
HELADO DE CEREZAS
    MARRASCHINO 190
HELADO DE CHOCOLATE 189
HELADO DE CHOCOLATE 336
HELADO DE CHOCOLATE (OTRO) 190
HELADO DE CIRUELAS PASAS 191
HELADO DE COCO 189
HELADO DE COCO 343
HELADO DE COCO CON CREMA 190
HELADO DE COROZO 191
HELADO DE CREMA 189
HELADO DE CREMA DE CAFE 344
HELADO DE CREMA DE COCO 190
HELADO DE LECHE 191
HELADO DE LIMON 190
HELADO DE LIMON CON CREMA
    DE LECHE 191
HELADO DE MANGO 192
HELADO DE MELON 331
HELADO DE NARANJA 190
HELADO DE NARANJA 331
HELADO DE PIÑA 191
HELADO DE TUTTI FRUTI 331
HELADO DE ZAPOTE 191
HICOTEA REVOLTILLO DE 66
HICOTEA GUISADA 59
HIGADETE 45
HIGADO BISTE DE 81
HIGADO A LA ITALIANA 260
HIGADO DE CERDO PATE DE 254
HIGADO DE CERDO PATE DE 293
HIGOS DULCE DE 182
HINOJO ENSALADA DE 318
HOJALDRE 117
HOJALDRE PASTEL DE 271
HONGOS ESPAGUETIS CON 294
HONGOS PATOS GUISADOS CON 257
HONGOS POLLO CON 252
HONGOS TOSTADAS CON 285
HORCHATA DE AJONJOLI 33

HORCHATA DE ALMENDRA 31
HORCHATA DE COCO 32
HUEVAS DE SABALO BOLLOS DE 54
HUEVAS DE SABALO BUÑUELOS DE 54
HUEVAS DE SABALO FRITAS 53
HUEVO BAGRE CON 58
HUEVO CARNE RIPIADA CON 73
HUEVO EMPANADAS CON 114
HUEVO ENTREMESES DE 213
HUEVO MOLDECITOS DE 68
HUEVO SANDWICHES DE 213
HUEVO Y JAMON BOLITAS DE 216
HUEVOS ESPINACAS CON 283
HUEVOS TORTA DE 66
HUEVOS A LA LIBERALA 65
HUEVOS A LA MALAGUEÑA 292
HUEVOS CON PURE DE PAPA 64
HUEVOS CON SALSA NEGRA 63
HUEVOS COPETONES 65
HUEVOS DUROS 63
HUEVOS EN CACEROLA 66
HUEVOS EN CALDO 63
HUEVOS EN GELATINA 295
HUEVOS EN RUEDAS DE PAN 64
HUEVOS ESCALFADOS (FRITOS
    EN AGUA) 64
HUEVOS ESPAÑOLES 293
HUEVOS ESPARRAGADOS 65
HUEVOS FRITOS 63
HUEVOS FRITOS CON JAMON 66
HUEVOS OBISPALES O CHIMBOS 179
HUEVOS PERICOS CON CEBOLLA
    TOMATE 64
HUEVOS RELLENOS 64
HUEVOS RELLENOS DE CAMARON 68
HUEVOS RUSOS 65

I

ICACOS DULCE DE 182
ICE CREAM SODA DE KOLA
    ROMAN 191
INDICACIONES PARA LAS
    TORTAS Y MAZAMORRAS 135
ISLA FLOTANTE 156

J

JALEA DE CEREZA 185
JALEA DE COCO 185
JALEA DE GUAYABA 184
JALEA DE PAPAYA MADURA 185
JALEA DE PIÑA 186
JALEA DE PLATANO 185
JALEA DE TAMARINDO 178
JAMON BOLITAS DE HUEVO Y 216

JAMON CROQUETAS DE   263
JAMON CROQUETAS DE POLLO
    PESCADO O   264
JAMON GUISO DE   287
JAMON HUEVOS FRITOS CON   66
JAMON MANERA DE HACERLO   78
JAMON MOLDES DE CARNE CON   261
JAMON PUDINCITOS DE   260
JAMON SANDWICHES DE   214
JAMON A LA HUNGARA   254
JAMON AL HORNO   254
JAMON AL HORNO APIO CON   294
JAMON CON VINO OPORTO O
    MADERA   254
JAMON CRUDO CURADO   295
JAMON FRITO SANDWICHES DE   216
JAMON Y QUESO PUDIN DE   298
JAMON Y QUESO
    SANDWICHES DE   215
JENGIBRE GALLETAS DE   169
JENGIBRE PAN DE   311

L

LANGOSTA MODO DE COCINARLA 51
LANGOSTA A LA AMERICANA   230
LANGOSTA A LA CARTAGENERA   54
LANGOSTA A LA NEWBURG   229
LANGOSTA A LA PARRILLA   234
LANGOSTA A LA THERMIDOR   229
LANGOSTA ENCHILADA   234
LANGOSTA CAMARONES O
    SALMON ROLLO DE   228
LANGOSTA O CAMARONES
    ENSALADA DE   231
LANGOSTA O CAMARONES CON
    COCO Y CURRY   53
LANGOSTAS O CAMARONES
    CREMA DE   60
LANGOSTINOS SOUFFLE DE
    ZANAHORIA Y   292
LANGOSTINOS A LA PORTEÑA   235
LANGOSTINOS DEL PACIFICO   201
LASAGNA   288
LASAGNA (OTRA)   296
LEBRANCHE POSTAS DE   54
LEBRANCHE EN ESCABECHE   55
LEBRANCHE FRITO CON SALSA
    DE VINO TINTO   55
LECHE ARROZ CON   142
LECHE ARROZ ESPECIAL CON   141
LECHE CONSERVAS DE   177
LECHE DULCE DE   179
LECHE FLAN DE   152
LECHE FLAN DE   337
LECHE HELADO DE   191

LECHE LOMO DE CERDO EN   259
LECHE NATILLA DE   153
LECHE CALIENTE PASTA DE   323
LECHE CON KOLA ROMAN   33
LECHE CORTADA PANES DE   311
LECHE EN VINDE   152
LECHE MERENGADA   331
LECHE Y COCO PUDIN DE   342
LECHON CUBANO AL MOJO
    AGRIO   258
LECHONA TOLIMENSE   206
LECHUGAS SOPA DE   222
LECHUGAS CON SALSA
    ROQUEFORT ENSALADA DE   318
LEGUMBRES ENSALADA DE   315
LENGUA SANDWICHES DE   215
LENGUA SOPA DE   45
LENGUA A LA CARTAGENERA   78
LENGUA ALCAPARRADA   79
LENGUA CON CIRUELAS PASAS   245
LENGUA CON LECHE DE COCO   79
LENGUA EN SALSA   85
LENGUA EN SALSA DE TOMATE   261
LENGUA MECHADA   79
LENGUA RELLENA   78
LENTEJA   113
LENTEJAS ARROZ CON COCO Y   100
LENTEJAS ENSALADA DE   102
LENTEJAS SOPA DE   44
LIMON BIZCOCHO DE   172
LIMON DULCE DE   207
LIMON GALLETAS DE   169
LIMON HELADO DE   190
LIMON PASTEL DE   329
LIMON PUDIN DE   334
LIMON SALSA DE   303
LIMON CON CREMA DE LECHE
    HELADO DE   191
LISA ARROZ CON   196
LOMO DE CARNE EN CREMA   243
LOMO DE CERDO A LA NARANJA   259
LOMO DE CERDO CON
    SAMFAINA   269
LOMO DE CERDO EN LECHE   259
LOMO FRITO   76
LOMO DE PELLEJO AL HORNO
    PUNTA O   85

M

MACARRONES TIMBAL DE   263
MACARRONES TORTA DE   139
MACARRONES A LA REINA   296
MACARRONES CON CERDO   110
MACARRONES CON POLLO   110
MACARRONES CON POLLO   266

MACARRONES CON SARDINAS
    AL HORNO   285
MACARRONES CRIOLLOS   109
MAIZ AREPAS DE   207
MAIZ CHICHA DE   31
MAIZ EMPANADAS DE MASA DE   114
MAIZ ESPONJADO DE   139
MAIZ MUTE DE   204
MAIZ PAN DE   311
MAIZ PUDIN DE   137
MAIZ RUYAS DE   197
MAIZ SOPA DE CREMA DE   39
MAIZ SOUFFLE DE   288
MAIZ TORTA PASCUALINA DE   294
MAIZ AGRIO CHICHA DE   31
MAIZ AÑEJO MASA DE   201
MAIZ ASADO   109
MAIZ SANCOCHADO   109
MAIZ SECO MAZAMORRA DE   140
MAIZ SECO O BOLLO LIMPIO
    BOLLOS DE   119
MAIZ TIERNO GUISO DE   292
MAIZ TIERNO SOPA DE   42
MAIZ VERDE ARROZ CON COCO Y   96
MAIZ VERDE BUÑUELOS DE   116
MAIZ VERDE MAZAMORRA DE   141
MAIZ VERDE CON CERDO   85
MAIZ VERDE CON CERDO
    BOLLOS DE   119
MAIZENA BIZCOCHUELO DE   350
MAJUANA O MAEJUANA   109
MAMEY CONSERVAS DE   177
MAMEY DULCE DE   180
MAMEY MERMELADA DE   185
MAMEY PASTEL DE   156
MAMEY CON VINO O RON   35
MAMON CHICHA DE   33
MAMON DULCE DE   181
MANERA DE HACER JAMON   78
MANERA DE HACER UN
    CHOCOLATE   193
MANGO GELATINA DE   186
MANGO HELADO DE   192
MANGO PASTEL DE   157
MANGO REFRESCO DE   34
MANGO MADURO DULCE DE   184
MANGO VERDE DULCE DE   184
MANI AJI DE   202
MANI BIZCOCHOS DE   171
MANI COCADAS DE   162
MANI TURRON DE   162
MANTEQUILLA DECORADO DE   192
MANTEQUILLA ESPAGUETIS CON   293
MANTEQUILLA SESOS CON   77
MANTEQUILLA QUEMADA
    SALSA DE   304

MANTEQUILLA QUEMADA
    SESOS CON 77
MANTEQUILLADO 167
MANZANA PASTEL DE 149
MANZANA PASTEL DE 343
MANZANA Y PUNTAS DE
    ESPARRAGOS ENSALADA DE 315
MANZANA 342
MANZANAS CANASTICAS DE 329
MANZANAS POSTRE DE
    BIZCOCHOS CON 349
MANZANAS PUDIN DE 352
MANZANAS ACARAMELADAS 339
MAÑUNGADO DE AJI 199
MARACUYA REFRESCO DE 33
MARAÑON DULCE DE 179
MARAÑON REFRESCO DE 35
MARROQUI POLLO 271
MARISCOS ARROZ CON 98
MARISCOS CONSEJOS PARA LOS 51
MARISCOS CREPES DE 232
MARISCOS ZARZUELA
    O CAZUELA DE 233
MARISCOS O PESCADO
    CONCHAS DE 60
MARSHMALLOWS 334
MASA DE MAIZ AÑEJO 201
MASA GUISADA 120
MASATO DE AZUCAR 201
MATRIMONIO 33
MAYONESA CANAPES DE 214
MAZAMORRA CHIQUITA 197
MAZAMORRA DE MAIZ SECO 140
MAZAMORRA DE MAIZ VERDE 141
MAZAMORRA DE PLATANO 141
MAZAPAN DE COCO 165
MAZORCA BOLLOS DE 119
MEDALLONES ENRIQUE I 261
MELCOCHA 161
MELON DULCE DE 181
MELON HELADO DE 331
MELON REFRESCO DE 34
MENUDILLO ARROZ CON 97
MENUDILLOS DE POLLO O
    RIÑONES EN VINO 253
MERENGON 181
MERENGUE DE COCO 163
MERMELADA DE MAMEY 185
MIEL Y PASAS BARRITAS DE 330
MODO DE COCINAR LA
    LANGOSTA 51
MODO DE MATAR EL PAVO Y
    COCINARLO 86
MOJARRAS AHUMADAS ARROZ
    CON COCO Y 95
MOJARRAS MOTE DE CANDIA CON 46

MOJARRAS SOPA DE CANDIA CON 40
MOLDE DE CARNE 77
MOLDE DE CARNE 77
MOLDE DE CERDO 261
MOLDE DE CERDO Y VERDURAS 291
MOLDE DE ESPARRAGOS POLLO 288
MOLDE DE ESPINACAS CON
    CAMARONES 232
MOLDE DE PAVO HELADO 264
MOLDE DE PESCADO 239
MOLDE DE PESCADO AL HORNO 56
MOLDECITOS DE HUEVO 68
MOLDES DE CARNE CON JAMON 261
MOLONGOS ARROZ CON 198
MONDONGO SOPA DE 44
MONDONGO A LA COLONA 248
MONDONGO ANTIOQUEÑO
    (FONDA ANTIOQUEÑA) 195
MONDONGO CON VINO 267
MONGO SINUANO 198
MORCILLA 68
MORENITA 330
MOROS Y CRISTIANOS 279
MOSTACHONES 173
MOSTAZA CARNE CON 249
MOTE DE AUYAMA 110
MOTE DE CANDIA CON
    MOJARRAS 46
MOTE DE GUANDU CON LECHE
    DE COCO 45
MOTE DE GUANDU 46
MOTE DE PALMITO AMARGO 103
MOUSSAKA 298
MOUSSE DE SALMON 232
MUELAS DE CANGREJO AL
    NATURAL 52
MUFFINS 322
MUFFINS DE HARINA DE MAIZ 322
MUFFINS DE QUESO 322
MUTE DE MAIZ PELADO 204
MUTE FACUNDA 203

N

NARANJA BIZCOCHO DE 157
NARANJA CAKE DE 337
NARANJA CREMA DE 333
NARANJA DECORADO DE 193
NARANJA DULCE DE
    CASQUITOS DE 183
NARANJA HELADO DE 190
NARANJA HELADO DE 331
NARANJA LOMO DE CERDO A LA 259
NARANJA PUDIN DE 327
NARANJAS PUDIN DE
    GOMAS DE 352

NARANJA AGRIA DULCE DE
    CASQUITOS DE 181
NARANJAS ROLLO DE 328
NARANJAS AGRIAS DULCE DE 183
NARANJAS DULCES PICHONES
    CON 256
NARANJAS MOLDEADAS 346
NATAS BIZCOCHO DE 350
NATAS POSTRE DE 199
NATILLA 141
NATILLA DE CAFE 340
NATILLA DE COCO 340
NATILLA DE LECHE 153
NIÑOS ENVUELTOS 117
NUECES ARROZ CON 101
NUECES PAN DE DATILES 309
NUECES O AVELLANAS
    SANDWICHES DE ALMENDRAS 215
NUECES Y CHOCOLATE
    CUADRITOS DE 344

Ñ

ÑAME BUÑUELOS DE 115
ÑAME CONSERVAS DE 177
ÑAME DULCE DE 186
ÑAME PASTEL DE 130
ÑAME PURE DE 108
ÑAME SOPA DE CREMA DE
    AUYAMA O 43
ÑAME SOPA DE ZARAGOZAS
    BLANCAS CON 42
ÑAME TORTA DE 137
ÑAME CON APIO SOPA DE 43
ÑAME CON QUESO SOPA
    O MOTE DE 198
ÑAME EN TROCITOS SOPA DE 43
ÑAME GUISADO YUCA O 108
ÑAME RELLENO 109
ÑEQUE O PACA 81

O

OMELETTE 292
OSSOBUCO 249
OSTIONES COCTEL DE 52
OSTIONES SOPA DE 42
OSTIONES TORTA DE 238
OSTIONES RELLENOS 52
OSTRAS AL AJILLO 233
OSTRAS AL NATURAL 52

P

PAELLA A LA VALENCIANA 276
PALANCINES 173

PALITOS DE QUESO	117	
PALITOS DE QUESO (OTRA)	118	
PALITOS DE YUCA FRITOS	116	
PALMITO AMARGO MOTE DE	103	
PALMITO DULCE ENSALADA DE	103	
PALOMAS AL VINO	256	
PAN HUEVOS EN RUEDAS DE	64	
PAN PASTEL DE	129	
PAN PESCADO CON POLVO DE	55	
PAN POLLO FRITO CON		
POLVO DE	88	
PAN TORTA DE	136	
PAN DE DATILES Y NUECES	309	
PAN DE ESPECIAS	172	
PAN DE JENGIBRE	311	
PAN DE MAIZ	311	
PAN DE MOLDE	310	
PAN DE PAPA	311	
PAN DE YUCA	172	
PAN DE YUCA (OTRO)	174	
PAN EN CAZUELA SOPA DE	199	
PAN FRIO DE ATUN	236	
PAN Y QUESO PESCADO CON		
POLVO DE	56	
PAN Y QUESO TORTA DE	137	
PANCAKE	310	
PANDERITO	168	
PANDERITOS DE QUESO	168	
PANECITOS	310	
PANECITOS (OTRA)	311	
PANECITOS AMERICANOS	310	
PANECITOS DE CANELA	309	
PANELA ALFAJORES BLANCOS DE	162	
PANELA COCADAS CON	163	
PANELA POSTA CON	85	
PANES DE LECHE CORTADA	311	
PANES RELLENOS	117	
PANOCHAS	167	
PAPAS CALAMARES CON	236	
PAPAS CROQUETAS DE	113	
PAPAS ENSALADA DE	103	
PAPAS ENSALADA DE	316	
PAPAS GALLINA GUISADA CON	89	
PAPAS HUEVOS CON PURE DE	64	
PAPAS PAN DE	311	
PAPAS PASTEL DE GALLINA Y	131	
PAPAS PURE DE	111	
PAPAS REVOLTILLO DE	65	
PAPAS TORTA DE	139	
PAPAS A LA FRANCESA	298	
PAPAS A LA IMPORTANCIA	297	
PAPAS A LA MAITRE D'HOTEL	298	
PAPAS CHORREADAS	199	
PAPAS CON PEREJIL	113	
PAPAS CUBIERTA	108	
PAPAS DUQUESA	298	
PAPAS MUSELINA	297	
PAPAS NAPOLITANA	290	
PAPAS RELLENAS CON CERDO	109	
PAPAYA REFRESCO DE	33	
PAPAYA MADURA JALEA DE	185	
PAPAYA VERDE DULCE DE	180	
PAPAYA VERDE CON PIÑA		
DULCE DE	180	
PASAS ARROZ FRITO CON		
COCO Y	93	
PASAS ARROZ HERVIDO CON		
COCO Y	94	
PASAS BARRITAS DE MIEL Y	330	
PASAS GUARTINAJA RELLENA		
CON ARROZ CON COCO Y	82	
PASAS PASTEL DE	148	
PASAS PICHONES RELLENOS		
CON ARROZ CON	89	
PASAS QUESO RELLENO DE		
ARROZ CON	96	
PASAS TORTA DE	136	
PASTA ARENOSA	148	
PASTA CLARA ELENA	321	
PASTA DE CASTILLA	129	
PASTA DE LECHE CALIENTE	323	
PASTA DE PASTELITOS	324	
PASTA DE QUESO CERVEZA	212	
PASTA PARA PASTELES	323	
PASTA PARA PASTELES Y		
PASTELITOS	329	
PASTA POLVOROSA	166	
PASTEL ARENOSO DE POLLO		
(PLATO GRANDE)	263	
PASTEL CHIFFON DE CHOCOLATE	334	
PASTEL DE AÑO NUEVO	351	
PASTEL DE CARNE SALADA	130	
PASTEL DE CASABE	131	
PASTEL DE CEBOLLA ALEMAN	324	
PASTEL DE COCO	147	
PASTEL DE COCO (OTRO)	347	
PASTEL DE CREMA DE COCO		
(PLATO GRANDE)	148	
PASTEL DE DATILES	323	
PASTEL DE GALLINA Y PAPA	131	
PASTEL DE HOJALDRE	271	
PASTEL DE LIMON	329	
PASTEL DE MAMEY	156	
PASTEL DE MANGO	157	
PASTEL DE MANZANA	149	
PASTEL DE MANZANA	343	
PASTEL DE ÑAME	130	
PASTEL DE PAN	129	
PASTEL DE PAN (SOUFFLE)	129	
PASTEL DE PASAS	148	
PASTEL DE PECAN SUREÑO	339	
PASTEL DE POLLO	132	
PASTEL DE YUCA	129	
PASTELES DE ARROZ	99	
PASTELITOS DE CARNE	296	
PASTELITOS DE LAS POLANCO	130	
PASTELITOS DE QUESO	130	
PASTELITOS DELICADOS	321	
PATACONES	118	
PATAS A LA RIOJANA	259	
PATATAS A LA ESPAÑOLA		
TORTILLA DE	297	
PATE DE CHAMPIÑONES	254	
PATE DE HIGADO DE CERDO	254	
PATE DE HIGADO DE CERDO	293	
PATE DE POLLO CON PIMENTON	253	
PATILLA REFRESCO DE	34	
PATITAS DE CERDO EN SALSA	84	
PATO ARROZ CON	100	
PATO AL VINO	86	
PATOS GUISADOS CON HONGOS	257	
PATOS SALVAJES AL VINO	250	
PAVO CANAPES DE	216	
PAVO ENSALADA DE	316	
PAVO MOLDE DE	264	
PAVO AMERICANO RELLENO	268	
PAVO RELLENO	87	
PAVO RELLENO A LA CRIOLLA	87	
PAVO TRUFADO	268	
PECAN PASTEL DE	339	
PECHUGAS CON SALSA SUPREMA	268	
PEPINO SANDWICHES DE		
QUESO Y	213	
PEPINOS CRUDOS		
ZANAHORIAS O	212	
PEPITORIA ARROZ CON	204	
PERAS ENSALADA DE	315	
PERDICES A LA CRIOLLA	255	
PERDICES CON REPOLLO	254	
PEREJIL PAPAS CON	113	
PERNIL DE CERDO	82	
PERNIL DE CERDO	267	
PESCADITOS ARROZ CON	101	
PESCADO BOLAS DE	56	
PESCADO BOLITAS DE	211	
PESCADO CONCHAS DE		
MARISCOS O	60	
PESCADO ESCABECHE DE	238	
PESCADO FLAN DE	57	
PESCADO MOLDE DE	239	
PESCADO SOBREUSA DE	56	
PESCADO A LA DIABLA		
CANAPES DE	57	
PESCADO A LA DUGLERE	228	
PESCADO A LA HOLANDESA	230	
PESCADO A LA MARINERA	238	
PESCADO A LA VASCA	236	
PESCADO AL CHAMPAÑA	238	

PESCADO AL GRATIN	227	PLATANO GUISADO	183	POLLO CON HONGOS	252
PESCADO AL HORNO	55	PLATANO MADURO ARROZ CON	100	POLLO CON PIMENTON PATE DE	253
PESCADO AL HORNO	58	PLATANO MADURO CARNE		POLLO CUBANO ARROZ CON	277
PESCADO AL HORNO MOLDE DE	56	SALADA CON	72	POLLO ENVUELTO EN REPOLLO	252
PESCADO CON POLVO DE		PLATANO MADURO TAJADAS DE	118	POLLO FRITO CON POLVO DE PAN	88
PAN QUESO	56	PLATANO MADURO TORTILLA DE	138	POLLO GUISADO A LA	
PESCADO CON POLVO DE PAN	55	PLATANO MADURO QUESO		CARTAGENERA	88
PESCADO CON SALSA ROMAN	56	TORTILLA DE	140	POLLO IMPERIAL	265
PESCADO DE VERANO	237	PLATANO VERDE SOPA DE	47	POLLO O RIÑONES EN VINO	
PESCADO EN CACEROLA	227	PLATANO VERDE TAJADAS DE	118	MENUDILLOS DE	253
PESCADO MERCEDES	236	PLATANO VERDE ASADO	109	POLLO CURRY BOLITAS DE	212
PESCADO O JAMON CROQUETAS		PLATANO Y ARROZ TORTA DE	101	POSTA CON CEBOLLITA	74
DE POLLO	264	PLATANO Y QUESO TORTILLA DE	140	POSTA CON PANELA	85
PESCADO RELLENO	238	PLATANOS DULCE DE	181	POSTA DE CARNE MECHADA	74
PESCADOS ADOBO DE	237	PLATANOS JALEA DE	185	POSTA NEGRA	75
PESCADOS CONSEJOS PARA LOS	51	PLATANOS ASADOS CON KOLA		POSTA NEGRA CON VINO	75
PETO	142	ROMAN	107	POSTAS DE LEBRANCHE	54
PICADA MEXICANA DE QUESO	214	PLATANOS ASADOS CON LECHE		POSTRE CARAQUEÑO	349
PICADILLO (PLATO CUBANO)	264	DE COCO	107	POSTRE DE BIZCOCHOS CON	
PICHONES CON NARANJAS		PLATANOS MADUROS ASADOS	107	CREMA DE COCO	348
DULCES	256	POLENTA CON SALCHICHA	284	POSTRE DE CUATRO LECHES	352
PICHONES RELLENOS CON		POLVO DE PAN POLLO FRITO CON	88	POSTRE DE BIZCOCHOS CON	
ARROZ CON PASAS	89	POLVORONES	173	MANZANAS	349
PIMENTON PATE DE POLLO CON	253	POLLITO TIA CLARA	88	POSTRE DE CAFE	155
PIÑA CAKE DE	332	POLLO AJIACO DE	200	POSTRE DE CAFE O CHOCOLATE	332
PIÑA CONSERVAS DE	178	POLLO ARROZ CON	100	POSTRE DE COCO	154
PIÑA CREMA DE	154	POLLO ENSALADA DE	316	POSTRE DE COCO CON CREMA	
PIÑA DULCE DE	180	POLLO FIAMBRE DE	271	DE CARAMELO	151
PIÑA ESPONJADO DE	347	POLLO MACARRONES CON	110	POSTRE DE GALLETICAS	150
PIÑA FLAN DE	152	POLLO MACARRONES CON	266	POSTRE DE GUAYABA	155
PIÑA FLAN DE	351	POLLO MARROQUI	271	POSTRE DE LA BISABUELA	137
PIÑA HELADO DE	191	POLLO MOLDE DE ESPARRAGOS	288	POSTRE DE MARSHMALLOWS	335
PIÑA JALEA DE	186	POLLO PASTEL ARENOSO DE	263	POSTRE DE NATAS	199
PIÑA POSTRE DE	155	POLLO PASTEL DE	132	POSTRE DE PIÑA	155
PIÑA QUESO DE	164	POLLO PESCADO O JAMON		POSTRE HELADO	153
PIÑA TORTA DE	136	CROQUETAS DE	264	POSTRE INGLES	150
PIÑA NEVADA	155	POLLO QUESO DE	265	POSTRE MARIA	153
PIÑA ARROZ REFRESCO DE		POLLO ROLLO DE	251	POSTRE MERCEDES	353
CASCARAS DE	34	POLLO ROSCA DE	266	POSTRE SUPREMO	154
PIONONO	173	POLLO ROSCA DE ARROZ CON		POTAJE DE GARBANZOS	299
PIONONO	345	RAGOUT DE	265	POTAJE DE VIGILIA	239
PIPIAN	202	POLLO SANDWICHES DE	214	PREPARACION DEL TE	193
PIPIAN TAMALES DE	201	POLLO SOPA CASERA DE	44	PRIMOS HERMANOS	173
PISTO MANCHEGO	230	POLLO A LA ABUELA	88	PROCEDIMIENTO PARA EXTRAER	
PLATANITOS DULCE DE	182	POLLO A LA CHILINDRON	252	EL COLOR DEL ACHIOTE	93
PLATANITOS TORTA DE	131	POLLO A LA CHORRERA		PUDIN A LA REINA	336
PLATANITOS ASADOS	108	ARROZ CON	278	PUDIN AMARILLO ESPONJOSO	328
PLATANO ARROZ CON COCO		POLLO A LA ITALIANA	267	PUDIN CABINET	351
AUYAMA YUCA O	94	POLLO A LA KING	253	PUDIN CLARA HELENA	340
PLATANO BOLLO DE	120	POLLO A LA MARENGO	251	PUDIN DE ALMENDRAS	338
PLATANO CONSERVAS DE	178	POLLO A LA VALENCIANA	253	PUDIN DE ANGEL	341
PLATANO MAZAMORRA DE	141	POLLO AL CURRY	258	PUDIN DE CAFE	150
PLATANO CON PIÑA DULCE DE	181	POLLO AL HORNO CON JEREZ	250	PUDIN DE CAFE Y ESPECIAS	327
PLATANO CON QUESO		POLLO AL WHISKY	251	PUDIN DE CARAMELO	151
TAJADAS DE	108	POLLO CON COCO	88	PUDIN DE CARNE	247
PLATANO EN TENTACION	183	POLLO CON ESPARRAGOS	252	PUDIN DE CHOCOLATE	150

PUDIN DE CHOCOLATE	350
PUDIN DE CIRUELAS PASAS	344
PUDIN DE CIRUELAS PASAS (OTRO)	347
PUDIN DE CREMA CON FRUTAS	348
PUDIN DE GALLINA	264
PUDIN DE GOMAS DE NARANJA	352
PUDIN DE JAMON Y QUESO	298
PUDIN DE LECHE Y COCO	342
PUDIN DE LIBRA	150
PUDIN DE LIMON	334
PUDIN DE MAIZ	137
PUDIN DE MANZANAS	352
PUDIN DE MATRIMONIO	148
PUDIN DE NARANJA	327
PUDIN DE SALMON	239
PUDIN DE TOMATE	291
PUDIN DE VERDURAS	292
PUDIN DE ZANAHORIA	346
PUDIN MOKA	338
PUDIN NEGRO	149
PUDIN NEGRO DE CHOCOLATE	345
PUDIN NEGRO DE CHOCOLATE (OTRO)	347
PUDIN NEGRO ESTILO AMERICANO	351
PUDIN SANTORTE	348
PUDIN SORPRESA	349
PUDIN UNO DOS TRES CUATRO	338
PUDINCITOS DE GALLINA	266
PUDINCITOS DE JAMON	260
PUERROS AL HORNO	293
PUNTA DE NALGA (O DE ANCA)	75
PUNTA O LOMO DE PELLEJO AL HORNO	85
PURE DE AUYAMA	103
PURE DE ÑAME	108
PURE DE PAPA	111

Q

QUESILLO DE ALMENDRAS	163
QUESILLO DE ALMENDRAS (OTRO)	166
QUESITO DE COCO	163
QUESITOS DE CHOCOLATE	164
QUESO AREPA DE	203
QUESO ARROZ CON	275
QUESO ASADO DE	139
QUESO BOLITAS DE	118
QUESO BOLITAS ESTILO AMERICANO DE	212
QUESO CANAPES DE	215
QUESO CANAPES DE AGUACATE Y	211
QUESO CREMA DE	211

QUESO CROQUETAS DE	213
QUESO CROQUETAS FONDUE DE	214
QUESO DEDALES DE	117
QUESO DULCE DE	184
QUESO GALLETAS DE	169
QUESO GALLETAS DE	171
QUESO GALLETAS DE	323
QUESO MUFFINS DE	322
QUESO PALITOS DE	117
QUESO PALITOS DE	118
QUESO PANDERITOS DE	168
QUESO PASTELITOS DE	130
QUESO PESCADO CON POLVO DE PAN Y	56
QUESO PICADA MEXICANA DE	214
QUESO PUDIN DE JAMON Y	298
QUESO SANDWICHES DE	215
QUESO SANDWICHES DE JAMON	215
QUESO SOPA DE	221
QUESO SOPA O MOTE DE ÑAME CON	198
QUESO SOUFFLE DE	290
QUESO SOUFFLE DE ESPARRAGOS Y	286
QUESO TAJADAS DE PLATANO CON	108
QUESO TORTA DE	136
QUESO TORTA DE PAN Y	137
QUESO TORTILLA DE PLATANO Y	140
QUESO CRIOLLO ARROZ CON COCO Y	95
QUESO DE COCO	163
QUESO DE COCO (OTRO)	164
QUESO DE GUANABANA	164
QUESO DE PIÑA	164
QUESO DE POLLO	265
QUESO RELLENO DE ARROZ CON PASAS	96
QUESO ROQUEFORT CREMA DE	211
QUESO Y CERVEZA PASTA DE	212
QUESO Y CURRY BOLITAS DE	212
QUESO Y PEPINO SANDWICHES DE	213
QUESO PICANTE ENSALADA HELADA DE	317
QUIBBE	246
QUICHE LORRAINE	288

R

RABO A LA FINANCIERE	245
RABO ALCAPARRADO	260
RABO ENCENDIDO	277
RABO O COLA DE BUEY SOPA DE	45
RAGOUT DE CARNE	77

RAGOUT DE GALLINA	265
RAVIOLI	112
REFRESCO DE ANON	34
REFRESCO DE CASCARA DE PIÑA Y ARROZ	34
REFRESCO DE CEREZAS	32
REFRESCO DE COROZO	32
REFRESCO DE GUANABANA	34
REFRESCO DE GUAYABA	33
REFRESCO DE MANGO	34
REFRESCO DE MARACUYA	33
REFRESCO DE MARAÑON	35
REFRESCO DE MELON	34
REFRESCO DE PAPAYA	33
REFRESCO DE PATILLA	34
REFRESCO DE TAMARINDO	32
REFRESCO DE UVITAS DE PLAYA	35
REFRESCO DE ZAPOTE	33
REGLA GENERAL PARA SAZONAR CARNE	71
RELLENO DE PIPIAN	202
REMOLACHA ENTREMESES DE	213
REMOLACHA CON CREMA	291
REPOLLITAS	323
REPOLLITAS DE YUCA	116
REPOLLO ENSALADA AGRIDULCE DE	317
REPOLLO ENSALADA DE	103
REPOLLO PERDICES CON	254
REPOLLO POLLO ENVUELTO EN	252
REPOLLO CRUDO ENSALADA DE	286
REPOLLO MORADO	287
REPOLLO RELLENO	111
REPUBLICANOS	165
RESBALADERA	31
REVOLTILLO DE CAMARONES	66
REVOLTILLO DE CANGREJOS	67
REVOLTILLO DE CHORIZOS	66
REVOLTILLO DE HICOTEA	66
REVOLTILLO DE PAPAS	65
RIÑONES	81
RIÑONES AL VINO BLANCO	247
RIÑONES CON VINO TINTO	248
RIÑONES EN CHUZOS	81
RIÑONES EN VINO MENUDILLOS DE POLLO O	253
RIÑONES EXQUISITOS	247
ROAST-BEEF	245
ROLLITOS DE CARNE	80
ROLLITOS DE CARNE O CERDO	79
ROLLO CON RELLENO DE CHOCOLATE	336
ROLLO DE CARNE	249
ROLLO DE CARNE MOLIDA	80
ROLLO DE CHOCOLATE	335
ROLLO DE HARINA Y CERDO	262

ROLLO DE LANGOSTA
   CAMARONES O SALMON   228
ROLLO DE NARANJAS   328
ROLLO DE POLLO   251
ROSCA DE ARROZ CON RAGOUT
   DE POLLO   265
ROSCA DE POLLO   266
RUNDOWN (RONDON)   208
RUYAS DE MAIZ   197
RUYAS   203

S

SABALO SANCOCHO DE   41
SABALO GUISADO CON COCO   57
SABALO Y OSTIONES ARROZ CON
   ALMEJAS   98
SABOYANOS   173
SALCHICHAS POLENTA CON   284
SALCHICHAS ATORMENTADAS   113
SALCHICHAS CRIOLLAS   68
SALCHICHITAS ENVUELTAS   215
SALMON FLAN DE   229
SALMON MOUSSE DE   232
SALMON PUDIN DE   239
SALMON ROLLO DE LANGOSTA
   CAMARONES O   228
SALMON O CAMARONES A LO
   DON CARLOS DE BORBON   239
SALPICON DE FRUTAS   338
SALSA AGRIDULCE   303
SALSA AGRIDULCE (OTRA)   304
SALSA BARBACOA PARA POLLO   304
SALSA BEARNESA   305
SALSA BECHAMEL   123
SALSA BLANCA   124
SALSA BLANCA (PARA
   SOUFFLES)   124
SALSA BLANCA DURA   123
SALSA DE ALCAPARRAS   124
SALSA DE CARAMELO Y
   ALMENDRAS   335
SALSA DE CHOCOLATE CALIENTE
   (PARA HELADOS)   334
SALSA DE LIMON   303
SALSA DE MANTEQUILLA
   QUEMADA   304
SALSA DE TOMATE   304
SALSA DE TOMATE LENGUA EN   261
SALSA DE TOMATES NATURALES   124
SALSA DE TOMATES NATURALES
   (OTRA)   125
SALSA MAYONESA   124
SALSA MUSELINA   303
SALSA NEGRA CARNE CON   74
SALSA NEGRA HUEVOS CON   63

SALSA PARA CARNES ASADAS
   (BARBACOA)   304
SALSA PARA ENSALADAS   315
SALSA PARA MACARRONES   291
SALSA ROSADA   304
SALSA SUPREMA   305
SALSA TARTARA   304
SALSA VERDE   303
SALSA VINAGRETA   125
SALSAS CONSEJOS PARA LA   123
SANCOCHITO DE CAMARONES   48
SANCOCHO (SECO PARA EL
   ALMUERZO)   197
SANCOCHO DE BOCACHICO   40
SANCOCHO DE GALLINA
   CARTAGENERO   41
SANCOCHO DE SABALO   41
SANDWICHES DE ALMENDRAS
   NUECES O AVELLANAS   215
SANDWICHES DE ATUN   214
SANDWICHES DE HUEVO   213
SANDWICHES DE JAMON   214
SANDWICHES DE JAMON FRITO   216
SANDWICHES DE JAMON Y
   QUESO   215
SANDWICHES DE LENGUA   215
SANDWICHES DE PERNIL
   DE CERDO   215
SANDWICHES DE POLLO   214
SANDWICHES DE QUESO Y
   PEPINO   213
SANDWICHES DE QUESO   215
SANDWICHES DE VERDURA   216
SANGRIA   30
SARDINAS BOLAS DE   57
SARDINAS MACARRONES CON   285
SELELE CON CANGREJO   41
SELELE O SOPA DE FRIJOLITOS
   VERDES   42
SESOS BUÑUELOS DE   77
SESOS SOPA DE   46
SESOS TORTA DE   138
SESOS CON MANTEQUILLA
   QUEMADA   77
SESOS CUBIERTOS   77
SESOS GUISADOS   77
SEVICHE O CEBICHE PERUANO   227
SOBREBARRIGA   200
SOBREUSA DE PESCADO   56
SOPA BORRACHA PANAMEÑA   346
SOPA DE AJIES RELLENOS   47
SOPA DE AJO CON COSTRA   221
SOPA DE ALBONDIGA   48
SOPA DE ALMEJA   231
SOPA DE ARROZ   47
SOPA DE BERROS   220

SOPA DE BOFE O GUISO   40
SOPA DE BOLLITOS   47
SOPA DE BUÑUELOS DE HARINA   47
SOPA DE CANDIA CON CERDO   41
SOPA DE CANDIA CON MOJARRA   40
SOPA DE CEBOLLA   219
SOPA DE CEBOLLA A LA
   FRANCESA   220
SOPA DE CEBOLLA EN CAZUELA   220
SOPA DE CODILLO   46
SOPA DE CREMA DE AUYAMA O
   DE ÑAME   43
SOPA DE CREMA DE CEBOLLA   220
SOPA DE CREMA DE COCO   42
SOPA DE CREMA DE COLIFLOR O
   DUBARRY   221
SOPA DE CREMA DE MAIZ   39
SOPA DE CREMA DE TOMATE   220
SOPA DE CREMA DE YUCA   43
SOPA DE ESPARRAGOS   222
SOPA DE FRIJOLES BLANCOS   221
SOPA DE FRIJOLES ROJOS CON
   CHICHARRONES   44
SOPA DE GARBANZOS   42
SOPA DE LECHUGA   222
SOPA DE LENGUA   45
SOPA DE LENTEJA   44
SOPA DE MAIZ TIERNO   42
SOPA DE MONDONGO   44
SOPA DE ÑAME CON APIO   43
SOPA DE ÑAME EN TROCITOS   43
SOPA DE OSTIONES   42
SOPA DE PAN EN CAZUELA   199
SOPA DE PLATANO VERDE   47
SOPA DE POLLO CASERA   44
SOPA DE QUESO   221
SOPA DE RABO O COLA DE BUEY   45
SOPA DE SESO   46
SOPA DE TOMATE   47
SOPA DE TORTUGA   43
SOPA DE VERDURAS   48
SOPA DE YUCA EN TROCITOS   43
SOPA DE ZARAGOZAS BLANCAS
   CON ÑAME   42
SOPA JULIANA   222
SOPA MINESTRONE   219
SOPA O CREMA DE ALCACHOFA   221
SOPA O MOTE DE ÑAME CON
   QUESO   198
SOPA O POTAJE SAINT GERMAN   223
SOUFFLE DE ALCACHOFA   294
SOUFFLE DE CAMARONES   228
SOUFFLE DE ESPARRAGOS QUESO   286
SOUFFLE DE ESPINACAS   284
SOUFFLE DE MAIZ   288
SOUFFLE DE QUESO   290

SOUFFLE DE ZANAHORIA	287	TORTA DE ARROZ	137	RIÑONES EN	253
SOUFFLE DE ZANAHORIA Y		TORTA DE GUAYABA	136	VINO MONDONGO CON	267
LANGOSTINOS	292	TORTA DE HUEVO	66	VINO PALOMAS AL	256
STEACK EN SALSA DE VINO	247	TORTA DE MACARRONES	139	VINO PATO AL	86
SUSPIRO DE LOS ANGELES	170	TORTA DE ÑAME	137	VINO PATOS SALVAJES AL	250
SUSPIROS O PANDEROS	167	TORTA DE OSTIONES	238	VINO POSTA NEGRA CON	75
		TORTA DE PAN	136	VINO STEACK EN SALSA DE	247
T		TORTA DE PAN Y QUESO	137	VINO TORTICAS DE	138
		TORTA DE PAPA	139	VINO BLANCO RIÑONES AL	247
TABLETA	166	TORTA DE PASAS	136	VINO O RON MAMEY CON	35
TALLARINES CON ATUN	285	TORTA DE PIÑA	136	VINO TINTO BARRAQUETES CON	257
TAJADAS DE PLATANO		TORTA DE PLATANITO	131	VINO TINTO CONEJO CON	269
CON QUESO	108	TORTA DE PLATANO Y ARROZ	101	VINO TINTO CORAZON CON	85
TAJADAS DE PLATANO MADURO	118	TORTA DE QUESO	136	VINO TINTO LEBRANCHE	
TAJADAS DE PLATANO VERDE	118	TORTA DE SESOS	138	FRITO CON SALSA DE	55
TAMAL EN CAZUELA	290	TORTA MOKA	341	VINO TINTO RIÑONES CON	248
TAMALES	131	TORTA ÑOCLOS	136	VIUDA DE BOCACHICO	40
TAMALES DE PIPIAN	201	TORTA PASCUALINA DE MAIZ	294	VIUDA DE CARNE SALADA	198
TAMALES O HAYACAS	205	TORTA SECA	139		
TAMARINDO BOLAS DE	178	TORTICAS DE VINO	138	**Y**	
TAMARINDO CONSERVA O		TORTILLA DE ATUN	295		
PASTA DE	178	TORTILLA DE BERENJENA	295	YEMITAS DE COCO	166
TAMARINDO GUARTINAJA		TORTILLA DE CAFE	295	YUCA AREPITAS DE	116
RELLENA CON HOJAS DE	256	TORTILLA DE PATATAS A LA		YUCA BOLLO DE	120
TAMARINDO JALEA DE	178	ESPAÑOLA	297	YUCA PALITOS DE	116
TAMARINDO REFRESCO DE	32	TORTILLA DE PLATANO		YUCA PAN DE	172
TAMARINDO VERDE DULCE DE	184	MADURO	138	YUCA PAN DE	174
TARTA MUSICAL	343	TORTILLA DE PLATANO Y QUESO	140	YUCA PASTEL DE	129
TE PREPARACION DEL	173	TORTUGA BISTE DE	59	YUCA REPOLLITAS DE	116
TIMBAL DE MACARRONES	263	TORTUGA SOPA DE	43	YUCA SOPA DE CREMA DE	43
TOMATE BAGRE CON	58	TOSTADAS CON HONGOS	285	YUCA EN TROCITOS SOPA DE	43
TOMATE CAMARONES EN	59	TRES EN UNO	164	YUCA FRITA	118
TOMATE CARNE SALADA CON	72	TRIGO CUCHUCO DE	197	YUCA O ÑAME GUISADO	108
TOMATE CODILLOS CON	83	TURMADA	205	YUCA O PLATANO ARROZ	
TOMATE CONSERVAS DE	178	TURRON DE MANI	162	CON COCO Y AUYAMA	94
TOMATE DULCE DE	181				
TOMATE HUEVOS PERICOS CON		**U**		**Z**	
CEBOLLA	64				
TOMATE PUDIN DE	291	UVAS COCTEL DE	29	ZANAHORIA SOUFFLE DE	287
TOMATE SALSA DE	304			ZANAHORIA LANGOSTINOS	
TOMATE SOPA DE	47	**V**		SOUFFLE DE	292
TOMATES ENSALADA DE	102			ZANAHORIAS PUDIN DE	346
TOMATES ENSALADA DE	213	VENADO ASADO (BISTE		ZANAHORIAS O PEPINOS	
TOMATES SOPA DE CREMA DE	220	CHULETAS)	258	CRUDOS	212
TOMATES NATURALES SALSA DE	124	VERDURAS CUAJADO DE	140	ZAPOTE DULCE DE	180
TOMATES NATURALES SALSA DE	125	VERDURAS PUDIN DE	292	ZAPOTE HELADO DE	191
TOMATES RELLENOS CON		VERDURAS SANDWICHES DE	216	ZAPOTE REFRESCO DE	33
CAMARONES	111	VERDURAS SOPA DE	48	ZARAGOZAS BLANCAS	110
TOMATES RELLENOS CON CERDO	114	VICHYSSOISE	223	ZARAGOZAS BLANCAS CON	
TORREJAS	330	VIGILIA POTAJE DE	239	ÑAME SOPA DE	42
TORTA DE AVELLANAS		VINO CONEJO CON	86	ZARZUELA O CAZUELA DE	
Y CHOCOLATE	353	VINO MENUDILLOS DE POLLO O		MARISCOS	233